GRANDI CLASSICI
TASCABILI MARSILIO

Omero
ODISSEA

a cura di Maria Grazia Ciani
commento di Elisa Avezzù

GRANDI CLASSICI **tascabili** Marsilio

«Tascabili Marsilio» periodico mensile n. 136/2000

Direttore responsabile Cesare De Michelis
Registrazione n. 1138 del 29.03.1994
del Tribunale di Venezia
Registro degli operatori di comunicazione-ROC n. 6388

Traduzione dal greco di Maria Grazia Ciani
Commento e bibliografia generale di Elisa Avezzù

© 1994, 2000 by Marsilio Editori® S.p.A in Venezia
Prima edizione: gennaio 2000
Terza edizione riveduta e aggiornata: dicembre 2003
Quinta edizione: novembre 2005
ISBN 88-317-7426-3
www.marsilioeditori.it

Stampato da
Grafica Veneta S.p.A., Trebaseleghe (PD)

EDIZIONE

10   9   8   7   6   5

2008   2007   2006   2005

RITORNO A ODISSEO

«Dove stiamo dunque andando?»
«Sempre verso casa»
(Novalis, *Enrico di Ofterdingen*)

L'eroe dalla mente accorta: polymetis

Fin dagli inizi e per tutto il corso della loro storia i Greci hanno distinto l'intelligenza attiva ed esecutrice da quella inattiva e contemplante, definendo la prima con il termine *metis*, la seconda con il termine *nous*. L'intelligenza attiva, che prima di agire prevede e calcola, è per la sua stessa natura dotata di abilità e di prudenza, di astuzia e di pazienza. E molto astuto (*polymetis*), molto abile (*polymechanos*), molto paziente (*polytlas*) – qualità peraltro tipiche dei protagonisti delle fiabe – è, per definizione, Odisseo, personaggio omerico dalle radici antiche, che rinviano a stadi pre-greci, al mondo primitivo del folclore magico e delle saghe popolari[1].

Polymetis e *polymechanos* sono termini che in Omero indicano un'intensificazione della qualità, senza risvolti ambigui[2]. Sono doti attribuite a Odisseo fin dall'*Iliade* e trovano il loro riscontro esemplare nel decimo canto – il canto cosiddetto di Dolone –, in cui Odisseo e Diomede, affiancati nella spedizione notturna in campo troiano, si configurano come simboli di due nature diverse, l'una dotata – secondo la definizione di Apuleio nel *De deo Socratis* – di «consilium, mens, animus», l'altra di «auxilium, manus, gladius». Per un'impresa in cui la forza sola, e il coraggio e l'audacia, non bastano, l'apporto della *metis* è complemento necessario al buon esito dell'azione. Quando più tardi l'impresa si rivelerà al di là di ogni forza, soltanto la *metis* – soltanto Odisseo – potrà aver ragione dell'imprendibile Troia.

Guerriero tra i guerrieri, l'Odisseo dell'*Iliade* tradisce tuttavia, nel confronto con gli altri eroi, una diversità che, se non lo emargina, certo lo contraddistingue. Sfuggono ai canoni dell'aristocrazia guerriera il suo tipo fisico, l'audacia sempre prudente e mai d'assalto, lo stesso genere di eloquenza: pratica, funzionale, mirata. Così come esula dalla concezione narratologica dell'*Iliade*, che tende a giustapporre una serie di episodi eroici, il fatto che le azioni di Odisseo sembrano far parte di un disegno, di un piano preordinato che riconduce tutto allo scopo finale, la conquista della Città.

Ogni atto di Odisseo, infatti, non si esaurisce in se stesso ma si carica di significati, lascia dietro di sé una traccia, e alla fine le tracce si riuniscono per segnare un preciso itinerario. Odisseo appare come colui che riannoda i fili strappati, che sorveglia e garantisce gli esiti. Nei momenti cruciali, di crisi o di svolta nell'azione, suo è il gesto decisivo e determinante che corregge le deviazioni e imprime la nuova direzione agli eventi: Odisseo riconduce Criseide al padre e celebra, con un solenne sacrificio, la fine dell'ira di

Apollo contro i Greci; Odisseo strappa lo scettro ad Agamennone per impedire d'autorità ai Greci di fuggire sulle navi; Odisseo fallisce la sua missione presso Achille per invitarlo a desistere dall'ira, ma subito dopo agisce in perfetta intesa con Diomede, quasi a indicare che l'*impasse* provocata dal ritiro del più forte degli eroi non è frattura irreparabile, che valore e saggezza, prudenza e audacia non sono inconciliabili[3]; Odisseo, infine, guida la regia della scena di riconciliazione tra Achille e Agamennone.

Decisive e determinanti appaiono anche quelle imprese oblique e furtive, non tutte registrate dall'*Iliade* proprio perché non rientrano nel codice guerriero, ma raccolte e tramandate dai mitografi. L'Odisseo che nel decimo canto dell'*Iliade* rapisce i cavalli bianchi di Reso è anche quello che, secondo altre fonti, ruba dall'acropoli di Troia la statua di Atena e sottrae a Filottete l'arco di Eracle. Ma sono gesti che la leggenda nobilita, rendendoli necessari, indispensabili al compimento dell'impresa: solo con l'arco di Eracle, solo con i cavalli di Reso, solo con il sacro Palladio sarà possibile espugnare Troia.

Le azioni di Odisseo sono tutte dirette a buon fine, l'uomo dalla mente accorta è davvero giusto e saggio. Non a caso, sempre nell'*Iliade*, la sua nave sta «nel mezzo», tra gli accampamenti di Achille e di Aiace, là dove sorgono i luoghi sacri delle assemblee e della giustizia e dove sono stati eretti gli altari degli dei[4].

Nell'*Iliade* ancora, la *metis* di Odisseo si coniuga con quella di Nestore, che proietta nel presente tutta l'esperienza del passato e, rievocando, ammonisce e consiglia, per orientare al meglio le azioni da intraprendere. Ne consegue che tra il decano degli eroi e il re di Itaca vi è intesa e identità di obiettivi e di giudizi, vi è una affinità di sentimenti che sarà ribadita e confermata anche nell'*Odissea*.

Ma, soprattutto, la *metis* di Odisseo eguaglia quella di Zeus, vigile, avveduta, mediatrice. «Pari a Zeus nella *metis*» (Διὶ μῆτιν ἀτάλαντος) è l'Odisseo di Omero, e ciò conferma l'alto profilo della sua «astuzia», posta com'è sotto il segno della divinità massima, il dio della forma che non conosce, come altri dei, l'arte della seduzione e dell'inganno[5].

Il protagonista dell'*Odissea* non è, sostanzialmente, diverso dall'eroe dell'*Iliade*, né è diversa la qualità della sua *metis*. Unico è lo scopo del Viaggio, come lo era quello dell'Assedio: la conquista di una città, Itaca al posto di Troia. Sono mutate però le circostanze, che richiedono un uso molto più costante e articolato dell'intelligenza attiva contro insidie inaspettate, avversari sconosciuti, forze occulte. La scena muta di continuo e impone travestimenti, maschere, menzogne. Sopravvivere è un'arte che richiede abilità e prudenza, dissimulazione e audacia.

Per risolvere i problemi pratici e le situazioni contingenti, la *metis* si serve dell'inganno, dei *doloi* – di cui Odisseo si dichiara esperto – come strumenti di un'azione guidata da saggezza e che ha come fine ultimo la salvezza personale. In tale contesto *dolos* è frutto naturale di *metis* e la sua applicazione non è viziata da alcun giudizio morale[6]. Lo scarto si definisce chiaramente nell'opposizione fra *polymetis*, epiteto esclusivo di Odisseo, e *dolometis*, il termine che connota, per contrasto, la cattiva *metis* di Egisto e Clitennestra, nei confronti dei quali la vendetta di Oreste si definisce legittima e serve da giustificazione anticipata alla strage dei Pretendenti, che sarà compiuta da Odisseo.

Travestimenti e racconti bugiardi sono aspetti di altrettante metamorfosi, necessarie non solo alla sopravvivenza ma anche al mantenimento di un'identità costantemente minacciata. Come Proteo, Odisseo è costretto ad assumere tutte le forme, ma, come Proteo, anche lui è sostanzialmente «uomo che non mente» e «maestro di verità»[7]. Ancora e sempre, dunque, «pari a Zeus nella *metis*», anche se si muove sotto il segno di Atena, che sa trasformare la sapienza paterna, il *consilium* teoretico e perciò immutabile della divinità suprema, in saggezza pratica e tecnica.

La figura di Hermes, invece, «il dio di tutte le strade e di tutte le sorprese», con i suoi tratti di ladro e di imbroglione e con la sua *metis* furbesca, è tenuta, volutamente, nell'ombra[8].

Tuttavia, il confine che separa la preveggenza dalla macchinazione, la prudenza dalla viltà, il calcolo dall'imbroglio, è sottile e appare precario anche in molti punti dell'*Odissea*, là dove emergono, nella personalità dell'eroe, quei tratti che sembrano rinviare alla tradizione precedente, alla figura del personaggio pre-ellenico che appartiene al folclore universale. Essere *polymetis* e famoso per gli inganni può assumere allora una valenza negativa che mina alla base il personaggio costruito da Omero. Subito dopo Omero, infatti, nello spazio che intercorre fra l'epica e la tragedia, fra il mondo degli eroi e quello dei sofisti, l'ombra invade tutti i campi in cui opera Odisseo, dall'universo dell'azione a quello della parola. Subito dopo Omero, egli si ritrova «odiato da tutti» come quel nonno Autolico la cui sospetta parentela era stata accuratamente censurata nell'*Iliade*[9]: ricade quindi nell'equivoco delle sue dubbie origini, dell'oscuro passato di furfante. Già «maestro di verità», diventa, a immagine dei sofisti, manipolatore di molte verità e, come tale, punto di riferimento obbligato di ogni situazione critica e conflittuale. Così, quando nel quinto secolo la crisi politica travolge Atene, la pubblica opinione condanna, insieme a Cleone e Alcibiade, anche Odisseo, eletto a simbolo di tutte le devastazioni prodotte dall'uso distorto e corrotto della parola, dall'esercizio determinato del raggiro e della frode[10]. Si esaltano invece, nelle figure di Aiace e Filottete, le vittime «pure», gli onesti e i giusti nei quali ogni cittadino ateniese si identifica. E l'eroe omerico – da leone trasformato in volpe – diventa il capro espiatorio di tutta una generazione tradita.

La personalità che Omero aveva concepito unitaria, nella sua complessità, e monolitica, nonostante i travestimenti esteriori e l'uso sorvegliato dell'astuzia e della dissimulazione, si deteriora e si frantuma nella tradizione posteriore, coagulando intorno a sé le leggende meno edificanti, piegandosi alle più diverse manipolazioni. L'immagine dell'eroe omerico si degrada al punto da diventare irrecuperabile. Nel secondo secolo dopo Cristo, quando Filostrato vuole ridare un nome e un volto alla buona *metis* riabilitando, contro Platone, l'immagine egualmente degradata dei sofisti, dovrà resuscitare l'ombra di Palamede, il principe cretese le cui vicende si intrecciano con quelle di Odisseo in modo ambiguo e inquietante. Palamede, che prese parte alla spedizione contro Troia, era una sorta di *alter ego* di Odisseo, abile, ingegnoso, creativo: un personaggio destinato a emergere tra i principi guerrieri, a danno dell'eroe a lui più somigliante. Narrano i mitografi che Odisseo ordì contro di lui un complotto infame, per eliminarlo. Tra le colpe che la tradizione gli attribuisce, questa è senz'altro la più grave e non a caso Omero non vi accenna mai: sopprimere un compagno d'arme con l'inganno, per vili motivi, non era certo un gesto eroico, né rientrava in quel codice cavalleresco che l'*Iliade* celebra ed esalta. Nel dialogo intitolato *Eroikos*, Filostrato istituisce un aperto confronto fra Odisseo – uomo invidioso, maligno e dissimulatore e per di più guerriero di valore scarso – e un Palamede idealizzato nel quale non solo si assommano le virtù belliche di Aiace e di Achille, ma emergono anche la sapienza, l'abilità tecnica, la capacità inventiva, tutte le qualità positive della *metis* che in passato erano state patrimonio esclusivo di Odisseo.

In questo confronto fra i due personaggi si misura il rovesciamento totale dell'Odisseo creato da Omero[11].

L'uomo del lungo viaggio: polytropos

Un lungo cammino è quello che compie Odisseo per far ritorno in patria, dopo la guerra di Troia. Fra i tanti *nostoi* (viaggi di ritorno), il suo è il solo che unisca le componenti, entrambe narratologicamente gratificanti, di una peripezia straordinaria e di un avventuroso ed «eroico» lieto fine. Gli altri – dopo aver pagato il loro tributo ai difficili e precari percorsi della navigazione, come testimoniano ampiamente i resoconti di Menelao e di Nestore nell'*Odissea* stessa – si concludono per lo più tragicamente, oppure senza storia. Fra tutti, il ritorno di Agamennone si impone come paradigma esecrabile con il quale la vicenda di Odisseo viene messa continuamente a confronto.

Benché profondamente diversa nella sostanza, l'*Odissea* è strutturalmente modellata sull'*Iliade*. Dieci anni di assedio per conquistare Troia, dieci anni di viaggio per riconquistare Itaca[12]. In entrambi i casi, uno stratagemma per conseguire la vittoria: il cavallo di legno e la gara dell'arco, ideati, con precisi scopi e perfetta rispondenza di intenzioni, il primo da Odisseo, la seconda da Penelope.

Per dieci anni Odisseo vaga sul mare: il racconto dei suoi molti «errori» costituisce, insieme con la vendetta sui Proci, uno dei due temi portanti del poema. Entrambi fondamentali nell'economia della narrazione – così abilmente e attentamente costruita –, essi sembrano riflettere i due aspetti che in Odisseo convivono: l'antico protagonista di magiche avventure e il re guerriero che ritorna in patria.

Il Viaggio, dunque, e la Vendetta. Il primo, nel suo aprirsi alla dimensione dell'irrazionale e del fantastico, appare in qualche modo anche arcaico rispetto alla Vendetta che, ricollegandosi all'ideologia aristocratica dell'*Iliade*, risponde a una concezione più tipicamente omerica. Nella ricezione posteriore del poema accade, invece, il contrario: arcaica appare la Vendetta – al pari dell'*Iliade* stessa, rispetto all'*Odissea* –, mentre il Viaggio recupera e moltiplica tutte le sue valenze favolose e seduttrici.

Ma questo Viaggio di Odisseo, che in sé è portato a soddisfare l'immaginario collettivo configurandosi immediatamente come avventura ed evasione, ha invece una meta precisa e ben conosciuta e un itinerario che si qualifica sempre al negativo e si svolge perennemente al limite della catastrofe. L'«altrove» dell'*Odissea* precipita e sprofonda; il mondo degli inferi, Ade, è in scena per due volte, la stessa terra dei Feaci è paradiso ambiguo, forse un altro volto di Ade. Il Viaggio è come un lungo naufragio in cui l'unica terraferma – la sola realtà, il vero sogno – è Itaca.

Per raggiungerla Odisseo si fa *polytropos*. Il termine, posto al primo verso del poema, è parola-chiave e, come tale, determinante.

Ma l'incertezza sul suo significato è antica: da un lato la connotazione generica di «multiforme» che favorisce il sospetto di polivalenza e mutevolezza; dall'altro l'assimilazione a *polyplanktos*, col valore descrittivo di «colui che ha molto errato»[13]. Se però consideriamo nel loro insieme gli epiteti di Odisseo, non possiamo negare che, alle caratteristiche di *polymetis* e *polytlas* – qualità connaturate al personaggio fin dalle antiche origini – l'esperienza dell'impresa troiana aggiunge due connotazioni nuove: l'essere *ptoliporthos*, distruttore di città (o, come intendono alcuni, della Città, cioè di Troia), e, per immediata conseguenza, *polytropos*, «colui che ha errato tanto».

È dunque questo il senso che si preferisce dare all'epiteto con cui Omero presenta il «suo» Odisseo, a patto però di intenderlo alla lettera, senza risvolti romantici: perché il viaggio di Odisseo non è avventura desiderata, ma pauroso travaglio, come ogni viaggio che introduca l'uomo antico – fino all'avvento di Alessandro Magno – negli spazi di un mondo ancora poco conosciuto, soprattutto quando lo mette in balia di un elemento estraneo e infido come il mare.

«Il mare non fu mai amico dell'uomo... Non fedele verso alcuna razza, alla maniera della generosa terra...

impenetrabile e senza cuore... ignora compassione, fede, legge, memoria». La lucida constatazione di Joseph Conrad – oltre a riflettere una certezza condivisa anche dai più appassionati uomini di mare – traduce un sentimento comune al popolo greco e presente tanto nell'*Iliade* quanto nell'*Odissea*: un atteggiamento diffuso che impedisce ogni tentativo di identificare Odisseo con i grandi protagonisti dei romanzi cari alla tradizione occidentale, con gli eroi di Conrad, di Melville, di Stevenson, di Mutis. I Greci non amano il mare, non si affezionano alle navi, detestano i pesci, di cui si nutrono solo in caso di estrema necessità[14]. «Passare le acque» è perifrasi mortale che rinvia alla barca di Caronte, traghettatrice delle anime dei morti. Ma nemmeno questo lugubre passaggio è concesso a chi rimane privo di sepoltura: sappiamo che la perdita del corpo mortale è ciò che il guerriero omerico – e l'uomo greco in generale – teme più della morte stessa. Perciò la «morte per acqua» – che impedisce in modo definitivo il recupero del corpo e con esso lo svolgersi dei riti che assegnano al defunto un luogo definito sulla terra, una collocazione precisa nella memoria, un permesso di transito per l'Ade – è la più desolata e aborrita delle morti[15]. Solo una pesante, inevitabile necessità spinge l'uomo greco ad alzare l'albero e sciogliere le vele.

Saldamente legato alla terra, come quel tronco d'olivo inamovibile su cui ha inchiodato il suo letto nuziale, Odisseo è contrario a ogni mutamento. Non voleva, a suo tempo, lasciare Itaca per andare a Troia, non nutre illusioni sulla vita del guerriero[16], la gloria non è all'apice dei suoi sogni. Finita la guerra (nella quale comunque egli si impegna al pari degli altri, non tanto nella esibizione personale e spettacolare del duello, nell'*aristeia*, quanto nel tessere tenacemente la trama che conduce al raggiungimento dello scopo finale), non ha altro desiderio se non quello di tornare.

Né il viaggio di andata e la lunga vicenda dell'assedio e della conquista, né il viaggio di ritorno e i dieci anni di forzato vagabondaggio hanno il potere di trasformare l'uomo Odisseo, a cui le molteplici esperienze insegnano a esercitare al meglio le sue doti naturali – l'ingegno e la pazienza –, ma non ampliano gli orizzonti né aprono il cuore. Tutto si connota per lui – in rapporto alla sua isola, alla casa, alla famiglia –, come qualcosa di precario e transitorio: perché nessuna terra è Itaca, nessuna casa è la sua casa, nessuna donna è Penelope.

Ogni viaggio ha un punto di partenza e un punto di arrivo, ma per Odisseo le mete coincidono, l'itinerario è un cerchio, da Itaca a Itaca; Troia stessa non è che una lunga tappa intermedia. Odisseo torna a Odisseo tanto più padrone della propria identità quanto più è costretto a nasconderla, ad annullarla[17].

Il suo non è dunque né un viaggio iniziatico, anche se lo schema su cui si basa ne riproduce comunque il modello, né un itinerario verso il Bene per la salvezza dell'anima, né un ripiegarsi *in interiore homine* per una più incisiva presa di coscienza. L'iniziazione di Odisseo si è già compiuta al tempo della prima adolescenza, in quella caccia sul monte Parnaso durante la quale ricevette la ferita il cui segno lo identifica e lo distingue.

Quanto al cammino spirituale, non c'è ascesi nella peripezia di Odisseo e nulla nobilita i suoi cenci se non la ferma speranza di poterli scambiare alla fine con la porpora, riconquistando potere e regno. I suoi ideali sono rigorosamente terreni e l'immortalità che Calipso gli offre non ha alcun fascino per lui.

Infine, se Odisseo si ripiega su se stesso, è solo per ritrovare intatto il suo mondo mai dimenticato, l'identità mai scalfita e incrinata dagli eventi[18].

Il viaggio di Odisseo è un itinerario di invenzione e di memoria che mescola abilmente la realtà e la fantasia, due mondi tra i quali l'eroe, protagonista e narratore insieme, si pone al limite e si muove con la stessa sorvegliata padronanza con cui sosterà sulla soglia della sua casa, a Itaca, passando e ripassando l'invisibile confine che separa le due identità presenti nella sua persona, il mendicante e il re[19]. E tra l'uno e l'altro mondo egli trapassa senza metamorfosi, immerso in quel sonno che lo aiuta a collegare con naturalezza i passaggi più ambigui e straordinari.

È notte, infatti, quando Odisseo naufrago approda a Scheria e, subito dopo aver trovato un precario riparo, si addormenta; lo sveglierà la voce di Nausicaa che gioca con le ancelle: è giunto nel regno beato dei Feaci. È notte ancora quando Odisseo parte da Scheria. Salito sulla nave che viaggia senza guida, subito cade addormentato e al suo risveglio si ritrova a Itaca.

Tra le due tappe, le due notti, i due sonni, si snodano i racconti di viaggio, sullo sfondo della terra incantata, così simile all'isola dei Beati, davanti al misterioso popolo dei traghettatori le cui navi solcano il mare avvolte nella nebbia e prive di nocchieri. Dalla notte dell'arrivo a Scheria all'alba del risveglio a Itaca trascorre un tempo indefinito: una, oppure mille notti, in quell'atmosfera fluida, oscillante fra reale e irreale, tra verità e leggenda, tipica delle favole e dei sogni[20].

Il conquistatore di città: ptoliporthos

Quando conclude il Viaggio, Odisseo non ha ancora finito il suo cammino. Gli rimane da compiere un ultimo percorso, più breve ma non meno arduo, sul suolo stesso della sua patria, dove tutto gli è divenuto nemico e estraneo. È il cammino che lo porta dalla spiaggia di Itaca, dove lo hanno deposto i Feaci, alla capanna del fedele Eumeo, e dalla capanna di Eumeo alla soglia della sua casa, e ancora, dopo una lunga permanenza su questa soglia, al focolare della grande sala, dove avviene il primo riconoscimento da parte di Euriclea.

La conquista del focolare rappresenta l'inizio del cammino ascendente di Odisseo, del suo riscatto; ed è significativo che proprio a questo punto si inserisca, insieme alla rievocazione della caccia iniziatica sul Parnaso, il ricordo di un altro episodio fondante: l'imposizione del nome a Odisseo, il suo «battesimo». Per quanto già confermata dal «segno» della cicatrice, è necessario che l'identità di Odisseo venga ribadita anche con la menzione di un rito che sottolinei, in un certo senso, la sua rinascita. È sempre Euriclea che racconta come Autolico giunse a Itaca proprio quando il nipote, figlio dell'amata Anticlea, vide la luce; e come fu lei stessa a porlo sulle sue ginocchia, pregandolo di dargli un nome. La frase pronunciata allora da Autolico: «Odisseo, questo sia il suo nome», segna ora la definitiva scomparsa di «Nessuno» e l'inizio della fase cruciale del poema: la vendetta e la riconquista del potere.

Dalla Grecia partendo verso Troia, i re si fanno di

necessità guerrieri; da Troia ritornando alle loro patrie, i guerrieri tornano a farsi re. È passato molto tempo, è tramontata un'era con le sue leggi e i suoi valori inderogabili, ma il mondo a cui tendono i reduci non è diverso, essi stessi non sono mutati affatto e il loro scopo è quello di ripristinare l'ordine antico secondo l'antica tradizione[21]. I fortunati ritorni di Menelao e di Nestore, che fanno da preludio beneaugurante al ritorno di Odisseo, rappresentano il modello ideale: una inevitabile, necessaria peripezia, molte ricchezze accumulate nel fortunoso viaggio, il vuoto di potere colmato senza mutamenti sostanziali e senza eccessivi traumi: la felice conclusione della spedizione nella Troade opposta alle infinite perdite, ai disastrosi naufragi, allo stato di anarchia provocato dalla lontananza.

Di tutti i principi Achei coinvolti nell'impresa, molti sono morti a Troia e là sono sepolti, altri non sono riusciti a superare il mare; Agamennone, toccato il suolo di Micene, è caduto vittima di una congiura. E Odisseo, che pure è riuscito dopo molti travagli a raggiungere la patria, sembra condannato a ripercorrere le tappe del passato: ancora una volta si trova ad affrontare un assedio per conquistare una donna, una casa, una città. Ma questa volta la conquista non comporta saccheggio e distruzione, bensì restaurazione del potere e rifondazione autoritaria del dominio. Momento culminante è quindi la Vendetta, la strage dei Proci che segna la conclusione reale, e comunque l'*acmé* della storia[22].

In questo cammino verso la riconquista del suo regno, nella lotta contro coloro che, durante la lunga assenza, «vollero farsi re» (tale è l'accusa mossa ad Antinoo dal suo stesso compagno e amico Eurimaco), Odisseo è seguito dall'ombra di Agamennone.

Se nell'*Iliade* il rapporto fra Agamennone e Achille costituisce uno dei fattori portanti dell'intera vicenda, non meno significativo è il legame che nell'*Odissea* si stabilisce fra il re di Itaca e il fantasma dell'Atride[23]. Duce contestato e discusso nell'*Iliade*, nell'*Odissea* Agamennone è l'emblema della dinastia usurpata, dell'antico potere abbattuto. È un simbolo negativo in cui tutta la vicenda troiana si riflette negativamente. L'ombra di Agamennone esige una vendetta che completa quella già compiuta da Oreste per vendicare il padre e il sovrano: è la vendetta per il guerriero ucciso con i suoi compagni quella che Agamennone reclama da Odisseo comparendo, anima ansiosa e dolente, in molti punti chiave del poema.

Fin dal primo canto infatti Zeus ricorda il barbaro assassinio dell'Atride, esaltando il gesto di Oreste e l'uccisione dell'usurpatore Egisto (viene censurato, invece, il matricidio). Nel terzo canto Nestore accenna ancora alla vicenda e alla giusta punizione di Egisto. Nel quarto, Proteo apre uno spiraglio sulla drammatica scena del delitto, descrivendo nei particolari la morte dell'eroe e dei suoi compagni. Infine, nella prima discesa all'Ade, è l'ombra stessa di Agamennone a rievocare il suo assassinio, il massacro dei reduci, la morte di Cassandra. Ed è ancora Agamennone a ricordare la sua triste sorte nel canto finale, il ventiquattresimo, mentre davanti a lui passano le anime dei Proci e Anfimedonte gli narra la strage compiuta da Odisseo per vendicarsi.

È un ampio disegno complessivo quello che si compie in quest'ultimo canto del poema che, dalla reggia di Itaca, libera finalmente e purificata dalla strage, ci trasporta all'improvviso e per la seconda volta nell'Ade riprendendo i fili di una storia interrotta con i funerali di Ettore nel ventiquattresimo canto dell'*Iliade*. Mentre sfilano le anime dei Proci appena uccisi – condotte dallo stesso Hermes che fu guida di Priamo alla tenda di Achille nella notte del Riscatto –, i due principi guerrieri, già nemici e opposti nell'*Iliade*, appaiono ora affiatati e concordi su un piano di reciproco rispetto, come al tempo dei giochi funebri in onore di Patroclo, ma con un senso di più alta e definitiva riconciliazione: Achille rende omaggio al condottiero dall'infelice destino e Agamennone rievoca la morte e i grandiosi funerali di Achille a Troia, la pagina mancante dell'*Iliade*.

Non è solo per un ultimo confronto di destini che Omero, alla fine dell'*Odissea*, riporta in primo piano le ombre dei due eroi. È per dimostrare che Odisseo ristabilisce l'ordine tra i morti oltre che tra i vivi, portando a termine i disegni incompiuti della sorte. Ha conquistato Troia realizzando il grande sogno di Achille; ha ucciso gli usurpatori del suo regno riscattando l'amaro ritorno di Agamennone. Su Odisseo conquistatore e vincitore e sulle ombre pacificate di Achille e di Agamennone si chiude, nell'ultimo canto dell'*Odissea*, anche l'*Iliade*[24].

Nel suo piegarsi alla sorte, adattandosi a ogni tipo di travestimento, senza mai subire reali e durature metamorfosi, Odisseo è il tipico eroe che si muove nella dimensione dell'evento. È nell'ambito del Viaggio che questa sua natura emerge maggiormente insieme alle tracce del personaggio primitivo, l'Odisseo mediterraneo, illusionistico e pittorico, colto sempre di profilo e mai centrato nella sua frontalità. Di fronte si pone solo Achille che impersona la forma in cui si traduce l'*areté* dei guerrieri[25]. Nell'atmosfera inquieta dell'evento Odisseo può essere solo «toccato» dalla forma: in alcuni dei suoi molteplici quanto effimeri travestimenti, oppure quando intervengono gli dei – Atena, Apollo – a riversare su di lui quella *charis* che gli conferisce una miracolosa e temporanea perfezione.

È in questa veste tuttavia che Omero lo presenta nell'ultimo canto del poema, dove si celebra l'Odisseo guerriero e conquistatore. *Ptoliporthos* è epiteto eroico, già riferito nell'*Iliade* ad Achille e allo stesso Odisseo, ma nell'*Odissea* solo ed esclusivamente a Odisseo, con valore doppiamente allusivo: vale infatti per Troia al passato e per Itaca al presente, e richiama, con la figura del guerriero, anche l'antica «forma» dell'eroe. Quando depone l'arco dell'inganno, col quale ha sterminato i Proci, Odisseo indossa l'elmo e prende lancia e spada, poiché queste sono le sole armi con cui può ristabilire l'ordine secondo l'antica norma, quella del mondo aristocratico e agonale dell'*Iliade*[26]. Nel momento in cui torna guerriero e si prepara ad affrontare la lotta a viso aperto, Odisseo è, come Achille e Agamennone, indifferente all'evento e forte della funzione che gli è conferita dalla forma. Il linguaggio stesso, in quest'ultimo libro dell'*Odissea*, moltiplica le reminiscenze del lessico iliadico: affiora così la nostalgia che percorre tutto il canto, nostalgia del glorioso passato, del tempo luminoso degli eroi[27].

Ma la battaglia finale, che sigla il trionfo di Odisseo sui parenti dei Proci, segna anche un fondamentale punto di svolta. Il misero, vagamente grottesco manipolo che sostiene Odisseo non gli consente – non può consentirgli – una soluzione gloriosa, affidata al giudizio delle armi. Atena infatti interrompe lo scontro sul nascere: è tempo di mediazione, di patteggiamenti, di pace.

L'ultimo canto dell'*Odissea* appare quindi sdoppiato in due distinte dimensioni, ciascuna delle quali assume valore emblematico. Il mondo degli eroi, che rivive nella solenne e amorosa rievocazione, è relegato nell'Ade, consegnato per sempre alla celebrazione e al ricordo. E sulla terra, nel piccolo modesto regno di Itaca, non è più tempo di battaglie eroiche. Ancora una volta Odisseo si pone al limite, mentre «chiude» il passato e «apre» la nuova era, di cui impersonerà, in futuro, tutte le contraddizioni.

A Odisseo guerriero Omero impone le armi dell'*areté*: a Troia egli combatte, come tutti gli eroi, con lancia e spada, e lancia e spada impugna anche nell'*Odissea*, se è necessario. I Proci però vengono uccisi a colpi di freccia, dopo una «prova» di straordinaria destrezza. E tuttavia Omero non raccoglie la tradizione che fa di Odisseo un arciere per eccellenza come Paride, o come Teucro, il fratellastro di Aiace[28].

L'arco con cui Odisseo uccide i Proci ha, come la lancia di Achille, una sua storia. Fu donato a Odisseo da Ifito, in un incontro occasionale, è un'arma di grandi dimensioni, poco maneggevole, che Odisseo conserva a Itaca e raramente adopera, per gare di destrezza, forse per la caccia. Non è arco da usare in battaglia e non ha mai lasciato l'isola. Durante la lunga assenza di Odisseo è rimasto nella stanza del tesoro, appeso a un chiodo e coperto di polvere[29]. Nessuno l'ha toccato mai, perché nessuno è in grado di tenderlo, così come nessuno a Troia era capace di impugnare la grande lancia di Achille. Arma eccezionale, è riservata a un evento eccezionale, l'uccisione dei Proci per la riconquista della città. Come la lancia di Achille, per brevi istanti anche quest'arma è eroica, ma, come il cavallo di legno, è strumento della *metis* che giunge dove la forza – da sola – non ha potere di arrivare.

L'arco, il letto nuziale, Penelope, Telemaco: un'arma che non è da guerra, un olivo radicato nel cuore della casa, due persone che formano con l'assente un saldo nucleo familiare connotato da qualità identiche e interscambiabili: accortezza, abilità, pazienza. È questa la «casa» verso cui fermamente tende Odisseo e che, a sua volta, fermamente lo attende; la vigile attenzione dei familiari si unisce alla muta pazienza delle cose. E Argo definisce, con la sua morte, il tempo dell'attesa in quest'isola che non è adatta ad allevare cavalli per le battaglie.

Quando Odisseo, toccato il suolo di Itaca, si presenta a Eumeo sotto le mentite spoglie di un avventuriero cretese e gli narra una sua vita inventata, dice fra l'altro: «Non amavo... il lavoro, né la casa dove crescono i figli, mi erano cari i remi e le navi, le guerre, le lance lucenti, le frecce: cose funeste che agli altri fanno paura. Ma a me erano care...»[30]. È, in termini rovesciati, l'affermazione di un ideale di vita, la riconferma di scelte salde e precise, la trasparente rivelazione di un semplice segreto. Come diceva Paul Claudel: «La racine de l'Odyssée c'est un olivier»[31].

Oltre Itaca

Quando Odisseo ha sterminato i Proci, giustiziato il capraio traditore e le ancelle infedeli, quando ha purificato la sua casa e infine, indossate ancora una volta le armi del guerriero, ha sconfitto gli ultimi avversari e stabilito i patti della pace, noi sappiamo, lui stesso sa da tempo, che la vicenda non è ancora compiuta. Rimane l'ipotesi di un altro viaggio, quasi un voto da sciogliere, un ultimo percorso di espiazione prima che l'eroe possa dirsi definitivamente ritornato.

E se pur riesci a scampare, tardi farai ritorno e male, su una nave non tua, dopo aver perduto tutti i compagni. Troverai, nella tua casa, sciagure, uomini tracotanti che ti divorano i beni, corteggiano la tua sposa divina, le offrono doni. Della loro violenza ti vendicherai, al tuo ritorno. Ma quando, nella tua casa, avrai ucciso i Pretendenti, con l'inganno o affrontandoli con le armi taglienti, prendi allora il remo e rimettiti in viaggio fino a che giungerai presso genti che non conoscono il mare, da uomini che non mangiano cibi conditi col sale, che non conoscono navi dalle prore dipinte di rosso, né gli agili remi che sono ali alle navi. Ti indicherò un chiaro segno, che non potrà sfuggirti: quando un altro viandante, incontrandoti, ti dirà che sulla spalla porti un ventilabro, pianta allora in terra il tuo agile remo, offri al dio Poseidone sacrifici perfetti – un montone, un toro, un verro che monta le scrofe – e fa ritorno a casa: qui offri sacre ecatombi agli dei immortali che possiedono il cielo infinito, a tutti, senza escludere alcuno. La morte verrà per te lontano dal mare, ti coglierà nella vecchiaia ricca di beni, e sarà dolce. Avrai, intorno a te, un popolo felice. Questa è la verità che ti dico.

Posta al centro dell'*Odissea*, nell'undicesimo canto, ripresa e ripetuta prima della fine del poema, nel ventitreesimo, la profezia di Tiresia ha innescato una spirale senza fine nella leggenda occidentale di Odisseo, ha rafforzato il mito del viaggiatore e dell'errante, ha moltiplicato i viaggi e le peripezie, complicato in modo inverosimile i risvolti psicologici di un personaggio che Omero aveva concepito duttile solo all'apparenza.

«I remi che sono ali alle navi»: da questa espressione omerica, una semplice anche se molto suggestiva metafora, nasce la famosa immagine dantesca «dei remi facemmo ali al folle volo»[32]. Da Dante in poi Ulisse è costretto a riprendere il mare all'infinito, condannato a un eterno ultimo viaggio, verso mete sempre più lontane e straordinarie, oltre ogni limite conosciuto, in uno slancio irrefrenabile che sempre più lo estrania e lo allontana dall'Odisseo omerico, anche se recupera e variamente rielabora i molteplici aspetti e le leggende legate al primitivo personaggio indoeuropeo. Questo Ulisse che, dopo il suo ritorno, riprende il mare, nel mare finisce per perdersi, senza più meta. Il suo percorso da circolare diventa rettilineo, privo di riferimenti, un'odissea senza Itaca[33].

Non è questa la fine che Tiresia pronostica a Odisseo, pur nella velata ambiguità del suo verbo profetico. Opposto è invece il significato del messaggio, che vuole scongiurare all'eroe la morte più temuta – la morte in mare –, assicurandogli una fine serena a Itaca, in mezzo alla sua gente e ai suoi beni[34]. L'ultimo breve viaggio si configura quindi come il compimento di un voto, per placare definitivamente Poseidone e per esorcizzare, insieme alla collera del dio, anche quella del suo elemento, il mare odiato e temuto, fonte di pene infinite[35].

Dimenticare il mare per sempre, e le navi dalle prore tinte di rosso, e i loro agili remi, questo è lo scopo dell'ultimo viaggio. Un percorso rituale e un gesto rituale per siglare un approdo definitivo, un ritorno senza rimpianti. Il remo – non più remo ma ventilabro – è un pezzo di legno piantato nella terra, saldo come un tronco d'olivo.

MARIA GRAZIA CIANI

[1] Il più ampio esame del concetto di *metis* è in M. Detienne-J.-P. Vernant, *Le astuzie dell'intelligenza nell'antica Grecia*, trad. it. Bari, Laterza, 1977. Vedi anche C. Diano, *Forma ed evento* (Vicenza, Neri Pozza, 1952, 1967[3]), Venezia, Marsilio, 1993, 1994[2].

[2] Vedi B. Snell, *La cultura greca e le origini del pensiero europeo*, trad. it. Torino, Einaudi, 1963 (nel capitolo: *L'uomo nella concezione di Omero*).

[3] Considerato atipico nella struttura del poema tanto da essere ritenuto spurio, questo decimo canto trova il suo significato e la sua ragione d'essere proprio nell'accostamento al nono, col quale fa *pendant*. Lo scacco che Odisseo subisce nel confronto con Achille è riscattato immediatamente dall'azione compiuta in sintonia con Diomede. Il furto dei cavalli di Reso è la risposta apotropaica agli infausti pronostici di Achille.

[4] Vedi *Iliade* 8,222-25 e 11,5-8; 11,806-08.

[5] Di seduzioni e inganni Zeus rimane vittima, alle insidie dell'intelligenza soccombe. La *metis* di cui diventa possessore (secondo il mito egli l'acquista quando diventa re e ingoia appunto Metis, figlia di Oceano) è una forma divina che esclude, oltre qualsiasi valenza pratica, anche ogni margine di ambiguità: tratti che caratterizzano invece, richiamandosi alla tradizione pre-ellenica, altre divinità, come Crono, Prometeo, Efesto e soprattutto Hermes. Cfr. Diano, *Forma ed evento*, cit.

[6] Occorre ricordare che in Omero *dolos* come *metis* sono qualità essenzialmente neutre, che si determinano in relazione alle azioni, conformemente al carattere dell'etica greca arcaica, che è «un'etica di situazione non di verità assolute ed eterne» (vedi Th. Cole, *Sophia fra oralità e scrittura*, in *Tradizione e innovazione nella cultura greca da Omero all'età ellenistica*. Scritti in onore di Bruno Gentili, a cura di R. Pretagostini, Roma, GEI, 1993, vol. II, pp. 573 ss.).

[7] Diano, *Forma ed evento*, cit.

[8] Diano, *Forma ed evento*, cit.

[9] Autolico, padre di Anticlea e nonno materno di Odisseo, è figura quanto mai ambigua e problematica di traditore e furfante protetto da Hermes (*Odissea* 19,394 ss.). Nell'*Iliade* è nominato proprio nel canto decimo – la notte delle spie –, in un contesto quindi estremamente congeniale alla *polymetia* di Odisseo; curiosamente però non viene messo in relazione con lui. La parentela è invece proclamata nell'*Odissea* dove Autolico presiede a due momenti fondamentali della vita del nipote Odisseo: l'imposizione del nome alla nascita e l'iniziazione durante la caccia sul Parnaso (là dove Odisseo viene «segnato» dalla famosa cicatrice). È dunque una presenza importante – e per questo inquietante – attraverso la quale Odisseo si colloca sotto il segno di Hermes, oltre che sotto quello di Atena. Il «lato Autolico» di Odisseo rappresenta l'aspetto più arcaico della sua personalità, quello che Omero cerca di rimuovere senza riuscirvi completamente (vedi W.B. Stanford, *The Ulysses Theme. A Study in the Adaptability of a Traditional Hero*, Oxford 1954). Vedi inoltre il commento a questa edizione: «*L'uomo, cantami, dea*» (§ 1) e *Sotto il segno del dio* (§ 13).

[10] Cfr., fra tutti, Platone, *Ippia minore* 364 c.

[11] Vedi Stanford, *The Ulysses Theme*, cit.; R. Calasso, *Le nozze di Cadmo e Armonia*, Milano, Adelphi, 1988. Vale la pena riportare il «ritratto» di Odisseo tramandatoci da Filostrato nell'*Eroikos*, quale esempio di profilo «basso» che, senza indulgere alla denigrazione volgare, è tuttavia esemplare di tutto il processo riduttivo subito dal personaggio e dal suo mito: «... era abilissimo nel parlare, ma era un dissimulatore, amava l'invidia e lodava la malignità, era sempre triste e come sovrappensiero, in guerra appariva più coraggioso di quanto non fosse in realtà, e non era esperto nell'armare un esercito o nel predisporre una battaglia navale o un assedio e neppure nel tirare l'asta o tendere l'arco. Le sue imprese furono molte, tuttavia nessuna degna di ammirazione, eccetto una, cioè l'impresa del cavallo vuoto che Epeo fabbricò con Atena, ma che Odisseo progettò... Venne a Troia nel pieno dell'età e tornò a Itaca ormai vecchio... era camuso, non alto, gli occhi svagati per i pensieri e i sospetti... Che tipo di uomo fosse l'uccisore e che tipo fosse l'ucciso e quanto Palamede fosse più sapiente e valoroso di Odisseo lo spiega a sufficienza Protesilao, che loda anche il lamento nell'opera di Euripide, quando il poeta nei versi del *Palamede* dice: "avete ucciso, avete ucciso, o Danai, il più sapiente, / l'usignolo delle muse che non faceva soffrire nessuno", e ancora di più i versi successivi in cui dice che avevano agito obbedendo a un uomo astuto e impudente» (trad. di V. Rossi).

[12] Per l'idea del doppio assedio e altre suggestioni vedi F. Ferrucci, *L'assedio e il ritorno. Omero e gli archetipi della narrazione*, Milano, Bompiani, 1974, ora Milano, Mondadori, 1991. E inoltre G. Chiarini, *Odisseo. Il labirinto marino*, Roma, Kepos edizioni, 1991.

[13] La questione è riassunta da S. West nel commento al primo canto

dell'*Odissea* (vol. I, libri I-IV, Milano, Mondadori, Fondazione Valla, 1981, nota 1, p. 181). Vedi inoltre in questa edizione il commento: «*L'uomo, cantami, dea*» (§ 1).

[14] L'atteggiamento dei Greci verso il mare è sottolineato, oltre che dagli studiosi di Omero in generale, anche da V. Propp, *Le radici storiche dei racconti di fate*, trad. it. Torino, Einaudi, 1949, e da W.H. Auden, *Gl'irati flutti*, trad. it. Venezia, Arsenale, 1987. Vedi anche Stanford, *The Ulysses Theme*, cit., e Chiarini, *Odisseo*, cit. Per un inquadramento più ampio vedi anche il datato ma sempre interessante saggio di A. Lesky, *Thalatta. Der Weg der Griechen zum Meer*, Wien 1947, nonché A. Momigliano, *Sea Power in Greek Thought*, in «Classical Review» 58, 1944, pp. 1-7.

[15] Vedi Chiarini, *Odisseo*, cit.; S. Segatto, *La morte per acqua negli epigrammi funerari dell'Antologia Palatina, Libro VII*, diss. Padova 1992.

[16] *Iliade* 14,85 ss. («a noi Zeus ha dato in sorte di dipanare il filo di dure battaglie, dalla giovinezza alla vecchiaia, fino a che ciascuno di noi muoia»).

[17] Vedi sempre Stanford, *The Ulysses Theme*, cit., e P. Scarpi, *La fuga e il ritorno. Storia e mitologia del viaggio*, Venezia, Marsilio, 1992.

[18] Il Viaggio, in tutta la gamma di variazioni possibili, è esaminato da Scarpi, *La fuga e il ritorno*, cit. Un'interpretazione singolare del percorso di Odisseo come itinerario in cui si riflette il modello del labirinto cretese è nel saggio citato di Chiarini, *Odisseo. Il labirinto marino*.

[19] Vedi *Odissea*, vol. V (libri XVII-XX), introduzione e commento a cura di J. Russo, Milano, Mondadori, Fondazione Valla, p. 193, libro XVIII, ad v. 33. Vedi anche il commento alla presente edizione: *Stare sulla soglia* (§ 20).

[20] Vedi commento: *Racconti di mare e di costa* (§ 12).

[21] L'evoluzione del pensiero politico in Omero, dalla ribellione di Achille ad Agamennone alla vendetta di Odisseo e lo sterminio dei Proci, è uno dei percorsi del densissimo saggio di M. Bonanni, *Il cerchio e la piramide. L'epica omerica e le origini del politico*, Bologna, Il Mulino, 1992. Da una diversa prospettiva – sempre in rapporto alla «restaurazione» compiuta da Odisseo – vedi G.A. Samonà, *Gli itinerari sacri dell'aedo. Ricerca storico-religiosa sui cantori omerici*, Roma, Bulzoni, 1982, e Chiarini, *Odisseo*, cit.

[22] Vedi M. Fernandez-Galiano e A. Heubeck, Introduzione e commento a *Odissea*, vol. VI (libri XXI-XXIV), Milano, Mondadori, Fondazione Valla, 1986. Una struttura analoga sorregge la costruzione dei due poemi; come l'*Iliade* anche l'*Odissea* ha nel canto ventiduesimo il suo punto cruciale: lo scempio del cadavere di Ettore corrisponde alla strage dei Pretendenti; seguono poi, in entrambi i poemi, i canti della catarsi e della tregua: i giochi funebri in onore di Patroclo e la purificazione della reggia fatta da Odisseo (canto XXIII), la sospensione della guerra per i funerali di Ettore e il più duraturo patto di pace stabilito da Odisseo (canto XXIV).

[23] Al ruolo di Agamennone, già sottolineato dagli studiosi di Omero, dedica ampio spazio Bonanni, *Il cerchio e la piramide*, cit.

[24] La narrazione dell'*Iliade*, interrotta con la morte e i funerali di Ettore, trova il suo compimento nell'*Odissea* attraverso brevi scorci che nessuna ricostruzione posteriore riuscirà mai a eguagliare: ventitré versi, nell'ottavo canto, per narrare, in modo asciutto e disadorno, la storia del cavallo di legno; due flash, altrettanto brevi, nel quarto e nell'undicesimo, per illuminare l'interno del cavallo, con i guerrieri in agguato; e il lungo sguardo volto all'indietro per riunire insieme, nel ventiquattresimo, la morte di Achille e il ritorno di Odisseo.

[25] Cfr. Diano, *Forma ed evento*, cit.

[26] A colpi di lancia vengono finiti anche gli ultimi dei Proci, dopo che le frecce ne hanno abbattuto la maggior parte. Non è da escludere che questo frettoloso recupero delle armi da guerra nella parte finale della Vendetta – con le successive scene di reminiscenza iliadica – serva da tramite per la parte conclusiva, quando avrà luogo il breve scontro «epico» che segna il definitivo reinsediamento di Odisseo.

[27] Se vogliamo approfondire i preziosi indizi offerti dall'uso linguistico scopriamo che, passando dall'*Iliade* all'*Odissea*, si opera un singolare mutamento nell'ambito degli epiteti riservati a Odisseo: i più noti, come *polymetis* e *polymechanos*, che nell'*Iliade* connotano il solo Odisseo distinguendolo dagli altri eroi, nell'*Odissea* si irrigidiscono nella fissità della formula, mentre si moltiplicano gli appellativi più comuni e tipici degli eroi dell'*Iliade*: *amymon*, *megaletor*, *antitheos*, *dios*, *phaidimos*, *dioghenes* (nobile, generoso, illustre, splendido, divino...). Attraverso di essi la nostalgia degli eroi sembra percorrere tutta l'*Odissea*.

[28] Sfidato dai giovani Feaci nelle gare di destrezza (canto VIII), Odisseo replica dicendo: «So maneggiare l'arco ben levigato... Filottete soltanto mi superava quando, in terra troiana, noi Achei tiravamo con l'arco». Ma questa affermazione, situata in un contesto il cui scopo è quello di sottolineare una generica supremazia in campo sportivo – «In tutte le gare, per quante ve ne siano fra gli uomini, in tutte valgo qualcosa» –, non basta a consacrarlo arciere, nonostante il confronto con Filottete.

[29] Vedi M. Fernandez-Galiano, Introduzione ai libri XXI-XXII dell'*Odissea* (vol. VI, cit., p. XI ss.). Vedi inoltre il commento alla presente edizione: *I presagi e la caccia* (§ 15), *La gara dell'arco* (§ 21).

[30] *Odissea* 14,222-27.

[31] Per un esame più ampio e dettagliato dell'albero di olivo in relazione a Odisseo, come simbolo di salvezza e di sopravvivenza, cfr. G. Germain, *Genèse de l'Odyssée*, Paris, Presses Univ. de France, 1954. (Vedi anche C. Segal, *The Phaeacians and the Symbolism of Odysseus' Return*, in «Arion» 1, 1962; A. Bonnafé, *L'olivier dans l'Odyssée et le fourré de Parnasse...*, in «Quaderni di storia» 21, 1985).

[32] Sulle «varianti» di questa metafora in campo greco, vedi, fra l'altro,

B. Marzullo, *I sofismi di Prometeo*, Firenze, La Nuova Italia, 1993, p. 265 e nota 60.

[33] L'Ulisse della tradizione occidentale ha una storia infinita che si perde in mille variazioni. Il primo che ha cercato di tracciarla è W.B. Stanford nel suo *The Ulysses Theme* che rimane ancora un fondamentale punto di riferimento. In tempi più recenti P. Boitani ha ripreso le fila delle metamorfosi di Ulisse nelle letterature europee, della lunga fruizione e della fecondità poetica del suo mito (*L'ombra di Ulisse. Figure di un mito*, Bologna, Il Mulino, 1992). Sull'Ulisse dantesco è ritornata ancora M. Corti per un riesame originale del Canto di Ulisse e della creazione poetica: *Percorsi dell'invenzione. Il linguaggio poetico e Dante*, Torino, Einaudi, 1993. Vedi infine C. Magris, *Itaca e oltre*, Milano, Garzanti, 1991, pp. 44 ss.

[34] La morte in giovane età, per un alto ideale, è «dolce» e «bella», secondo l'ormai classica definizione di Jean-Pierre Vernant. Ma nella tradizione delle favole, l'eroe che muore giovane è anche colui che fallisce lo scopo, che non è abbastanza maturo per affrontare la vita. La necessità della guerra nobilita, nell'*Iliade*, la morte del guerriero; ma per Odisseo, protagonista dell'avventurosa favola del reduce, la «belle mort» è quella che lo attende in tarda età, al naturale compimento della vita, una fine in rapporto alla quale ogni altra – la morte in mare, la morte accidentale, la morte con le armi in pugno nel tentativo di riconquistare il regno – si configura come fallimento e «oltraggio» estremo.

[35] Vedi *Odissea*, vol. III (libri IX-XII), Introduzione e commento a cura di A. Heubeck, Milano, Mondadori, Fondazione Valla, 1983, pp. 271-73.

Il testo greco seguito per la traduzione è quello dell'edizione oxoniense di Thomas W. Allen.

ODISSEA

A ITACA

L'uomo, cantami, dea, l'eroe del lungo viaggio, colui che errò per tanto tempo dopo che distrusse la città sacra di Ilio. Vide molti paesi, conobbe molti uomini, soffrì molti dolori, nell'animo, sul mare, lottando per salvare la vita a sé, il ritorno ai suoi compagni. Desiderava salvarli, e non riuscì; per la loro follia morirono, gli stolti, che divorarono i buoi sacri del Sole: e Iperione li privò del ritorno.

Di questi eventi narraci qualcosa, dea, figlia di Zeus. Tutti gli eroi che scamparono all'abisso di morte, che sfuggirono alla guerra e poi al mare, erano a casa. Solo lui, che bramava il ritorno e la sua donna, una dea tratteneva in una grotta profonda: la ninfa bellissima Calipso, che voleva farlo suo sposo. Ma quando, con lo scorrere del tempo, giunse l'anno in cui gli dei avevano deciso che egli tornasse a Itaca, anche là, in mezzo alla sua gente, lo attendevano prove durissime.

Di lui tutti gli dei avevano pietà: Poseidone soltanto serbò un'ira feroce contro il divino Odisseo fino a che non fece ritorno alla sua terra. Ma Poseidone era andato lontano, fra gli Etiopi (ultimi fra gli uomini, sono divisi alle due estremità della terra, là dove il Sole sorge e là dove tramonta), per prendere parte a un sacrificio di tori e di agnelli; là sedeva, lieto, a banchetto. Gli altri erano riuniti nella dimora di Zeus re dell'Olimpo, e fra di loro il padre degli dei e degli uomini prese a parlare. Ricordava in cuor suo il nobile Egisto, che Oreste, il figlio glorioso di Agamennone, uccise. Pensando a lui, così disse agli immortali:

«Ahimè, sempre gli uomini accusano gli dei: dicono che da noi provengono le sventure, mentre è per i loro errori che patiscono e soffrono oltre misura. Ingiustamente Egisto si unì alla sposa legittima del figlio di Atreo e uccise l'Atride al suo ritorno, pur conoscendo la propria sorte. Noi glielo dicemmo, noi gli mandammo Hermes, il messaggero dall'occhio acuto, ad avvisarlo, perché non concupisse la donna, perché non uccidesse Agamennone. Lo vendicherà suo figlio, Oreste, quando sarà cresciuto e della sua patria sentirà il rimpianto: così disse Hermes, ma le sue sagge parole non persuasero il cuore di Egisto: che ora ha pagato, in una volta, tutto».

Gli rispose Atena, la dea dagli occhi azzurri:

«Figlio di Crono, padre di noi tutti, potente fra i potenti, lui ha avuto quel che si merita. Possano morire così tutti coloro che compiono tali azioni. Ma il cuore mi si spezza per il valoroso Odisseo, infelice, che lontano dai suoi soffre da tempo in quell'isola cinta dalle acque, proprio in mezzo all'oceano. È un'isola coperta di boschi, vi abita una dea, la figlia del terribile Atlante che conosce gli abissi del mare e da solo sostiene le colonne lunghissime che tengono divisi terra e cielo. È sua figlia colei che trattiene l'eroe misero, dolente, e con parole tenere e dolci cerca di sedurlo perché si scordi di Itaca. Ma Odisseo si strugge dal desiderio di vedere anche soltanto il fumo che sale dalla sua terra, e vuole morire. E il tuo cuore non si commuove, re dell'Olimpo. Non ti era caro Odisseo quando ti offriva sacrifici presso le navi degli Achei, nella pianura vasta di Troia? Perché, Zeus, lo odi tanto?».

Le rispose il re delle nuvole:

«Quali parole hai mai detto, figlia mia. Come potrei dimenticarmi del divino Odisseo che fra gli uomini mortali eccelle per la sua mente e più di ogni altro ha offerto sacrifici agli dei che il vasto cielo possiedono? Ma Poseidone, signore della terra, cova un'ira inflessibile a causa del Ciclope a cui Odisseo accecò l'unico occhio, Polifemo simile a un dio, che fra i Ciclopi è il più forte; lo partorì la ninfa Toosa, figlia di Forco, re del mare mai coltivato, che a Poseidone si unì in una grotta profonda. Da allora il dio che fa tremare la terra allontana Odisseo dalla sua patria e tuttavia non lo uccide. Ma adesso pensiamo noi a come possa fare ritorno. Cadrà l'ira di Poseidone che da solo non potrà lottare contro tutti gli dei».

Gli rispose la dea dagli occhi azzurri:

«Figlio di Crono, padre di noi tutti, potente fra i potenti, se è questo che ora vogliono gli dei beati, che il saggio Odisseo torni alla sua casa, mandiamo subito Hermes messaggero all'isola di Ogigia, perché alla ninfa dai bei capelli riferisca al più presto la decisione immutabile: Odisseo, forte e sapiente, deve tornare. Io invece andrò a Itaca, per esortare suo figlio, per mettergli nel cuore il coraggio di radunare in consiglio gli Achei dai lunghi capelli e mandar via i Pretendenti che gli sgozzano greggi intere di pecore e lenti buoi dalle corna lunate. Lo manderò poi a Lacedemone e a

Pilo sabbiosa, a chiedere notizie del ritorno del padre, se mai ve ne siano, e perché acquisti lui stesso grande fama fra gli uomini».

Disse, e legò ai piedi i sandali, i bellissimi sandali d'oro degli immortali che al soffio del vento la portavano sul mare e sulla terra infinita. Prese la solida lancia, dall'acuta punta di bronzo, la grande lancia forte e pesante con cui sgomina schiere di eroi quando con essi si adira, la figlia del Padre onnipotente. Balzò dalle vette d'Olimpo e fu in terra d'Itaca, davanti al porticato di Odisseo, sulla soglia dell'atrio. Nella mano teneva l'asta di bronzo e l'aspetto era quello di uno straniero, Mente, duce dei Tafi. Trovò i Proci superbi che davanti alla porta giocavano ai dadi, seduti su pelli di bue che avevano scuoiato essi stessi. Araldi e servitori solleciti mescevano per loro nelle coppe il vino con l'acqua, ripulivano i tavoli con spugne porose, li imbandivano, tagliavano molti pezzi di carne. La vide per primo il bellissimo Telemaco che tra i Pretendenti sedeva con l'angoscia nell'animo. Pensava, in cuor suo, al padre valoroso, se mai all'improvviso giungesse a disperdere i Proci, a riprendere gli onori del rango, a regnare sui propri beni. A questo pensava, in mezzo ai Proci, quando si accorse di Atena. Subito andò verso il portico, irato in cuor suo che sulla porta sostasse l'ospite a lungo; e quando le fu accanto le prese la mano, si fece dare l'asta di bronzo e le rivolse la parola dicendo:

«Ti saluto, straniero, sei il benvenuto fra noi; ora prendi del cibo e poi ci dirai di che cosa hai bisogno».

Così dicendo andava avanti, lo seguiva Pallade Atena.

E quando furono nella sala dall'alto soffitto, andò a deporre la lancia contro una colonna, grande, nell'astiera lucente dov'erano in gran numero le altre armi del valoroso Odisseo; poi la fece sedere su di un trono, intarsiato, bellissimo, su cui mise un panno sottile; vi era, sotto, uno sgabello, per appoggiare i piedi. Accanto, pose per sé un seggio dipinto, lontano dai Proci, perché l'ospite, turbato dal chiasso di quei giovani insolenti, non si disgustasse del pranzo; voleva anche domandargli di suo padre lontano. Venne un'ancella a portare l'acqua, versandola da una brocca d'oro, bellissima, in un bacile d'argento, perché si lavassero; e pose accanto una tavola ben levigata. Venne la dispensiera a portare il pane e molte vivande che con larghezza dispose. Piatti di carne scelta, di vari tipi, offrì il servitore e dei calici d'oro mise loro davanti. Veniva spesso l'araldo e versava il vino. Giunsero i Pretendenti che sedettero, uno accanto all'altro, su troni e seggi. A loro versarono gli araldi l'acqua sulle mani, portarono le ancelle il pane dentro i canestri, i giovani colmarono i calici di vino. E sulle vivande davanti a loro imbandite essi stesero le mani. Ma quando furono sazi di cibo e di bevande, ad altro pensarono allora i Pretendenti, al canto e alle danze che allietano ogni banchetto. Nelle mani di Femio, che per i Proci era costretto, contro sua voglia, a cantare, pose l'araldo una cetra bellissima, e l'aedo toccò le corde e diede inizio al suo canto.

Alla dea dagli occhi azzurri disse intanto Telemaco, accostando la testa alla sua perché non udissero gli altri:

«Non adirarti, ospite, per ciò che dico. Ecco quel che piace a costoro, suoni e canti, certo, perché si mangiano gli averi di un altro, impunemente, di un uomo le cui ossa bianche giacciono sulla terra e marciscono sotto la pioggia o, sospinte dalle onde, vanno errando sul mare. Ma se lo vedessero tornare a Itaca, pregherebbero tutti di avere piedi più veloci piuttosto che ricchezze, oro e vesti preziose. Ma lui è morto di morte amara, e non c'è più conforto per noi; anche se fra la gente qualcuno dice che tornerà, il giorno del suo ritorno è perduto. Ma ora tu parla e dimmi chiaramente: chi sei? e qual è la tua città, i genitori chi sono? su quale nave sei giunto e perché i marinai ti hanno portato a Itaca, e chi sono? Certo non sei venuto a piedi fin qui. E anche questo dimmi sinceramente, che io lo sappia, se vieni per la prima volta o di mio padre fosti già ospite: erano in molti a frequentare la nostra casa e molta gente anche lui frequentava».

Gli rispose la dea dagli occhi azzurri:

«Ti dirò, molto chiaramente, tutto. Io sono Mente, figlio del saggio Anchialo, regno sui Tafi che amano il remo. Navigando sul mare colore del vino, verso genti straniere, verso Temesa in cerca di bronzo, sono arrivato qui con nave e compagni. Porto con me ferro lucente. Fuori dalla città, dove si stendono i campi, è ancorata la mia nave, nel porto di Reitro, sotto il Neio ricco di boschi. Ospiti siamo l'uno dell'altro fin dai tempi antichi; vai a chiederlo al vecchio Laerte che in città non viene più, mi dicono, ma se ne sta in campagna, lontano, a penare; una vecchia ancella gli porta cibo e bevande quando il suo corpo cede alla fatica di trascinarsi in alto, fino al podere coltivato a vigneti. Sono arrivato or ora. Mi dissero che tuo padre era tornato: ma forse gli dei pongono ostacoli al suo cammino. Perché non è morto, no, è ancora vivo il glorioso

Odisseo; qualcosa lo trattiene sul mare immenso, forse, in un'isola cinta dall'acqua, uomini selvaggi e crudeli lo tengono, contro il suo volere, prigioniero. Ma ora farò una profezia, così come gli dei me la ispirano in cuore, come credo si compirà, anche se io profeta non sono e neppure molto esperto del volo degli uccelli. Dalla sua patria non rimarrà a lungo lontano, Odisseo, neppure se fosse avvinto da catene di ferro. Troverà il modo di tornare poiché è uomo scaltro e pieno d'ingegno. Ma parla tu ora e con franchezza dimmi: sei figlio di Odisseo, sei davvero suo figlio? A lui molto somigli per la forma del capo e i bellissimi occhi; perché spesso eravamo insieme noi due prima che si imbarcasse per Troia, là dove, sulle concave navi, si recarono anche altri Argivi, i migliori. Ma da allora Odisseo non mi ha più visto né io ho più visto Odisseo».

Disse allora il saggio Telemaco:

«Ti parlerò, ospite, con molta franchezza. Mia madre dice che sono suo figlio, ma io non so; nessuno può sapere qual è la sua nascita. Vorrei essere figlio di un uomo felice, che giunge alla vecchiaia padrone dei suoi beni. E colui, invece, del quale figlio mi dicono, perché questo tu mi domandi, è di tutti i mortali il più infelice».

Gli rispose la dea dagli occhi azzurri:

«Non sarà priva di gloria questa stirpe in futuro, se Penelope ha generato un figlio come te. Ma dimmi allora e parla con franchezza: che banchetto è mai questo? Questa gente chi è? Che bisogno ne hai? È una festa o un pranzo di nozze? Pasto in comune non è di certo: arroganti mi sembrano e superbi coloro che mangiano in questa sala. Chiunque entrasse qui, se fosse saggio, si sdegnerebbe nel vedere questo turpe spettacolo».

Disse allora il saggio Telemaco:

«Poiché me lo chiedi, ospite, e mi interroghi, sappi che questa casa fu celebrata e ricca quando Odisseo era ancora qui, nella sua patria. Ora gli dei che tramano sventure hanno deciso diversamente e hanno fatto di lui l'uomo più ignoto di tutti, sulla terra. Perché della sua morte io non avrei tanto dolore se fosse caduto a Troia, in mezzo ai compagni, o tra le braccia dei suoi dopo la lunga guerra. Gli avrebbero innalzato una tomba gli Achei e anche suo figlio ne avrebbe avuto gloria in futuro. Senza gloria invece le Arpie lo hanno rapito; sconosciuto, ignorato da tutti, è scomparso e a me ha lasciato dolore e lacrime. E non solo per lui piango e mi lamento, altre sciagure tremende mi hanno inflitto gli dei. I principi che nelle isole hanno il potere, a Dulichio, a Same, a Zacinto coperta di boschi, e quelli che dominano qui, nella pietrosa Itaca, tutti aspirano a sposare mia madre, e mi distruggono, intanto, la casa. A queste nozze odiose lei non si rifiuta, ma neppure acconsente. Mangiano intanto, costoro, consumano ciò che è mio e presto rovineranno anche me».

A lui rispose Atena, indignata:

«Ahimè, certo molto ti manca Odisseo, che levi la sua mano su questi Proci insolenti. Se arrivasse ora, se sulla soglia di questa sala comparisse, con lo scudo e una scure e con due lance in mano, così com'era quando io lo vidi per la prima volta, nella mia casa, che beveva lieto di ritorno da Efira, dalla dimora di Ilo figlio di Mermero; era andato là sulla sua nave veloce, Odisseo, alla ricerca di un veleno mortale per spalmarlo sulla punta delle sue frecce di bronzo; ma Ilo non glielo diede, perché temeva gli dei che vivono in eterno; glielo diede invece mio padre, che lo amava moltissimo. Se, così com'era allora, comparisse ora fra i Proci Odisseo, breve sarebbe la loro vita, molto amare le nozze. Ma agli dei spetta decidere se potrà o no vendicarsi quando sarà tornato nella sua dimora. Te io esorto invece a pensare come allontanare i Pretendenti dalla casa. Ascolta ora, e bada a quel che dico. Domani, riunisci in assemblea i principi Achei e a tutti loro parla, prendendo a testimoni gli dei. Ai Pretendenti ordina che se ne vadano, ciascuno a casa sua. Tua madre invece, se il suo cuore la spinge a sposarsi, torni alla reggia del padre suo potentissimo. Là celebreranno le nozze e molti doni le prepareranno, tutti quelli che a una figlia sono dovuti. A te, se vuoi ascoltarmi, darò questo saggio consiglio: prepara una nave di venti remi, la migliore che hai, e parti; va a cercare notizie di tuo padre, che da tanto tempo è lontano, qualcuno potrebbe parlartene o potresti udire una voce che proviene da Zeus e che diffonde la fama fra gli uomini. A Pilo, per prima cosa, va, e interroga Nestore glorioso. Da lì recati a Sparta, dal biondo Menelao: fra gli Achei dalle corazze di bronzo è stato l'ultimo a tornare. E se saprai che tuo padre è vivo e che ritorna, per un anno intero sopporta ancora, benché allo stremo, ma se saprai che è morto, che non è più in vita, allora torna alla tua patria terra, innalzagli una tomba, offrigli i doni funebri, come conviene, e da' tua madre a un marito. Dopo aver fatto e compiuto tutto questo, pensa nel cuore e nell'animo a come uccidere i Proci nella tua casa, se a viso aperto o con l'inganno. Non sei più un bambino, non ne hai più l'età. Non sai quale fama si è conquistata fra gli uomini il divino Oreste, per aver ucciso il perfido Egisto che gli assassinò il padre glorioso? Anche tu dunque, grande come sei, e bello, mostrati audace, affinché possano dir bene di te i tuoi discendenti. Ma è ora che io ritorni ormai alla mia nave veloce, dai compagni che mi attenderanno con ansia. Tu segui i miei consigli e di tutto prenditi cura».

Disse allora il saggio Telemaco:

«Con molto affetto, ospite, mi parli, come un padre a suo figlio, non dimenticherò le tue parole. Ma anche se hai fretta di riprendere il viaggio, rimani ancora, prendi un bagno che ti ristori l'animo e poi col cuore pieno di gioia torna alla tua nave portando con te un dono, bellissimo, prezioso, com'è uso fra ospiti che si amano, perché tu possa ricordarti di me».

A lui rispose la dea dagli occhi azzurri:

«Non trattenermi ancora, ho fretta di partire. Il dono che il cuore ti spingeva a darmi, me lo darai al ritorno, perché io lo porti nella mia casa; scegli un dono bellissimo, ne avrai in cambio uno bello altrettanto».

Disse così e se ne andò, la dea dagli occhi azzurri, sparì veloce come un uccello. Ma nel cuore gli infuse forza e audacia e il ricordo del padre fu per lui più vivo di prima. Pensando fra di sé egli stupiva in cuor suo: aveva capito che si trattava di un nume. Si accostò subito ai Proci, il giovane simile a un dio. In mezzo a loro cantava l'aedo famoso, ed essi sedevano e ascoltavano in silenzio. Cantava il ritorno dei Danai, il triste ritorno da Troia che a loro inflisse Pallade Atena. Dalle sue stanze udì quel canto divino la figlia di Icario, la saggia Penelope. Discese la lunga scala; non era sola, andavano con lei due ancelle. Quando giunse fra i Proci, la donna bellissima, si fermò accanto a un pilastro che sosteneva il solido tetto e si coprì, con il velo luminoso, le guance. A fianco le stavano, da una parte e dall'altra, le fedeli ancelle. E al divino cantore ella disse, piangendo:

«Femio, molti altri canti conosci, che ammaliano gli uomini: imprese di dei, gesta di eroi, quelle che celebrano tutti gli aedi. A loro canta una di queste, ed essi bevano il vino, in silenzio. Ma questo tristissimo canto interrompi, che sempre mi strazia il cuore nel petto. Dolore tremendo, insopportabile è in me, che un grande uomo rimpiango e senza tregua ricordo, un eroe la cui fama di gloria riempie l'Ellade intera e giunge al cuore di Argo».

Le disse allora il saggio Telemaco:

«Perché, madre mia, non vuoi che l'aedo fedele canti come gli detta il cuore? Non hanno colpa gli aedi, è Zeus che agli uomini distribuisce le sorti, come vuole, a ciascuno. Non bisogna adirarsi con lui se canta il crudele destino dei Danai: gli uomini amano di più quel canto che al loro orecchio suona più nuovo. Fa che il tuo cuore e l'animo abbiano la forza di ascoltare. Non soltanto Odisseo ha perduto a Troia il giorno del suo ritorno, molti altri eroi hanno perduto la vita. Torna ora nelle tue stanze, bada alle tue cose, al fuso e al telaio, e ordina alle ancelle di pensare al lavoro. Agli uomini sono riservati i discorsi, a tutti, ma a me soprattutto che in questa casa regno e comando».

Tornò nelle sue stanze la donna, stupita, serbando nel cuore le sagge parole del figlio. E quando, insieme alle ancelle, fu risalita, piangeva l'amato sposo, Odisseo, fino a che Atena non le posò sulle palpebre il sonno dolcissimo.

Risuonavano le voci dei Pretendenti, nella sala piena di ombre: tutti volevano dividere il letto con lei. E, fra di loro, il saggio Telemaco prese a parlare:

«Principi, che nella vostra superbia smisurata aspirate alla mano di mia madre, non gridate, ora, e godiamoci questo banchetto: perché è bello ascoltare un grande cantore, come costui, che ha la voce di un dio. Domani all'alba ci riuniremo tutti in consiglio: voglio dirvi apertamente di andarvene dalla mia casa. Altrove cercatevi il cibo, mangiate le vostre sostanze, invitandovi l'uno con l'altro. Se invece vi sembra cosa migliore e più facile distruggere impunemente gli averi di un solo uomo, divorateli allora: io invocherò gli dei che vivono eterni perché Zeus ci conceda di ricambiare l'opera. Morirete nella mia casa, e non vi sarà vendetta per voi».

Disse così, e tutti si mordevano le labbra, stupiti, perché audacemente aveva parlato Telemaco. A lui si rivolse Antinoo, figlio di Eupite:

«Telemaco, sono certo gli dei che ti insegnano a parlare con tanta audacia e insolenza. Bada che non ti faccia re di Itaca Zeus, figlio di Crono, di Itaca cinta dal mare, com'è tuo diritto per nascita».

Gli rispose allora il saggio Telemaco:

«Questo io vorrei che Zeus mi concedesse, Antinoo, anche se ti adirerai con me per ciò che dico. Credi forse che sia il peggiore dei mali? Non è un male essere re: ricca è la sua casa ed egli è onorato fra tutti. Ma vi sono, fra gli Achei, altri principi, molti anche in Itaca cinta dal mare, giovani e meno giovani. Uno di questi si prenda il regno, poiché è morto il divino Odisseo. Ma della mia casa sarò io il padrone, e anche dei servi, che conquistò per me Odisseo glorioso».

Di rimando gli disse Eurimaco figlio di Polibo:

«Solo gli dei sanno, Telemaco, quale degli Achei regnerà su Itaca cinta dal mare. Tienti le tue ricchezze, regna nella tua casa. Nessun uomo potrebbe spogliarti dei tuoi averi, a forza, tuo malgrado, fin che vi è un abitante nell'isola. Ma sullo straniero io voglio interrogarti, di dove viene, qual è la sua patria, la stirpe. Del ritorno di tuo padre ti reca notizie o per suo proprio interesse è venuto? All'improvviso è sparito, non aspettò di farsi conoscere: e non sembrava un uomo da poco, a vederlo».

A lui replicò il saggio Telemaco:

«Mio padre non tornerà, Eurimaco. Alle notizie che mi giungono non credo più e non bado alle profezie che mia madre raccoglie, invitando in casa indovini. Lo straniero è di Tafo ed è ospite antico. Si chiama Mente, figlio del saggio Anchialo, e regna sui Tafi che amano il remo».

Così disse Telemaco, ma aveva riconosciuto la dea immortale. Alla danza e al canto dolcissimo i Proci si volsero, lieti, aspettando che si facesse sera. E mentre si dilettavano, scese l'oscurità: allora andarono a dormire, ciascuno nella sua casa.

Telemaco intanto si recò alla stanza che nel cortile bellissimo fu costruita per lui, alta, in luogo sicuro; là si recò per andare a dormire, con molti pensieri nel cuore.

Con lui andava portando le fiaccole ardenti la saggia, fedele Euriclea, figlia di Opo Pisenoride. La comprò un tempo Laerte, essa era giovane ancora, per lei diede venti buoi e in casa la tenne onorandola come la sua amata sposa, ma a lei non si unì mai, temendo l'ira della sua donna. Con Telemaco essa andava portando le fiaccole; lo aveva allevato bambino, più di ogni altra ancella lo amava. Aprì la porta della stanza ben fatta ed egli sedette sul letto, svestì la morbida tunica e nelle mani della saggia nutrice la pose. Lei la piegò, la dispose con cura e l'appese a un piolo, accanto al letto intarsiato. Poi uscì dalla stanza tirando a sé la porta con l'anello d'argento, e il chiavistello trasse con la cinghia di cuoio.

E là per tutta la notte, avvolto in morbida lana di pecora, Telemaco pensava in cuor suo al viaggio che gli aveva suggerito la dea, Pallade Atena.

II.

IL VIAGGIO DI TELEMACO

Ma quando all'alba apparve l'Aurora luminosa, balzò dal letto il figlio di Odisseo, indossò le vesti, alla spalla appese la spada affilata, si legò ai piedi i sandali ben fatti e dalla sua stanza si mosse, bello come un dio. E subito agli araldi dalla voce sonora comandò di riunire in assemblea gli Achei dai lunghi capelli. Gli araldi chiamarono, velocemente si radunarono gli Achei. E quando tutti furono raccolti e riuniti, anch'egli si recò all'assemblea impugnando la lancia di bronzo; non era solo, lo seguivano due cani veloci. A lui concesse Atena sovrumana bellezza, e mentre avanzava lo guardavano tutti, con meraviglia. Fecero largo i principi, e sul trono del padre egli sedette. Fra di loro prese la parola Egizio, il vecchio eroe curvo per gli anni, che aveva molta esperienza. Era suo figlio Antifo guerriero che insieme al divino Odisseo navigò sulle concave navi verso Troia, terra di bellissimi cavalli. Nella sua grotta profonda lo uccise il Ciclope selvaggio, che ultimo lo divorò nella sua cena. Altri tre figli aveva, Eurinomo che stava insieme ai Proci, e due che delle terre paterne avevano cura. Ma, anche così,

per Antifo piangeva e soffriva e non poteva scordarlo.
Versando lacrime per lui, così prese a parlare:

«Ascoltate ora, Itacesi, quello che dico. Non vi fu
mai assemblea, né si riunì consiglio da quando il glorioso Odisseo se ne andò sulle concave navi. Chi ora
ci ha radunati? Quale dei giovani o dei più anziani e
per quale necessità? Forse ha sentito dire che un esercito sta per invaderci e vuole dare a noi la notizia, lui
che l'ha udita per primo? O di altre pubbliche faccende vuole parlare? Mi sembra persona nobile, sia
benedetto, e a lui conceda Zeus tutto ciò che desidera
nell'animo».

Disse così, e il figlio di Odisseo fu lieto di udirlo;
bramoso di parlare, non restò seduto più a lungo, e si
levò in piedi, in mezzo all'assemblea. Gli pose lo scettro in mano Pisenore, l'araldo saggio e prudente. Rivolto al vecchio per primo disse allora Telemaco:

«Non è lontano, vecchio, lo vedrai presto tu stesso,
colui che ha radunato il popolo: io sono quell'uomo,
mio soprattutto è il dolore. Di un'armata che sta per
invaderci nulla ho sentito, nessuna notizia ho da darvi,
avendola io udita per primo. Né di altre pubbliche
faccende voglio parlare; mia è la necessità, perché sulla mia casa si è abbattuta una duplice sventura: il padre valoroso ho perduto, che un tempo regnava su di
voi e per voi era buono e dolce, come un padre; e ora
c'è una disgrazia più grande, che presto rovinerà la
mia casa, distruggerà tutti i miei beni. I figli degli uomini che qui sono i più nobili pretendono di sposare
mia madre: ma essa non vuole; di andare alla casa del
padre suo, Icario, hanno paura, perché lui le fornireb-
be la dote ma la darebbe in sposa a chi vuole, a chi gli
piace. No, è in casa mia che vanno e vengono ogni

giorno, e uccidono pecore, buoi, capre grasse e fiorenti, mangiano e bevono senza riguardo il vino colore del fuoco. È molto quello che consumano. Un uomo, qual era Odisseo, non c'è, che dalla casa allontani il disastro. Non sono in grado di farlo, io – forse anche in futuro, nella mia condizione, non avrò forza abbastanza –; lo farei di certo, se mi fosse possibile. Azioni intollerabili sono state compiute, la mia casa è andata malamente in rovina. Dovreste indignarvi anche voi: abbiate vergogna delle genti che ci vivono intorno, abbiate paura dell'ira degli dei, che a causa di queste azioni indegne non mutino il loro animo. In nome di Zeus, re dell'Olimpo, e di Temi, che raduna e discioglie le assemblee degli uomini, vi supplico: ora basta! Non lasciate che mi consumi, solo, nel mio dolore; a meno che mio padre, il valoroso Odisseo, non abbia fatto del male agli Achei dalle belle armature e voi, per vendicarvi, vogliate fare del male a me, incoraggiando costoro. Sarebbe meglio per me che foste voi a divorare le mie ricchezze, il bestiame; se così fosse, ne avrei presto il compenso. Per la città me ne andrei, a importunare tutti, a richiedere i miei beni fino a che tutto mi fosse reso: e invece ora mi gettate nel cuore un dolore insanabile».

Parlò così con rabbia e gettò a terra lo scettro scoppiando in pianto. Tutti ne ebbero pietà, tutti rimasero allora in silenzio, nessuno osò replicare a Telemaco con male parole. Antinoo soltanto gli rispose e disse:

«Telemaco, superbo e senza freni, che cosa hai detto mai: ci disonori, vuoi coprirci d'infamia. Non sono i Pretendenti che hanno colpe verso di te, è tua madre che conosce ogni sorta di inganni. Son già tre anni, presto saranno quattro, da quando essa tormenta il cuore degli Achei. Tutti illude, a ciascuno promette inviando messaggi; ma la sua mente medita ben altro. Ecco l'inganno che ha tramato in cuor suo: nella sua stanza ella tesseva una tela grande, sottile, bellissima; e disse a noi: "Giovani, miei pretendenti, il divino Odisseo è morto, ma voi, anche se desiderate sposarmi, aspettate che io finisca questa tela; non vada perduta la trama del lenzuolo funebre che sto tessendo al valoroso Laerte per il giorno in cui lo coglierà il funesto destino di crudele morte: nessuna delle donne Achee debba biasimarmi, se dovesse giacere privo di sudario lui che tanti beni raccolse". Disse, e persuase il nostro cuore superbo. Così di giorno tesseva la grandissima tela, e la disfaceva di notte, al lume delle torce. Per tre anni così, con l'inganno, riusciva a sfuggire e illudeva gli Achei. Ma quando il quarto anno giunse, a primavera, allora una delle donne, che sapeva tutto, parlò: la trovammo mentre disfaceva quella trama stupenda. Fu costretta a finirla per forza, suo malgrado. A te così rispondono i Pretendenti, perché tu sappia, nell'animo, perché sappiano tutti gli Achei. Rimanda tua madre alla sua casa e ordina che sposi l'uomo che il padre le impone e che gradisce lei stessa. Ma se per molto tempo ancora vuol tormentare i figli degli Achei tessendo le sue trame – certo molte doti le concesse Pallade Atena, saper fare cose meravigliose e avere mente acuta e accorta quale nessuna donna, neppure quelle di un tempo, le Achee dai capelli bellissimi che vissero in antico, Tiro, Alcmena, Micene dalla bella corona: nessuna di loro aveva la mente di Penelope –; questa volta però non ha pensato in modo giusto, e fino a che gli dei le mettono nel cuore idee come questa, le tue sostanze e i tuoi beni te li mangeranno i Proci: lei ne avrà grande fama, tu rimpiangerai la grande ricchezza. Noi non torneremo alle nostre occupazioni e non andremo altrove prima che lei abbia sposato uno degli Achei, quello che vuole».

A lui replicò allora il saggio Telemaco:

«Non posso, Antinoo, contro il suo volere, cacciarla dalla casa, lei che mi ha generato e allevato, mentre mio padre è in qualche parte del mondo, forse vivo, forse morto. Molto dovrei pagare a Icario se di mia volontà gli rimandassi mia madre: sarebbe un male, e mali verranno da suo padre e altri ancora dal demone, le odiose Erinni che la madre invocherà andando via di casa; biasimo e disprezzo da tutti... non darò mai quest'ordine. Ma se di voi stessi provate sdegno nell'animo, allora uscite dalla mia casa, procuratevi altri banchetti, consumate le vostre sostanze, invitandovi l'uno con l'altro. Se invece vi sembra cosa più facile e migliore distruggere impunemente i beni di un solo uomo, allora divorateli pure: invocherò gli dei che vivono in eterno, perché Zeus ci conceda di ricambiare l'opera: morirete nella mia casa e non vi sarà vendetta per voi».

Così parlò Telemaco. E Zeus dalla voce potente, dall'alto, dalla cima di un monte, mandò due aquile. Volarono nel vento l'una vicino all'altra, con le ali spiegate. Ma quando furono giunte sopra l'assemblea rumorosa, allora girarono intorno con un fitto sbattere d'ali, volgendo su tutti uno sguardo di morte; poi si artigliarono al collo, alla testa, e si lanciarono a destra, sulla città, sulle case. Tutti stupirono, nel vedere gli uccelli; compresero in cuore ciò che sarebbe avvenuto. E fra di loro prese a parlare il vecchio guerriero Aliterse, figlio di Mastoro, che fra i coetanei sapeva, lui solo, interpretare il volo degli uccelli, rivelare il destino. Con saggezza egli parlò e disse:

«Ascoltate ora, Itacesi, quello che dico. Ai Pretendenti, soprattutto, io parlo, è su di loro che incombe grave sciagura. Non a lungo Odisseo resterà lontano dai suoi, è già vicino, forse, e rovina e morte prepara a costoro. Disgrazia sarà anche per molti altri di noi che abitiamo a Itaca piena di sole. Pensiamo a come farli smettere prima. Pensino a smettere essi stessi, sarà molto meglio per loro. Non sono un profeta inesperto, so molte cose: e vi dico che per Odisseo tutto si compie così come gli dicevo quando per Ilio salparono i Danai e insieme a loro andava il saggio Odisseo; già dissi che, dopo aver molto sofferto, perduti i suoi compagni, dopo vent'anni, a tutti ignoto, sarebbe tornato alla terra dei padri. Tutto ora si compie».

A lui replicò il figlio di Polibo, Eurimaco:

«Vattene a casa, vecchio, a predire il futuro ai tuoi figli, che non capiti loro qualche disgrazia. Meglio di te io so spiegare tutto questo. Molti sono gli uccelli che volano alla luce del sole e non segnano tutti il destino. Odisseo è morto, lontano, fossi morto anche tu insieme con lui! Non andresti così vaticinando, non inciteresti Telemaco ch'è già in preda all'ira, aspettando che ti offra un dono per la tua casa, se vorrà dartelo. Ma ti dirò una cosa, che si compirà certamente: se tu, che molte e antiche cose conosci, provochi all'ira il giovane principe illudendolo con le parole, peggio sarà per lui prima di tutto, che non potrà farci nulla; a te poi, vecchio, infliggeremo una pena che sconterai con dolore: sarà un duro colpo per te. A Telemaco, qui davanti a tutti, io darò questo consiglio: ordini a sua madre di ritornare alla casa paterna; le prepareranno le nozze, le offriranno doni in quantità, come conviene a una figlia. Ma prima di allora non credo che i figli degli Achei rinunceranno alla loro corte assidua: non temiamo nessuno, neppure Telemaco, anche se parla tanto; e della profezia non ci curiamo, quella di cui vai parlando tu, vecchio, rendendoti ancora più odioso. Le ricchezze saranno divorate senza compenso fino a che lei rinvierà le nozze: aspetteremo giorno dopo giorno, sempre in gara per lei, non cercheremo altre donne, che pure potremmo sposare».

Gli disse allora il saggio Telemaco:

«Eurimaco, e voi tutti, nobili principi, di questo non voglio parlare più, né pregarvi: gli dei e il popolo acheo sanno già tutto. Datemi invece una nave veloce e venti uomini che con me facciano un viaggio, di andata e ritorno. A Lacedemone voglio recarmi, e a Pilo sabbiosa, a cercare notizie del padre che da tanto tempo è lontano; qualcuno potrebbe parlarmene, o potrei udire la voce che viene da Zeus e che diffonde la fama fra gli uomini. Se saprò che è vivo e che ritorna, per un anno ancora sopporterò, benché allo stremo; ma se saprò che è morto, che non è più in vita, tornerò allora alla mia patria terra, innalzerò una tomba per lui, gli offrirò i doni funebri, molti, come conviene, e darò mia madre a un marito».

Disse così e si sedette. Fra di loro si alzò allora Mentore, che del nobile Odisseo era amico fraterno. A lui, partendo con le navi, Odisseo affidò la sua casa perché gli obbedissero tutti e tutto lui custodisse com'era. A loro egli parlò con saggezza e disse:

«Ascoltate ora, Itacesi, quello che dico. Non vi saranno mai più re benevoli amabili e miti, che conoscano la giustizia nel cuore, ma sempre crudeli saranno e spietati: così com'è vero che nessuno – fra le genti su cui regnava – ricorda più il divino Odisseo che come un padre era dolce. Ma con i Proci arroganti io non mi adiro, se con mente malvagia compiono azioni violente, se giocano la loro vita distruggendo la casa di Odisseo, nella speranza che non faccia ritorno. Con il popolo invece mi indigno, con voi che ve ne state tutti in silenzio e non prendete a parole i Pretendenti che sono pochi, non li fermate, voi che siete in molti».

Gli rispose Leocrito figlio di Evenore:

«Mentore, pazzo, funesto, che cosa dici, incitando costoro perché ci facciano smettere! Certo non sarà facile, neppure a molti uomini, battersi con noi per il pranzo. Se anche Odisseo d'Itaca, lui stesso, giungesse e meditasse in cuor suo di scacciare i Proci arroganti, sorpresi a banchettare nella casa, neppure la sua donna, che tanto lo desidera, proverebbe gioia per il suo ritorno, e forse qui troverebbe una morte indegna Odisseo, se si battesse, solo, con tanti. Non hai parlato in modo giusto. Ora disperdetevi tutti, al suo lavoro torni ciascuno. Telemaco, lo esorteranno al viaggio Mentore e Aliterse, i vecchi amici del padre. Ma io penso che a lungo se ne starà ad ascoltare notizie qui, a Itaca. Non farà mai questo viaggio».

Così disse, e sciolse la breve assemblea. Si disperse la gente, alla sua casa ciascuno. Ma alla dimora del divino Odisseo si avviarono i Pretendenti. Sulla riva del mare si appartò Telemaco e, dopo aver lavato le mani nella candida schiuma, invocò Pallade Atena:

«Ascoltami, iddio che sei venuto ieri nella mia casa e mi invitasti a salire su una nave e andare per il mare oscuro a cercare notizie del padre che da tempo è lontano, a chiedere del suo ritorno: si oppongono a tutto gli Achei, ma i Pretendenti più di ogni altro, nella loro prepotenza malvagia».

Così diceva pregando e Atena gli venne vicino, a Mentore somigliante nel corpo e nella voce, e si rivolse a lui, gli disse queste parole:

«Non sarai mai uno stolto né un vile, Telemaco, se scorre in te il nobile sangue di tuo padre, se, come era lui, anche tu sei, nelle parole e nei fatti. Non sarà inutile allora, non sarà vano il tuo viaggio. Se invece non sei figlio suo e di Penelope, allora non credo che compirai ciò che pensi di fare. Non sono molti i figli che rassomigliano ai padri, sono peggiori i più, pochi i migliori. Ma poiché tu non sarai mai uno stolto né un vile e l'ingegno di Odisseo non ti manca, allora c'è speranza che tu compia l'impresa. Ora alle idee e ai piani dei Proci non badare: folli, che non hanno saggezza né giustizia, non sanno nulla del destino nero di morte che si avvicina, non sanno di morire tutti in un giorno. Il viaggio che vuoi fare non è più così lontano. Tanto amico di tuo padre io sono che allestirò una nave veloce e verrò con te io stesso. Ma tu torna ora a casa e sta insieme ai Proci, prepara provviste e chiudile in recipienti, il vino nelle anfore, in sacche di pelle la farina, nutrimento degli uomini. Io intanto raccoglierò dei volontari fra il popolo. Navi ve ne sono molte – vecchie e nuove – a Itaca cinta dal mare; vedrò fra queste qual è la migliore e dopo averla preparata in fretta la spingeremo nel vasto mare».

Così disse Atena, figlia di Zeus. Non rimase più a lungo Telemaco quando ebbe udito la voce del dio. Si avviò verso casa con l'animo turbato e trovò i Pretendenti che scuoiavano capre e rosolavano porci in cortile. Ridendo Antinoo si fece incontro a Telemaco, gli prese la mano e chiamandolo per nome gli disse:

«Telemaco, superbo e senza freni, non nutrire più cattivi pensieri e progetti malvagi nel tuo animo, mangia piuttosto e bevi con noi, come in passato. Tutto ti concederanno gli Achei, la nave, rematori scelti, perché tu raggiunga al più presto la sacra città di Pilo per avere notizie del tuo nobile padre».

Gli rispose il saggio Telemaco:

«Tra di voi, principi insolenti, io non posso mangiare tranquillo ed essere sereno. Non vi basta, Proci, aver già divorato tante e preziose ricchezze mie, quando ero ancora un ragazzo? Ora poiché sono adulto e comprendo quanto dicono gli altri, poiché il coraggio cresce nel mio cuore, cercherò di scagliare su di voi un destino amaro, sia che vada a Pilo sia che qui rimanga. Io vado, e non sarà vano il mio viaggio, anche se andrò da passeggero soltanto: non possiedo infatti né nave né rematori perché a voi sembrò che fosse meglio così».

Disse, e rapido sottrasse la sua mano alla mano di Antinoo. Nella casa intanto i Pretendenti preparavano il pranzo, e coprivano Telemaco di insulti e di scherni; tra quei giovani superbi così diceva qualcuno:

«Ah, Telemaco trama la nostra morte. Dalla sabbiosa Pilo si porterà certo alleati, oppure da Sparta, è così furente; o andrà ad Efira, terra fertilissima, e di lì recherà dei veleni mortali, li getterà in una coppa e darà a tutti la morte».

E un altro ancora di quei giovani insolenti diceva:

«Se anche lui se ne va su una concava nave, forse morirà lontano dai suoi, errando, come Odisseo. Sarebbe per noi una fatica ancora più grande: dovremmo dividere i beni, però la casa la daremmo alla madre e a colui che sposerà».

Così dicevano. Telemaco intanto discese nella dispensa paterna, una stanza grande, dall'alto soffitto, dov'erano mucchi d'oro e di bronzo e cassapanche piene di vesti e olio profumato, in abbondanza; orci di vino vecchio, dolcissimo, colmi di pura, divina bevanda, stavano contro il muro, uno vicino all'altro, se mai Odisseo tornasse alla sua casa, dopo aver molto sofferto. Erano chiuse e ben serrate le porte a due battenti e dentro, di giorno e di notte, stava la donna che custodiva ogni cosa con grande saggezza, Euriclea, figlia di Opo Pisenoride. Chiamandola presso di sé le disse Telemaco:

«Madre, versami nelle anfore del vino dolce, il più dolce dopo quello che conservi pensando a quell'infelice, al divino Odisseo, se mai ritorni sfuggendo al destino di morte. Dodici me ne riempi e metti dei tappi a ciascuna. Versa poi della farina in sacche di pelle ben cucita: venti misure di farina di grano, ben macinata. Tutto questo sia insieme raccolto, e tu sii la sola a saperlo. Verrò a prendere tutto stasera, quando mia madre sale alle sue stanze per andare a dormire. Io vado a Sparta e alla sabbiosa Pilo per chiedere di mio padre, se mai udissi parlare del suo ritorno».

Parlò così; pianse Euriclea, l'amata nutrice, e lamentandosi disse queste parole:

«Perché mai, figlio mio, ti è nato nell'animo questo pensiero? Perché vuoi andare per il vasto mondo, tu, unico figlio? È morto il divino Odisseo, lontano dalla sua patria, fra gente sconosciuta. Appena sarai partito, contro di te trameranno costoro perché tu muoia in un agguato, e poi tutto questo divideranno fra loro. Rimani a custodire i tuoi beni, non c'è bisogno che tu vada sul mare profondo, a errare e a soffrire».

A lei replicò il saggio Telemaco:

«Fatti coraggio, madre, non faccio questo senza che mi aiuti un dio. Ma tu giura che non dirai nulla a mia madre prima dell'undicesimo giorno, o dodicesimo, prima che lei stessa senta la mia mancanza e sappia che sono partito: non sciuperà così con le lacrime il suo viso bellissimo».

Così disse, e la vecchia nutrice fece giuramento solenne. E dopo che ebbe compiuto il giuramento, subito versò nelle anfore il vino e nelle sacche di pelle ben cucita la farina di grano. Telemaco tornò nella sala, tra i Pretendenti.

Ad altro pensava intanto la dea dagli occhi azzurri. Percorse l'intera città somigliando a Telemaco e a ciascuno avvicinandosi rivolgeva la parola, li esortava a riunirsi la sera presso la nave veloce. A Noemone, lo splendido figlio di Fronio, chiese una nave: ed egli gliela promise.

Tramontò il sole, si velarono d'ombra le strade. Trasse allora in mare la nave veloce e in essa collocò tutti gli attrezzi che portano a bordo le navi ben costruite. La ormeggiò ai confini del porto, si radunarono in folla i rematori valenti: ad uno ad uno li incitava la dea.

E ad altro ancora pensò la dea dagli occhi azzurri. Si avviò verso la casa del divino Odisseo e sui Pretendenti diffuse il sonno dolcissimo: li faceva ondeggiare mentre bevevano, faceva cadere le coppe di mano. Non rimasero a lungo ma se ne andarono a dormire in città, poiché sui loro occhi era disceso il sonno.

Disse allora a Telemaco la dea dagli occhi azzurri chiamandolo fuori dall'ampia sala, ed era in tutto simile a Mentore, nel corpo e nella voce:

«Telemaco, sono già pronti ai remi i compagni dai begli schinieri, che aspettano i tuoi comandi. Andiamo comunque, senza indugiare più a lungo».

Disse così e rapida lo precedette Pallade Atena: lui seguiva i suoi passi. E quando furono giunti al mare e alla nave trovarono sulla riva i compagni dai lunghi capelli.

A loro disse il forte Telemaco:

«Orsù, amici, portiamo qui le provviste: sono già pronte nella mia casa; ma mia madre non ne sa nulla e le altre ancelle neppure, tranne una sola».

Ciò detto andò avanti ed essi lo seguirono tutti. Ogni cosa portarono sulla nave ben costruita, così come il figlio di Odisseo aveva ordinato. Sulla nave salì poi Telemaco, lo precedeva Atena che sulla poppa della nave sedette: le si mise accanto Telemaco. Levarono gli altri gli ormeggi, salirono, sedettero ai remi. A loro un vento propizio mandava Pallade Atena, lo Zefiro impetuoso, che sul mare color del vino soffia sonoro. Ai compagni ordinava Telemaco di lavorare agli attrezzi ed essi obbedivano all'ordine. Nel foro in mezzo alla nave collocarono l'albero di legno d'abete, lo sollevarono, lo legarono alle sartie, alzarono poi le vele bianche con solide funi di cuoio. Il vento gonfiò la vela nel mezzo e intorno alla chiglia ribollivano le onde con grande strepito, mentre la nave correva.

Correva sul mare la nave, compiendo il cammino. Poi, dopo aver legato gli attrezzi sulla nera nave veloce, presero le coppe colme di vino e libarono agli dei che vivono eterni ma soprattutto alla figlia di Zeus, ad Atena dagli occhi lucenti.

Per tutta la notte la nave correva, e all'alba compiva il cammino.

III.

A PILO

Si levò il Sole, lasciando il mare bellissimo, salì verso il cielo colore del bronzo per dare luce agli dei e agli uomini sulla terra feconda. Ed essi giunsero a Pilo, la bella città di Neleo. Sulla riva del mare la gente di Pilo sacrificava dei tori neri a Poseidone che scuote la terra, il dio dai bruni capelli. Erano nove le sedi sacrificali, cinquecento persone in ciascuna, nove tori offrivano in ognuna di esse. Avevano appena gustato i visceri, arrostite le cosce degli animali in onore del dio, quando essi approdarono e, ammainate le vele della nave perfetta, l'ormeggiarono, sbarcarono poi essi stessi. Dalla nave scese Telemaco, lo precedeva Pallade Atena. A lui per prima parlò la dea dagli occhi lucenti:

«Telemaco, non devi avere più alcun ritegno; hai corso il mare per questo, per avere notizie del padre, sapere quale sorte ha subito, in quale parte della terra è nascosto. Va subito ora da Nestore, il domatore di cavalli; vediamo quali pensieri egli cela nell'animo. È molto saggio, non ti dirà certo menzogne».

A lei replicò il saggio Telemaco:

«Ma come gli andrò vicino, Mentore, come posso parlargli? Non conosco l'arte dei bei discorsi. E poi non è bello che un giovane interroghi un vecchio».

Gli disse la dea dagli occhi lucenti:

«Qualcosa penserai tu stesso nella tua mente, Telemaco, altre cose te le suggerirà un dio. Non credo che tu sia nato e cresciuto senza il favore divino».

Disse così e rapida lo precedette Pallade Atena: lui seguiva i suoi passi. Giunsero al luogo dov'era riunita la gente di Pilo, dove sedeva Nestore insieme ai figli; e intorno i compagni preparavano il pasto, arrostivano pezzi di carne, ne infilavano altri sugli spiedi. Ma quando videro gli ospiti, tutti accorsero in folla, li salutarono, li invitarono a prendere posto. Pisistrato, figlio di Nestore, si avvicinò per primo, prese la mano ad entrambi, li fece sedere a banchetto, là sulla sabbia, in riva al mare, sopra morbide pelli di pecora, accanto al fratello Trasimede e a suo padre. Diede loro una parte dei visceri, versò il vino in un calice d'oro e alzandolo disse ad Atena, la figlia di Zeus signore dell'egida:

«Ora invoca, straniero, Poseidone sovrano: è in suo onore il banchetto che avete trovato, giungendo. E dopo aver libato e pregato – così com'è d'uso – offri anche a costui la coppa di vino dolcissimo perché possa libare; anch'egli, penso, vorrà pregare gli dei: degli dei tutti gli uomini hanno bisogno. Ma lui è più giovane, ha la mia età: per questo a te per primo offrirò il calice d'oro».

Disse così, e pose nelle sue mani la coppa di vino dolcissimo. Atena fu lieta perché quell'uomo giusto e sapiente a lei per prima offrì il calice d'oro; e subito, fervidamente, invocò Poseidone sovrano:

«Ascoltami, dio che scuoti la terra, non rifiutarti a noi che ti preghiamo di compiere queste cose: a Nestore per prima cosa ed ai suoi figli dona la gloria, e a tutti gli altri, alla gente di Pilo, concedi una ricompensa gradita per questa sontuosa ecatombe. E fa che Telemaco, e io con lui, possiamo tornare dopo aver ottenuto ciò per cui siamo venuti qui sulla nera nave veloce».

Così pregava, ed era lei stessa che tutto compiva. Porse a Telemaco la bella coppa a due manici e come lei pregò anche il figlio di Odisseo. Quando ebbero cotto e tolto dal fuoco la carne migliore, fecero le parti e consumarono un sontuoso banchetto. Ma quando furono sazi di cibo e bevande, allora fra loro incominciò a parlare Nestore, il vecchio guidatore di carri:

«Ora che gli ospiti si sono saziati di cibo, è più opportuno chiedere loro chi sono. Chi siete dunque, stranieri? Da dove venite, navigando per le vie d'acqua? Avete qualche commercio o senza meta vagate sul mare come i predoni che vanno, rischiando la vita e a tutti portando rovina?».

Si fece coraggio allora il saggio Telemaco: coraggio gli infuse nell'animo Pallade Atena perché domandasse del padre lontano e grande fama si conquistasse lui stesso fra gli uomini:

«Nestore, figlio di Neleo, grande gloria dei Danai, ci chiedi di dove siamo. Io te lo dirò. Siamo venuti da Itaca, che giace ai piedi del Neio, per una faccenda privata, non pubblica, che ora ti dico. Di mio padre cerco notizie, se mai possa udirle, del divino, audace Odisseo che insieme a te ha combattuto e che ha distrutto – dicono – la città dei Troiani. Di tutti quelli che combatterono contro i Troiani, sappiamo dove ciascuno incontrò il triste destino di morte. Ma di lui anche la morte ha reso ignota il figlio di Crono. Quando morì, nessuno sa dirlo con certezza, se da genti nemiche fu ucciso sulla terra, oppure fra le onde del mare. Per questo io ora ti supplico di rivelarmi la sua misera morte, se con i tuoi occhi l'hai vista o da altri ne hai sentito parlare. Infelice lo ha generato sua madre! Tu non avere timore o pietà, non addolcire le tue parole, ma chiaramente dimmi quello che hai potuto vedere. Se mai mio padre, il valoroso Odisseo, compì le promesse che ti aveva fatto, là in terra troiana dove voi Achei avete tanto sofferto: ricordatene ora, ti supplico, e dimmi la verità».

A lui rispose Nestore, guidatore di carri:

«Figlio, tu mi hai ricordato le pene che in quella terra patimmo noi, intrepidi figli dei Danai, le nostre battaglie sul mare oscuro – quando con le navi andavamo vagando in cerca di prede sotto la guida di Achille –, e intorno alla grande città del re Priamo, dove furono uccisi poi tutti i migliori. Giacciono lì Aiace, il valoroso, e Achille, e Patroclo simile a un dio, e il mio amato figlio, Antiloco, che era forte e audace, rapido nella corsa e intrepido nella battaglia. E molti altri dolori oltre a questi soffrimmo, nessuno fra gli uomini potrebbe raccontarli tutti; neanche se per cinque o sei anni tu rimanessi qui a domandare quante pene soffrirono a Troia gli Achei valorosi: ti annoieresti prima e alla tua patria terra faresti ritorno. Per nove anni abbiamo tessuto la loro rovina, con ogni sorta di inganni. Alla fine il figlio di Crono compiva l'impresa. Ma laggiù nessuno voleva misurarsi con la mente accorta del divino Odisseo che su tutti eccelleva nell'inventare ogni tipo di astuzie, Odisseo, tuo padre, se sei suo figlio davvero. Provo stupore guardandoti: come lui parli, non direbbe nessuno che un giovane possa parlar così bene. Per tutto il tempo che fummo laggiù, fra me e il divino Odisseo non ci fu dissenso, mai, né in assemblea né in consiglio; ma con un animo solo e con mente saggia e accorta noi pensavamo quale fosse per gli Achei la cosa migliore. Dopo aver abbattuto l'alta città di Priamo, salimmo sulle navi e partimmo, e allora un dio disperse gli Argivi; Zeus meditò nel suo animo un doloroso ritorno perché non furono tutti né assennati né giusti. E, fra di loro, molti morirono di mala morte a causa dell'ira tremenda di Atena, figlia del padre onnipotente, che gettò la discordia tra i figli di Atreo. Essi riunirono in assemblea tutti gli Achei, ma contro ogni regola, al calar del sole. E vennero, i figli dei Danai, gravati dal vino, e i figli di Atreo dissero perché avevano radunato l'esercito. Menelao invitava gli Achei tutti a pensare al ritorno, sulla vasta distesa del mare. Ma ad Agamennone quest'idea non piaceva, lui voleva che si trattenessero ancora e offrissero sacre ecatombi per placare l'ira tremenda di Atena. Non sapeva, illuso, che non l'avrebbe piegata: non muta all'improvviso la mente degli dei che vivono eterni.

Così stavano essi, scambiandosi dure parole. Si alzarono allora con grande clamore gli Achei dalle belle armature, divisi in opposte fazioni. Passammo la notte, meditando, gli uni agli altri, sciagure; e sventure e dolori preparava, intanto, Zeus. All'alba alcuni di noi trassero in mare le navi, caricarono i loro averi e le donne dalla snella figura. Ma metà degli uomini rimase là in attesa, con Agamennone figlio di Atreo, il condottiero di eserciti. L'altra metà si imbarcò e partì. Correvano veloci le navi, un dio placò le acque del mare dagli abissi profondi. Giunti a Tenedo offrimmo sacrifici agli dei, impazienti di giungere in patria. Ma non pensava a farci tornare Zeus, crudele, che per la seconda volta provocò un'aspra contesa. E alcuni di loro fecero virare le navi ricurve e insieme a Odisseo, saggio ed accorto, tornarono indietro per compiacere il figlio di Atreo, Agamennone. Io invece fuggii, con le molte navi che mi seguivano, fuggii perché presentivo che il dio meditava sciagure. Fuggì il valoroso figlio di Tideo e incitò i compagni a seguirlo. Dopo di noi, più tardi, partì il biondo Menelao, e ci raggiunse a Lesbo mentre sul lungo viaggio per mare meditavamo, se passare al di sopra di Chio irta di rupi, tenendo a sinistra l'isola Psiria, o navigare al di sotto, lungo il Mimante battuto dai venti. Chiedevamo al dio che ci mostrasse un prodigio, ed egli ce lo mostrò e ci invitava a navigare verso l'Eubea tenendoci in mezzo al mare, per sfuggire al più presto ai pericoli. Si alzò il soffio sonoro del vento e velocemente le navi solcavano il mare ricco di pesci, a notte approdammo a Geresto. Molte cosce di tori offrimmo a Poseidone, dopo aver varcato il mare infinito. Era il quarto giorno quando i compagni di Diomede, figlio di Tideo, domatore di cavalli, ormeggiarono ad Argo le navi perfette. Io tenni la rotta su Pilo e il vento non si arrestò, da che il dio lo fece soffiare. Giunsi così, figlio mio, senza notizie, e nulla so degli Achei, chi si salvò, chi invece scomparve. Ma quello che ho udito qui, nella mia casa, te lo dirò e tu lo saprai, come è giusto. Dicono che siano arrivati bene i Mirmìdoni intrepidi, sotto la guida del figlio glorioso del nobile Achille. E bene arrivò Filottete, splendido figlio di Peante. A Creta Idomeneo ricondusse tutti i compagni che scamparono alla guerra:

il mare non gli tolse nessuno. Del figlio di Atreo, lo avete udito anche voi che siete lontani quale fu il suo ritorno, come Egisto tramò la sua misera fine. Ma Egisto ha duramente pagato. È bene che il padre abbia lasciato un figlio, morendo, perché fu lui a punire il perfido Egisto, che gli aveva ucciso il padre glorioso. Anche tu, figlio mio, che sei così grande e così forte, mostrati audace, perché anche in futuro si parli bene di te».

A lui replicò il saggio Telemaco:

«O Nestore, figlio di Neleo, grande gloria dei Danai, ben duramente gliel'ha fatta pagare, Oreste, e a lui daranno gli Achei fama grandissima, che sarà cantata in futuro. Se anche a me gli dei concedessero tanto potere, di vendicarmi dei Proci per la loro funesta violenza, per le azioni indegne che ordiscono contro di me: ma tale fortuna non hanno concesso gli dei, né a me né a mio padre. È necessario sopportare, per ora».

Gli rispose Nestore, guidatore di carri:

«Poiché questo hai ricordato e di questo hai parlato, ecco: si dice che i numerosi pretendenti di tua madre ti recano danno in casa, contro il tuo volere; ma dimmi se tuo malgrado ti sei piegato o se fra il popolo ti odia qualcuno, per istigazione di un dio. Chi sa che, quando avrai fatto ritorno, non possa vendicarti anche tu delle loro violenze, da solo o insieme con tutti gli Achei? Se la 'dea dagli occhi azzurri ti amasse così come si prendeva cura del glorioso Odisseo, allora, in terra troiana, dove tante pene soffrimmo – non vidi mai un dio amare in modo così palese come visibilmente Atena gli stava accanto –, se ti amasse così e di te si curasse nel cuore, davvero essi dovrebbero dimenticare le nozze».

A lui di rimando rispose il saggio Telemaco:

«Padre, non credo che si compiranno le tue parole. Quello che hai detto è troppo bello, mi riempie di sacro stupore; ma non credo che si compirà, per me, anche se lo spero, neppure se lo volessero gli stessi dei».

Gli disse allora la dea dagli occhi azzurri:

«Quali parole hai mai detto, Telemaco. È facile per un dio, se lo vuole, portare un uomo in salvo, anche da molto lontano. Anch'io vorrei tornare a casa, vedere il giorno del mio ritorno, dopo aver molto sofferto, piuttosto che ritornare e morire in casa mia come morì Agamennone per l'inganno della sua sposa e di Egisto. Ma la morte crudele neppure gli dei possono tenerla lontana da un uomo che amano, quando il triste destino di morte lo coglie».

Rispose il saggio Telemaco:

«Di questo non parliamo più, Mentore, anche se molto ci affligge. Egli non tornerà, gli dei hanno deciso per lui il nero destino di morte. Ma un'altra domanda voglio ora rivolgere a Nestore, che per giustizia e sapienza è superiore a ogni altro. Da tre generazioni di uomini regna, dicono, e a me sembra immortale a guardarlo. O Nestore, figlio di Neleo, dimmi la verità. Come morì il figlio di Atreo, il potente Agamennone? E Menelao, dov'era? Quale fine gli preparò il perfido Egisto, che uccise uno molto più forte di lui? Forse non era in Argolide, Menelao, ma andava errando altrove fra gli uomini, e lui prese coraggio e lo uccise?».

Replicò Nestore, guidatore di carri:

«Tutta la verità ti dirò, figlio mio. Ma capisci tu stesso cosa sarebbe accaduto se tornando da Troia Menelao, il biondo figlio di Atreo, avesse trovato Egisto, vivo, nella dimora regale: su di lui morto non avrebbe certo versato la terra, ma cani e uccelli avrebbero dilaniato il cadavere abbandonato nella pianura, lontano dalla città; né lo avrebbero pianto le donne d'Acaia, poiché aveva compiuto un così grande misfatto. Noi eravamo laggiù a sostenere molte battaglie. E lui, al sicuro, nel rifugio di Argo dai bei cavalli, con molte parole incantava la sposa di Agamennone. Rifiutava dapprima l'azione indegna, Clitennestra divina: era di animo nobile e aveva accanto l'aedo a cui, partendo per Troia, il figlio di Atreo aveva ordinato di vegliare sulla sua sposa. Ma quando il destino la costrinse a piegarsi, allora in una deserta isola Egisto condusse il cantore, là lo abbandonò, che degli uccelli divenisse preda, e portò la donna nella sua casa: lo volevano entrambi. Molte cosce di buoi bruciò sui sacri altari, molti doni vi appese, oro, tessuti preziosi, perché aveva raggiunto lo scopo che mai sperava nel cuore.

Partiti da Troia, navigavamo insieme, Menelao figlio di Atreo ed io, da amicizia uniti l'uno con l'altro. Ma quando giungemmo al Sunio, promontorio sacro di Atene, allora Apollo uccise il pilota di Menelao, lo colpì con le sue dolci frecce mentre sulla nave in corsa teneva il timone: il suo nome era Fronti, figlio di Onetore, e molti uomini vinceva al governo di una nave quando infuriavano le tempeste. E così Menelao, che voleva partire, si fermò là per seppellire il compagno e rendergli i funebri onori. Ma quando anche lui si mosse sul mare colore del vino con le sue concave navi e rapidamente giunse al capo Malea, allora un viaggio tremendo gli preparò Zeus dalla voce possente, rovesciò su di lui venti sonori, e onde gonfie, enormi come montagne. Allora Menelao divise le navi, e alcune le spinse verso Creta, dove vivono i Cidoni, sulle rive dello Iardano. Al limite estremo di Gortina, sul mare cupo, una rupe alta e liscia si protende sull'acqua. Grandi ondate vi spinge il libeccio sulla punta sinistra, in direzione di Festo, ma il piccolo scoglio le grandi ondate respinge. Qui le navi giunsero e le onde le fracassarono contro le rocce: gli uomini evitarono a stento la morte. Cinque navi dalla prora azzurrina furono invece sospinte in Egitto, dal vento e dal mare. Là Menelao andava con le navi fra genti straniere e raccoglieva oro e molte ricchezze. In patria intanto Egisto compì questi orrendi misfatti. Ucciso il figlio di Atreo, sottomise il suo popolo, e per sette anni regnò su Micene, la città ricca d'oro; ma l'ottavo anno, per sua disgrazia, tornò da Atene Oreste glorioso e uccise l'assassino, il perfido Egisto che il nobile padre gli uccise. E, dopo averlo ucciso, offrì un banchetto funebre ai Danai, per la madre indegna e per Egisto, il vile. Quel giorno stesso tornò Menelao dal grido possente, portando ingenti ricchezze, quante potevano contenerne le navi.

Ma tu, figlio mio, non vagare a lungo lontano da casa abbandonando i tuoi beni in balia di uomini così prepotenti, che non si spartiscano gli averi e te li divorino tutti, e tu abbia compiuto invano il tuo viaggio. Da Menelao però io ti esorto e ti invito ad andare: da poco tempo è ritornato, ed è stato in paesi dai quali nessuno spererebbe in cuor suo di tornare se le tempeste lo sospingessero su una distesa d'acqua così vasta e terribile che neppure gli uccelli vi tornano nel medesimo anno. Va dunque, con la tua nave e i compagni. Ma se vuoi andare per via di terra, abbiamo carro e cavalli, e vi sono i miei figli che ti condurranno a Lacedemone gloriosa, dov'è il biondo Menelao. Pregalo tu stesso, che sinceramente ti parli. Non ti dirà certo menzogne, perché è molto saggio».

Così disse. E tramontò il sole, giunse la tenebra. Fra loro prese a parlare la dea dagli occhi lucenti:

«Quello che hai detto è detto bene, vecchio. Ora però tagliate le lingue alle vittime, versate il vino, e dopo aver libato a Poseidone e agli dei immortali, pensiamo al riposo, è ora di farlo: la luce ormai cede alla tenebra, non è bene sedere a lungo a un banchetto in onore degli dei, bisogna andare a casa».

Così disse la figlia di Zeus ed essi ascoltarono le sue parole. Versarono l'acqua sulle mani gli araldi, i giovani colmarono di vino la coppa e ne distribuirono a tutti un poco nei calici. Gettarono sul fuoco le lingue delle vittime e poi, stando in piedi, libarono. E dopo aver libato e bevuto quanto l'animo volle, allora Atena e Telemaco simile a un dio si mossero per ritornare alla concava nave. Ma li trattenne Nestore con queste parole:

«Non voglia Zeus e gli altri dei immortali che da casa mia ve ne andiate alla nave veloce come se io fossi un povero, privo di vesti, come se non avessi in casa tappeti e coperte in abbondanza per me stesso e per far dormire gli ospiti comodamente. Io possiedo coperte e tappeti bellissimi. Non dormirà sul ponte di una nave l'amato figlio del grande Odisseo, finché io vivo, finché nella reggia vi saranno i miei figli per accogliere gli ospiti che giungano nella mia casa».

A lui rispose la dea dagli occhi azzurri:

«Hai detto bene, vecchio; e Telemaco deve ubbidirti perché è molto meglio così. Lui ora verrà insieme a te per dormire nella tua casa. Io invece andrò alla nave nera, per raccontare ai compagni ogni cosa e rassicurarli. Fra tutti io sono il più vecchio; gli altri, che per amicizia ci seguono, sono tutti più giovani, hanno l'età del coraggioso Telemaco. Là io voglio dormire, sulla nera concava nave. All'alba mi recherò dai Cauconi intrepidi, che hanno un debito verso di me, antico e non piccolo. Tu invece fa partire Telemaco, poiché alla tua casa è venuto, col carro e con uno dei tuoi figli; e dagli i cavalli più veloci che hai, e più forti».

Così disse la dea dagli occhi lucenti e, rapida come un avvoltoio, sparì. Rimasero stupefatti gli Achei. Stupì il vecchio re nel vederla, prese per mano Telemaco, gli rivolse la parola e gli disse:

«Certo non sei né malvagio né vile, figlio, se, così giovane, ti sono compagni gli dei. Fra i numi che in Olimpo hanno dimora questa è la figlia di Zeus, la predatrice che fra tutti gli Achei il tuo valoroso padre onorava. O dea sovrana, sii propizia, concedi gloria a me ai miei figli alla mia nobile sposa; e io ti offrirò in sacrificio una giovenca di un anno, dall'ampia fronte, che non è mai stata aggiogata: te la offrirò in sacrificio dopo averle ricoperto d'oro le corna».

Così diceva pregando, lo udì Pallade Atena. Avanti a tutti andava Nestore, guidatore di carri, conducendo generi e figli verso la sua bella dimora. E quando furono giunti alla splendida reggia del loro signore, l'uno vicino all'altro sedettero, sopra i sedili e i troni. Il vecchio re offrì loro una coppa di vino dolcissimo, da un orcio di dieci anni che l'ancella aprì togliendo il sigillo. Questo vino offrì il vecchio re, e, libando, fervidamente pregava la figlia di Zeus, signore dell'egida. E dopo aver libato e bevuto quanto l'animo volle, andavano tutti a dormire, ciascuno nella sua casa. Telemaco invece, il caro figlio del divino Odisseo, Nestore guidatore di carri lo fece dormire in un letto intarsiato sotto il portico pieno di echi; e accanto a lui fece dormire Pisistrato, signore di eserciti, lancia gloriosa, quello che, tra i suoi figli, non era ancora sposato. Egli dormì invece all'interno dell'alta dimora, gli preparò il letto la regina, sua sposa.

Ma quando si levò all'alba l'Aurora splendente, dal letto si levò anche Nestore, guidatore di carri, uscì dalla casa e sedette sui lisci sedili di pietra che stavano davanti alle porte, lucidi, bianchi. Qui stava un tempo Neleo, pari agli dei per saggezza: ma lui ormai, vinto dal destino di morte, era sceso nelle dimore di Ade, e ora, impugnando lo scettro, vi sedeva Nestore, baluardo dei Danai. Intorno si radunarono i figli, usciti dalle loro stanze, Echefrone e Stratio e Perseo e Areto e Trasimede, simile a un dio. Sesto, si aggiunse a loro il guerriero Pisistrato e accanto a lui fecero sedere Telemaco, pari agli dei. Fra di loro prese a parlare Nestore, guidatore di carri:

«Figli miei, compite il voto al più presto affinché, prima fra tutti gli dei, ci sia favorevole Atena che chiaramente mi apparve al sontuoso banchetto in onore del dio. Uno di voi vada nei campi, per la giovenca, che giunga al più presto, la conduca il guardiano dei buoi. Un altro si rechi alla nera nave del coraggioso Telemaco e porti qui i suoi compagni, tutti, tranne due soli. Un altro ancora dica a Laerce, l'artigiano dell'oro, che venga qui a dorare le corna della giovenca. Voi altri rimanete qui tutti e dite alle ancelle di preparare nella bella dimora un banchetto, di portare sedili e legna e limpida acqua».

Disse così, si affaccendavano tutti. Venne la giovenca dai campi, vennero, dalla nave veloce, i compagni del coraggioso Telemaco, venne l'artefice con in mano gli arnesi di bronzo necessari al mestiere – il martello, l'incudine, la forte tenaglia per lavorare l'oro. E venne Atena a prendere parte al sacrificio. Diede l'oro il vecchio re Nestore guidatore di carri; ed egli ne rivestì le corna della giovenca, con arte, perché, vedendo, ne gioisse la dea. Stratio e il divino Echefrone traevano per le corna la vittima. Venne Areto da casa portando l'acqua lustrale in un bacile ornato di fiori, e i grani d'orzo dentro un canestro. L'intrepido Trasimede, impugnando la scure affilata, era pronto a colpire la bestia. Perseo teneva il bacile. E il vecchio guidatore di carri per primo versava l'acqua, spargeva l'orzo e fervidamente pregava Atena gettando nel fuoco i peli strappati dal capo della giovenca. Quando ebbero tutti pregato e gettato i grani d'orzo, allora il figlio di Nestore, l'audace Trasimede, vibrò il colpo, stando vicino; la scure recise i tendini del collo, tolse alla bestia la forza vitale. Gettarono un alto grido le donne, le figlie le nuore e la nobile sposa di Nestore, Euridice, la maggiore delle figlie di Climeno. Sollevata la bestia da terra, la sostennero gli uomini e Pisistrato, signore di eroi, le diede il colpo di grazia. Sgorgò il nero sangue, lasciò le ossa la vita; rapidi la squartarono allora, subito tagliarono a pezzi le cosce, con cura, nel grasso interamente le avvolsero, sopra vi posero le parti scelte. Sugli sterpi le bruciava il vecchio versandovi il vino fulgente; accanto a lui i giovani tenevano in mano gli spiedi a cinque punte. E dopo che ebbero bruciato le ossa e mangiato i visceri, tagliarono il resto in piccoli pezzi, li infilarono sugli spiedi e li arrostivano, tenendo in mano gli spiedi dalle punte aguzze.

Per Telemaco intanto preparava un bagno Policasta

la bella, figlia minore di Nestore figlio di Neleo. E quando lo ebbe lavato e unto di olio abbondante, gli fece indossare una tunica, gli avvolse intorno un mantello bellissimo; dal bagno egli uscì bello come un dio immortale e andò a sedersi accanto a Nestore, signore di popoli.

Dopo aver arrostito e tolto dal fuoco la carne del dorso, mangiarono, seduti a banchetto; uomini di nobile aspetto versavano il vino nei calici d'oro. E quando furono sazi di cibo e bevande, incominciò a parlare Nestore guidatore di carri:

«Figli, aggiogate al carro i cavalli dalle belle criniere, per Telemaco, perché compia il suo viaggio».

Disse così, ed essi ascoltarono e obbedirono. Rapidi aggiogarono al carro cavalli veloci. E pane e vino vi pose l'ancella e i cibi di cui si nutrono i re di stirpe divina. Salì Telemaco sul carro bellissimo; accanto a lui salì Pisistrato, figlio di Nestore, signore di eroi, prese in mano le redini e frustò i cavalli che di slancio volarono verso la pianura lasciando alle spalle l'alta rocca di Pilo.

Per tutto il giorno i cavalli scossero il giogo. Tramontò il sole, si velarono d'ombra le strade quando giunsero a Fere, alla dimora di Diocle figlio di Ortiloco che fu generato da Alfeo. Qui li ospitò Diocle, qui passarono la notte. Quando all'alba si levò l'Aurora splendente, misero al giogo i cavalli, salirono sul carro variopinto, lo spinsero fuori dall'atrio, dai portici pieni di echi, frustò i cavalli Pisistrato, ed essi di slancio volarono. Giunsero nella pianura ricca di grano, e il loro viaggio era alla fine: così lontano li portarono i veloci cavalli.

E tramontò il sole, si velarono d'ombra le strade.

IV.

A LACEDEMONE

E giunsero a Lacedemone, incuneata fra i monti, e si diressero alla dimora di Menelao glorioso. Lo trovarono al banchetto che ad amici e parenti offriva per le nozze del figlio e della figlia, nella sua casa. Dava la femmina in sposa al figlio di Achille uccisore di uomini; a Troia gliela promise, giurò che gliel'avrebbe data, e gli dei portarono a compimento le nozze: gliela mandava, con carro e cavalli, nella gloriosa città dei Mirmidoni, sui quali regnava. Al maschio dava una fanciulla di Sparta, la figlia di Alettore dava a Megapente, forte e amatissimo, che da una schiava gli nacque; poiché gli dei non concessero ad Elena altri figli dopo che ebbe generato la prima, la bellissima Ermione che somigliava nel volto alla bionda Afrodite.

Così banchettavano lieti, nell'ampia dimora dagli alti soffitti, gli amici e i parenti di Menelao glorioso. In mezzo a loro l'aedo divino cantava suonando la cetra e due danzatori volteggiando davano inizio alle danze.

Nel cortile davanti alla casa si fermarono con i cavalli, il forte Telemaco e il glorioso figlio di Nestore. Uscito di casa li vide il valente Eteoneo, solerte scudiero di Menelao glorioso e subito tornò dentro per annunciarli al signore di popoli. Gli andò vicino e gli rivolse queste parole:

«Due stranieri ci sono, Menelao divino, due uomini che sembrano discendere dal sommo Zeus. Dimmi, dobbiamo staccare dal carro i loro cavalli veloci o li mandiamo da un altro che possa ospitarli?».

A lui rispose il biondo Menelao, sdegnato:

«Non eri stupido un tempo, Eteoneo figlio di Boetoo; ma adesso dici sciocchezze, come un bambino. Eppure anche noi siamo tornati a casa dopo aver spesso mangiato alla mensa ospitale di gente straniera, nella speranza che Zeus ponesse fine alle nostre pene. Sciogli dunque i cavalli degli ospiti e conducili poi a mangiare».

Disse così e lui attraverso la sala si mosse e ad altri solerti scudieri ordinava che lo seguissero. Dal giogo sciolsero i cavalli grondanti sudore, li legarono alle greppie, gettarono accanto a loro la spelta mista al candido orzo, alle pareti lucenti accostarono il carro e nella dimora splendida condussero gli ospiti.

Guardavano essi e stupivano nel palazzo del re di stirpe divina. Splendeva, come luce di sole o di luna, l'alta dimora di Menelao glorioso. Dopo aver saziato gli occhi guardando, entrarono nelle vasche ben levigate e fecero il bagno. Li lavarono e li unsero d'olio le ancelle, poi li avvolsero in tuniche e mantelli di lana e su dei troni essi sedettero, accanto a Menelao figlio di Atreo. Venne un'ancella a portare l'acqua, versandola da una brocca d'oro, bellissima, in un bacile d'argento, perché si lavassero; e pose accanto un tavolo ben levigato. Venne la dispensiera a portare il pane e molte vivande che con larghezza dispose. Piatti di carne scelta, di vari tipi, offrì il servitore e delle coppe d'oro mise loro davanti. E allora il biondo Menelao li salutò con queste parole:

«Prendete il cibo e gustatelo. Quando vi sarete saziati, allora vi chiederò chi siete. Non è certo estinta la vostra stirpe, siete della razza dei re che da Zeus discendono, i re che portano lo scettro; dei vili non avrebbero generato figli simili a voi».

Disse così e con le sue mani prese e offrì loro le grasse carni del dorso di bue che a lui avevano dato, come parte d'onore. Sui cibi pronti e imbanditi tesero essi le mani. Ma quando furono sazi di cibo e bevande, allora Telemaco parlò al figlio di Nestore, accostando la testa alla sua, perché non udissero gli altri:

«Figlio di Nestore, amico carissimo, guarda come rifulge il bronzo nella sala piena di echi, e l'oro, l'ambra, l'avorio, l'argento. Così dev'essere, dentro, la reggia di Zeus, a vedere queste infinite ricchezze: guardo, e lo stupore mi prende».

Comprese le sue parole il biondo Menelao e rivolgendosi a loro disse:

«Nessuno tra gli uomini potrebbe competere, figli, con Zeus: le sue case, i suoi tesori non hanno tempo. Con le mie ricchezze potrebbe misurarsi, forse, qualcuno degli uomini, o forse no. Dopo aver molto errato e molto sofferto, le portai con me al ritorno, dopo sette anni: a Cipro fui, in Fenicia, in Egitto, fino agli Etiopi giunsi e ai Sidoni e agli Erembi e in Libia, dove agli agnelli crescono presto le corna e le pecore partoriscono per tre volte nel giro di un anno. Nessun padrone, là, nessun pastore ha bisogno di carne e formaggio o di dolce latte: il latte si può mungere sempre, per tutto l'anno. E mentre presso di loro andavo errando e raccoglievo ingenti ricchezze, un altro mi uccise il fratello, all'improvviso, a tradimento, per l'inganno della sposa funesta. E così senza gioia su questi tesori io regno. Forse dai vostri padri avete udito parlare di questo: perché moltissime pene ho sofferto, e ho perduto una casa bellissima, ricca di beni preziosi. Ma di tutti quei beni vorrei solo un terzo nella mia casa, purché fossero in vita gli eroi che perirono allora nella vasta pianura di Troia, lontano da Argo dai bei cavalli. E tuttavia, anche se piango e soffro per tutti – spesso, nella mia casa, sazio il mio cuore piangendo, e poi invece smetto, perché delle lacrime ci si sazia ben presto –, non per tutti io piango e mi addoloro quanto per uno che sonno e fame mi toglie al ricordo, perché nessuno degli Achei penò tanto quanto penò e sopportò Odisseo. Era destino che lui soffrisse dolori e che io provassi una pena tremenda, incessante, per lui: che da tanto tempo è lontano e non sappiamo se è vivo o se è morto. Certo lo piangono il vecchio Laerte, la saggia Penelope, e Telemaco, che egli lasciò appena nato nella sua casa».

Disse così, e fece nascere in lui il desiderio di piangere il padre: udendo parlare di lui, dagli occhi gli caddero lacrime e con le mani si portò al volto il rosso mantello. Lo vide Menelao e nella mente e nell'animo rimase incerto, se lasciare che parlasse lui stesso del padre o interrogarlo prima e domandargli ogni cosa. E mentre questo meditava nella mente e nel cuore, Elena uscì dal talamo alto, odoroso, bella come Artemide dalle frecce d'oro. Per lei collocò Adreste un bellissimo seggio, Alcippe portò dei tappeti di morbida lana, Filò un paniere d'argento, dono di Alcandre, la sposa di Polibo, che abitava a Tebe d'Egitto dove, nelle dimore, vi sono immense ricchezze. A Menelao donò Polibo due vasche d'argento, due tripodi, dieci talenti d'oro. A Elena, la sposa di Polibo diede a sua volta doni bellissimi: una conocchia d'oro e un cesto d'argento munito di ruote, con i bordi dorati. Glielo portava l'ancella Filò, ed era pieno di fili da tessere; sopra posava la conocchia avvolta da lana violetta. Sedette sul seggio, con uno sgabello ai suoi piedi. E subito rivolgeva domande al suo sposo:

«Sappiamo dunque, Menelao divino, chi sono gli uomini che giunsero alla nostra dimora? Sarà vero o falso, ma il cuore mi spinge a parlare. Non ho mai visto persona così somigliante, né uomo né donna – guardo e lo stupore mi prende –, come somiglia costui al figlio del grande Odisseo, a Telemaco che in casa lasciò appena nato quando per me, indegna, per causa mia, gli Achei assediarono Troia, muovendo un'audacissima guerra».

A lei rispose il biondo Menelao:

«Così penso anch'io, ora, come tu pensi: sono uguali i suoi piedi, e le mani, e gli occhi, la testa, i capelli. E proprio ora io, ricordando, parlavo di Odisseo, quanto patì, quanto penò per me, e lui versava dagli occhi lacrime fitte, levando davanti al viso il rosso mantello».

Replicò allora Pisistrato, figlio di Nestore:

«Stirpe di Atreo, Menelao divino, signore di popoli, questo è suo figlio davvero, come tu dici, ma è uomo discreto, e, giunto qui per la prima volta, prova ritegno in cuor suo a parlare in modo avventato davanti a te, che come un dio ci incanti con la tua voce. Nestore, condottiero di carri, mi ha mandato con lui come guida: desiderava vederti perché tu lo consigli nelle azioni o nelle parole. Molte pene patisce nella sua casa un figlio quando il padre è lontano e non vi è chi lo aiuta, come ora è lontano il padre di Telemaco e non c'è nessun altro tra il popolo che allontani il disastro».

E il biondo Menelao gli rispose:

«È dunque vero, nella mia casa è giunto il figlio di un caro amico, uno che molte lotte ha affrontato per me. Sopra tutti gli Argivi dicevo che l'avrei onorato al suo ritorno, se Zeus, l'Olimpio dalla voce tonante, ci avesse concesso di ritornare per mare, sulle navi veloci. A lui avrei dato una città nell'Argolide, costruito una reggia, l'avrei fatto venire da Itaca con i suoi beni e suo figlio e tutto il suo popolo, dopo aver fatto sgombrare per lui una delle città che sono qui intorno e sulle quali io regno. Stando qui, spesso ci saremmo incontrati: e nella gioia dell'amicizia nulla avrebbe potuto dividerci, finché non ci avesse avvolto la nera nube di morte. Ma proprio questo dovevano invidiarci gli dei che solo lui hanno reso infelice e senza ritorno».

Disse così, e in tutti fece nascere desiderio di pianto. Piangeva Elena d'Argo, figlia di Zeus, piangeva Telemaco, e Menelao figlio di Atreo; non erano asciutti gli occhi del figlio di Nestore, che ricordava nel cuore il nobile Antiloco, ucciso dallo splendido figlio dell'Aurora lucente; e, di lui memore, disse Pisistrato:

«Figlio di Atreo, di te diceva Nestore che eri saggio più di ogni altro, quando in casa ti ricordavamo e parlavamo tra noi. Ascoltami, ora, se puoi. Non amo piangere dopo la cena; si può aspettare la luce dell'alba; ma non mi vergogno affatto di piangere chi ha incontrato la morte e il destino: è questo il solo compenso per le persone dolenti, tagliarsi i capelli in segno di lutto, bagnare il volto di lacrime. Anche mio fratello è morto, e degli Argivi non era certo il peggiore. Ma tu lo sai, io invece non l'ho mai incontrato, mai visto. Dicono che Antiloco superasse ogni altro guerriero, nella corsa e nella battaglia».

A lui il biondo Menelao rispose:

«Tu parli, o caro, come potrebbe parlare un uomo saggio e molto più vecchio di te; e parli così perché di tuo padre sei figlio. È facile riconoscere il figlio di un uomo cui Zeus ha concesso fortuna nel matrimonio e nei figli, come a Nestore per tutta la vita ha concesso, di invecchiare nella sua ricca dimora, di avere figli saggi e valorosi. Ma ora noi smetteremo il pianto che prima iniziammo, e penseremo di nuovo alla cena. Versateci sulle mani l'acqua lustrale: anche domani vi saranno parole che Telemaco ed io potremo scambiarci l'un l'altro».

Disse così, e sulle mani versò l'acqua lustrale Asfalione, scudiero solerte di Menelao glorioso. Poi sui cibi pronti e imbanditi stesero essi le mani.

E ad altro pensò Elena, figlia di Zeus: nel vino che essi bevevano gettò rapida un farmaco che placava furore e dolore, che faceva dimenticare ogni pena. Chi lo inghiottiva, disciolto nel vino, per un giorno intero non avrebbe versato una lacrima, neppure se gli fossero morti il padre e la madre, o se davanti ai suoi occhi gli avessero abbattuto con l'asta un figlio o un fratello. Questi farmaci aveva la figlia di Zeus, efficaci, potenti, che a lei donò la sposa di Tone, Polidamna l'Egizia. Molti ne produce la fertile terra d'Egitto, benefici alcuni, altri mortali. E degli Egizi ciascuno ne è medico esperto più di ogni altro al mondo, perché dalla stirpe di Peone discendono. Nel vino gettò dunque il farmaco, ordinò che si versasse e cominciò a parlare, dicendo:

«Figlio di Atreo, Menelao divino, e voi, figli di uomini illustri, c'è un dio che ora all'uno ora all'altro il bene e il male concede, ed è Zeus, che può tutto. Ma voi ora qui, in questa sala, pensate a mangiare e lieti ascoltate le mie parole: perché vi racconterò cose vere. Non potrò certo narrare, una per una, tutte le imprese del tenace Odisseo: solo quello che fu capace di fare, il fortissimo eroe, in terra troiana, dove tante pene soffriste voi Danai. Inflisse al suo corpo indegne ferite, si gettò sulle spalle dei cenci, e così, somigliante a uno schiavo, penetrò nella città nemica, a Troia dalle ampie strade. Aveva celato se stesso e un altro sembrava – un mendicante – e lui non era tale di certo presso le navi dei Danai. Così entrò nella città dei Troiani e non gli fece caso nessuno, io sola lo riconobbi, così ridotto, e gli parlai, ma con astuzia egli eludeva le mie domande. Ma dopo che lo ebbi lavato e unto di olio e rivestito di abiti, dopo che ebbi pronunciato giuramento solenne, che ai Troiani non avrei rivelato Odisseo prima che fosse tornato alle tende e alle navi veloci, allora mi svelò tutti i disegni dei Danai. E dopo aver ucciso molti dei Teucri con l'acuta lancia di bronzo, tornò fra gli Achei portando molte notizie. Le donne di Troia alzarono acuti lamenti, allora, io invece godevo nell'animo perché da tempo il mio cuore era volto a tornare indietro, di nuovo a casa, e rimpiangevo l'errore che Afrodite mi fece commettere, quando dalla mia amata patria mi condusse laggiù, e abbandonai mia figlia, la stanza nuziale e un marito che a nessuno era inferiore per bellezza e per animo».

Rivolgendosi a lei disse il biondo Menelao:

«Tutto quello che hai detto, donna, è ben detto. Di molti guerrieri ho conosciuto la mente e i consigli, perché molta terra ho percorso. Ma non ho visto mai coi miei occhi qualcuno che avesse il cuore del tenace Odisseo. E quello che osò fare quell'uomo forte, nel liscio cavallo di legno, dove stavamo noi, i migliori dei Danai, per portare morte e rovina agli Achei. Tu venisti là: ti aveva spinto un demone, forse, che ai Teucri voleva concedere gloria. Con te c'era Deifobo, simile a un dio. Per tre volte facesti il giro della trappola cava, toccandola, e i Danai più forti chiamavi per nome, nella voce imitando la voce di tutte le loro spose. E io e il figlio di Tideo e il divino Odisseo, seduti in mezzo agli altri, udivamo i tuoi richiami. E io e Diomede volevamo levarci e uscire, oppure subito, da dentro, rispondere. Ma nello slancio ci frenava, ci tratteneva Odisseo. Gli altri tacevano tutti, i figli dei Danai, Anticlo solamente voleva parlarti; ma con le forti mani Odisseo gli tenne chiusa la bocca e così salvò tutti gli Achei: e chiusa gliela tenne, fino a che Atena non ti condusse lontano».

A lui disse allora il saggio Telemaco:

«Figlio di Atreo, Menelao divino, signore di popoli, è ancor più doloroso: perché tutto questo non lo ha difeso dalla morte crudele, neanche se avesse avuto nel petto un cuore di ferro. Ma ora accompagnateci al letto perché possiamo dormire e godere del sonno dolcissimo».

Disse così; e alle ancelle ordinò Elena d'Argo di disporre sotto il portico i letti e stendervi sopra dei bei tappeti di porpora e sopra ancora coperte e mantelli di lana perché si coprissero. Uscirono dalla sala le ancelle portando le fiaccole e prepararono i letti: gli araldi condussero gli ospiti. E là, nell'atrio della casa, dormirono il forte Telemaco e il glorioso figlio di Nestore. Nel cuore dell'alta dimora dormiva il figlio di Atreo e accanto a lui giaceva Elena dal lungo peplo, donna divina. Quando si levò all'alba l'Aurora splendente, balzò dal letto Menelao dalla voce potente, indossò le vesti, appese alla spalla la spada affilata, legò i bei sandali ai piedi e uscì dal talamo, simile a un dio immortale. Sedette accanto a Telemaco, lo chiamò per nome e gli disse:

«Quale necessità ti ha spinto fin qui, Telemaco, alla bella città di Lacedemone, sull'ampia distesa del mare? È cosa privata o pubblica? Dimmelo sinceramente».

A lui rispose il saggio Telemaco:

«Figlio di Atreo, Menelao divino, signore di popoli, se mai tu potessi darmi notizie del padre, per questo sono venuto. Distrutta è la mia casa, perduti i fertili campi, il palazzo è pieno di gente nemica – i pretendenti di mia madre che, con smisurata arroganza, mi sgozzano greggi di pecore e lenti buoi dalle corna lunate. Per questo vengo ora ai tuoi piedi, se mai volessi dirmi della sua misera morte, se tu stesso con i tuoi occhi l'hai vista, o da altri ne hai udito parlare. Infelice lo ha generato sua madre! Ma tu non avere timore o pietà, non addolcire le tue parole, e chiaramente dimmi quello che hai potuto vedere. Se mai mio padre, il valoroso Odisseo, compì le promesse che ti aveva fatto, là, in terra troiana, dove voi Achei avete tanto sofferto: ti supplico, ora ricordatene e dimmi la verità».

Gli rispose il biondo Menelao, sdegnato:

«E dunque nel letto di un uomo intrepido vogliono entrare, vili come sono? Come quando una cerva nella tana di un fiero leone fa annidare i suoi cerbiatti appena nati, e mentre va a pascolare per le forre e le valli erbose, quello torna alla tana e miseramente li uccide: così a costoro Odisseo darà una misera morte. O padre Zeus, Atena, Apollo, se lui fosse ancora com'era quando, a Lesbo ben costruita, si levò a sfidare alla lotta Filomelide e lo atterrò con la forza, esultarono tutti gli Achei; se così comparisse fra i Pretendenti Odisseo, breve sarebbe, per loro, la vita, amare le nozze. Ciò che supplicando mi chiedi io te lo dirò senza mutare nulla, senza ingannarti. E di quello che mi disse l'infallibile Vecchio del mare, nulla ti celerò, non ti nasconderò nulla.

In Egitto mi trattenevano i numi, benché desiderassi tornare, perché non avevo offerto loro ecatombi perfette: e gli dei vogliono sempre che ci si ricordi dei riti. Davanti all'Egitto c'è un'isola, circondata dal mare, la chiamano Faro, e dista da terra lo spazio che una concava nave, sospinta dal soffio del vento sonoro, percorre in un giorno sul mare. Vi è in essa un porto con buoni ormeggi; di qui spingono in mare le navi perfette, dopo aver fatto provvista d'acqua. Qui gli dei mi trattennero, per venti giorni, né mai si levava il soffio dei venti che accompagnano le navi sull'ampia distesa del mare. E i viveri si consumavano tutti, e le forze degli uomini, se una dea non avesse avuto pietà, Eidotea, figlia di Proteo, il gran Vecchio del mare. Per me si commosse il suo cuore. Incontro mi venne mentre andavo errando da solo, lontano dai miei compagni: sparsi per l'isola, essi pescavano con ami ricurvi, li consumava la fame. Standomi accanto, mi rivolse la parola e mi disse:

"Sei sciocco, straniero, così sciocco e sventato che

cedi spontaneamente e godi a soffrire? Da tempo sei fermo in quest'isola e non trovi rimedio, mentre i compagni si consumano il cuore".

Disse così e io le risposi dicendo:

"Chiunque tu sia fra le dee, io ti dirò che non per mia volontà sono qui trattenuto: ho offeso, forse, gli dei che possiedono il cielo infinito. Ma poiché tutto sanno gli dei, rivelami tu quale degli immortali mi ostacola e mi impedisce il cammino, e dimmi come potrò ritornare attraverso il mare ricco di pesci".

Dissi, e la divina fra le dee mi rispose:

"Tutto io ti dirò, sinceramente, straniero. Qui vive il Vecchio del mare che sa la verità, Proteo d'Egitto, immortale, suddito di Poseidone, che ben conosce tutti gli abissi marini. È lui che mi ha generata, è mio padre. Se tu riesci a catturarlo con un agguato, ti dirà la lunghezza del viaggio, ti indicherà la strada del ritorno che compirai sul mare ricco di pesci. E ti dirà anche, principe, se tu lo vuoi, quel che di male e di bene è avvenuto nella tua casa mentre compivi il tuo lungo e difficile viaggio".

Disse così e io così le risposi:

"Dimmi tu quale agguato tendere al Vecchio del mare, che non mi veda prima e mi sfugga. È difficile per un uomo mortale vincere un dio".

Dissi, e mi rispose la dea:

"Tutto io ti dirò, con molta chiarezza. Quando il sole ha raggiunto la metà del cielo, allora esce dal mare, il Vecchio infallibile, celato fra le onde scure che rabbrividiscono al soffio di Zefiro, esce per andare a dormire in antri profondi. Emerse dal mare bianco di schiuma, dormono intorno a lui numerose le foche, figlie della bella Anfitrite, emanando un acuto odore di salso. All'alba ti condurrò là e vi farò distendere in fila: scegliti tre compagni, i migliori che hai sulle tue solide navi. Ti spiegherò tutti gli inganni del Vecchio. Conterà, per prima cosa, e passerà in rassegna le foche, e dopo averle tutte contate e guardate, si stenderà in mezzo a loro, come un pastore tra le greggi di pecore. Appena l'avrete visto giacere disteso, allora, chiamando a raccolta tutta la forza e il coraggio, tenetelo stretto, anche se si dibatte e cerca di fuggire. Tenterà di trasformarsi in acqua, in fuoco fulgente, in ogni essere che sulla terra si muove. Voi tenetelo forte e stringetelo ancora di più. Ma quando lui stesso ti rivolgerà la parola, con l'aspetto che aveva quando lo vedesti giacere, allora non usare più la forza, principe, libera il Vecchio e domandagli quale degli dei ti perseguita e come potrai ritornare attraverso il mare ricco di pesci".

Disse così, e fra le onde del mare si immerse. Io mi diressi invece alle navi, ch'erano in secca sul lido, e, mentre andavo, il cuore mi batteva nel petto. Quando al mare e alle navi fui giunto, preparammo la cena, poi scese la notte soave e allora andammo a dormire, sulla riva del mare. Ma appena sorse l'Aurora lucente, lungo la riva del mare infinito mi avviai, invocando fervidamente gli dei. Portavo con me tre compagni dei quali in ogni impresa mi fidavo più di ogni altro. Si immerse intanto la dea nei vasti abissi del mare e quattro pelli di foca portò fuori dall'acqua, tutte appena scuoiate: preparava l'inganno a suo padre. Sulla riva sabbiosa scavò delle fosse e si sedette aspettando. Noi le giungemmo vicino. Lei ci fece distendere in fila e sopra ciascuno gettò una pelle di foca. Era l'agguato più orrendo, orribilmente ci tormentava il tremendo fetore delle foche figlie del mare: chi mai potrebbe giacere accanto a un mostro marino? La dea ci salvò con un rimedio efficace. Portò a ciascuno di noi dell'ambrosia da istillare nelle narici, e il profumo dolcissimo spense il fetore. Per tutto il mattino aspettammo, con cuore paziente. Dal mare emersero in gruppo le foche e si sdraiarono in fila lungo la riva del mare. A mezzogiorno uscì il Vecchio, trovò le sue pingui foche, le passò in rassegna, le contò tutte. Noi per primi contò, e non comprese, nell'animo, ch'era un inganno. Poi si distese anche lui. Noi allora gli balzammo addosso gridando. Memore dei suoi abili inganni, il Vecchio per prima cosa si fece leone dalla folta criniera e poi serpente, pantera, enorme cinghiale; diventò liquida acqua, albero dall'alta chioma. Noi lo tenevamo con forza e con tenacia. Ma quando fu stanco, il Vecchio maestro di inganni, allora mi rivolse la parola e mi disse:

"Quale degli dei ha tramato con te, figlio di Atreo, per catturarmi, mio malgrado, con un agguato? Che cosa vuoi?".

Disse così e io così gli risposi:

"Sai tutto, Vecchio, perché me lo chiedi? Da tempo sono fermo in quest'isola, e non trovo rimedio; dentro di me, si consuma il mio cuore. Ma poiché tutto sanno gli dei, rivelami quale degli immortali mi ostacola e mi impedisce il cammino, e dimmi come potrò ritornare navigando sul mare ricco di pesci".

Dissi così e lui così mi rispose:

"Dovevi salire sulla tua nave dopo aver offerto sacrifici splendidi a Zeus e agli altri immortali: allora rapidamente saresti tornato in patria solcando il mare colore del vino. Non è destino che tu riveda i tuoi cari, che giunga alla bella dimora, nella terra dei padri, prima che, ritornato alle acque d'Egitto, il fiume disceso dal cielo, tu abbia offerto sacre ecatombi agli dei che possiedono il cielo infinito. Allora essi ti concederanno di fare il viaggio che tanto desideri".

Così parlò, e a me si spezzò il cuore nel petto, perché mi ordinava di andare di nuovo in Egitto, lungo e difficile viaggio. E tuttavia rispondendo gli dissi:

"Quello che tu mi ordini, Vecchio, io lo farò. Ma dimmi ora, e parlami sinceramente: tornarono tutti salvi con le loro navi gli Achei che Nestore ed io lasciammo partendo da Troia, o qualcuno di essi è morto di morte crudele sulla sua nave o tra le braccia dei suoi, dopo la lunga guerra?".

Dissi così, e lui mi rispose e mi disse:

"Figlio di Atreo, perché mi chiedi questo? Non ti conviene conoscere il mio pensiero. Ti dico che verserai molte lacrime quando verrai a sapere tutto. Di loro, molti furono uccisi, molti rimasero in vita; anche tu prendesti parte alle battaglie. Due soli capi dei Danai dalle corazze di bronzo morirono durante il ritorno. Uno, ancora vivo, è trattenuto da qualche parte, sul mare. È morto Aiace, sono andate perdute le sue navi dai lunghi remi. Dapprima Poseidone lo spinse verso le rupi Giree, gigantesche scogliere, e lo salvò dai marosi. E sarebbe sfuggito alla morte, nonostante l'odio di Atena, se non avesse detto parole arroganti; fu un terribile errore. 'Sono scampato agli abissi del mare a dispetto dei numi', disse, e Poseidone udì le superbe parole. Subito, con le mani possenti brandì il suo tridente, colpì la scogliera spezzandola in due: un pezzo rimase dov'era, l'altro, sul quale si trovava Aiace quando commise il suo folle errore, precipitò e lo

travolse tra le onde del mare infinito. Morì così, soffo-
cato dall'acqua salata. Al destino di morte sfuggì tuo
fratello, lo evitò sulle sue concave navi: in salvo lo trasse Era onnipotente. Ma quando già stava per giungere
a Malea, il promontorio scosceso, una tempesta lo trascinò, con suo grave dolore, sul mare, agli estremi
confini del campo dove un tempo aveva dimora Tieste, e dove allora Egisto, figlio di Tieste, abitava.
Quando di là sembrò sicuro il ritorno, gli dei volsero il
vento a favore ed essi giunsero a casa. Pieno di gioia
sbarcò nella sua patria Agamennone e baciò il suolo,
toccandolo; già molte lacrime aveva versato quando
intravide, lieto, la terra. Ma dalla vedetta lo scorse il
guardiano che aveva posto il perfido Egisto dopo
avergli promesso due talenti d'oro come compenso.
Per un anno rimase a vegliare costui perché l'Atride
non gli sfuggisse al suo ritorno, e avesse il tempo di ricordare la sua audacia guerriera. Si mosse allora verso
la reggia per portare l'annuncio al signore. E subito
Egisto ordiva l'inganno. Scelse fra il popolo venti uomini forti e li dispose per un agguato; in altro luogo
ordinava poi di preparare un banchetto. Lui andò a
invitare Agamennone, signore di popoli, con carro e
cavalli, meditando un atto infame. Ignaro del suo destino così lo condusse alla morte e dopo averlo invitato al banchetto lo uccise, come si uccide un toro alla
greppia. Dei compagni del figlio di Atreo, che lo seguirono, e di quelli di Egisto, nessuno rimase in vita,
tutti furono uccisi dentro la casa".

Disse così, e a me si spezzò il cuore nel petto, seduto
sulla sabbia piangevo e non volevo più vivere e vedere la
luce del sole. Ma quando fui stanco di piangere e di roto-
larmi sul lido, allora il Vecchio del mare mi disse:

"Non piangere più, figlio di Atreo, per tanto tempo così senza sosta, non ne abbiamo vantaggio. Ma cerca al più presto di giungere alla tua patria terra. Potresti trovarlo vivo, Egisto, o forse l'ha già ucciso Oreste. Potresti prendere parte alla sua sepoltura".

Così parlò, e nel mio petto il cuore, l'animo fiero si sollevò, nonostante il dolore, e rivolgendomi a lui dissi queste parole:

"Di questi uomini conosco la sorte. Ma il terzo dimmi chi è, colui che in qualche parte del mare immenso si trova, ancora vivo oppure morto. Anche se soffro, voglio saperlo".

Così parlai, e subito lui mi rispose e mi disse:

"È il figlio di Laerte, che in Itaca ha la sua casa. Lo vidi in un'isola – versava lacrime fitte – nella dimora della ninfa Calipso che a forza lo costringe a restare. Non può ritornare alla terra dei padri, perché non ha più navi dai lunghi remi né compagni che lo conducano sulla vasta distesa del mare. E non è destino per te, Menelao, che in Argo dai bei cavalli tu muoia e compia il tuo fato. Nei Campi Elisi, ai confini del mondo, ti manderanno gli dei, là dov'è il biondo Radamanto e dove per i mortali è più bella la vita: neve non c'è, né freddo acuto, né pioggia mai, spira sempre il soffio sonoro di Zefiro, che Oceano manda per il sollievo degli uomini; questo ti spetta perché sei sposo di Elena e genero a Zeus".

Disse così, e fra le onde del mare si immerse. E io mi avviai alle navi con i miei valorosi compagni e, mentre andavo, mi batteva il cuore nel petto. Giunti che fummo al mare e alle navi, preparammo la cena, e quando scese la notte soave ci stendemmo a dormire sul lido. Ma appena sorse l'Aurora splendente di luce, per prima cosa spingemmo nel mare divino le navi perfette, alzammo alberi e vele. Saliti, i compagni sedettero ai banchi, uno vicino all'altro, e coi remi battevano la bianca schiuma marina. Tornai indietro e approdai alla foce di Egitto, il fiume disceso dal cielo, e offrii sacrifici perfetti. Ma dopo che ebbi placata l'ira degli dei che vivono eterni, eressi una tomba ad Agamennone, che avesse gloria per sempre. Compiuto tutto questo tornai, gli dei mi concessero il vento e rapidamente mi condussero in patria.

Ma tu, ora, rimani nella mia casa, fino all'undicesimo, al dodicesimo giorno. Allora ti farò partire con ogni cura, avrai doni splendidi e tre cavalli e un bellissimo carro. E ti darò ancora una coppa stupenda perché tu possa libare agli dei immortali e ricordarti di me, ogni giorno».

A lui rispose il saggio Telemaco:

«Figlio di Atreo, non trattenermi qui troppo tempo. Per un intero anno starei presso di te senza rimpiangere né genitori né patria. Grande gioia è per me ascoltare le tue parole, i racconti. Ma ormai sono in pena i compagni nella città divina di Pilo: da tempo tu qui mi trattieni. E come dono, dammi, se vuoi, un oggetto prezioso. Non posso portare cavalli a Itaca, li lascerò qui per te, in segno d'onore: tu regni su una vasta pianura dove cresce trifoglio a profusione, e cipero e biada e bianco orzo in abbondanza. Non vi sono, a Itaca, prati né ampie strade: è terra di capre, eppure è più amata di una terra che alleva cavalli. Nessuna delle isole adagiate sul mare è ricca di prati, di strade per carri: Itaca meno di tutte».

Disse così, sorrise Menelao dal grido possente, con la mano lo accarezzò e gli disse:

«Di buona razza sei, figlio, da come parli. Altri doni io ti darò, poiché posso farlo. Dei preziosi oggetti che sono nella mia casa, ti donerò il più prezioso e il più bello. Un vaso cesellato ti darò, tutto d'argento, con i bordi dorati. È un capolavoro di Efesto, a me lo diede Fedimo, re dei Sidoni, quando, durante il ritorno, mi accolse nella sua casa: questo voglio donarti».

Così parlavano essi fra loro. E intanto nella dimora del re giungevano gli ospiti. Conducevano pecore, portavano il vino che esalta gli uomini, e pane avevano dato loro le mogli dai veli splendenti. Così, nella reggia, preparavano il pranzo.

Ma intanto, davanti alla casa di Odisseo, sul piazzale ben costruito, i Pretendenti si divertivano al tiro del disco e del giavellotto, con la consueta superbia. Stavano invece seduti Antinoo ed Eurimaco simile a un dio, che fra i Proci erano i primi, i più forti e valenti. A loro si avvicinò Noemone figlio di Fronio che si rivolse ad Antinoo e disse:

«Antinoo, sappiamo o no quando torna Telemaco da Pilo sabbiosa? È partito con la mia nave e io ne ho bisogno per andare nell'ampia terra dell'Elide dove ho dodici cavalle che allattano muli robusti, non ancora domati: ne vorrei domare qualcuno, attaccandolo al carro».

Parlò così, ed essi stupirono in cuore; non pensavano che si fosse recato alla città di Neleo, ma che si trovasse da qualche parte nei campi, con le greggi o con Eumeo, il porcaro. Disse allora Antinoo, figlio di Eupite:

«Parlami francamente: quando è partito? Chi sono quelli che l'hanno seguito, nobili giovani d'Itaca o degli schiavi, dei servi? Potrebbe aver fatto anche questo. E dimmi ancora sinceramente, che io lo sappia, se

con la forza, tuo malgrado, ti tolse la nave nera o glie-
l'hai data spontaneamente, poiché con insistenza la
chiese?».

A lui rispose il figlio di Fronio, Noemone:

«Spontaneamente gliela diedi io stesso. Che cosa fare quando un uomo così, col cuore pieno di angoscia,
te lo domanda? Era difficile dire di no. I giovani che lo
hanno seguito sono i migliori di tutto il paese, dopo di
noi; e come capo ho visto io stesso Mentore che si im-
barcava, oppure un dio che in tutto gli somigliava.
Proprio di questo stupisco: perché il divino Mentore
l'ho visto qui, all'alba di ieri; eppure allora salì sulla
nave, per Pilo».

Disse così, e si avviò alla casa del padre. Ma gli altri
due, stupefatti nel cuore superbo, riunirono i Pretendenti, fecero smettere i giochi. A loro parlò Antinoo,
figlio di Eupite, l'animo pieno di collera cupa, gli occhi che mandavano lampi:

«Gran gesto ha compiuto Telemaco con questo
viaggio, grande audacia è la sua: e noi dicevamo che
non l'avrebbe mai fatto. A dispetto di tutti, un giovane
come lui se ne parte, dopo aver messo in mare una nave, e scelto i compagni migliori. Può essere pericoloso
anche in futuro: stronchi la sua forza, Zeus, prima che
compia la giovinezza! Datemi dunque una nave veloce
e venti uomini: gli tenderò un agguato al ritorno, nello
stretto fra Itaca e Same rocciosa: a causa del padre, fi-
nirà male il suo viaggio per mare».

Disse così, e approvavano e lo incitavano tutti. E subito si alzarono e andarono alla dimora di Odisseo.

Ma non a lungo rimase Penelope ignara dei piani
che i Pretendenti covavano in cuore. Glieli disse
l'araldo Medonte che, stando fuori dall'atrio mentre

essi all'interno tramavano, udì i loro disegni. Mosse attraverso il palazzo per riferirlo a Penelope. E quando fu sulla soglia, gli disse Penelope:

«Perché mai ti hanno mandato, araldo, i Pretendenti illustri? Per dire alle ancelle del divino Odisseo di interrompere i loro lavori e preparare il pranzo per loro? Se non mi volessero più, se si riunissero altrove e ora pranzassero qui per l'ultima volta! Voi che, riunendovi così spesso, divorate tante ricchezze, gli averi del coraggioso Telemaco, certo dai vostri padri, quando eravate ragazzi, non avete udito narrare quale fu fra di loro Odisseo, che mai commise ingiustizia né a parole né a fatti, tra il popolo; e tuttavia i re usano farlo: odiano uno, amano un altro. Ma lui non fece mai nulla di male a nessuno. L'animo vostro e le vostre opere indegne sono invece evidenti. Per il bene compiuto, non c'è gratitudine».

A lei rispose il saggio Medonte:

«Fosse questo, regina, il male peggiore. Un altro più grave e terribile meditano i Pretendenti, non lo compia il figlio di Crono! Telemaco vogliono uccidere con le acute armi di bronzo, mentre a casa ritorna: è andato alla sacra città di Pilo e alla divina Lacedemone, per avere notizie del padre».

Disse così, e a lei mancarono il cuore e le forze; a lungo rimase senza parola, le si riempirono gli occhi di lacrime, le si arrestò in gola la voce. Poi, rispondendogli, disse così:

«Araldo, perché mai se n'è andato mio figlio? Non aveva necessità di imbarcarsi sulle navi veloci, che sono per gli uomini i cavalli del mare e lunghe distese d'acqua percorrono. Nemmeno il suo nome vuole che resti fra gli uomini?».

Le rispose allora il saggio Medonte:

«Non lo so, forse è un dio che l'ha spinto, o forse il suo cuore, a recarsi a Pilo per domandare del padre, del suo ritorno, quale sorte ha subito».

Disse così, e se ne andò attraverso la casa. Ma lei fu sommersa da un'angoscia crudele, non riusciva più a stare seduta su nessuno dei molti sedili che c'erano in casa, andò allora a sedersi sulla soglia del talamo ben costruito, e piangeva in modo pietoso; piangevano intorno, sommessamente, le ancelle, tutte quant'erano nel palazzo, giovani e vecchie. A loro rivolta, tra le lacrime disse Penelope:

«Ascoltatemi: a me più che ad ogni altra donna il re dell'Olimpo ha inflitto dolori; ho perduto il mio sposo, nobile e audace, primo fra i Danai per le sue molte virtù, la cui gloria è diffusa nell'Ellade, fino al cuore di Argo. E ora il figlio amatissimo le tempeste me l'hanno rapito lontano da casa, e io non sapevo neppure che era partito. Ma neanche voi, sciagurate, avete pensato nell'animo vostro di venirmi a svegliare, voi che ben sapevate nel cuore, quando egli salì sulla nera, concava nave. Se io avessi saputo che meditava questo viaggio, certo sarebbe rimasto, benché bramoso di andare, o avrebbe lasciato me, morta, qui nella casa. Ma ora qualcuna vada a chiamare in fretta il vecchio Dolio, il servo che il padre mi donò quando venni qui e che mi cura il giardino ricco di piante: da Laerte vada al più presto e tutto questo gli narri, se mai lui nella sua mente progetti qualcosa e vada a lamentarsi con quelli che, tra il popolo, vogliono annientare la stirpe sua e del divino Odisseo».

Le rispose Euriclea, l'amata nutrice:

«Sposa diletta, col bronzo spietato uccidimi, o lasciami vivere nella tua casa, io non ti celerò una sola parola. Sapevo tutto, io gli ho preparato, come ordinava, il pane e il vino soave. Ma mi strappò un giuramento solenne, di non dirti nulla, di non parlarti prima del dodicesimo giorno, o prima che tu stessa sentissi la sua mancanza e udissi che era partito, perché le lacrime non ti sciupassero il viso bellissimo. Sali ora nelle tue stanze insieme alle ancelle, prendi un bagno, indossa vesti pulite e invoca Atena figlia di Zeus, signore dell'egida: lei può salvarlo, anche da morte. E non dare pena al vecchio già pieno di affanni: io non credo che gli dei beati abbiano in odio la stirpe del figlio di Archesio; vi sarà ancora qualcuno che avrà l'alta dimora e i fertili campi».

Disse così, e calmò il suo pianto, frenò le sue lacrime. Lei salì alle sue stanze insieme alle ancelle, fece il bagno, indossò vesti pulite, pose in un canestro dei chicchi d'orzo e invocò la dea Atena:

«Ascoltami, figlia di Zeus signore dell'egida, Atritonia, se un tempo nella sua casa l'accorto Odisseo in tuo onore bruciò pingui cosce di pecore e buoi, di questo ricordati ora, salva mio figlio, tieni lontani i Pretendenti superbi e malvagi».

Disse così e gettò un alto grido. La dea ascoltò la preghiera.

Risuonavano le voci dei Proci nella sala piena di ombre, e fra quei giovani superbi così diceva qualcuno:

«La regina, tanto bramata, prepara forse le nozze per noi, e non sa che noi prepariamo a suo figlio la morte».

Così diceva qualcuno, ma non sapevano che cos'era accaduto.

Antinoo allora, fra loro, prese a parlare e disse:

«Sciagurati, evitate di pronunciare parole insolenti, che all'interno non vada a riferirle qualcuno. Piuttosto ora alziamoci senza rumore e cerchiamo di compiere il piano che a noi tutti piacque nell'animo».

Disse così, scelse venti uomini forti e mossero verso la riva del mare, verso la nave veloce. La nera nave trassero per prima cosa in alto mare, vi alzarono albero e vele, con cinghie di cuoio fissarono i remi. Fecero tutto con ordine; poi sciolsero le vele bianche. Gli scudieri intrepidi portarono loro le armi, poi, ormeggiata la nave alla fonda, ne discesero tutti. Cenarono là e aspettarono che giungesse la sera.

Nelle sue stanze intanto la saggia Penelope giaceva senza toccare cibo o bevanda e si chiedeva con ansia se il suo splendido figlio sarebbe sfuggito alla morte o sarebbe caduto per mano dei Pretendenti superbi. Quanta angoscia ha nel cuore un leone, stretto da un gruppo di uomini che intorno lo chiudono in trappola, tanta angoscia lei aveva nell'animo: ma il sonno soave la colse e, reclinata all'indietro, dormiva, le membra abbandonate. Ad altro allora pensò la dea dagli occhi lucenti. Creò un fantasma, simile nell'aspetto a una donna, a Iftima, figlia del nobile Icario e sposa di Eumelo, che nella città di Fere abitava. E nella casa di Odisseo lo inviò perché facesse cessare Penelope, che si lamentava e piangeva, dai singhiozzi e dalle lacrime amare. Sfiorando la cinghia del chiavistello il fantasma entrò nel talamo, sul capo di Penelope stette e le disse:

«Dormi, Penelope, e hai il cuore pieno di affanno? Gli dei dalla vita serena non vogliono che tu ti addolori, che pianga. Tuo figlio è sulla via del ritorno, non ha peccato contro gli dei».

A lei rispose la saggia Penelope, che già dormiva serena alle porte dei sogni:

«Perché sei venuta, sorella? Non eri solita farlo, prima, perché abiti molto lontano; e mi esorti a mettere fine ai lamenti e ai gravi dolori che mi tormentano l'anima e il cuore. Ho perduto lo sposo, nobile e audace, primo fra i Danai per le sue molte virtù, la cui gloria è diffusa nell'Ellade fino al cuore di Argo. E ora anche il figlio amatissimo è salito su una concava nave, lui giovane, ancora inesperto di parole e di fatiche. Per lui piango ancor più che per l'altro: tremo, ho terrore che gli succeda qualcosa, tra la gente dove se n'è andato, o sul mare; contro di lui tramano molti nemici che vogliono ucciderlo prima che torni alla terra dei padri».

A lei rispose la pallida immagine:

«Fatti coraggio, non avere troppa paura. Ha con lui una guida che altri eroi invocarono, perché li assistesse col suo potere, Pallade Atena. Lei ha pietà del tuo dolore, lei mi ha mandato a dirti queste parole».

Le disse allora la saggia Penelope:

«Se sei un dio e hai udito la voce di un dio, dimmi anche dell'altro infelice, se è vivo ancora e vede la luce del sole, o è morto già, nelle dimore di Ade».

E il bianco fantasma rispondendo le disse:

«Di lui non posso dirti chiaramente se è vivo o morto: è male dir cose vane».

Disse così e attraverso il chiavistello della porta svanì, al soffio del vento. Si destò dal sonno la figlia di Icario, ed esultava nell'animo perché nel cuor della notte le era apparso un chiarissimo sogno.

Saliti sulla nave, i Pretendenti percorrevano le vie del mare, meditando nel cuore a Telemaco una terribile morte. Un'isola tutta sassi c'è, in mezzo al mare, fra Itaca e Same rocciosa, Asteride: non è grande ma ha due porti buoni per le navi. Là, in agguato, gli Achei attendevano Telemaco.

V.

NELL'ISOLA DI CALIPSO

Si levò dal letto di Titone glorioso l'Aurora, che portava la luce agli dei e agli uomini. E sedettero in consiglio gli dei, insieme a Zeus signore del tuono, che ha il potere supremo. A loro i molti affanni di Odisseo Atena ricordava e narrava: si dava pena per lui che era presso la ninfa Calipso.

«Padre Zeus e voi tutti dei beati che vivete in eterno, non vi saranno più re benevoli amabili e miti, che conoscano la giustizia nel cuore, ma crudeli sempre saranno e spietati: così com'è vero che nessuno – fra le genti su cui regnava – ricorda più il divino Odisseo, che come un padre era dolce. Lui è là in quell'isola – in preda ad angoscia profonda – nella dimora della ninfa Calipso, che lo costringe a restare. Non può ritornare alla terra dei padri, non ha navi fornite di remi, non ha compagni che lo conducano sull'ampia distesa del mare. Ed ora il suo amato figlio vogliono uccidere, mentre fa ritorno a casa: per avere notizie del padre egli è andato alla sacra città di Pilo e a Lacedemone divina».

A lei rispose Zeus, signore dei nembi:

«Figlia mia, che cosa hai mai detto. Non sei stata tu stessa a ordire questo piano, che Odisseo al suo ritorno si vendichi dei Pretendenti? Telemaco, guidalo tu abilmente, puoi farlo, perché sano e salvo raggiunga la terra dei padri, e i Pretendenti sulla loro nave se ne tornino indietro».

Disse, e si rivolse a Hermes, suo figlio:

«Hermes – tu che sei il Messaggero – alla ninfa dai bei capelli va ad annunciare la decisione immutabile, che l'intrepido Odisseo deve tornare. Tornerà senza avere compagni né dei né uomini: sopra una zattera di tronchi legati, dopo molto patire giungerà, nel ventesimo giorno, alla fertile Scheria, terra dei Feaci di stirpe divina, che come un dio lo onoreranno nel cuore e con una nave lo manderanno all'amata terra dei padri. E bronzo e oro e molte vesti preziose gli doneranno; da Troia non avrebbe portato tanto Odisseo, se sano e salvo fosse tornato con la sua parte del bottino di guerra. È infatti destino che lui riveda i suoi cari e ritorni all'alta dimora e alla terra dei padri».

Così disse, obbedì il Messaggero veloce. E subito legò ai piedi i sandali, i bellissimi sandali d'oro degli immortali che al soffio del vento lo portavano sul mare e sulla terra infinita. Prese la magica verga con cui quando vuole può incantare gli occhi degli uomini e altri risvegliare dal sonno; tenendola in mano si levò in volo, il Messaggero potente. Fu sulla Pieria, e allora dal cielo piombò sul mare e si lanciò sull'acqua come un gabbiano che nei cupi recessi del mare profondo va a caccia di pesci immergendo le ali nell'acqua salata; come un gabbiano volava Hermes sulle onde infinite. Ma quando all'isola lontana fu giunto, allora dal mare colore di viola balzò sulla terra e andava, fino a che giunse all'antro profondo dove abitava la ninfa dai capelli bellissimi: la trovò, era dentro la grotta.

Ardeva un gran fuoco, sul focolare, bruciavano il cedro e la tenera tuia, e il loro profumo si diffondeva lontano, nell'isola. Lei, con la sua bella voce, cantava e tesseva, muovendo sul telaio la spola dorata. Cresceva, intorno alla grotta, un fitto bosco di ontani, di pioppi e cipressi odorosi. Qui facevano il nido uccelli dalle grandi ali, gufi, sparvieri, e cormorani, i chiassosi corvi del mare. Si stendeva, intorno alla grotta profonda, una vite fiorente, piena di grappoli. Quattro sorgenti di acqua chiara sgorgavano, una vicina all'altra, ma volgevano in direzioni diverse. Teneri prati di viole e di sedano fiorivano intorno: qui anche un dio, se fosse giunto, si sarebbe incantato a guardare, col cuore pieno di gioia. Anche il Messaggero veloce si fermò ad ammirare. Ma dopo che ebbe tutto ammirato nell'animo, rapido entrò nell'antro profondo. Vedendolo comparire davanti lo riconobbe la divina Calipso: non sono ignoti gli uni agli altri gli dei immortali, anche se abitano case lontane. Non trovò nella grotta il valoroso Odisseo: seduto in riva al mare, là dov'era sempre, piangeva, straziando il suo cuore con gemiti e lacrime, e piangendo guardava il mare infinito. Ad Hermes la divina Calipso chiese, dopo averlo fatto sedere su un trono splendente:

«Hermes, che porti l'aurea verga, tu che io amo e rispetto, perché sei venuto? non lo fai spesso. Dimmi quello che hai nella mente: io sono pronta a farlo, se si può, se si deve. Ma ora vieni con me, che ti offra doni ospitali».

Così disse la dea e gli mise davanti una tavola colma d'ambrosia, gli versò il nettare rosso. Bevve e mangiò il Messaggero veloce, e dopo che ebbe pranzato e ristorato col cibo il suo cuore, allora rispose alla dea e le disse queste parole:

«Mi chiedi perché sono venuto, e io sinceramente te lo dirò, poiché lo vuoi. Zeus mi ha ordinato di venire qui, mio malgrado. Chi mai vorrebbe attraversare una distesa di mare così vasta, infinita? Non vi sono città vicine, dove gli uomini offrano agli dei sacrifici, scelte ecatombi. Ma un dio non può trascurare il pensiero di Zeus, signore dell'egida, né renderlo vano. Egli dice che qui c'è un uomo, infelicissimo tra coloro che intorno alla città di Priamo combatterono per nove anni e il decimo anno, distrutta la città, tornarono a casa. Durante il ritorno essi recarono offesa ad Atena, che contro di loro sollevò vento contrario e alti marosi. Morirono tutti, i valorosi compagni, lui fu sospinto qui dalle onde e dal vento. Ora Zeus ti comanda di farlo partire al più presto: non è destino che egli muoia in quest'isola, lontano dai suoi, ma è scritto che riveda i suoi cari, che all'alta dimora ritorni, e alla terra dei padri».

Disse, rabbrividì la divina Calipso e gli rispose con queste parole:

«Spietati siete, dei, e più di ogni altro gelosi, voi che invidiate le dee quando sposano un uomo che amano e apertamente dormono accanto a un mortale. Così, quando Aurora lucente si scelse Orione, provaste invidia a tal punto, voi che vivete beati, che la pura Artemide dall'aureo trono, con le sue dolci frecce, ad Ortigia lo colse e lo uccise. E quando Demetra dai bei capelli, cedendo al suo cuore, si unì a Iasione in un campo arato, Zeus, che presto lo venne a sapere, scagliò la sua folgore luminosa e lo uccise. Così anche ora, dei, provate invidia che io abbia accanto un uomo mortale. Ma l'ho salvato io – era solo, aggrappato alla chiglia, quando Zeus con la vivida folgore colpì la sua nave veloce e gliela spezzò in mezzo al mare colore del vino. Morirono tutti, i suoi valorosi compagni, lui fu sospinto qui dalle onde e dal vento. Io mi presi cura di lui, lo nutrii, e promettevo che l'avrei reso immortale, libero da vecchiaia, per sempre. Ma poiché un dio non può trascurare il pensiero di Zeus, signore dell'egida, né renderlo vano, se ne vada dunque, se Zeus glielo comanda, se ne vada sul mare profondo. Io non potrò dargli aiuto: non ho navi fornite di remi, né uomini che lo conducano sull'ampia distesa del mare. Ma gli darò buoni consigli, non tacerò, perché possa arrivare in salvo alla terra dei padri».

A lei rispose il Messaggero veloce:

«Dunque mandalo via, abbi timore di Zeus, che non si adiri e non sia crudele con te».

Dopo aver così parlato andò via il Messaggero potente. E la ninfa, udito il messaggio di Zeus, si recava dal generoso Odisseo. Lo trovò sulla riva, seduto: con gli occhi sempre bagnati di lacrime, consumava la vita sospirando il ritorno. Non gli piaceva più, la ninfa Calipso: di notte, suo malgrado, dormiva, nell'antro profondo, pur non volendo, accanto a lei che lo voleva. Ma di giorno, sulle rocce in riva al mare, con gemiti e lacrime straziava il suo cuore, e piangeva, guardando il mare infinito. Gli fu accanto, la dea, e gli disse:

«Non piangere più, infelice, non rovinarti la vita. Ti lascerò partire, ormai, di buon animo. Su, presto, taglia dei grossi tronchi e fabbrica una zattera grande; costruisci sopra un cassero, alto, perché sul mare oscuro possa portarti. Dentro io metterò pane, acqua e vino rosso, in abbondanza, che ti difendano dalla fame, ti darò delle vesti, manderò un vento propizio perché in salvo tu giunga alla terra dei padri: se è questo che gli dei vogliono, essi che l'ampio cielo possiedono e sono più forti di me quando decidono e fanno».

Così parlò, rabbrividì il tenace Odisseo e rispondendole disse queste parole:

«Tu pensi ad altro, dea, non a farmi tornare, se vuoi che sopra una barca io attraversi l'abisso del mare profondo, spaventoso, tremendo. Neppure le navi perfette, le veloci navi riescono a farlo, col favore del vento di Zeus. Malgrado te, io non salirò su una barca, se non avrai il coraggio, dea, di giurarmi solennemente che contro di me non trami nessun'altra sciagura».

Disse così, sorrise la divina Calipso, con la mano lo accarezzò e gli disse:

«Scaltro davvero sei, e non certo uno sciocco, a sentire le parole che hai pensato di dirmi: chiamo a testimoni la terra e, in alto, il cielo immenso, l'acqua dello Stige che scorre veloce – questo fra gli dei è giuramento grande e tremendo – che contro di te non tramerò nessun altro male. Io penso anzi e farò quello che per me stessa farei, se ne avessi bisogno. Il mio animo è giusto, e il cuore nel petto non è di ferro, sa provare pietà».

Così parlò la dea e, rapida, lo precedette; lui seguiva i suoi passi. Giunsero alla concava grotta, l'uomo e la dea, e qui egli sedette sul trono da cui Hermes si era levato; la ninfa preparava del cibo, cibo e bevande di cui i mortali si nutrono. Poi si sedeva davanti al divino Odisseo e a lei le ancelle servirono nettare e ambrosia. Sulle vivande pronte e imbandite tesero essi le mani.

Ma quando furono sazi di cibo e bevande, incominciò allora a parlare la divina Calipso:

«Figlio di Laerte, Odisseo ricco d'ingegno, vuoi dunque tornare a casa, nella terra dei padri, subito, ora? E sia così. Ma se tu sapessi nel cuore quante pene dovrai sopportare prima di giungere in patria, qui rimarresti e con me vivresti immortale in questa casa, tu che desideri tanto rivedere la sposa, e ogni giorno, sempre, la brami. Non credo di essere a lei inferiore nel corpo, nella figura: non possono, le donne mortali, competere con le dee per bellezza».

A lei replicò l'accorto Odisseo:

«O dea, non adirarti per questo con me. So bene anch'io che la saggia Penelope è a te inferiore nell'aspetto, nella figura: lei è mortale, tu immortale e giovane sempre. E tuttavia io desidero e voglio tornare a casa e vedere il giorno del mio ritorno. E se anche un dio vorrà perseguitarmi sul mare colore del vino, sopporterò: ho nel petto un cuore paziente. Molto ho già patito e sofferto in guerra e sul mare: sopporterò anche questo».

Disse così. E tramontò il sole, giunse la tenebra ed essi, penetrati nel cuore della grotta profonda, l'uno accanto all'altra, si amarono.

Ma quando all'alba si levò l'Aurora splendente, subito mantello e tunica indossava Odisseo; un ampio manto d'argento vestì la ninfa, prezioso e leggero, i fianchi cinse con una cintura d'oro, bellissima, avvolse la testa in un velo. E per Odisseo generoso preparò la partenza. Una grande scure gli diede, facile da maneggiare, una scure di bronzo, a doppio taglio, con il manico in legno d'olivo, bellissimo e infisso solidamente. Gli diede anche un'ascia lucente. E lo guidava all'estremità dell'isola, dove crescevano alberi alti, ontani, pioppi e abeti che toccano il cielo, legno stagionato, secco, buono per galleggiare. E quando gli ebbe mostrato dove crescevano gli alberi alti, tornò a casa, la divina Calipso. Lui tagliava i tronchi e lavorava veloce. Venti ne abbatté, tutti li sgrossò con la scure, abilmente li levigò livellandoli dritti col filo. Intanto portò le trivelle, la divina Calipso, e lui fece buchi nei tronchi e li congiunse gli uni agli altri. Rinsaldò la barca con chiodi di legno e ramponi. E come un uomo, falegname esperto, costruisce il fondale concavo e largo di una grande nave da carico, così fece Odisseo per la sua zattera grande. Alzò poi il cassero, con molti travicelli fra loro connessi, lo completò con assi lunghissime. E fece l'albero e, attaccato ad esso, il pennone, e aggiunse il timone, per poterla guidare. Intorno la cinse con stuoie di vimini, a riparo dalle onde del mare, coprì il fondo di frasche. Allora la divina Calipso portò dei drappi per fare le vele: ed egli fabbricò anche quelle. Legò infine le sartie le drizze e le scotte e, con rulli di legno, trasse la barca sul mare lucente.

Era il quarto giorno, e tutto era finito. Al quinto lo fece partire dall'isola, la divina Calipso, dopo averlo lavato e vestito di vesti odorose. Sulla zattera pose la dea un otre di vino nero, un altro grande di acqua e viveri in una sacca: dentro mise molti, ottimi cibi. Fece levare un vento propizio e soave. Lieto alzò le vele il divino Odisseo. Seduto al timone, guidava abilmente; e il sonno non gli cadeva sugli occhi mentre guardava le Pleiadi e Boote che tardi tramonta, e l'Orsa, che chiamano anche Carro, e che su se stessa si volge spiando Orione, ed è la sola che non si bagna nelle acque di Oceano. Gli aveva detto, la divina Calipso, di tenerla a sinistra mentre navigava sul mare. Per diciassette giorni solcava le acque, il diciottesimo apparvero i monti ombrosi della terra dei Feaci, dalla parte a lui più vicina: sul mare fosco, era come uno scudo.

Mentre tornava dagli Etiopi, lo vide Poseidone possente, da lontano, dai monti Solimi, lo vide che navigava sul mare. Si infuriò terribilmente nel cuore e scuotendo il capo, disse fra sé:

«Certo hanno deciso diversamente gli dei per Odisseo, mentre io ero presso gli Etiopi. È già vicino alla terra dei Feaci, dove è destino che scampi alle grandi sciagure che lo minacciano. Ma io dico che lo renderò ancora sazio di guai».

Disse, e radunò i nembi, sconvolse il mare agitando il tridente; sollevò una tempesta di venti, e mare e terra coprì di nubi. La notte scese dal cielo. Piombarono insieme Euro, Noto e l'impetuoso Zefiro e Borea figlio dell'etere e sollevarono immensi marosi. Allora la forza e il coraggio vennero meno a Odisseo che sgomento disse a se stesso, al suo nobile cuore:

«Mio dio, che cosa sarà di me? Temo che non abbia mentito la dea quando mi disse che sul mare, prima di giungere in patria, avrei sofferto sventure. Tutto ora si compie: Zeus incorona il cielo di nuvole, sconvolge il mare, soffiano i venti in tempesta, su di me incombe la morte. Felici, tre quattro volte felici i Danai che sono morti nella vasta pianura di Troia, per l'onore dei figli di Atreo. Fossi morto anch'io, compiendo il mio destino, il giorno in cui i Troiani in folla scagliavano su di me le lance di bronzo intorno al corpo del figlio di Peleo. Avrei ricevuto gli onori funebri, la gloria da tutti gli Achei. È invece destino che ora io muoia di misera morte».

Mentre diceva così, lo investì un'onda dall'alto con violenza paurosa, facendo ruotare la barca. Lontano da essa cadde Odisseo, gli sfuggì il timone di mano, i venti a raffica in un turbine orrendo spezzarono l'albero a mezzo, vela e pennone caddero lontano nel mare. Per molto tempo rimase sommerso e non riuscì a tornare a galla, sotto l'impeto dell'onda enorme. Lo appesantivano gli abiti che gli aveva donato la ninfa divina. Dopo molto tempo riemerse sputando l'acqua salata, amara, che gli grondava dal capo. Ma non si scordò della barca, benché sfinito, si lanciò fra le onde, la prese e si sedette sopra, evitando la morte. La trascinavano le grandi ondate di qua e di là sulla corrente. Come quando, in autunno, Borea trascina per la pianura i cardi, in un mucchio, attaccati gli uni con gli altri, così i venti portavano la barca di qua e di là, per il mare: Noto la gettava a Borea, che la trascinasse, Euro la abbandonava a Zefiro che la inseguisse.

Lo vide la figlia di Cadmo, Ino dalle belle caviglie, che un tempo era donna mortale, ma ora, negli abissi del mare, con gli dei divideva la sorte. Di Odisseo, che errava in preda all'angoscia, ebbe pietà. Simile ad un gabbiano, emerse a volo dall'acqua, si posò sulla barca e gli rivolse la parola dicendo:

«Infelice, perché mai Poseidone che scuote la terra così terribilmente ti odia, da procurarti tante sciagure? Tuttavia non potrà distruggerti, anche se lo desidera. Ma ora fai così – non mi sembra che tu sia uno sciocco: togliti questi abiti, lascia la zattera ai venti e cerca di arrivare nuotando alla terra dei Feaci, dove è destino che tu trovi scampo. Legati intorno alla vita questo velo fatato: non devi temere più né dolore né morte. Ma appena avrai toccato il suolo con le tue mani, scioglilo e gettalo sul mare colore del vino, molto lontano da terra, senza voltarti a guardare».

Così disse la dea e gli diede il velo, poi di nuovo si immerse nelle onde del mare, simile ad un gabbiano: le nere onde l'avvolsero. Esitava intanto il tenace Odisseo che, turbato, diceva a se stesso, al suo nobile cuore:

«Ahimè, non tramerà ancora un inganno qualcuno degli immortali che mi ordina di abbandonare la barca? Non voglio obbedire, ho visto con i miei occhi quanto è lontana la terra dove mi ha detto che dovrei trovare scampo. Farò invece così, mi sembra la cosa migliore: finché i tronchi di legno restano uniti fra loro, fino ad allora resterò qui, resisterò, anche soffrendo. Ma quando le ondate mi avranno distrutto la zattera, allora nuoterò, non mi resta nulla di meglio».

Mentre così meditava nel cuore e nell'animo, il dio Poseidone gli sollevò contro un'onda a forma di volta, enorme, paurosa, tremenda. Come vento impetuoso investe un mucchio di pula secca e la disperde da una parte e dall'altra, così l'onda disperse i tronchi lunghissimi. Balzò sopra un legno Odisseo, come su un cavallo da corsa, si spogliò delle vesti che gli aveva dato la divina Calipso, rapido si legò il velo alla vita e si lanciò in mare a braccia aperte, pronto a nuotare. Lo vide Poseidone possente e scuotendo il capo disse fra sé:

«Erra sul mare così, ora, dopo tante pene sofferte, fino a che incontrerai gli uomini discesi da Zeus. Ma neanche allora io credo che ti sembrerà lieve la tua sventura».

Disse così, frustò i cavalli dalle belle criniere e si recò ad Ege, dov'è il suo tempio famoso.

A un'altra cosa pensò intanto Atena, figlia di Zeus. Fermò gli altri venti, a tutti ordinò di calmarsi, di riposare. Scatenò Borea impetuoso e gli spianò le onde davanti perché giungesse ai Feaci che amano i remi, il divino Odisseo, scampato al destino di morte. Due giorni e due notti vagò sul mare, più volte si vide davanti la morte. Ma quando, il terzo giorno, sorse l'Aurora dai bei capelli, allora il vento cessò e fu bonaccia sul mare: sollevato da un'onda altissima, aguzzando gli occhi egli vide, vicina, la terra. Come sembra cara ai figli la vita del padre che gli dei hanno guarito dal male dopo che giacque soffrendo crudeli dolori e a lungo languì in preda a un demone odioso: cara così a Odisseo sembrò la terra e i suoi boschi; nuotava impaziente di posare i piedi sul suolo. Ma quando fu distante un tiro di voce, allora udì il rombo del mare contro gli scogli. Mugghiavano le grandi ondate contro la riva con scroscio orrendo, tutto era coperto dalla schiuma del mare. Non vi erano porti per navi, né baie, solo scogli, rocce, promontori sporgenti. Perdette allora forza e coraggio, Odisseo, e angosciato disse a se stesso:

«Ahimè, al di là di ogni speranza mi concesse Zeus di vedere la terra dopo aver attraversato questo abisso profondo, ma da nessuna parte io vedo una via di scampo dal mare. Solo scogli aguzzi, strepito di onde ruggenti all'intorno, rocce di pietra liscia; ed è alto il mare vicino a riva, non riesco a toccare il fondo coi piedi e scampare così alla rovina. E se, mentre esco, un'onda grande mi afferra e mi scaglia contro le rocce? Vano sarebbe il mio sforzo. E se continuo a nuotare, cercando insenature, spiagge su cui le onde si frangono oblique, temo che ancora l'onda mi afferri e mi trascini gemente sul mare ricco di pesci, o che un dio mi susciti contro un mostro marino, uno dei molti che nutre Anfitrite gloriosa: so che mi odia il grande nume che scuote la terra».

Mentre così meditava nel cuore e nell'animo, una grande ondata lo gettò contro la riva irta di scogli. E qui si sarebbe lacerato la pelle e spezzato le ossa, se la dea Atena non lo avesse ispirato nel cuore: con un balzo si afferrò con entrambe le mani a una roccia, e vi si tenne attaccato, gemendo, fino a che l'ondata trascorse. La evitò, dunque: ma essa lo afferrò nel risucchio e lo scagliò lontano, nel mare. Come quando un polipo viene strappato al suo covo, e alle ventose restano infisse tante piccole pietre, così le forti mani di Odisseo si lacerarono contro la roccia. Fu sommerso dall'onda enorme. E allora contro il destino sarebbe morto l'infelice Odisseo, se non l'avesse ispirato la dea dagli occhi lucenti. Emerse dall'onda, che si rovesciava a riva ruggendo, nuotò lungo la costa guardando verso la terra, se mai potesse trovare insenature, spiagge, su cui le onde si frangono oblique. E quando giunse nuotando alla foce di un fiume dalle bellissime acque, quello gli sembrò il luogo migliore, privo di rocce e al riparo dal vento; e lo pregò in cuor suo:

«Ascolta, signore, chiunque tu sia: fervidamente ti invoco, io che a te giungo fuggendo dal mare l'ira di Poseidone. È sacro agli dei immortali colui che giunge errante, così come ora, dopo aver molto patito, io giungo alle tue acque e ti supplico. Abbi pietà, signore: sono tuo supplice».

Disse così, e subito il fiume frenò la corrente, calmò le onde, davanti a lui fece bonaccia, e lo mise in salvo alla foce. Si piegarono, a Odisseo, le gambe e le braccia possenti: era vinto dal mare. Tutto il corpo era gonfio, grondava acqua salata dal naso e dalla bocca: senza voce e senza respiro giacque sfinito, colto da tremenda stanchezza. Ma quando riprese fiato e coraggio nel cuore, allora si tolse di dosso il velo divino. Lo gettò nel fiume, che al mare scorre, e le onde con la corrente lo portavano indietro: rapida Ino lo afferrò con le mani. Odisseo, uscito dal fiume giacque in mezzo alle canne e baciò la terra feconda. Pieno di angoscia disse a se stesso:

«Che cosa mi accade, che sarà ora di me? Se in riva al fiume trascorro la notte penosa, temo che la rugiada e la brina malefica mi vincano il cuore, indebolito e prostrato; un'aria fredda spira dal fiume verso mattina. Se invece risalgo il pendio, verso l'oscura boscaglia, e tra i fitti cespugli mi metto a dormire, e mi passano freddo e stanchezza e il dolce sonno mi coglie, ho paura di cadere in preda alle fiere selvagge».

Questa infine gli parve la cosa migliore: si mosse verso la selva e la raggiunse, sopra un'altura, non lontano dal fiume, in luogo aperto; si insinuò sotto due cespugli, di olivo e di oleastro, ch'erano insieme cresciuti. Non li penetra l'umido soffio dei venti, non li colpisce il sole con i suoi raggi ardenti, la pioggia non li attraversa: così fittamente intrecciati crebbero, l'uno con l'altro. Sotto ad essi si insinuò Odisseo. Si fece egli stesso un ampio giaciglio: c'era infatti un gran mucchio di foglie, tale da riparare due, tre uomini, nel tempo invernale, anche se il freddo è intenso. Vedendolo si rallegrò il paziente, divino Odisseo, si distese nel mezzo, si coprì con le foglie. Come quando un uomo nella nera cenere nasconde un tizzone, ai confini del campo, dove non ha altri vicini, e preserva così la fonte del fuoco per non doverlo accendere altrove, così si coprì di foglie Odisseo. E Atena sugli occhi gli fece scendere il sonno, perché gli chiudesse le palpebre e al più presto lo liberasse dalla stanchezza tremenda.

VI.

NAUSICAA

Là dormiva così, il paziente divino Odisseo, vinto dalla stanchezza e dal sonno.

Atena si recò intanto alla città dei Feaci. Essi abitavano un tempo in Iperea spaziosa, vicino ai prepotenti Ciclopi, che li depredavano ed erano molto più forti di loro. Di là li portò via Nausitoo simile a un dio, e li condusse a Scheria, lontano da tutti gli uomini che mangiano pane, di mura circondò la città, fabbricò case, innalzò templi agli dei e divise la terra. Ma poi, vinto dal suo destino, egli discese nell'Ade, e Alcinoo regnava in quel tempo, Alcinoo dalla mente divina. Alla sua casa andava la dea dagli occhi lucenti, pensando al ritorno del generoso Odisseo.

Andò verso la stanza dai ricchi ornamenti dove dormiva – simile a una dea nel volto e nella figura – una fanciulla, Nausicaa, figlia del grande Alcinoo; due ancelle, pari alle Grazie, stavano accanto agli stipiti: erano chiusi i luminosi battenti. Come soffio di vento la dea volò verso il letto della fanciulla, si fermò sopra il suo capo e le parlò, somigliando alla figlia di Dimante – per le sue navi famoso –, che aveva la sua stessa età ed era cara al suo cuore. A lei somigliando disse la dea dagli occhi lucenti:

«Perché sei così negligente, Nausicaa? Giacciono trascurate le splendide vesti, e il giorno delle tue nozze è vicino, quando dovrai indossarle tu stessa, e offrirle a coloro che ti condurranno lontano. È così che grande fama si diffonde tra gli uomini, e padre e madre ne sono lieti. Appena sorge l'alba, andiamo a lavare le vesti. Io ti seguirò e ti aiuterò perché tu sia pronta al più presto. Non resterai a lungo fanciulla: da tempo ti chiedono in sposa i migliori fra tutti i Feaci, alla cui stirpe tu stessa appartieni. Orsù, chiedi al tuo nobile padre che ti prepari, all'alba, il carro e le mule, per trasportare vesti, pepli e mantelli stupendi; per te sarà molto meglio che andare a piedi, sono molto lontani dalla città i lavatoi».

Disse così la dea dagli occhi lucenti, e tornò in Olimpo, dove dicono sia la dimora serena degli immortali: là il vento non soffia, non cade la pioggia, non scende la neve, un limpido cielo senza nubi si apre, uno splendore radioso è sempre diffuso nell'aria. Là, giorno dopo giorno, vivono lieti gli dei, là, dopo aver parlato alla fanciulla, si recò la dea dagli occhi lucenti.

E si levò l'Aurora dal bellissimo trono, destando Nausicaa dal peplo leggiadro. Stupì del sogno, e si avviò attraverso la casa per annunciarlo ai genitori, al padre e alla madre amatissimi. Entrambi li trovò, nella casa. Sedeva al focolare la madre insieme alle ancelle e filava lana purpurea; incontrò sulla soglia il padre che usciva per andare a consiglio coi principi illustri, là dove i nobili Feaci l'avevano chiamato. Lei gli andò vicina e gli disse:

«Padre mio, mi faresti allestire un carro, alto, con

ruote scorrevoli, perché possa portare al fiume le vesti bellissime, che giacciono sporche? È bene che anche tu, quando tieni consiglio coi principi, indossi vesti pulite. Cinque figli maschi ci sono in casa, due già sposati, tre da sposare e nel fiore degli anni: vogliono sempre vesti lavate di fresco per andare a danzare. Di questo io voglio prendermi cura».

Così disse. Non voleva parlare di nozze a suo padre; ma lui capì tutto e rispose:

«Non ti nego certo le mule, figlia, né nessun'altra cosa. Va. I servi ti prepareranno un carro alto, munito di sponde e ruote scorrevoli».

Disse così, e diede l'ordine ai servi, che gli ubbidirono. Portarono fuori e prepararono un carro dalle ruote scorrevoli, aggiogarono al carro le mule. Dalla sua stanza la fanciulla portava le splendide vesti, che collocò sul carro ben levigato. In un canestro la madre pose vivande in quantità, di ogni sorta, e carne e vino in un otre di pelle di capra. La fanciulla montò sopra il carro. Dell'olio limpido le diede la madre, in un'ampolla dorata, perché si ungesse, insieme alle ancelle. Lei prese la frusta e le lucide redini, frustò le mule perché partissero; partirono con gran fragore di zoccoli e senza sosta tiravano, portando lei e le vesti; non era sola, la seguivano anche le ancelle.

Ma quando alle belle acque del fiume furono giunte, dov'erano i lavatoi perenni, e molta limpida acqua scorreva, tanta da ripulire anche vesti assai sporche, allora sciolsero dal carro le mule e verso il fiume impetuoso le spinsero, a pascolare l'erba dolcissima. Dal carro poi presero tutte le vesti, le immersero nell'acqua bruna e fecero a gara per pigiarle velocemente dentro le pozze. E dopo che ebbero lavato e ripulito

tutto lo sporco, le distesero in fila in riva al mare, là
dove l'acqua lava e rilava i ciottoli sulla battigia. Poi
fecero il bagno, si unsero d'olio lucente e sulla riva del
fiume presero il cibo, aspettando che le vesti asciugas-
sero ai raggi del sole. Quando furono sazie di cibo, lei
e le ancelle, gettarono i veli lontano e giocarono a palla. Diede inizio al gioco Nausicaa dalle candide braccia. Come Artemide, dea delle frecce, se ne va per i
monti, sul Taigeto vastissimo o sull'Erimanto, lieta in
mezzo ai cinghiali e alle cerve veloci; giocano insieme
a lei le ninfe dei boschi, figlie di Zeus signore dell'egida, e Latona gioisce nel cuore; tutte le supera con la
testa e la fronte, è facile riconoscerla, e tutte sono bellissime. Così la fanciulla Nausicaa si distingueva in
mezzo alle ancelle.

Ma quando giunse il momento di fare ritorno a casa, dopo aver aggiogato le mule e piegato le bellissime
vesti, allora Atena dagli occhi lucenti pensò a fare in
modo che si svegliasse Odisseo, vedesse la bella fanciulla e che lei lo guidasse alla città dei Feaci. Gettò la
palla a un'ancella, la principessa, ma sbagliò il tiro e la
palla cadde nell'acqua profonda. Le fanciulle gettarono un grido, si risvegliò il divino Odisseo. E subito si
levò a sedere, pensando in cuor suo:

«Ahimè, in quale terra sono, tra quali uomini? Gente violenta e selvaggia che non conosce giustizia, o
persone ospitali che hanno timore di dio? Ho udito
un grido di giovani donne, sono le ninfe che abitano le
alte vette dei monti, le sorgenti dei fiumi e i prati coperti d'erba? o vicino ad esseri umani mi trovo? Ora
voglio cercare e vedere io stesso».

Disse così, e di sotto i cespugli uscì il divino Odisseo: dalla fitta boscaglia con le sue forti mani divelse

un ramo pieno di foglie, per ricoprire le nudità del suo corpo; e venne avanti, come un leone sui monti, che della sua forza si fida e sotto la pioggia ed il vento avanza, gli occhi mandano lampi. Va a caccia di buoi o di pecore o di cerbiatte selvatiche; la fame lo spinge a entrare anche in un chiuso recinto, per assalire le greggi. Così era Odisseo che, tra le fanciulle dai bei capelli, stava per giungere, nudo: la necessità lo spingeva. Apparve loro coperto di salso, orribile: fuggirono esse per ogni dove, verso i lidi marini. Solo la figlia di Alcinoo rimase. A lei infuse Atena coraggio nell'animo, e tolse ogni tremore dal corpo. Immobile, gli stava davanti. Ed era incerto Odisseo, se supplicare la bella fanciulla abbracciando le sue ginocchia, o, restando lontano, rivolgerle parole suadenti, che la città gli indicasse, che gli donasse degli abiti. E mentre pensava così gli parve cosa migliore da lontano pregarla con dolci parole, perché non si adirasse con lui la fanciulla, se le toccava i ginocchi. E subito a lei si rivolse con parole suadenti ed accorte:

«Signora, io ti supplico. Sei una dea o una donna? Se appartieni agli dei che possiedono il cielo infinito, ad Artemide io ti assomiglio, la figlia del sommo Zeus, per il tuo aspetto e l'altezza della figura. Ma se ai mortali, che vivono sulla terra, appartieni, allora tre volte felici sono tuo padre e tua madre, tre volte felici i fratelli: il loro cuore è sempre colmo di gioia quando vedono entrare nelle danze questo fiore bellissimo. Ma più di tutti al mondo felice colui che, colmandoti di doni nuziali, ti porterà nella sua casa. Io non ho visto mai, con i miei occhi, una tale bellezza, né uomo né donna. Ti guardo, e lo stupore mi prende. A Delo un tempo, vicino all'altare di Apollo, vidi levarsi così una giovane palma – giunsi anche a Delo infatti, e molti mi seguivano nel viaggio che doveva procurarmi crudeli dolori. Anche allora stupii nell'animo quando la vidi, la terra non ne produsse mai una simile. E così te io ammiro, e stupisco, e di toccare le tue ginocchia ho molta paura; ma in cuore ho un'angoscia terribile. Sono scampato al mare colore del vino ieri, ed era il ventesimo giorno da che le onde e le tempeste impetuose mi trascinavano, dall'isola Ogigia; ora mi ha gettato qui un demone, perché anche qui io soffra sventure: e non credo che sia finita, prima gli dei mi faranno ancora molto patire. Abbi pietà, signora. A te per prima, dopo tanto dolore, io vengo supplice, non conosco nessuno di quelli che vivono in questa città, in questa terra. Dimmi dov'è la città, dammi un cencio per ricoprirmi, di quelli che avevi per avvolgere i panni, quando sei venuta fin qui. E che gli dei ti concedano tutto quello che il tuo cuore desidera, una casa, un marito, e un felice accordo tra voi: nulla è più bello e più prezioso di questo, quando moglie e marito con un'anima sola governano la loro casa. Provano molta invidia i nemici, gioia invece gli amici. Ed essi acquistano fama».

A lui rispose Nausicaa dalle candide braccia:

«Straniero, tu non mi sembri né malvagio né folle. La fortuna, è Zeus che la distribuisce agli uomini, ai buoni e ai malvagi, come vuole, a ciascuno. A te ha dato in sorte questo, bisogna che tu lo sopporti. Ma ora, poiché alla nostra città, alla nostra terra sei giunto, non ti mancheranno le vesti né nessun'altra cosa di ciò che è giusto riceva un supplice, un infelice. Ti indicherò la città, ti dirò il nome del popolo. Abitano questa città e questa terra i Feaci, e io sono la figlia del generoso Alcinoo, che tra i Feaci ha il potere supremo».

Disse, e alle ancelle dai bei capelli gridò:

«Fermatevi, dove fuggite alla vista di un uomo? Pensate forse che sia un nemico? Non c'è, non esiste al mondo un uomo che giunga alla nostra terra, a portar guerra ai Feaci: siamo molto cari agli dei immortali. In mezzo al tempestoso mare abitiamo, lontani da tutto, ai confini del mondo, nessuno degli altri mortali giunge fra noi. Ma questo è un infelice che arriva qui errante, bisogna averne cura. Stranieri e mendicanti vengono tutti da Zeus, ciò che ricevono, anche se poco, è gradito. Allo straniero offrite, ancelle, da mangiare e da bere, fatelo lavare nelle acque del fiume, al riparo dal vento».

Così parlò, ed esse si fermarono, esortandosi l'una con l'altra. Condussero poi Odisseo in un luogo appartato, come aveva ordinato Nausicaa, la figlia del grande Alcinoo, gli misero accanto le vesti, il mantello, la tunica, gli diedero dell'olio limpido in un'ampolla dorata, e lo esortarono a lavarsi nelle acque del fiume. Disse allora alle ancelle il divino Odisseo:

«Restate così, ancelle, lontane. Io stesso mi toglierò dalle spalle il salso e mi ungerò con l'olio che da tempo non tocca il mio corpo. Ma davanti a voi non voglio lavarmi. Ho ritegno di mostrarmi nudo a delle fanciulle».

Disse così, ed esse si allontanarono, e riferirono tutto a Nausicaa.

Con l'acqua del fiume il divino Odisseo deterse il suo corpo dal salso, che gli ricopriva le ampie spalle e il dorso. Dal capo si tolse tutti i detriti del mare. E dopo che si fu lavato tutto e cosparso di olio, indossò le vesti che la fanciulla gli aveva donato e allora Atena, figlia di Zeus, lo fece più alto, più grande, e i capelli sul capo glieli rese ricciuti, simili al fior di giacinto. Come quando un esperto artigiano ricopre con l'oro l'argento: a lui insegnarono l'arte Efesto e Pallade Atena, egli compie lavori stupendi; così sulla testa e sul corpo di Odisseo versò bellezza la dea. Ed egli andò a sedersi sulla riva del mare, in disparte, splendente di grazia. La fanciulla lo guardava, stupita. E alle ancelle dai bei capelli ella disse:

«Ancelle dalle bianche braccia, ascoltate ciò che vi dico. Per volontà degli dei, che l'Olimpo possiedono, quest'uomo è giunto tra i Feaci divini. Mi sembrava un miserabile, prima, ma ora somiglia a uno degli immortali, che possiedono il cielo infinito. Vorrei che un uomo come lui fosse il mio sposo, che abitasse qui e qui gli piacesse restare. Ma offrite ora, allo straniero, cibo e bevande».

Disse così, e le ancelle le diedero ascolto e le ubbidirono. Accanto a Odisseo posero cibo e bevande, e mangiava e beveva il tenace Odisseo: da tempo infatti era privo di cibo.

Ad altro pensava intanto Nausicaa dalle candide braccia. Ripiegò le vesti, le pose sullo splendido carro, mise al giogo le mule dai solidi zoccoli, montò sul carro lei stessa. Poi chiamò Odisseo, e gli disse:

«Alzati ora, straniero, andiamo in città. Ti guiderò alla dimora del mio padre sapiente, dove penso vedrai, fra tutti i Feaci, i più nobili. Ma tu, che mi sembri persona assennata: finché andremo per i campi coltivati dagli uomini, tu con le ancelle cammina veloce dietro al carro e alle mule; io farò strada sul carro. Ma quando saremo vicini alla città – alte mura la cingono e a fianco, da una parte e dall'altra, vi sono due porti belli, con una stretta imboccatura: là vengono tratte in secca le navi agili in mare, vi è un approdo per tutti. Intorno allo splendido tempio di Poseidone si apre la piazza, circondata da massi di pietra conficcati per terra: là preparano le attrezzature alle navi, le vele, i cordami, e piallano i remi. Perché i Feaci non amano arco e faretra, ma alberi di nave e remi e navi perfette con le quali, fieri, percorrono il mare bianco di schiuma. Di loro io voglio evitare le chiacchiere, che nessuno sparli di me; vi sono, tra il popolo, degli sfrontati, e uno, più maligno degli altri, incontrandoci, potrebbe dire così: "Chi è lo straniero che segue Nausicaa, così alto e bello? Dove mai l'ha trovato? Sarà certo il suo sposo. Forse ha raccolto qualcuno che dalla sua nave ha fatto naufragio, uno che viene da lontano, perché non abbiamo vicini. Oppure, da lei invocato fervidamente, un dio è sceso dal cielo e l'avrà in isposa per sempre. O meglio, lei stessa è andata a cercarsi altrove un marito, perché disprezza la gente del suo paese, i Feaci, che pure la vogliono e sono molti e i più nobili". Così dirà, e per me sarebbe vergogna. Io stessa biasimerei una fanciulla che si comportasse così e all'insaputa del padre e della madre si incontrasse con degli uomini prima delle pubbliche nozze. E tu, straniero, ascolta ciò che ti dico, perché al più presto tu possa ottenere da mio padre la scorta per il ritorno.

Troverai lungo la strada un bosco sacro ad Atena, un bosco di pioppi, bellissimo, dentro scorre una fonte, intorno c'è un prato. Vicino è un terreno che appartiene a mio padre e un giardino fiorito che dista dalla città un tiro di voce. Siediti là e aspetta fino a che noi saremo giunte in città e alla dimora del padre. Ma quando potrai pensare che siamo arrivate alla casa, incamminati allora verso la città dei Feaci e domanda dov'è la dimora del grande Alcinoo, mio padre. È facile riconoscerla, ti guiderebbe anche un bambino. Non le somigliano le case degli altri Feaci, unica è la dimora del nobile Alcinoo. E quando sarai nel cortile e poi nella casa, attraversa la sala rapidamente e a mia madre avvicinati. Lei siede al focolare, alla luce del fuoco, e appoggiata a una colonna fila lana purpurea, meravigliosa a vedersi; siedono, dietro, le ancelle. Vicino a lei mio padre, sul trono, beve del vino ed è simile a un dio. Tu passa oltre e le ginocchia di mia madre abbraccia, se vuoi vedere il giorno del tuo ritorno, presto e con gioia, anche se vieni da molto lontano. Se lei sarà benevola verso di te, c'è speranza che tu riveda i tuoi cari, che torni alla casa ben costruita, alla terra dei padri».

Disse così, e con la frusta lucente sferzò le mule: velocemente lasciarono le acque del fiume. Correvano forte, trottavano bene le mule. Ma lei tirava le redini perché potessero seguirla a piedi Odisseo e le ancelle: con molta prudenza usava la frusta.

Tramontò il sole e giunsero al bosco bellissimo, sacro ad Atena; qui il divino Odisseo si mise a sedere, e subito supplicò la figlia del sommo Zeus:

«Ascoltami, figlia di Zeus signore dell'egida. Ascoltami ora, tu che prima non mi hai ascoltato quando Poseidone glorioso mi fece fare naufragio. Fa che i Feaci mi accolgano con amicizia e pietà».

Così diceva pregando, lo udì Pallade Atena. Ma non volle mostrarsi a lui, rispettando il fratello del padre: e questi serbò un'ira feroce contro il divino Odisseo, fino a che non fece ritorno alla sua terra.

ALLA REGGIA DI ALCINOO

Mentre così pregava il paziente, divino Odisseo, le mule forti portavano in città la fanciulla Nausicaa. Quando alla sontuosa dimora del padre fu giunta, si fermò nel cortile e le si fecero incontro i fratelli, simili a dei immortali, sciolsero le mule dal carro e portarono in casa le vesti.

Lei salì nella sua stanza: accese il fuoco la vecchia Eurimedusa, l'ancella che un tempo venne da Apeira sulle agili navi; la scelsero e la diedero in dono ad Alcinoo, perché regnava su tutti i Feaci che gli obbedivano come ad un dio. Aveva allevato Nausicaa dalle candide braccia, nella reggia di Alcinoo; ora accendeva il fuoco e, nella stanza, le preparava la cena.

Allora si mosse Odisseo per andare in città. E intorno a lui Atena sollecita diffuse una nebbia fittissima perché nessuno dei fieri Feaci, incontrandolo, gli chiedesse chi era, gli rivolgesse parole di scherno. Ma quando stava per entrare nella bella città, allora gli si fece incontro la dea dagli occhi lucenti, come fanciulla che porta una brocca, e davanti a lui si fermò e il divino Odisseo le chiese:

«Potresti, figlia, guidarmi alla dimora di Alcinoo, che su questo popolo regna? Straniero e sventurato io sono giunto qui da terra lontana; non conosco nessuno di quelli che abitano la città e la campagna».

Gli rispose la dea dagli occhi lucenti:

«Ti indicherò, straniero, la casa che mi domandi: è vicina a quella del mio nobile padre. Tu cammina in silenzio, io ti farò strada, e non guardare, non rivolgere la parola a nessuno. Qui non amano molto gli estranei, non accolgono bene chi viene da fuori. Fidando nelle loro navi veloci, essi varcano i vasti abissi del mare: questo è il dono che fece loro il dio Poseidone. E rapide sono le navi, come battito d'ala, o come il pensiero».

Così disse Pallade Atena, e lo precedeva veloce; lui, dietro, seguiva i suoi passi. E i Feaci dalle navi famose non lo videro mentre andava per la città, in mezzo a loro; non lo permise Atena dai bei capelli – la potentissima dea – che, per il suo bene, lo circondò di magica nebbia.

Con stupore guardava Odisseo i porti, le navi perfette, le piazze di quella gente e le mura, alte, lunghissime, rinforzate da pali, meravigliose a vedersi. E quando furono giunti alla sontuosa dimora del re, allora la dea dagli occhi lucenti parlò e disse:

«Ecco, straniero, questa è la casa che tu mi chiedi: troverai i re di stirpe divina seduti a banchetto. Entra, e non aver timore nell'animo: un uomo che ha coraggio riesce meglio in ogni cosa, anche se viene da un altro paese. Ti avvicinerai alla regina per prima. Arete è il suo nome ed è della medesima stirpe di coloro che generarono il re. Primo fu Nausitoo, che Poseidone ebbe con Peribea, bellissima tra tutte le donne, figlia minore del grande Eurimedonte che un tempo regnava sui Giganti superbi. Ma Eurimedonte portò i suoi empi sudditi alla rovina; lui stesso morì e Poseidone si unì a Peribea ed ebbe un figlio, il generoso Nausitoo, re dei Feaci. Nacquero da Nausitoo Rexenore e Alcinoo. Ma Apollo dall'arco d'argento uccise Rexenore, sposo da poco e privo di figli maschi: lasciò nella casa una figlia sola, Arete. Alcinoo la fece sua sposa e la onorò come nessun'altra donna al mondo, nessuna fra quante governano oggi una casa, obbedendo al marito. Così lei è amata e onorata, oggi come allora, da Alcinoo, dai figli e dalla gente del popolo che come una dea la guarda e la saluta, quando passa, in città. Lei stessa è nobile di mente e di animo, appiana i contrasti fra coloro che ama e, se è ben disposta nel cuore, allora per te c'è speranza di rivedere i tuoi cari, di ritornare alla tua alta dimora e alla terra dei padri».

Disse così e se ne andò, la dea dagli occhi lucenti, verso il mare infinito, lasciò la bellissima Scheria, raggiunse Maratona e Atene dalle ampie strade, penetrò nel palazzo possente di Eretteo.

Andava intanto Odisseo verso la reggia famosa di Alcinoo; e meditava a lungo nel cuore mentre sostava immobile, prima di toccare la soglia di bronzo.

Come fulgore di sole o di luna, così era l'alta dimora del generoso Alcinoo. Correvano ai lati muri di bronzo, dalla soglia fino all'interno, con un fregio di pietra azzurra all'intorno. Porte dorate chiudevano, dentro, la casa ben costruita. D'argento erano gli stipiti, sulla soglia di bronzo, d'argento l'architrave al di sopra, d'oro l'anello alla porta. Cani d'oro e d'argento stavano, all'uno e all'altro lato: li fabbricò l'arte ingegnosa di Efesto perché fossero di guardia alla reggia del grande Alcinoo, immortali e giovani sempre. Sull'una parete e sull'altra poggiavano i troni, dalla soglia all'interno, in fila, e sopra posavano drappi sottili, tessuti con cura, lavoro di donne. Qui sedevano i principi dei Feaci, per mangiare e per bere in abbondanza. Su piedestalli ben fatti si ergevano dei giovinetti d'oro che tra le mani portavano fiaccole ardenti, illuminando la notte a coloro che pranzavano dentro la casa. Cinquanta sono le donne che servono in casa di Alcinoo. Alcune macinano alle mole il grano maturo, altre tessono tele e fanno girare il fuso e, così sedute, sembrano foglie di altissimo pioppo. Stilla il limpido olio dai fili appesi al telaio. Come gli uomini sono più di ogni altro esperti a condurre le navi veloci sul mare, così le donne sono abili a tessere tele; a loro più che a ogni altra Atena ha concesso il dono di fare opere splendide e di avere saggi pensieri.

Fuori dall'atrio, vicino alle porte, si apre un vasto giardino: da una parte e dall'altra lo cinge una siepe. Grandi alberi crescono qui rigogliosi, peri, melograni, meli dai frutti lucenti, fichi dolcissimi, olivi fiorenti. Non finiscono mai di dar frutto, per tutto l'anno fioriscono, d'inverno e d'estate per tutto l'anno e sempre il soffio di Zefiro fa nascere alcuni, altri matura. La pera sulla pera invecchia, sulla mela la mela, l'uva sull'uva, il fico sul fico. C'è una vigna piena di grappoli, alcuni sono messi a seccare al sole, in luogo aperto, di altri fanno vendemmia, altri ancora li pigiano; ma vi sono anche grappoli acerbi, appena fioriti, e altri che cominciano a maturare. Lungo l'estremo filare crescono, ben ordinate, piante di ogni sorta che fioriscono per tutto l'anno. E vi sono due fonti, una scorre per tutto il giardino, l'altra, da parte opposta, sotto la soglia dell'atrio scorrendo raggiunge l'alto palazzo: qui i cittadini attingono l'acqua.

Questi erano i doni splendidi che gli dei fecero alla casa di Alcinoo.

Immobile, guardava stupito il paziente divino Odisseo, ma quando ebbe tutto ammirato nell'animo, rapido varcò la soglia ed entrò nella casa. Trovò principi e consiglieri feaci che libavano al Messaggero dall'occhio acuto: era l'ultimo a cui libavano, quando pensavano al sonno. Attraversò la sala il paziente divino Odisseo, avvolto nella nebbia che Atena gli versava intorno, e giunse accanto al re Alcinoo e ad Arete. Alle ginocchia di Arete stese le braccia Odisseo ed ecco allora la magica nebbia si sciolse. Tacquero tutti nella sala, al vederlo, lo guardavano con meraviglia. Intanto pregava Odisseo:

«Figlia del divino Rexenore, Arete, alle ginocchia tue e del tuo sposo io vengo, dopo aver molto sofferto, davanti a questi invitati: gli dei concedano loro la fortuna di vivere e di lasciare ai figli la ricchezza in casa e l'onore concesso dal popolo. A me date invece una scorta, che al più presto possa giungere in patria perché da tempo, lontano dalla famiglia, vado soffrendo».

Disse così, e sul focolare sedette, nella cenere, vicino al fuoco. Tutti rimasero muti, in silenzio. Prese infine a parlare il vecchio Echenoo, un anziano che sapeva molte e antiche cose e nel parlare eccelleva. Con saggezza fra loro prese a parlare e disse:

«Non è bello, Alcinoo, e non è degno di te che un ospite sieda per terra, nella cenere del focolare. Tutti aspettano che tu parli. E dunque fa alzare l'ospite e fallo sedere su un trono ornato d'argento, agli araldi da' ordine di versare il vino, affinché libiamo al Signore del fulmine che accompagna i supplici sacri. E all'ospite la dispensiera offra la cena, con quello che c'è nella casa».

Udite queste parole, il re potente prese la mano di Odisseo, saggio ed accorto, lo levò dal focolare e lo mise a sedere sul trono lucente, dopo aver fatto alzare il forte Laodamante suo figlio, che gli sedeva vicino e che a lui più di ogni altro era caro. Venne un'ancella portando l'acqua lustrale in una brocca d'oro, bellissima, e in un bacile d'argento la versò perché si lavasse. Accanto pose un tavolo ben levigato. Venne la dispensiera portando del pane e molte vivande che con larghezza dispose. E il divino Odisseo mangiava e beveva. All'araldo disse allora Alcinoo potente:

«Pontonoo, mescola il vino nella coppa e distribuiscilo a tutti in sala perché possiamo libare a Zeus signore del fulmine che protegge i supplici e li fa sacri».

Disse così, e Pontonoo mescolava il vino dolcissimo e a tutti lo distribuiva nei calici. Ma dopo che ebbero libato e bevuto quanto il cuore voleva, fra di loro Alcinoo prese la parola e disse:

«Principi e consiglieri feaci ascoltate, vi dirò quello che il cuore mi detta nel petto. Ora che avete mangiato, andate a casa a dormire. All'alba, raccolti gli anziani in gran numero, festeggeremo l'ospite in questo palazzo e offriremo agli dei sacrifici stupendi. Poi penseremo anche alla scorta, così che l'ospite, senza pena ed affanni, sotto la nostra guida raggiunga la patria, rapidamente e con gioia, anche se è molto lontana. E nessuna sciagura, nessun dolore abbia a soffrire lungo il cammino, prima di posare il piede sulla sua terra. Dopo, in patria, subirà quello che la sorte, le Filatrici implacabili hanno tessuto per lui alla nascita, quando lo mise al mondo sua madre. Se invece è un immortale ed è venuto dal cielo, allora è qualcos'altro che stanno preparando gli dei. Sempre gli dei si mostrano a noi, visibili, quando offriamo sontuose ecatombi, e ci siedono accanto, al banchetto. E se anche uno di noi li incontra da solo, non si nascondono, perché siamo loro vicini come i Ciclopi, come i Giganti selvaggi».

A lui di rimando rispose l'accorto Odisseo:

«Alcinoo, non preoccuparti di questo, nell'animo. Non rassomiglio, io, agli dei che possiedono il cielo infinito, né per il volto, né per la figura. Sono un uomo mortale. Se conoscete degli uomini oppressi da pene grandissime, a questi potrei somigliare nelle sventure. Sciagure anche più grandi potrei raccontare io stesso, tutte quelle che ho dovuto patire per volontà degli dei. Ma ora lasciate che mangi, per quanto afflitto io sia. Non c'è nulla di più sfrontato del ventre odioso che ci costringe a ricordarci di lui anche se siamo oppressi nell'animo. Anch'io ora soffro nel cuore e il ventre mi ordina di mangiare e di bere, tutto quel che ho patito vuole che io dimentichi e di riempirlo mi impone. Ma appena sorge l'alba voi affrettatevi per ricondurre alla sua patria quest'infelice dopo tanto penare. E quando avrò visto tutto quello ch'è mio, e i miei servi e la grande casa dagli alti soffitti, che mi abbandoni, allora, la vita».

Disse così, e tutti approvavano ed esortavano a concedere scorta all'ospite che in modo giusto aveva parlato. E dopo che ebbero libato e bevuto quanto il cuore voleva, se ne andavano gli altri a dormire, alla sua casa ciascuno, ma lui rimaneva nella sala, il divino Odisseo, e accanto a lui sedevano Arete e Alcinoo simile a un dio. Le ancelle sparecchiavano i tavoli.

Prese allora a parlare Arete dalle bianche braccia; riconosceva, vedendoli, il mantello, la tunica, le belle vesti che lei stessa aveva tessuto insieme alle ancelle. E gli rivolse la parola e gli disse:

«Ospite, questo ti chiederò per prima cosa io stessa: chi sei? da dove vieni? chi ti donò queste vesti? Non hai detto che sei giunto qui errando sul mare?».

A lei rispose il prudente Odisseo:

«È difficile, mia regina, narrare dal principio alla fine le mie sventure, perché gli dei del cielo me ne inflissero molte. Ma ti dirò quello che mi chiedi e domandi. Lontano di qui, in mezzo al mare, c'è un'isola, Ogigia, dove vive la figlia di Atlante, la scaltra Calipso dai bei capelli, dea potentissima. Da lei nessuno va, né uomo né dio. Alla sua casa un demone condusse me, solo, infelice, dopo che Zeus con la sua vivida folgore colpì la mia nave veloce e la spezzò, in mezzo al mare colore del vino. Gli altri allora morirono tutti, i valorosi compagni, ed io, aggrappato alla chiglia dell'agile nave, per nove giorni fui trascinato; il decimo, nella nera notte, gli dei mi gettarono sull'isola Ogigia dove vive Calipso dai bei capelli, dea potentissima. Lei mi raccolse, mi ospitò amabilmente, mi nutrì e diceva che mi avrebbe reso immortale e giovane sempre. Ma non riusciva a persuadere il mio cuore. Per sette anni rimasi lì, e sempre bagnavo di lacrime le vesti immortali che mi aveva donato Calipso. Ma quando giunse l'ottavo anno, allora lei mi esortava, mi incitava a tornare, per un messaggio ricevuto da Zeus o perché aveva mutato pensiero. Su una zattera di tronchi legati mi fece partire, e molte cose mi diede, cibi e vino dolcissimo e vesti immortali, e fece levare un vento leggero e propizio. Per diciassette giorni navigavo sul mare, il diciottesimo apparvero i monti ombrosi della vostra terra. Si rallegrò il mio cuore infelice. Ma ancora dovevo incontrare pene grandissime che contro di me suscitò Poseidone, il dio che scuote la terra. Scatenò i venti per impedirmi il cammino, sollevò immensi marosi, le onde non mi lasciavano andare, ed io gemevo profondamente. Poi la tempesta distrusse la barca; a nuoto varcai l'abisso del mare fino a che il vento e le onde mi trasportarono verso la vostra terra. Qui, mentre cercavo un approdo, mi avrebbero gettato contro la riva, le ondate, sopra scogliere enormi, in un orrido luogo. Tornai indietro e ancora nuotavo finché raggiunsi un fiume, un luogo che mi apparve migliore, senza rocce e riparato dal vento. Caddi per terra e ripresi fiato, finché scese la notte soave. Allora, lontano dal fiume divino, mi stesi a dormire in mezzo ai cespugli, dopo aver raccolto intorno a me del fogliame. Sonno profondo versò un dio su di me. Là, tra le foglie, col cuore colmo di pena, tutta la notte dormii, e tutto il mattino fin dopo mezzogiorno. Al tramonto del sole mi abbandonò il dolce sonno. Sulla riva io vidi, allora, le ancelle di tua figlia che giocavano e fra di loro c'era anche lei e sembrava una dea. La supplicai: lei si mostrò nobile e saggia come non speri sia un giovane quando lo incontri; mancano spesso di senno, i giovani. Mi diede cibo abbondante, fulgido vino, mi fece lavare nel fiume, mi donò queste vesti. È verità questa che ho detto, nonostante il dolore».

A lui replicò Alcinoo e disse:

«Ma non ha pensato in modo giusto mia figlia, che non ti ha condotto lei stessa da noi insieme alle ancelle: è a lei che ti sei rivolto per primo».

Gli rispose l'accorto Odisseo:

«Signore, non biasimare per questo la fanciulla innocente. Lei mi esortava a seguirla insieme alle ancelle; ma io, per timore e vergogna, non volli, perché vedendomi tu non ti irritassi nell'animo. Sono facili all'ira i mortali».

A lui replicò Alcinoo e disse:

«Ospite, no, non ho in petto un cuore che si adira per nulla. Un giusto equilibrio è la cosa migliore. Volessero Zeus e Atena e Apollo che tu, con le tue doti e con pensieri simili ai miei, volessi restare qui, sposare mia figlia e diventare mio genero. Ti darei casa e ricchezze, se tu volessi restare. Ma se non vuoi, nessuno ti tratterrà, dei Feaci: non lo voglia Zeus padre. La partenza, perché tu lo sappia, sarà per domani. E mentre tu dormirai, vinto dal sonno, gli uomini batteranno il mare calmo coi remi finché giungerai in patria, alla tua casa, dove tu vuoi, anche se è molto al di là dell'Eubea. Dicono sia lontanissima quelli di noi che la videro quando condussero là il biondo Radamanto perché vedesse Tizio, figlio di Gaia. E tuttavia giunsero là, senza fatica compirono il viaggio e nello stesso giorno tornarono a casa. Conoscerai anche tu il valore delle mie navi e dei giovani che alzano l'acqua del mare coi remi».

Parlò così. Ne fu lieto il prudente Odisseo che disse pregando:

«Zeus padre, fa che tutto quello che ha detto Alcinoo, lo compia. Io potrei giungere in patria e lui, sulla terra, avrebbe fama immortale».

Così parlavano fra di loro. E Arete dalle bianche braccia ordinò alle ancelle di preparare un letto nel portico, e stendervi sopra bei tappeti di porpora, e sopra ancora delle coltri e, per coprirsi, mantelli di lana.

Uscirono dalla sala con le fiaccole in mano. E quando ebbero allestito, sollecite, un soffice letto, a Odisseo si avvicinarono esortandolo con queste parole:

«Va a dormire, ospite: è pronto il tuo letto».

Dissero così: ed egli fu lieto di andare a dormire.

Là dunque dormiva il divino Odisseo, nel letto a trafori, sotto il portico pieno di echi.

Dormiva Alcinoo all'interno dell'alta dimora, nel letto che gli preparò la regina, sua sposa.

VIII.

ALLA CORTE DEI FEACI

E quando sorse all'alba l'Aurora lucente, si levò allora dal letto il re potente, Alcinoo, si levò anche il distruttore di città, il divino Odisseo. E il sacro re guidava i principi all'assemblea dei Feaci, che si teneva presso le navi. Giunsero, e sui seggi ben levigati sedettero, vicini gli uni agli altri. Andava intanto per la città Pallade Atena, simile ad un araldo del nobile Alcinoo e, pensando al ritorno del generoso Odisseo, a ciascuno si avvicinava e diceva:

«Principi e consiglieri feaci, recatevi all'assemblea per sapere di questo straniero ch'è giunto or ora alla dimora di Alcinoo, dopo aver errato sul mare, e che d'aspetto è simile a un dio».

Diceva così e suscitava desiderio e brama in ciascuno.

Piazza e sedili si riempirono rapidamente di uomini. Molti guardavano con meraviglia il saggio figlio di Laerte. A lui, sul capo e sulle spalle, Atena versò meravigliosa bellezza, lo fece anche più alto e più forte, perché a tutti i Feaci ispirasse amicizia rispetto e timore e perché vincesse tutte le gare, in cui fu messo alla prova. Quando furono tutti raccolti e riuniti, allora Alcinoo incominciò a parlare e disse:

«Principi e consiglieri feaci ascoltate, che io vi dica quello che il cuore mi comanda nel petto. Questo straniero, non so chi sia, è giunto alla mia casa, errando, da oriente o da occidente. Chiede una scorta, supplica che gli sia data. E noi, come sempre facciamo, affrettiamoci a prepararla. Perché nessuno di quelli che giungono alla mia casa rimane qui a lungo, piangendo per avere una scorta. Via, trasciniamo sul mare lucente un nero vascello, al suo primo viaggio, si scelgano poi fra il popolo cinquantadue giovani, quelli che sono considerati i migliori. E dopo aver fissato i remi agli scalmi, scendete dalla nave, venite al mio palazzo e preparate, in fretta, un banchetto: l'offrirò io a tutti quanti. Questo ai giovani dico; gli altri, i principi che hanno lo scettro, vengano alla mia dimora bellissima per festeggiare l'ospite in casa. Nessuno si neghi. E l'aedo divino chiamate, Demodoco, cui hanno concesso gli dei il dono del canto, per nostro diletto, quando lo ispira il suo cuore».

Così disse, e si avviò, lo seguivano i principi che hanno lo scettro. L'araldo andò a cercare il cantore. E cinquantadue giovani scelti si recarono alla riva del mare profondo, come il re aveva ordinato. Quando furono giunti al mare e alla nave, la nera nave trassero nell'acqua fonda, l'albero e le vele posero dentro la nave, nelle cinghie di cuoio fissarono i remi, tutto con ordine. Sciolsero le vele bianche. Ormeggiarono al largo. Poi si diressero al grande palazzo del nobile Alcinoo. Si empirono di uomini i portici, i cortili, le sale, erano molti, giovani e vecchi. Per loro Alcinoo sacrificò dodici pecore, otto maiali dalle bianche zanne, due buoi dalla lenta andatura. Scuoiarono gli animali, prepararono un ricco banchetto.

E venne l'araldo, guidando il fedele cantore: molto la Musa lo amò, ma gli donò una cosa e un'altra gli tolse, la vista gli tolse, gli donò il dolce canto. Per lui, in mezzo ai convitati, Pontonoo pose un trono ornato d'argento appoggiandolo a un'alta colonna. Poi, ad un chiodo, l'araldo appese la cetra sonora, sopra il suo capo, e gli insegnò come prenderla con le mani. Accanto pose un bel tavolo e un canestro e una coppa di vino, perché bevesse quando voleva.

Sui cibi pronti e imbanditi stesero tutti le mani. Ma quando furono sazi di cibo e bevande, la Musa ispirò l'aedo a cantare gesta di eroi, una storia la cui fama giungeva allora al cielo infinito, la contesa fra Odisseo e il figlio di Peleo, Achille, come avvenne che, in un sontuoso banchetto di dei, si scontrarono con aspre parole; e Agamennone, signore di popoli, godeva nell'animo perché contendevano fra di loro i più forti di tutti gli Achei. Così Febo Apollo gli aveva predetto a Pito sacra, quando, per consultarlo, oltrepassò la soglia di pietra: era il principio delle sciagure che sui Troiani e sui Danai stavano per rovesciarsi, per volere di Zeus. Questo l'aedo famoso cantava. Ma Odisseo afferrò con le mani il gran mantello di porpora e se lo trasse sul capo, nascose il bellissimo volto. Si vergognava di piangere davanti ai Feaci. E quando l'aedo divino smetteva il suo canto, Odisseo si asciugava le lacrime, toglieva il mantello dal capo e, sollevata la coppa a due anse, libava agli dei. Ma quando riprendeva a cantare l'aedo, e lo incitavano i principi che godevano nell'udire il suo canto, ancora si copriva il capo e piangeva Odisseo. Degli altri, nessuno notava il suo pianto, Alcinoo solo, che gli sedeva accanto, vide e osservò e lo udì singhiozzare. Subito disse allora ai Feaci che amano il remo:

«Principi e consiglieri feaci, ascoltate. Ormai l'animo è sazio del cibo fra tutti diviso, e della cetra, che il ricco banchetto accompagna. Ora usciamo, e cimentiamoci in tutte le gare, perché ai suoi amici l'ospite narri, al suo ritorno, come ogni altro vinciamo nella lotta, nel pugilato, nella corsa e nel salto».

Disse così e si avviò, lo seguirono tutti. E l'araldo, appesa al chiodo la cetra sonora, prese per mano Demodoco e lo portava fuori dalla sala. Lo guidava per la stessa via che percorrevano i principi dei Feaci andando a vedere le gare. Andavano verso la piazza, li seguiva una gran folla. Si alzarono i giovani, che erano molti e valenti: Acroneo, Ochialo, Elatreo, Nauteo, Primneo, Anchialo, Eretmeo, Ponteo, Proreo, Toonte, Anabesineo, Anfialo figlio di Polineo Tectonide. Si alzò anche Eurialo, simile ad Ares uccisore di uomini, Eurialo figlio di Naubolo, che per aspetto e figura era il più bello di tutti i Feaci, dopo il nobile Laodamante. E tre figli del grande Alcinoo si levarono, Laodamante, Alio e Clitoneo simile a un dio. Nella corsa si misurarono per prima cosa. Fin dalla partenza, la gara fu tesa; essi volavano rapidi sollevando la polvere nella pianura. Il più veloce a correre fu Clitoneo glorioso; quanto fra di loro distano due muli in un maggese, di tanto li superò raggiungendo la folla, gli altri rimasero indietro. Si cimentarono poi nella lotta durissima: in essa Eurialo vinse i migliori. Anfialo superò tutti nel salto. Nel lancio del disco fu Elatreo il più forte, nel pugilato Laodamante, il valoroso figlio di Alcinoo. Ma, dopo che ebbero tutti goduto di queste gare, incominciò a parlare fra loro il figlio di Alcinoo, Laodamante:

«Orsù, amici, chiediamo all'ospite se conosce, se sa qualche gara. Non è cattivo il suo aspetto, le gambe, le cosce, le mani e il collo forte, l'ampio petto. E non è vecchio, ma piegato da molte sventure. Non c'è niente di peggio del mare, io dico, per distruggere un uomo, anche se è molto forte».

A lui replicò Eurialo, e disse:

«Laodamante, è giusto quello che hai detto. Va dunque da lui a parlargli e a invitarlo».

Udite queste parole, il valoroso figlio di Alcinoo si mosse, si fermò in mezzo a tutti e disse a Odisseo:

«Vieni anche tu, ospite, a misurarti nelle gare, se ne conosci qualcuna – e certo tu ne conosci. Non c'è per l'uomo gloria maggiore al mondo di quella che si procura coi suoi piedi, con le sue mani. Prova dunque, scaccia i tormenti dal cuore. Il tuo cammino non è più così lungo, la nave è già in mare e sono pronti i compagni».

Gli rispose l'accorto Odisseo:

«Perché, Laodamante, vi fate gioco di me chiedendomi questo? Non gare, ma sventure ho nell'animo, io che tanto ho patito, tanto sofferto, ed ora, seduto qui nella vostra assemblea, bramo il ritorno, e supplico il re e il popolo tutto».

Gli rispose, insultandolo, Eurialo:

«Non mi sembra, straniero, che tu sia esperto di gare, le tante che sono fra gli uomini. Sembri piuttosto uno che va per il mare sulla nave dai molti remi e comanda a marinai che fanno i mercanti, bada al carico, alle merci e ai guadagni allettanti: no, non mi sembri un atleta».

Gli rispose l'accorto Odisseo, guardandolo male:

«Non è bello quello che hai detto, ospite: sei un uomo arrogante. Ma è vero che non a tutti gli uomini concedono doni gli dei, bellezza, mente e parola. Uno è di aspetto modesto, ma gli dei incoronano di grazia il suo dire e la gente lo guarda, incantata: parla con sicurezza e con riserbo gentile, si distingue tra le persone riunite e quando cammina per la città lo guardano come se fosse un dio. Un altro è pari agli dei per bellezza ma la grazia non incorona le sue parole; così tu: sei bello di aspetto – neppure un dio potrebbe farti migliore – ma la tua mente è vuota. Mi hai sconvolto il cuore nel petto, parlando così malamente. Non sono inesperto di gare, come tu dici, ero anzi fra i primi finché potevo contare sull'età giovane e sulle mie braccia. Ora sventure e dolori mi vincono. Molto ho sofferto, nelle guerre degli uomini e tra le onde paurose del mare. E tuttavia anche se molti mali ho patito, entrerò in gara. Morde la tua parola, mi hai incitato, parlando».

Disse così, e avvolto nel suo mantello balzò, afferrò un disco grande e massiccio, molto più pesante di quello che i Feaci maneggiavano in gara. Lo fece ruotare e lo scagliò con la sua forte mano, emise un suono la pietra, si piegarono a terra i Feaci dai lunghi remi, navigatori famosi, al lancio del disco che, volando via dalla mano, oltrepassò i segni di tutti. Fissò il termine Atena che, in sembianza di uomo, parlò a Odisseo e gli disse:

«Anche un cieco, straniero, distinguerebbe il tuo segno, a tastoni, perché non è confuso fra tutti, ma è molto più avanti degli altri. Che questa prova ti dia coraggio: dei Feaci nessuno raggiungerà o supererà questo segno».

Disse così, si rallegrò il paziente Odisseo, lieto di avere, sul campo di gara, un amico. Più sereno parlò allora ai Feaci:

«Giovani, raggiungete ora voi questa meta. Un altro disco posso lanciare subito, fin qui o più lontano. E chi di voi ha cuore e coraggio, venga a misurarsi: troppo mi avete irritato. Pugilato o corsa o lotta, nessuno fra tutti i Feaci rifiuto, tranne Laodamante: egli è mio ospite, chi potrebbe battersi con il suo ospite? Uomo stolto e dappoco è colui che in terra straniera sfida l'ospite in gara. Si rovina con le sue mani. Ma degli altri io non rifiuto, non disdegno nessuno, a faccia a faccia voglio misurarmi con loro. In tutte le gare, per quante ve ne siano fra gli uomini, in tutte valgo qualcosa. So maneggiare l'arco ben levigato. Sarei il primo a colpire un uomo di freccia, tirando in mezzo alla folla nemica, anche se molti compagni accanto a me scagliassero dardi. Filottete soltanto mi superava quando, in terra troiana, noi Achei tiravamo con l'arco. E di tutti gli uomini che oggi vivono e mangiano pane su questa terra, io sono molto più forte. Con quelli di un tempo vorrei misurarmi, con Eracle, con Eurito di Ecalia, che al tiro dell'arco sfidavano anche gli dei. Per questo il grande Eurito morì all'improvviso, non giunse a vecchiaia nella sua casa; Apollo lo uccise adirato perché lo aveva sfidato con l'arco. La lancia io scaglio lontano più di quanto un altro scagli una freccia. Solo nella corsa ho paura che qualcuno dei Feaci mi vinca: troppo mi hanno sfinito le onde del mare e non potevo avere sempre cura di me sulla zattera; le mie membra si sono fiaccate».

Disse così, rimasero tutti muti, in silenzio. Alcinoo soltanto replicò e disse:

«Ospite, certo tu non vuoi dirci cose sgradite, ma dimostrare il tuo valore, irato perché quest'uomo, sceso nel campo di gara, ti ha offeso come non avrebbe fatto nessuno che, nel suo animo, sapesse parlare in modo giusto. Ma ora ascolta le mie parole, perché anche ad altri eroi tu possa dirle quando, nella tua casa, pranzerai accanto alla sposa e ai figli e ricorderai il nostro valore in quelle arti in cui Zeus ci ha concesso di eccellere fin dal tempo dei padri. Noi non siamo perfetti pugilatori, e lottatori neppure, nella corsa siamo veloci e a navigare i migliori. Amiamo il banchetto, la cetra, le danze, cambiare le vesti, i caldi lavacri, l'amore. Orsù, quelli che tra i Feaci sono i danzatori più abili, danzino, affinché l'ospite, al suo ritorno, possa dire agli amici che vinciamo tutti nell'arte navale, nella corsa, nella danza e nel canto. Presto, vada qualcuno a prendere per Demodoco la cetra sonora che è rimasta nella mia casa».

Così disse Alcinoo simile a un dio, e l'araldo si alzò per portare, dalla casa del re, la concava cetra. Si alzarono tutti i nove giudici scelti fra il popolo, che nelle gare disponevano ogni cosa con cura: spianarono il luogo destinato alle danze, fecero largo nel campo. Giunse l'araldo portando a Demodoco la cetra sonora. In mezzo al campo egli si pose e intorno gli stavano i giovani danzatori abilissimi che coi piedi ritmavano la danza divina. Guardava Odisseo il rapido gioco dei piedi, e stupiva nel cuore.

Toccò le corde l'aedo e intonò il canto che narrava gli amori di Ares e di Afrodite dalla bella corona, come, per la prima volta, di nascosto si unirono nella dimora di Efesto. Molti doni le diede Ares, oltraggiando il letto di Efesto. Al dio andò a rivelarlo il Sole che li vide mentre si amavano. Ed Efesto, quando udì l'amara notizia, andò alla sua fucina meditando vendetta nel cuore, mise sul ceppo l'incudine enorme, e forgiava delle catene che non si potevano né spezzare né sciogliere, perché vi restassero presi. Quando ebbe fabbricato la trappola, furente contro il dio della guerra, si recò al talamo, dov'era il suo letto, e tutt'intorno ai sostegni poneva catene e molte anche sopra, all'alto soffitto, appendeva, sottili come tele di ragno; nessuno poteva vederle, neppure gli dei beati, quelle catene ingannevoli. Quando ebbe teso intorno al letto la trappola, finse di andare a Lemno, la ben costruita città che più di ogni altra gli è cara. Ma Ares dalle redini d'oro, che stava in vedetta, non fu cieco e lo vide, vide l'Artefice illustre che si allontanava. Si avviò verso la dimora di Efesto glorioso, impaziente di unirsi a Citerea dalla bella corona; nella casa sedeva la dea che da poco era giunta dalla reggia del padre, l'onnipotente figlio di Crono. Ed egli entrò, le prese la mano e le disse:

«Vieni, mia amata, stendiamoci e insieme godiamo. Efesto non è più qui, è partito per Lemno, dove vivono i Sinti che parlano una barbara lingua».

Disse così, a lei piacque l'idea. Salirono sul letto e poi si addormentarono. Caddero tutt'intorno le catene ingegnose dell'abile Efesto: ed essi non potevano più né sollevarsi né muoversi: lo capirono quando non c'era più scampo. Arrivò subito l'Artefice illustre che era tornato indietro prima di giungere a Lemno. Montava la guardia il Sole, che tutto gli disse. Alla sua casa si avviò Efesto, col cuore dolente. Si fermò nel portico, un'ira tremenda lo colse. Gridò in modo pauroso, rivolto a tutti gli dei:

«O padre Zeus, e voi dei beati ed eterni, venite a vedere uno spettacolo ridicolo e indegno. La figlia di Zeus, Afrodite, disprezza me che sono zoppo e ama Ares odioso; lui è bello e sano, mentre io sono storpio. E di questo nessuno ha colpa, solo i miei genitori che non dovevano mettermi al mondo. Ma guardate dove costoro fanno l'amore, sopra il mio letto: soffro, a vederli. Non credo che giaceranno così per molto, anche se si amano tanto. Tra un po' non vorranno più stare a letto, ma li terranno in trappola le catene, fino a che il Padre mi avrà restituito i doni nuziali, tutti quelli che offrii per una sposa sfacciata. Perché sua figlia è bella, sì, ma sfrenata».

Così disse, e gli dei si radunarono nella casa dalla soglia di bronzo: venne Poseidone, signore della terra, ed Hermes, il dio benefico, e venne Apollo, signore dei dardi. Rimasero nelle loro dimore le dee, per pudore. Nel portico stavano gli dei che dispensano beni. E sorse un riso irrefrenabile, fra i numi beati, al vedere la trappola dell'abile Efesto. Rivolto al suo vicino, qualcuno diceva così:

«Le azioni cattive non fruttano bene. Il lento raggiunge il veloce, ed ecco che ora Efesto, che è lento, ha preso Ares, il più veloce fra gli dei dell'Olimpo. Lui, che è zoppo, l'ha preso con la sua arte; e Ares gliela dovrà pagare».

Così parlavano essi fra loro. E ad Hermes disse Apollo, figlio di Zeus:

«Hermes, figlio di Zeus, messaggero benefico, avresti voglia di startene a letto, accanto alla bionda Afrodite, sotto il peso di queste robuste catene?».

Gli rispose il Messaggero veloce:

«Magari potesse accadere, signore dei dardi! Anche

se fossero tre volte più grosse e più numerose, anche se tutti voi dei veniste a guardare, e tutte le dee, sì, io vorrei dormire accanto alla bionda Afrodite».

Disse così, risero gli dei immortali. Ma non rideva il dio Poseidone che supplicava l'Artefice illustre affinché liberasse Ares; e gli parlava e diceva:

«Lascialo andare! Io ti prometto che ti pagherà tutto quello che deve, come tu vuoi, davanti agli dei immortali».

Gli rispose l'Artefice illustre:

«Signore della terra, non chiedermi questo; cattiva cosa è farsi garante di uomini indegni. Come potrei obbligarti, davanti agli dei immortali, se Ares riesce a fuggire e così evita il debito e le catene?».

A lui disse il Dio che scuote la terra:

«O Efesto, anche se Ares riesce a fuggire evitando il suo debito, pagherò tutto io stesso».

Replicò allora l'Artefice illustre:

«Non si può, non è giusto dirti di no».

Disse così il dio Efesto, e le catene disciolse. Quando furono sciolti dalle robuste catene, balzarono subito in piedi, e lui raggiunse la Tracia, a Cipro si recò invece Afrodite dal dolce sorriso, a Pafo dove aveva un sacro recinto e un altare odoroso. Qui le fecero il bagno le Grazie e la unsero con l'olio divino di cui si cospargono gli dei immortali, la rivestirono di vesti splendide, meravigliose a vedersi.

Queste cose cantava l'aedo glorioso. E ascoltando Odisseo godeva nell'animo, e con lui i Feaci che amano il remo, navigatori famosi. Ad Alio e a Laodamante ordinò allora Alcinoo di danzare da soli, perché nessuno poteva misurarsi con loro. Ed essi presero in mano una palla, colore di porpora, che il valente Polibo aveva fatto per loro. E l'uno, piegandosi indietro, la lanciava fino a toccare le nuvole, l'altro, spiccando un salto, l'afferrava agilmente prima che i piedi toccassero terra. E dopo aver gareggiato a lanciare la palla, danzarono sulla terra feconda, alternandosi l'uno con l'altro. In piedi sul campo gli altri giovani scandivano il tempo, con grande rumore. Disse allora ad Alcinoo il divino Odisseo:

«O grande Alcinoo, gloria della tua gente, dicesti che eravate i migliori a danzare, ed è così: guardo e lo stupore mi prende».

Disse così, il grande re ne fu lieto e subito disse ai Feaci che amano il remo:

«Principi e consiglieri feaci, ascoltate. Mi sembra che sia molto saggio, quest'ospite. Offriamogli, come è giusto, un dono ospitale. Vi sono, in questo paese, dodici principi illustri che hanno il potere, io sono il tredicesimo. Porti ciascuno un mantello nuovo, una tunica e un talento d'oro prezioso. Raccogliamo queste cose subito perché l'ospite se le prenda e venga poi alla cena con animo lieto. E con parole e con doni lo plachi Eurialo, che non parlò in modo giusto».

Disse così, e l'approvavano e lo esortavano tutti; ciascuno mandò un araldo a prendere i doni. Ed Eurialo rispose ad Alcinoo e disse:

«O grande Alcinoo, gloria della tua gente, sì, con l'ospite mi concilierò, come comandi. Gli donerò questa spada tutta di bronzo, che ha l'elsa d'argento e la custodia di avorio appena tagliato: sarà un dono prezioso per lui».

Disse così, e nelle mani gli pose la spada ornata d'argento, e gli rivolse queste parole:

«Salute a te, padre. Se è stata detta una parola cattiva, che i venti se la portino via. E che gli dei ti concedano di ritornare in patria e rivedere la sposa, perché da tempo vai soffrendo lontano dai tuoi».

Gli rispose l'accorto Odisseo:

«Salute anche a te, amico mio, ti concedano fortuna gli dei e mai tu debba rimpiangere la spada che mi hai donato con parole di scusa».

Disse e alla spalla appese la spada ornata d'argento.

Tramontò il sole, e lui ebbe gli splendidi doni. Alla casa di Alcinoo li portarono gli araldi gloriosi, i figli del nobile re li ricevettero e accanto alla madre amata li posero, i doni bellissimi. Il grande Alcinoo guidava i Feaci. Giunsero, e sugli alti troni sedettero, e allora il sacro re disse ad Arete:

«Prendi, regina, uno scrigno prezioso, il più bello che hai, e dentro riponi un mantello nuovo e una tunica. E voi mettete sul fuoco un bacile di bronzo, riscaldate dell'acqua affinché dopo il bagno, vedendo riposti con cura i doni che qui gli portarono i principi dei Feaci, l'ospite si goda il banchetto ed il canto. Io gli offrirò anche questo mio calice d'oro stupendo, perché si ricordi di me ogni giorno quando nella sua casa offrirà libagioni a Zeus e agli altri immortali».

Disse così, e Arete ordinava alle ancelle di porre al più presto sul fuoco un tripode grande. E un tripode per il bagno posero esse sul fuoco ardente, vi versarono l'acqua, portarono la legna da ardere. Il fuoco avvolse il ventre del tripode, l'acqua si riscaldava. Intanto Arete dalla sua stanza portò per l'ospite uno splendido scrigno e dentro vi pose i doni bellissimi, le vesti e l'oro che i Feaci gli diedero. Vi collocò lei stessa un mantello e una tunica, e gli parlò e gli disse:

«Metti tu stesso il coperchio e legalo bene, perché

nessuno possa insidiarti durante il viaggio, quando, sulla nave nera, dormirai un dolcissimo sonno».

Udite queste parole il paziente Odisseo subito chiuse il coperchio e fece un nodo complesso, come gli aveva insegnato un tempo Circe, la maga.

Ed ecco, nella vasca lo invita ad entrare l'ancella per prendere il bagno; con gioia egli vide i caldi lavacri perché non si era preso cura di sé da quando aveva lasciato la dimora di Calipso dai bei capelli. Là riceveva assidue cure, come se fosse un dio. E dopo che lo ebbero lavato e unto di olio, le ancelle gli misero addosso la tunica e un bellissimo manto, e uscito dal bagno egli andò fra i principi che bevevano il vino.

Ferma vicino a un pilastro del solido tetto stava Nausicaa, bella di divina bellezza. Stupì, vedendo Odisseo, e gli rivolse la parola e gli disse:

«Sii felice, straniero, e quando sarai nella tua terra ricordati di me, perché a me per prima devi la vita».

A lei rispose l'accorto Odisseo:

«Figlia del generoso Alcinoo, Nausicaa, così mi conceda Zeus, lo sposo di Era, il signore del tuono, di vedere il giorno del mio ritorno. E anche laggiù allora ti invocherò come una dea, ogni giorno, per sempre: perché tu mi hai salvato, fanciulla».

Disse, e sedette sul trono, accanto al re.

Facevano le parti i servi e versavano il vino. E venne l'araldo, portando il fedele cantore, Demodoco, che tutti onoravano. In mezzo ai convitati lo fece sedere, appoggiato a un alto pilastro. Disse allora all'araldo l'accorto Odisseo, dopo aver tagliato un pezzo di spalla da un maiale dalle bianche zanne (ma restava la parte più grande, tutta coperta di grasso):

«Araldo, da' questo pezzo di carne a Demodoco,

perché lo mangi, e digli che lo saluto, pur con l'angoscia nel cuore. Per tutti gli uomini al mondo gli aedi
sono degni di rispetto e di onore, perché ad essi insegnò le vie dei canti la Musa, che ama i cantori».

Disse così e l'araldo prese la carne e la mise in mano
a Demodoco, che la ricevette con animo lieto.

Sui cibi pronti e imbanditi stesero essi le mani. Ma
quando furono sazi di cibo e bevande, disse allora a
Demodoco l'accorto Odisseo:

«Più di ogni altro uomo io ti lodo, Demodoco. La
Musa, figlia di Zeus, ti fu maestra, oppure Apollo, perché con arte perfetta tu canti la sorte dei Danai, quanto
fecero, quanto osarono, quanto patirono, come se fossi
stato presente o lo avessi udito narrare. Ma ora cambia
argomento e canta la storia del cavallo di legno, che Epeo
fabbricò con l'aiuto di Atena, la trappola che il divino
Odisseo portò sull'acropoli, dopo averla riempita degli
uomini che distrussero Ilio. Se mi racconterai questa storia in modo giusto, a tutti io dirò che un dio benevolo ti
ha concesso il dono del canto».

Disse così, e ispirato dal dio l'aedo prese a cantare:
e incominciava da quando, saliti sulle navi dai solidi
banchi, dopo aver dato fuoco alle tende, ripresero il
mare gli Achei, e gli altri intanto, con Odisseo glorioso, stavano sulla rocca di Troia, nascosti dentro il cavallo. Sull'acropoli lo trascinarono gli stessi Troiani.
Lì stava il cavallo, ed essi sedevano intorno e molte
cose diverse dicevano. Erano tre le proposte, trafigge-
re il concavo legno con le armi di bronzo, trascinarlo
in cima e gettarlo giù dalle rocce, lasciarlo là come
dono propiziatorio agli dei. E sarebbe finita così, era
infatti destino che la città perisse dopo aver accolto il
grande cavallo di legno dov'erano tutti i più forti dei

Danai, che ai Troiani portavano morte e rovina.

Cantava come, scesi giù dal cavallo, abbandonata la trappola cava, distrussero la città i figli dei Danai, come l'alta rocca devastarono da ogni parte, come Odisseo simile ad Ares alla dimora di Deifobo andò con Menelao divino. E qui sostenne una dura battaglia e vinse ancora – così narrava – con l'aiuto di Atena.

Queste cose l'aedo glorioso cantava. Ma Odisseo soffriva, scendevano dai suoi occhi le lacrime a bagnare le guance.

Come piange una donna, prostrata sul corpo del suo sposo caduto davanti alla città e ai suoi uomini per allontanare dai figli e dalla patria il giorno fatale: e lei che l'ha visto morire e dibattersi nell'agonia, riversa su di lui manda acuti lamenti, mentre i nemici da dietro le colpiscono con le lance la schiena e le spalle, la trascinano in schiavitù, verso una vita di fatica e di pena, e nel dolore straziante lei si consuma. Così pietose lacrime versava sotto le ciglia Odisseo.

Degli altri nessuno notava il suo pianto, soltanto Alcinoo, che gli sedeva vicino, vide e osservò e lo udì singhiozzare. E subito disse ai Feaci che amano il remo:

«Principi e consiglieri feaci, ascoltate. Faccia tacere Demodoco la cetra sonora. Non a tutti è gradito il suo canto. Da quando abbiamo cenato e l'aedo divino ha preso a cantare, da allora l'ospite non ha mai smesso di piangere. Un gran dolore ha invaso il suo animo. Taccia dunque il cantore perché possiamo essere lieti tutti, l'ospite e coloro che l'ospitano, è molto meglio così. In suo onore è tutto questo, la scorta e i doni che in segno di amicizia gli abbiamo dato. Per chi abbia anche un po' di senno soltanto, l'ospite, il supplice è come un fratello. E quindi non mi nascondere ora, nella tua mente accorta, quello che ti domando. È meglio, se parli. Dimmi il nome con cui ti chiamano tuo padre e tua madre e quelli della tua città e coloro che vivono intorno. Nessuno degli uomini è senza nome, né il nobile né il miserabile, una volta ch'è nato; a tutti lo impongono i genitori, quando li mettono al mondo. Dimmi dunque qual è la tua terra, e il popolo, e la città, perché con la forza della mente ti portino là le mie navi. Non hanno nocchieri i Feaci, non ci sono timoni, come su tutte le navi. Esse sanno il pensiero e la mente degli uomini, e le città di tutti conoscono e i fertili campi: rapide solcano gli abissi del mare, avvolte da nuvole e nebbia; non c'è pericolo che siano danneggiate o distrutte. Eppure una volta ho sentito dir questo da mio padre Nausitoo: diceva che Poseidone era adirato con noi perché a tutti diamo scorte sicure. Diceva che un giorno avrebbe distrutto una solida nave delle genti feacie, di ritorno da un viaggio di scorta sul mare oscuro, e poi con un gran monte avrebbe coperto la nostra città. Questo egli diceva: e questo lo compirà iddio, o non lo compirà, come gli piace. Ma parla ora, e dimmi sinceramente dove sei andato errando e in quali paesi sei giunto, e narrami gli uomini e le belle città e se erano malvagi ingiusti e crudeli oppure ospitali e timorati di dio. Dimmi perché piangi e soffri nell'animo ascoltando la sorte degli Argivi e di Ilio. Gli dei l'hanno voluta, per quegli uomini decisero essi la morte, affinché fossero cantati in futuro. Ma forse ti è morto davanti a Ilio un parente, un valoroso, tuo genero oppure tuo suocero, che sono le persone più care dopo quelle del proprio sangue? O forse hai perduto un compagno, affezionato e valente? Di un fratello non è meno caro l'amico dai saggi pensieri».

IX.

IL CICLOPE

A lui rispose l'accorto Odisseo:

«O Alcinoo potente, fra le tue genti illustre, certo è bello ascoltare un cantore com'è costui, che ha la voce simile a quella di un dio. Io dico che non esiste cosa più bella di quando regna la gioia tra il popolo e nella sala i convitati, seduti l'uno accanto all'altro, stanno a sentire l'aedo; sono pieni i tavoli di pane, di carni, e vino attinge dalla coppa grande il coppiere per versarlo nei calici. Questa a me sembra, nell'animo, la cosa più bella. Ma delle mie dolorose sventure tu mi domandi, perché ancora di più io pianga e mi lamenti. Quale per prima dirò, quale per ultima? Molte sono le pene che mi inflissero gli dei, figli del cielo. Ma il nome dirò ora, per primo, perché lo sappiate, perché anche in futuro, sfuggito al giorno fatale, io sia per voi un ospite anche se vivo lontano. Sono Odisseo, figlio di Laerte, per la mia astuzia noto fra gli uomini, la mia fama va fino al cielo. Abito a Itaca piena di sole. C'è un monte sull'isola, il Nerito coperto di boschi; e molte isole intorno, una vicino all'altra, Dulichio, Same e la selvosa Zacinto. Itaca giace sul mare in basso, verso occidente, più lontane le altre, verso l'oriente ed il sole. L'isola è aspra, ma sono valenti i suoi giovani. Nulla vi è di più dolce della propria terra. Mi tratteneva Calipso divina nella sua concava grotta, desiderosa di farmi suo sposo; e anche Circe, l'astuta Circe di Eea, mi tratteneva nella sua casa, desiderosa di farmi suo sposo. Ma non riuscivano a persuadere il mio cuore. Nulla vi è di più dolce della patria, dei genitori, anche per colui che vive in una casa ricchissima, in terra straniera, lontano dai suoi. Ma ora ti narrerò il doloroso ritorno che Zeus mi inflisse quando partii da Troia.

Da Ilio il vento mi spinse vicino ai Ciconi, a Ismaro. Qui devastai la città, uccisi gli uomini. Dalla città portammo via le donne e molte ricchezze che dividemmo perché nessuno partisse privo della sua parte. Io incitavo i compagni a fuggire, rapidamente, ma quegli stolti non mi obbedirono. E molto vino si bevve, molte pecore e lenti buoi dalle corna lunate sgozzarono sulla riva del mare. Ma intanto i Ciconi in fuga chiesero aiuto ai Ciconi loro vicini, numerosi e forti, che nell'interno abitavano ed erano esperti a combattere con i carri e anche a piedi, se c'era bisogno. Giunsero all'alba, ed erano tanti, come i fiori e le foglie a primavera: e venne allora la mala sorte di Zeus per farci soffrire molti dolori. Schierati, diedero battaglia presso le navi veloci, gli uni colpivano gli altri con le lance di bronzo. Per tutto il mattino e finché il giorno saliva riuscivamo a resistere, anche se erano in molti. Ma quando il sole volse al tramonto, allora i Ciconi riuscirono a piegare gli Achei. Sei guerrieri dalla bella armatura morirono, in ogni nave. Noi altri riuscimmo a sfuggire al destino di morte. Di là riprendemmo il mare col cuore dolente, scampati alla morte, privi degli amati compagni. Ma le navi veloci non andarono avanti fino a che per tre volte non invocammo, uno per uno, gli infelici compagni, caduti sul campo per mano dei Ciconi.

Ma Zeus, signore dei nembi, suscitò il vento di borea contro le navi, una violenta tempesta, e il mare e la terra avvolse di nubi. La notte scese dal cielo. Andavano di traverso le navi, le vele squarciate tre quattro volte dalla violenza del vento. Ammainammo le vele, temendo la morte, e a forza di remi spingemmo le navi verso la riva. Là per due giorni e due notti restammo a giacere, col cuore straziato per la fatica e la pena. Ma quando l'Aurora dai bei capelli portò il terzo giorno, alzammo gli alberi, stendemmo le vele bianche e ci mettemmo a sedere: guidavano il vento e i piloti. Sarei giunto, allora, salvo, alla mia terra, ma mentre doppiavo il capo Malea, le correnti il vento le onde mi dirottarono, mi spinsero via da Citera. Per nove giorni fui trascinato dai venti funesti sul mare ricco di pesci. Il decimo giorno approdammo alla terra dei Lotofagi, i mangiatori di loto. Sbarcammo sulla riva e facemmo provvista d'acqua, i compagni presero il pasto presso le navi veloci. Ma quando ci fummo saziati di cibo e bevande, allora io ne mandai alcuni a informarsi chi fossero gli uomini che vivevano su quella terra: scelsi due uomini, terzo aggiunsi l'araldo. Ed essi si allontanarono e presto giunsero tra i Mangiatori di loto. Non tramarono morte ai miei compagni, i Lotofagi, anzi offrirono loro da mangiare del loto. E quelli che mangiarono il dolce frutto non volevano più ritornare a dare notizie, volevano invece restare là insieme ai Lotofagi, a mangiare loto, dimenticando il ritorno. Alle navi li trascinai, a forza, piangenti, e sotto coperta li legai, sulle concave navi. E agli altri fedeli compagni ordinavo di salire in fretta sulle navi veloci perché qualcuno non mangiasse del loto e scordasse il ritorno. Essi salirono in fretta e sedettero ai banchi, e, l'uno accanto all'altro, battevano il mare coi remi.

Di lì navigammo ancora, col cuore dolente. E arrivammo alla terra dei Ciclopi superbi e senza legge, i quali, fidando negli dei immortali, non piantano, non arano mai: nasce tutto senza semina e senza aratura, il grano, l'orzo e le viti che fioriscono di grappoli sotto la pioggia di Zeus. Assemblee non conoscono, né consigli, né leggi, vivono in cave spelonche sulle cime più alte dei monti, comandano alle mogli e ai figli, non si curano gli uni degli altri. Davanti al porto, non troppo vicina né troppo lontana dalla terra dei Ciclopi, c'è un'isola piatta e selvosa, dove vivono capre selvatiche, in gran numero. Non le disturba il passare degli uomini, l'andare e venire di cacciatori che per i boschi e sulle vette dei monti patiscono stenti. Greggi non vi sono, né campi coltivati, semina non c'è mai, non c'è aratura: vuota di uomini è l'isola e nutre soltanto capre che belano. Non hanno, i Ciclopi, navi dalle prore dipinte di rosso, non artigiani che costruiscano le navi dai solidi banchi che vanno nelle città degli uomini, e con le quali spesso, recandosi gli uni dagli altri, essi attraversano il mare. Potevano fare bella quest'isola, che non è sterile e darebbe frutti ad ogni stagione. Vi sono dei prati, lungo le rive del mare, morbidi e freschi; viti perenni potrebbero starvi a dimora. La pianura è terra da arare, messe in abbondanza vi coglierebbero, ad ogni stagione, fertilissimo è il terreno, di sotto. E c'è un porto di facile approdo, non c'è bisogno di gomene, di gettare ancore, di legare gli ormeggi; si può restare, dopo aver ormeggiato, fino a che soffiano i venti e il cuore spinge i naviganti a riprendere il mare. In capo al porto, dentro una grotta, vi è una sorgente, limpida acqua vi scorre, intorno crescono i pioppi. Qui noi arrivammo, nella notte oscura un dio ci guidava, invisibile. Fitta nebbia era intorno alle navi, in cielo non splendeva la luna, che le nubi velavano tutta. Nessuno, con i suoi occhi, vide quell'isola; nemmeno le lunghe onde vedemmo frangersi contro la riva prima che vi approdassero le navi dai solidi banchi. Dopo che fummo approdati, ammainammo tutte le vele, poi scendemmo noi stessi sulla riva del mare. E là ci mettemmo a dormire aspettando l'Aurora divina.

Ma quando all'alba si levò l'Aurora lucente, stupiti andavamo intorno nell'isola. Le Ninfe, figlie di Zeus signore dell'egida, stanarono le capre montane perché i compagni avessero cibo. Subito dalle navi prendemmo gli archi ricurvi, i giavellotti dalla lunga punta e, divisi in tre gruppi, scagliavamo le armi: un dio ci concesse presto un ricco bottino. Dodici navi avevo al mio seguito, nove capre a ciascuna toccarono; per me solo ne scelsero dieci. E così, per tutto il giorno, fino al calare del sole, seduti mangiammo carne in quantità con vino dolcissimo. Vino rosso ce n'era ancora sulle navi, non era finito. Molte anfore aveva riempito ciascuno di noi, quando prendemmo la sacra città dei Ciconi. Guardavamo verso la terra dei Ciclopi che era vicina e vedevamo il fumo, udivamo le loro voci e le capre e le pecore. Quando tramontò il sole e scese la tenebra, allora ci coricammo sulla riva del mare. E quando si levò l'Aurora lucente, allora riunii i compagni e così, in mezzo a tutti, parlai:

"Ora voi aspettate qui, miei fedeli compagni. Io invece con la mia nave e i miei uomini andrò a vedere chi è questa gente, se sono violenti ingiusti e selvaggi, oppure ospitali e timorati di dio".

Dissi così, e salii sulla nave, ordinai ai compagni che si imbarcassero e sciogliessero a poppa gli ormeggi. Rapidi essi salirono, si sedettero ai banchi e, uno vicino all'altro, coi remi battevano il mare bianco di schiuma. E quando fummo giunti a quella terra vicina, là, proprio sul mare, al limite estremo, vedemmo una grotta enorme, ricoperta di alloro. Molte greggi, di pecore e capre, dormivano là; vi era, intorno, un alto recinto di massi interrati e lunghi tronchi di pino e querce dalle alte fronde. Qui viveva un essere enorme che pascolava le greggi da solo, lontano da tutti, e non frequentava nessuno ma se ne stava in disparte e non conosceva giustizia. Era un gigante mostruoso che non somigliava agli uomini che mangiano pane ma alla cima selvosa di un monte altissimo, che tutte le altre sovrasta. Dissi allora ai miei fedeli compagni di rimanere a custodire la nave. Io invece mi avviai con dodici uomini scelti, i migliori: presi con me un otre di pelle di capra pieno di vino nero, dolcissimo, che mi donò Marone, figlio di Evante, sacerdote di Apollo che era dio protettore di Ismaro; noi risparmiammo la vita a lui, alla sua sposa e ai figli, per rispetto del dio: egli infatti viveva nel bosco sacro di Apollo e mi offrì splendidi doni, sette talenti d'oro pregiato, una coppa tutta d'argento e poi dodici anfore piene di vino, puro, dolcissimo, divina bevanda di cui nessuno, in casa, sapeva, né servitori, né ancelle, lo conosceva lui solo e la moglie e la dispensiera fedele. Quando bevevano questo rosso vino dolcissimo, ne mescolava una tazza con venti misure d'acqua e dalla coppa emanava un profu-

mo soave, divino: non avresti voluto, allora, starne
lontano. Questo vino portavo in un grande otre, e dei
cibi in un canestro: perché mi diceva il mio forte cuore
che avrei trovato un uomo dotato di forza immensa,
selvaggio, che non conosceva né giustizia né legge.

Rapidi giungemmo all'antro ma dentro non lo trovammo, era al pascolo con le sue greggi fiorenti. Entrati, guardavamo con meraviglia ogni cosa: i graticci
carichi di formaggi, i recinti pieni di agnelli e capretti,
separati gli uni dagli altri, i primi nati e poi i secondi e
ancora i lattanti. Erano piene di latte le brocche ben
lavorate e i vasi e i secchi nei quali mungeva. Mi prega-
vano allora i compagni di afferrare per prima cosa i
formaggi e tornare indietro e poi, dopo aver sospinto
velocemente agnelli e capretti dai loro recinti verso la
nave, prendere di nuovo il largo sul mare. Ma io non li
ascoltai – sarebbe stato assai meglio – perché volevo
vedere se il mostro mi avrebbe offerto i doni ospitali.
Ma quando fosse comparso non si sarebbe mostrato
amabile con i compagni.

Acceso il fuoco offrimmo dei sacrifici, poi prendemmo e mangiammo i formaggi e dentro lo aspettammo seduti, finché ritornò con le greggi. Portava un
pesante fardello di legna secca che gli serviva per la
sua cena. Lo gettò dentro la grotta con grande fracas-
so. In fondo all'antro noi fuggimmo, atterriti. Nel-
l'ampia spelonca egli sospinse le floride bestie che doveva mungere, i maschi li lasciò fuori, capri e montoni,
all'interno del vasto recinto. Sollevò poi un masso,
grande e pesante, che chiudesse l'entrata: ventidue solidi carri a quattro ruote non l'avrebbero smossa,
quella pietra enorme che sulla soglia collocò come
porta. Seduto, mungeva le pecore e le capre belanti,

una dopo l'altra, e spingeva il lattante sotto ciascuna. Fece cagliare subito metà del bianco latte, lo raccolse e lo mise in canestri di vimini, l'altra metà la versò nei vasi per la sua cena, per poterne prendere e bere. Dopo che ebbe sbrigato rapidamente il lavoro, accese il fuoco. E allora ci vide e ci domandò:

"Stranieri, chi siete? Da dove venite, navigando sulle vie d'acqua? Avete qualche commercio o senza meta vagate sul mare come i predoni che vanno, rischiando la vita e a tutti portando rovina?".

Così parlò, e a noi si spezzò il cuore nel petto per il terrore di quel gigante, della sua voce profonda. E tuttavia gli risposi e gli dissi:

"Siamo Achei, di ritorno da Troia, che i venti hanno deviato sul grande abisso del mare. A casa eravamo diretti ma altre vie, altri cammini abbiamo seguito, per volere di Zeus. Siamo guerrieri di Agamennone figlio di Atreo, la cui fama grandissima va fino al cielo: ha distrutto una grande città, e molti uomini ha ucciso. Alle tue ginocchia noi siamo, a supplicarti, che tu ci dia ospitalità oppure un dono ci offra, come si usa per gli ospiti. Degli dei, signore, abbi rispetto: noi siamo tuoi supplici. Stranieri e supplici è Zeus che li vendica, il dio degli ospiti che li accompagna".

Così io dicevo, subito egli rispose con cuore spietato:

"Sei stolto, straniero, o vieni da molto lontano se mi inviti a temere gli dei. Di Zeus, signore dell'egida, non si curano affatto i Ciclopi, degli dei beati neppure: noi siamo molto più forti. Non salverò certo la vita né a te né ai tuoi compagni per evitare l'odio di Zeus, se non vuole farlo il mio cuore. Ma dimmi dove ormeggiasti la nave ben costruita, lontano oppure vicino, voglio saperlo".

Disse così, mi tendeva un tranello, ma non ingannò il mio animo esperto e a lui risposi con false parole:

"Poseidone che scuote la terra spezzò la mia nave gettandola contro le rocce ai confini di questa terra, addosso a un promontorio. La portava il vento, dal mare. Sono sfuggito alla morte io solo, con questi compagni".

Dissi così, nulla rispose quell'uomo dal cuore spietato, ma con un balzo gettò le mani sui miei compagni, due ne afferrò e, come cuccioli, li sbatteva al suolo: dalla testa schizzava fuori il cervello, bagnava la terra. Poi li fece a pezzi e si preparava la cena. Come un leone dei monti li divorava – non lasciò nulla – viscere carne ossa midollo. Piangendo alzavamo le braccia al cielo davanti all'orrendo spettacolo: non potevamo far nulla. Quando ebbe riempito il suo ventre enorme, il Ciclope, mangiando carne umana e bevendo latte purissimo, giacque nell'antro lungo disteso in mezzo alle pecore. E io meditavo nel cuore di andargli vicino e sguainando la spada affilata conficcarla, a tastoni, nel petto, là dov'è il fegato, chiuso dentro il diaframma. Ma mi trattenne un altro pensiero: saremmo morti di orribile morte anche noi, là dentro, non potevamo con le nostre braccia spostare dall'alta apertura il masso pesante che vi aveva posto il Ciclope. Piangendo allora aspettammo l'Aurora divina.

Quando all'alba apparve l'Aurora splendente, egli accese il fuoco di nuovo e mungeva le pecore belle, una dopo l'altra, con ordine, e spingeva il lattante sotto ciascuna. Ma dopo che ebbe rapidamente sbrigato il lavoro, afferrò altri due uomini e preparava il suo pranzo. Mangiato che ebbe, spingeva fuori dall'antro le floride pecore e senza fatica spostò la grossa pietra;

ma subito la rimise a posto, come si mette il coperchio alla faretra. Con un fischio acuto fece volgere al monte le greggi fiorenti, il Ciclope. Ed io rimasi a meditare vendetta, se mai potessi punirlo, se questa gloria mi concedesse Pallade Atena. Questa infine mi parve la soluzione migliore. C'era, accanto al recinto, un grande tronco, verde, di olivo: l'aveva tagliato per farne un bastone quando si fosse seccato. Ci sembrava, a vederlo, come l'albero di una nera nave da venti remi, un'ampia nave da carico che attraversa l'abisso del mare: tanto era lungo, tanto era grosso a vedere. Mi avvicinai, ne tagliai un pezzo lungo due braccia e lo diedi ai compagni, dissi loro di assottigliarlo; essi lo fecero liscio ed io, vicino a loro, ne aguzzai la punta e la misi a indurire sul fuoco ardente. Poi lo nascosi bene, ponendolo sotto il letame che in gran quantità era sparso nella spelonca. E agli altri ordinai di tirare a sorte chi avrebbe avuto il coraggio di sollevare quel palo insieme a me e conficcarlo nell'occhio del mostro, quando l'avesse colto il sonno soave. La sorte toccò a quei quattro che avrei scelto io stesso, quinto mi contai insieme a loro.

A sera tornò dal pascolo con le pecore dal folto vello, subito spinse nell'antro le bestie fiorenti, tutte, non ne lasciò nessuna fuori dall'alto recinto: meditava qualcosa o così volle un dio. Sollevò alto e rimise a posto il masso enorme, poi si sedette a mungere pecore e capre belanti, una dopo l'altra con ordine, e spinse il lattante sotto ciascuna. Ma dopo che ebbe sbrigato il lavoro, afferrò altri due uomini e preparò la sua cena. Allora io mi avvicinai al Ciclope, tenendo in mano una coppa di vino nero, e gli dissi:

"Bevi questo vino, Ciclope, ora che hai mangiato

carne umana, così vedrai quale bevanda c'era sulla mia nave; la portavo a te come offerta, se tu avessi avuto pietà di me e mi avessi fatto tornare. Ma la tua è follia intollerabile. Quale altro uomo in futuro potrà venire da te, sciagurato? Non hai agito secondo giustizia".

Dissi così. Lui prese la coppa e bevve. Terribilmente gli piacque il dolce vino e ancora me ne chiedeva:

"Dammene ancora, ti prego, e dimmi il tuo nome, subito, ora, perché possa darti un dono ospitale che ti dia gioia. Anche ai Ciclopi la terra feconda dà vino di ottime viti che crescono sotto la pioggia di Zeus. Ma questo è come nettare o ambrosia divina".

Così diceva. Ed io ancora gli offrii il vino fulgente. Gliene diedi tre volte, tre volte bevve, come uno stolto. Ma quando il vino gli fu sceso nel cuore, allora mi rivolsi a lui con dolci parole:

"Tu chiedi il mio nome glorioso, Ciclope; io te lo dirò, ma tu dammi il dono che mi hai promesso. Nessuno è il mio nome, Nessuno mi chiamano padre e madre e tutti gli altri compagni".

Così dissi e mi rispose quell'uomo dal cuore crudele:

"Per ultimo io mangerò Nessuno, dopo i compagni, gli altri li mangerò prima. Questo è il mio dono ospitale".

Disse, e cadde all'indietro, lungo disteso con il grosso collo piegato: lo vinceva il sonno che doma ogni cosa. Dalla gola sgorgava il vino e pezzi di carne umana: era ubriaco e ruttava. Allora io spinsi il palo sotto la brace finché fu incandescente; e facevo coraggio a tutti i compagni perché non si tirassero indietro, atterriti. E quando il tronco d'olivo, che pure era verde, stava per prendere fuoco e riluceva paurosamente, allora lo tolsi dal fuoco, i compagni mi erano intorno, iddio ci infuse un grande coraggio. Alzarono il tronco d'olivo dalla punta aguzza e nell'occhio lo conficcarono: dall'alto io lo facevo girare, come quando un uomo perfora il legno di una nave col trapano che altri da sotto muovono con una cinghia, tenendola da entrambe le parti: avanza il trapano senza fermarsi. Così noi, tenendo infitto nell'occhio il tronco rovente, lo facevamo girare, scorreva il sangue intorno alla punta. La vampa della pupilla bruciata gli arse le palpebre, le sopracciglia; crepitavano al fuoco le radici dell'occhio. Come quando un fabbro immerge nell'acqua gelida una grande scure o un'ascia, che manda sibili acuti, e la tempra così, poiché questa è la forza del ferro, così strideva l'occhio intorno al tronco d'olivo. Gettò un grido pauroso il Ciclope, risuonò tutta la grotta, noi fuggimmo atterriti. Dall'occhio si strappò con le mani il palo macchiato di sangue e lo gettò lontano da sé, come un folle. Chiamava a gran voce i Ciclopi che abitavano intorno nelle spelonche, sulle cime battute dai venti. Ed essi, udendo il suo grido, da ogni parte accorrevano, e stando intorno alla grotta chiedevano che cosa gli capitasse di male:

"Perché, Polifemo, con tanta angoscia hai gridato, nella notte divina, e non ci lasci dormire? Forse qualcuno ti ruba, tuo malgrado, le pecore? Forse qualcuno ti vuole uccidere con la violenza o l'inganno?".

E dalla grotta rispose loro Polifemo possente:

"Nessuno mi uccide amici, con l'inganno, non con la violenza".

Di rimando essi risposero:

"Se nessuno ti usa violenza e sei solo, il male che

viene da Zeus non puoi evitarlo, prega piuttosto il dio Poseidone, tuo padre".

Così dissero, e se ne andarono: rise il mio cuore perché il mio nome e la mia mente astuta l'avevano tratto in inganno. Gemendo e soffrendo per il dolore il Ciclope, con le mani, a tentoni, tolse il masso dall'apertura e sulla soglia sedette egli stesso tendendo le braccia, se mai potesse afferrare qualcuno che usciva insieme alle pecore. Sperava che così sciocco io fossi, nell'animo. Io intanto pensavo quale fosse il piano migliore, se potevo trovare scampo alla morte per me e per i compagni; e ogni sorta di inganni tessevo, e di astuzie, come quando si rischia la vita: incombeva una grande sciagura. Questo mi sembrò nell'animo il piano migliore. C'erano dei montoni, grandi e bellissimi, nutriti bene e con il folto vello colore di viola. Io li legai assieme in silenzio, tre alla volta, con i vimini bene intrecciati sui quali dormiva il Ciclope gigante, che non conosceva giustizia: e quello che stava nel mezzo portava un compagno, gli altri, camminando a fianco, gli facevano scudo. Tre montoni portavano un solo uomo. Io invece afferrai sul dorso un ariete, di tutto il gregge il più grande, e sotto il suo ventre lanoso mi spinsi, al vello meraviglioso mi tenevo saldamente aggrappato con cuore tenace. Così aspettavamo piangendo l'Aurora divina.

E quando all'alba si levò l'Aurora splendente, fece uscire allora i montoni; nei recinti le femmine, che non erano munte, belavano con le mammelle rigonfie. Straziato da acuti tormenti il padrone tastava il dorso di tutte le pecore che stavano ritte: e non capì, lo stolto, che al petto delle bestie lanose erano legati gli uomini. Ultimo uscì dalla porta l'ariete, il vello gravato da me, uomo di arditi pensieri. E il forte Polifemo gli diceva, tastandolo:

"Mio prediletto montone, perché dall'antro esci per ultimo? Non restavi dietro alle pecore, prima, ma eri il primo a brucare la tenera erba, balzando avanti, alle acque del fiume giungevi per primo, eri il primo a ritornare al recinto, la sera. Ed ora sei l'ultimo. Forse piangi l'occhio del tuo padrone? Un vile mi ha accecato, insieme ai funesti compagni, dopo avermi ubriacato col vino – Nessuno – che credo non sia ancora scampato alla morte. Se tu potessi capire, se tu potessi parlare e dirmi dov'è quell'uomo che sfugge alla mia furia! Gli spaccherei il cervello sbattendolo al suolo per la caverna, da una parte e dall'altra, così avrebbe sollievo il mio cuore dalle sventure che mi procurò questo Nessuno da nulla".

Disse così, e spinse fuori il montone. Quando fummo di poco lontani dal cortile e dalla spelonca, per primo dall'ariete mi sciolsi e poi sciolsi i compagni. Rapidi spingevamo le floride pecore dalle lunghe zampe, continuamente riunendole, finché giungemmo alla nave. Furono lieti di rivederci, i compagni, poiché eravamo scampati alla morte, ma piangevano gli altri, gemendo. Non permettevo loro di piangere, a cenni lo vietavo a ciascuno: ordinai che spingessero in fretta sulla nave le pecore belle e prendessero il largo sul mare. Subito essi salirono e si sedettero ai banchi: l'uno vicino all'altro battevano il mare coi remi. Ma quando fummo distanti un tiro di voce, allora gridai al Ciclope con parole di scherno:

"Non era un vile, Ciclope, l'uomo di cui divorasti con violenza brutale i compagni nella tua concava grotta. Su di te doveva ricadere il misfatto, sciagurato, che osasti mangiare gli ospiti nella tua casa: per questo Zeus ti ha punito, e con lui gli altri dei".

Dissi così, e ancor più egli si infuriava nel cuore. La cima di un monte alto divelse e la scagliò davanti alla nave dalla prora azzurrina: si sollevò l'acqua al cadere del masso e rifluendo l'onda portava indietro la nave, verso la riva, a terra il flusso del mare la sospinse di nuovo. Allora io afferrai con le mani una pertica lunga e spinsi la nave di fianco: e i compagni esortavo e incitavo con cenni del capo che facessero forza sui remi per scampare al disastro: essi remavano con tutte le forze. Ma quando, navigando sul mare, fummo a distanza doppia di prima, di nuovo io gridai al Ciclope; e intorno i compagni mi trattenevano da una parte e dall'altra, con parole suadenti:

"Perché, sventurato, vuoi eccitare quell'uomo selvaggio? Ha appena scagliato in mare quel masso che ha riportato a terra la nave, pensavamo che fosse la fine. Se ti sente parlare, gridare, scaglierà un altro masso appuntito, fracassando le nostre teste e la nave: tanto lontano riesce a tirare".

Così dicevano, ma non persuasero il mio cuore audace, e pieno d'ira gli gridai di nuovo:

"Ciclope, se fra i mortali ti chiede qualcuno di quest'occhio orrendamente accecato, rispondi che te l'ha tolto Odisseo, distruttore di città, il figlio di Laerte, che in Itaca ha la dimora".

Dissi così, e lui mi rispose gemendo:

"Ahimè, certo è l'antica profezia che si compie. Viveva qui un indovino nobile e grande, Telemo figlio di Eurimo, esperto nell'arte profetica; esercitando l'arte invecchiò fra i Ciclopi. Lui mi disse che tutto questo sarebbe avvenuto, che della vista mi avrebbe privato

Odisseo. Ma sempre aspettavo che qui giungesse un uomo di bell'aspetto, alto e dotato di una forza immensa. E invece un essere piccolo, debole, un uomo da nulla mi ha accecato, dopo avermi ubriacato col vino. Ma vieni qui, ora, Odisseo, che ti offra i doni ospitali e a Poseidone glorioso io chieda di farti da scorta. Egli è mio padre, io sono suo figlio. Lui soltanto, se vuole, mi guarirà, nessun altro né degli dei beati, né degli uomini mortali".

Disse così, e io così gli risposi:

"Avessi potuto privarti dell'anima e della vita e mandarti nella casa di Ade, com'è vero che neppure Poseidone potrà guarire il tuo occhio".

Così parlai, e lui invocava il dio Poseidone, tendendo le braccia al cielo stellato:

"Ascolta Poseidone, signore della terra, dio dai bruni capelli, se mi sei padre, se davvero sono tuo figlio, fa che non torni in patria il distruttore di città Odisseo figlio di Laerte, che in Itaca ha la dimora. Ma se è destino che riveda i suoi cari, che torni alla casa ben costruita e alla terra dei padri, tardi e male vi giunga, dopo aver perduto i compagni, sopra una nave non sua, e in casa trovi sventure".

Così diceva pregando, lo udì il dio dai bruni capelli. E lui intanto sollevò un masso ancora più grande e dopo averlo fatto ruotare lo lanciò con immane vigore, cadde la pietra dietro la nave dalla prora azzurra mancando di poco il timone. Si sollevò il mare al cadere del masso e rifluendo l'onda portava la nave in avanti, verso la terra la spinse. E quando fummo giunti sull'isola, dov'erano raccolte le altre navi dai solidi banchi – sedevano intorno i compagni piangenti in attesa del nostro ritorno –, appena giunti trainammo la nave sopra la sabbia e poi sbarcammo anche noi sulla riva del mare. Dalla concava nave prendemmo le pecore del Ciclope e le dividemmo, perché ognuno avesse la parte che gli spettava. A me solo i compagni dai begli schinieri diedero, a parte, l'ariete, dopo aver diviso le pecore: lo sacrificai sulla riva e ne bruciai le cosce in onore di Zeus figlio di Crono, signore dei nembi, che regna su tutti. Ma il dio non si curò del sacrificio, a questo invece pensava, a come annientare tutte le solide navi e i miei fedeli compagni.

Così allora, per tutto il giorno, fino al tramonto del sole, seduti mangiammo carne in quantità e vino dolcissimo. E quando tramontò il sole e scese la tenebra, ci coricammo sulla riva del mare.

Si levò all'alba l'Aurora splendente, ed io incitavo i compagni e ordinavo di salire sulla nave e sciogliere a poppa gli ormeggi. Rapidi si imbarcarono e si sedettero ai banchi, uno vicino all'altro, battevano il mare coi remi.

Di lì navigammo in avanti col cuore afflitto, scampati alla morte ma privi dei cari compagni.

CIRCE

Giungemmo all'isola Eolia dove viveva Eolo figlio di Ippota, caro agli dei immortali. È un'isola che naviga in mare, alta e nuda è la costa e tutt'intorno si erge una muraglia di bronzo, indistruttibile. Dodici figli erano nati a Eolo nella sua casa, sei figlie e sei figli nel fiore degli anni, ai figli aveva dato in spose le figlie. Sempre essi mangiano nella casa del padre e della madre, amatissimi. Davanti a loro molte vivande sono imbandite, di giorno la casa odora di grasso bruciato, il cortile risuona. Di notte, accanto alle spose fedeli, dormono tra le coperte, nei letti a trafori. Alla città di costoro, e alle belle case arrivammo. E per un mese intero Eolo mi ospitava e mi chiedeva ogni cosa, e Ilio e le navi e il ritorno dei Danai. E tutto, nel modo giusto, io gli narrai.

Quando poi anch'io gli chiesi di darmi una scorta per il ritorno, non disse di no e me la preparava. Un otre mi diede, fatto con la pelle di un bue di nove anni, dove aveva racchiuso le vie dei venti impetuosi: perché dei venti il figlio di Crono l'aveva fatto custode, poteva placarli o suscitarli quando voleva. Con una catena d'argento, lucente, lo legò sulla concava nave, perché non ne uscisse nemmeno un soffio. Per me fece spirare il vento di Zefiro, che portasse le navi e noi stessi. Ma così non sarebbe accaduto: ci perdemmo, per nostra follia.

Per nove giorni navigammo, di giorno, di notte, il decimo già si vedeva la terra dei padri, i custodi dei fuochi vedevamo, vicini. Allora il dolce sonno mi colse, ero sfinito. Sempre ero stato al timone, non lo cedevo a nessuno degli altri compagni, affinché più rapidamente giungessimo in patria. Ma i compagni fra di loro parlavano, dicevano che io mi portavo a casa oro e argento donati dal generoso figlio di Ippota. E, rivolto al vicino, così diceva qualcuno:

"Ma guarda come costui è amato e onorato da tutti gli uomini quando giunge alla loro città, alla loro terra. Molti oggetti preziosi si porta da Troia, bottino di guerra; e invece noi che la sua stessa strada abbiamo percorso, ce ne torniamo a casa a mani vuote. Ora quest'otre gli ha dato Eolo, per amicizia. Orsù, presto, vediamo cos'è, quanto oro e argento c'è dentro quest'otre".

Così dicevano, e il cattivo consiglio dei compagni prevalse. Aprirono l'otre, tutti i venti ne uscirono, e il turbine li afferrò all'improvviso e li riportò al largo, piangenti, lontano dalla patria terra. Mi risvegliai, e fui incerto nel cuore se gettarmi giù dalla nave e morire nel mare o sopportare in silenzio e restare ancora fra i vivi. Sopportai e rimasi: avvolto nel mantello, giacqui sulla mia nave. La furiosa tempesta di vento trascinò le navi di nuovo all'isola Eolia, i miei compagni piangevano. Scendemmo sul lido e facemmo provvista di acqua, poi, presso le navi veloci, presero il pasto i compagni. Ma quando ci fummo saziati di cibo e bevande, allora presi con me l'araldo e uno degli uomini e mi recai alla dimora gloriosa di Eolo. Lo trovai che mangiava accanto alla moglie ed ai figli. Entrati in casa sedemmo sulla soglia accanto agli stipiti. Ed essi ci domandavano, stupefatti:

"Sei di ritorno, Odisseo? Quale demone malvagio ti colse? Eppure con cura preparammo il tuo viaggio perché tu potessi tornare in patria, a casa, dovunque volessi".

Così dissero. E io risposi con l'animo afflitto:

"Cattivi compagni mi hanno perduto, e insieme a loro il sonno odiosissimo. Cercate voi di rimediare, amici: voi ne avete il potere".

Così dicevo, con parole suadenti. Essi rimasero muti. Infine il padre rispose:

"Vattene da quest'isola, presto, obbrobrio degli uomini. Non è giusto che io offra aiuto e scorta ad un uomo che è in odio agli dei beati. Vattene, è per l'odio degli immortali che sei qui di ritorno".

Disse così, e mi scacciò dalla sua casa, piangente.

Di qui navigammo avanti, col cuore pieno di angoscia. Erano sfiniti gli uomini dal faticoso remare: ed era a causa della nostra follia, perché non avevamo più scorta. Per sei giorni navigammo, di giorno, di notte; il settimo giorno giungemmo all'alta rocca di Lamo, a Telepilo dei Lestrigoni, là dove il pastore al suo rientro chiama l'altro pastore, e questi, che sta uscendo, risponde. Lì un uomo che non avesse mai sonno guadagnerebbe doppio compenso, uno portando al pascolo buoi e l'altro guidando candide pecore: sono infatti vicini i percorsi del giorno e della notte.

Entrammo nello splendido porto, cinto da ambe le

parti da roccia scoscesa, compatta: due promontori al-
l'imbocco si allungano, uno di fronte all'altro, stretta è
l'entrata; qui dentro i compagni fermarono le agili navi. Stavano vicine le navi, all'interno del porto profondo: in esso le onde non si levano mai, né grandi né piccole, regna una calma serena. Io solo fermai la mia nera nave fuori dal porto, proprio all'estremo, e alla roccia la fissai con la gomena. Poi su una vetta scoscesa
salii per osservare. Non si vedeva l'opera né di buoi né
di uomini, soltanto fumo vedevo salire da terra. Allora
mandai dei compagni a informarsi chi fossero gli uomini che su quella terra vivevano. Scelsi due uomini,
terzo aggiunsi l'araldo. Sbarcati, andavano per la via
piana dove passano i carri che dagli alti monti portano
legna in città. E, davanti alla città, incontrarono una
fanciulla che andava ad attingere acqua, era la nobile
figlia di Antifate re dei Lestrigoni: andava alla fonte
Artachia dalla bella corrente, da dove portavano l'acqua fino in città. Ed essi le si avvicinarono e chiesero
chi fosse il re di quel paese e su chi regnasse. Subito lei
indicò l'alta dimora del padre. Ma quando furono
giunti alla casa sontuosa, una donna trovarono, grande come una montagna, e ne ebbero terrore. Subito lei
dalla piazza chiamò il glorioso Antifate che era il suo
sposo e che preparò per loro una misera fine. Uno dei
miei compagni afferrò, e ne fece il suo pasto; si diedero gli altri alla fuga e giunsero fino alle navi. Ma il re
lanciò un richiamo per la città: e, udendolo, i forti Lestrigoni accorrevano da ogni parte, a migliaia, e non
somigliavano a uomini, ma a Giganti. Scagliavano dalle rocce dei massi che un uomo non può sollevare: e
sulle navi si levava un frastuono tremendo di uomini
uccisi, di navi spezzate. Li infilzavano come pesci e il

pasto orrendo si portavano via. E mentre li stermina-
vano all'interno del porto profondo, io trassi dal fianco la spada affilata e con essa recisi gli ormeggi della
nave dalla prora azzurrina. Ai miei compagni, incitan-
doli, ordinavo di fare forza sui remi per scampare al
pericolo. Tutti insieme essi remarono, temendo la
morte. Sfuggì alle ripide rocce, verso il mare aperto, la
mia nave: ma tutte le altre andarono perdute laggiù.

Di là navigammo avanti col cuore dolente, scampati
alla morte ma privi degli amati compagni.

E giungemmo all'isola Eea. Circe dai bei capelli viveva qui, la dea tremenda che parla con voce umana,
sorella del crudele Eeta: figli entrambi del Sole che illumina gli uomini, e di Perse, che fu generata da
Oceano. Alla costa ci avvicinammo con la nave, in silenzio, ed entrammo nel porto sicuro, un dio ci guidava. Sbarcammo, e per due giorni e due notti stavamo
lì, col cuore straziato dal dolore e dalla fatica. Ma
quando il terzo giorno ricondusse l'Aurora dai bei capelli, allora presi la lancia e la spada affilata e, rapido,
dalla nave salii su di un poggio, se mai vedessi opere
d'uomini o ne sentissi la voce. Su una cima scoscesa
mi inerpicai, per osservare, e vidi salire del fumo da
quella terra spaziosa: era la casa di Circe, tra gli alberi
fitti del bosco. Pensavo, nel cuore e nell'animo, di andare a cercare notizie, dopo che vidi le faville del fumo, ma mentre così meditavo mi parve meglio tornare
prima alla nave veloce, sulla riva del mare, a preparare
il pasto ai compagni e mandarli poi a esplorare. Ma
quando già ero vicino all'agile nave, un dio ebbe pietà
di me, della mia solitudine, e mise sulla mia via un cervo dalle alte corna: scendeva al fiume dal bosco per
bere, lo opprimeva la vampa del sole. Mentre passava

lo colpii in mezzo alle spalle, alla spina dorsale: da parte a parte lo trapassò la lancia di bronzo, nella polvere cadde con un bramito ed il suo spirito volò via. Montandogli sopra strappai dalla ferita la lancia di bronzo, la posai a terra e lì la lasciai. Poi divelsi vimini e arbusti e li intrecciai, torcendoli, a formare una corda lunga due braccia, per legare le zampe dell'enorme animale. Portandolo sul collo mi avviai verso la nera nave, e mi appoggiavo alla lancia che non potevo tenere, con l'altra mano, sopra la spalla: troppo grande era la bestia. Lo gettai davanti alla nave e dolcemente svegliavo i compagni andando vicino a ciascuno:

"Non scenderemo, amici, per quanto dolenti, nelle dimore di Ade prima che giunga il giorno fatale. E dunque, finché sulla nave veloce c'è da mangiare e da bere, pensiamo al cibo e non soffriamo la fame".

Così parlai, ed essi obbedirono alle mie parole. Levatisi dai giacigli sulla riva del mare profondo, guardavano il cervo con meraviglia: era davvero una bestia assai grande. Ma quando si furono saziati gli occhi a guardarlo, dopo aver lavato le mani preparavano un pasto abbondante. Così allora per tutto il giorno fino al tramonto del sole sedevamo mangiando carne in quantità e vino dolcissimo. E quando tramontò il sole e scese la tenebra, allora ci coricammo sulla riva del mare. Ma non appena all'alba si levò l'Aurora splendente, allora riunii i miei uomini e così parlai in mezzo a loro:

"Compagni di dolore e di sventura, ascoltate le mie parole. Non sappiamo più dov'è oriente, dov'è occidente, dove tramonta il Sole che illumina gli uomini, e dove sorge. Pensiamo al più presto se c'è ancora una via di scampo, ma credo che non ci sia. Sopra un'alta cima sono salito e ho visto che siamo su un'isola, circondata tutt'intorno dal mare infinito. È pianeggiante, e nel mezzo, tra gli alberi fitti del bosco, ho visto levarsi un filo di fumo".

Dissi così, e ad essi il cuore si spezzava nel petto ricordando i misfatti di Antifate re dei Lestrigoni e la violenza del grande Ciclope divoratore di uomini. Mandarono acuti lamenti, versando lacrime fitte. Ma non c'era nessun vantaggio, nel pianto. Allora divisi tutti i miei forti compagni in due gruppi e ad ambedue diedi un capo, al primo io stesso, all'altro Euriloco simile a un dio. In un elmo di bronzo agitammo le sorti: uscì il segno di Euriloco dall'intrepido cuore. Insieme a ventidue compagni si avviò, piangevano tutti, e noi piangenti si lasciavano dietro. Nella vallata, in un luogo appartato, trovarono la casa di Circe, tutta di pietra liscia. Si aggiravano intorno lupi dei monti e leoni che lei aveva stregato con filtri maligni: non li assalirono ma si levarono ritti, muovendo le lunghe code. Come quando i cani fanno festa al padrone che torna da un pranzo, perché sempre porta con sé dei buoni bocconi: così scodinzolavano i lupi dalle forti zampe e i leoni, intorno agli uomini. Ed essi tremarono al vedere le terribili belve. Si fermarono nel porticato della dea dai bei capelli, sentivano Circe che dentro cantava con la sua bella voce mentre tesseva una tela grande, divina, come sono quelle che fanno le dee, sottili, splendenti di grazia, perfette. Fra di loro prese la parola Polite, duce di eroi, che fra i compagni era il più amato e il più saggio:

"Amici, c'è dentro qualcuno che tesse una grande tela e canta con voce bellissima che tutt'intorno risuona, è una donna o forse una dea: facciamoci udire al più presto".

Parlò così ed essi ad alta voce chiamarono. Lei uscì subito aprendo le porte splendenti e li invitava ad entrare. La seguirono tutti, senza sospetto. Euriloco solo rimase indietro, temendo un tranello. Su troni e seggi li fece sedere e per loro nel vino di Pramno mescolò del formaggio e biondo miele e farina di orzo; ma al cibo unì anche dei filtri magici perché scordassero la patria, per sempre. E quando l'ebbe offerto loro ed essi ne bevvero, subito con una bacchetta li toccò e nei porcili li chiuse. Dei porci avevano la voce, le setole e tutto il corpo e l'aspetto, ma non la mente, che era quella di prima. Furono così rinchiusi, piangenti: a loro Circe gettava ghiande di leccio e di quercia e corniole, quello che mangiano sempre i maiali, stesi per terra.

Tornò subito Euriloco alla nera nave veloce a dare notizie dei suoi compagni, del loro crudele destino. E non riusciva a pronunciare parola, benché lo volesse, il cuore stretto da un dolore profondo: aveva gli occhi pieni di lacrime, nell'animo il desiderio di piangere. Ma quando, dopo molte domande, finimmo per adirarci, allora ci narrò la sorte degli altri compagni:

"Andammo nel folto del bosco, come ordinasti, glorioso Odisseo; e nella vallata, in un luogo appartato, trovammo la casa, bella, di pietra liscia. Là dentro qualcuno tesseva una grande tela e cantava con voce chiara, una donna o forse una dea. I compagni a gran voce chiamarono. E subito lei uscì aprendo le porte splendenti e li invitava ad entrare: la seguirono tutti, senza sospetto. Ma io rimasi indietro, temendo un tranello. Sono scomparsi tutti, non è riapparso nessuno: a lungo sono rimasto a guardare".

Disse così, ed io mi misi a tracolla la grande spada

di bronzo, ornata d'argento, e l'arco con la faretra e gli ordinai di mostrarmi la strada. Ma lui mi stringeva le ginocchia supplicando e mi diceva piangendo:

"Là non portarmi di forza, divino Odisseo, lasciami qui. Io so che non tornerai, che nessuno ricondurrai, dei compagni. Con questi, che sono qui, fuggiamo presto: forse potremo ancora scampare al giorno fatale".

Così disse, ma io così gli risposi:

"Euriloco, tu resta pure qui, a bere e a mangiare, vicino alla nave nera: io devo andare, è duro, ma è necessario".

Così dissi, e mi allontanai dalla nave e dal mare. Ma quando, attraverso il bosco sacro, stavo per giungere alla grande dimora di Circe dai magici filtri – ero già arrivato alla casa quando mi venne incontro Hermes, il dio dalla bacchetta d'oro, simile a un giovane cui fiorisce sul mento la prima barba, splendente di grazia è la sua giovinezza. Mi prese la mano e mi rivolse la parola dicendo:

"Dove vai, infelice, solo per queste colline, senza conoscere il luogo? Sono rinchiusi i tuoi compagni nella casa di Circe, sono diventati dei porci che vivono in solide stalle. Vieni forse per liberarli? E io ti dico che neanche tu tornerai, resterai là insieme con gli altri. Ma dal pericolo voglio liberarti e salvarti. Prendi, va alla casa di Circe con questa magica erba che ti terrà lontano il giorno fatale. E io ti dirò tutte le astuzie funeste di Circe. Lei ti preparerà una bevanda, getterà nel cibo dei farmaci; ma neppure così riuscirà a stregarti, lo impedirà la magica erba che ti darò, spiegandoti tutto. Quando ti toccherà con la sua lunga bacchetta, sguaina allora la tua spada affilata e su di lei balza come se tu volessi ucciderla. Atterrita, lei ti inviterà nel suo letto: e tu della dea non rifiutare l'amore, affinché liberi i tuoi compagni e si prenda cura di te. Ma chiedile di giurare il gran giuramento dei numi, che nessun altro malvagio inganno ordirà contro di te, e che, quando sarai disarmato e nudo, non ti farà vile e impotente".

Così disse il Messaggero e mi diede l'erba che aveva strappato da terra, mi fece vedere com'era: nera la radice, bianco candido il fiore. Gli dei la chiamano moly. Estrarla non è facile, per i mortali: ma gli dei possono tutto.

Poi Hermes fece ritorno all'alto Olimpo attraverso le selve dell'isola; io andavo alla casa di Circe e, mentre andavo, mi batteva forte il cuore nel petto. Sulla porta della dea dai bei capelli mi fermai e qui emisi un grido, lei udì la mia voce. Subito uscì dalla casa aprendo le porte splendenti e mi invitava ad entrare: la seguii con l'angoscia nel cuore. Mi condusse a sedere su un trono ornato d'argento, prezioso, bellissimo: per i piedi vi era, sotto, uno sgabello. Preparò per me la bevanda in una coppa d'oro, perché la bevessi, e vi gettò il farmaco, meditando l'inganno nel cuore. Me la diede, la bevvi e poiché non mi stregava, lei mi toccò con la bacchetta e mi disse:

"Va, ora, al porcile, stenditi con gli altri compagni".

Disse, e io estrassi la spada affilata e mi slanciai su di lei come se volessi ucciderla. Si sottrasse Circe gridando, mi abbracciò le ginocchia e piangendo mi rivolse queste parole:

"Chi sei, da dove vieni? Dove sono la tua città, i genitori? Stupore mi prende perché hai bevuto il mio filtro e non sei stato stregato. Nessun altro al mondo ha

mai resistito a questo farmaco, una volta che l'abbia bevuto, quando esso ha oltrepassato la barriera dei denti.
Ma la tua mente resiste agli incanti. Certo tu sei Odisseo,
l'eroe del lungo viaggio: sempre me lo diceva il Messaggero dalla bacchetta d'oro, che saresti giunto, di ritorno
da Troia, sulla nera nave veloce. Ma ora rimetti la spada
nel fodero e sul mio letto saliamo, affinché, dopo esserci
uniti in amore, possiamo fidarci l'uno dell'altra".

Così parlò, e io le risposi e le dissi:

"Circe, come puoi chiedermi di essere dolce con te
che nella tua casa hai trasformato in porci i miei compagni, e con l'inganno inviti me, ora che mi hai qui, a
salire sul tuo letto nel talamo, per rendermi vile e impotente una volta che io sia nudo e senz'armi? Sul tuo
letto non voglio salire, dea, se non acconsenti a giurarmi il gran giuramento, che contro di me non ordirai
nessun altro inganno malvagio".

Così parlai, e subito lei giurò come io volli. E dopo
che ebbe compiuto il giuramento, allora salii sul bellissimo letto di Circe.

Si affaccendavano intanto nella sala le ancelle, le
quattro ancelle che lavoravano nella sua casa: sono
ninfe dei boschi, delle fonti, dei sacri fiumi che scendono al mare. Una poneva sui seggi splendidi drappi
di porpora, sotto ai quali stendeva dei panni sottili;
davanti ai seggi un'altra disponeva i tavoli d'argento e
sopra vi collocava canestri d'oro; nella grande coppa
d'argento mescolava la terza il vino profumato, dolcissimo, e distribuiva i calici d'oro; portava l'acqua la
quarta e sotto un tripode enorme accendeva un gran
fuoco: l'acqua si riscaldava. Ma quando prese a bollire
l'acqua nel bacile lucente, mi fece sedere in una vasca
e dal tripode grande me la versava, mescolandola con

acqua fredda, sulla testa e sulle spalle, per togliere dalle mie membra lo sfinimento mortale. E dopo che mi ebbe lavato e unto di olio, mi fece indossare una tunica e uno splendido manto e mi condusse a sedere su un trono ornato d'argento, prezioso, bellissimo; uno sgabello vi era sotto, per i piedi. L'acqua per i lavacri portava un'ancella e la versava da una splendida brocca d'oro in un bacile d'argento; accanto dispose un tavolo ben levigato. Venne la dispensiera a portare il pane e molte vivande che con larghezza distribuiva. E mi invitava a mangiare. Ma non lo gradiva il mio cuore, sedevo pensando ad altro, prevedevo sventure nell'animo. Quando Circe si accorse che stavo seduto, in preda a tremendo dolore, e al cibo non tendevo le mani, mi venne accanto e così mi parlava:

"Perché siedi, Odisseo, muto, rodendoti il cuore, senza toccare cibo o bevanda? Sospetti forse qualche altro inganno? Non devi temere: ho pronunciato ormai il giuramento solenne".

Disse così, ma io le risposi e le dissi:

"O Circe, quale uomo mai, che conosca giustizia, oserebbe saziarsi di cibo e bevanda prima di aver liberato i compagni, di averli visti con i suoi occhi? Se vuoi davvero che io beva e che mangi, libera i miei fedeli compagni, che io possa vederli".

Così dicevo, e Circe uscì dalla sala tenendo in mano la sua magica verga, aprì i battenti del porcile e fuori li spinse, parevano porci di nove anni. Davanti a lei stavano, ed essa andando fra loro li ungeva uno per uno con un altro suo farmaco. Ed ecco che dal loro corpo caddero le setole che fece nascere prima il magico filtro della dea possente. Furono subito uomini, più giovani di prima e molto più belli e più alti a vederli. Mi riconobbero, mi strinsero ad uno ad uno la mano. A tutti venne voglia di piangere, ne risuonava intorno la casa, era commossa anche la dea. E mi diceva standomi accanto:

"Divino figlio di Laerte, Odisseo dal grande ingegno, va ora sulla riva del mare, alla tua nave veloce. La nave, per prima cosa, trascinate sulla battigia, nelle grotte mettete i tesori e tutti gli attrezzi. Poi tu ritorna indietro e conduci i tuoi fedeli compagni".

Così diceva e persuadeva il mio cuore. Verso la riva del mare mossi, alla mia nave veloce, e vicino alla nave trovai i fedeli compagni che miseramente gemevano, versando lacrime fitte. Come quando, in campagna, intorno alle mucche che alla stalla ritornano dopo essersi saziate d'erba, le vitelle si affollano tutte, non le trattengono più gli steccati, ed esse, con alti muggiti, corrono intorno alle madri; così essi, quando mi videro, mi corsero intorno piangendo: sembrò loro, nell'animo, di essere giunti in patria, alla loro città, all'aspra Itaca dove nacquero e crebbero. E piangendo mi rivolgevano queste parole:

"Del tuo ritorno siamo felici, divino Odisseo, come se fossimo giunti a Itaca, nella terra dei padri; ma narraci ora la sorte degli altri compagni".

Così dicevano, e con dolcezza io rispondevo:

"La nave, per prima cosa, tiriamo sulla battigia e nelle grotte mettiamo i tesori e tutti gli attrezzi; e poi in fretta seguitemi tutti, potrete vedere i vostri compagni che nella dimora di Circe mangiano e bevono in abbondanza".

Così parlai, e subito essi obbedirono alle mie parole. Soltanto Euriloco cercava di trattenere i compagni e parlava e diceva loro:

"Dove andiamo, infelici? Perché andate in cerca di mali, entrando in casa di Circe che tutti quanti ci trasformerà in porci, lupi, leoni, perché nostro malgrado facciamo la guardia alla sua grande dimora? Così fece il Ciclope quando rinchiuse i compagni dopo che entrarono nel suo recinto, e l'audace Odisseo era con loro; anch'essi morirono per la sua follia".

Così disse e io nel mio cuore pensai di estrarre la spada affilata e con essa troncargli la testa, gettargliela a terra, benché fosse un mio stretto parente; ma i compagni, da una parte e dall'altra, mi trattenevano con suadenti parole:

"Divino Odisseo, se tu vuoi, lasceremo costui qui presso la nave, a farle la guardia: guida noi invece alla sacra dimora di Circe".

Ciò detto si allontanavano dal mare e dalla nave. E neppure Euriloco rimase presso la concava nave, ma ci seguì, spaventato dalla mia furia tremenda.

Circe intanto nella sua casa lavò con cura gli altri compagni, li unse di olio, fece loro indossare tuniche e mantelli di lana. In sala li trovammo, seduti a banchetto. E quando si videro e si conobbero gli uni con gli altri, piangevano, si lamentavano, la casa risuonava di gemiti. Stando vicino a me, così mi disse la dea:

"Divino figlio di Laerte, Odisseo ricco d'ingegno, ora non abbandonatevi al pianto. So anch'io quanto avete patito, sul mare ricco di pesci, e come, a terra, vi maltrattarono uomini a voi ostili. Ma ora mangiate il mio cibo, bevete il mio vino, finché riprenderete coraggio nell'animo, come un tempo, come quando lasciaste la patria, l'aspra terra di Itaca. Ora non avete più forza e vigore e il mare terribile avete nel cuore, il vostro animo non ha mai pace, perché avete molto sofferto".

Disse così, e persuase il nostro animo fiero. E lì rimanemmo, per tutto l'anno, giorno dopo giorno, a mangiare carne in abbondanza e vino dolcissimo. Ma quando si compì l'anno e passarono i mesi e le stagioni tornarono, quando si fecero lunghi i giorni, allora mi chiamarono in disparte e mi dissero i miei fedeli compagni:

"Ricordati della tua patria, Odisseo, se pure è destino che ti salvi e ritorni alla bella dimora, nella terra dei padri".

Così dissero, e persuasero il mio animo fiero. E per quel giorno, fino al tramonto del sole, sedevamo mangiando carne in quantità e vino dolcissimo. Ma quando tramontò il sole e giunse la tenebra, si addormentarono nelle stanze piene di ombra. E io salii sullo splendido letto di Circe e presi a supplicarla – la dea mi ascoltava –, le parlai e le dissi:

"O Circe, compi la tua promessa, fammi tornare. Lo desidera ormai il mio cuore e quello degli altri compagni che mi tormentano l'animo piangendomi intorno, appena tu ti allontani".

Così dicevo, e subito mi rispose la dea:

"Divino figlio di Laerte, Odisseo dal grande ingegno, non dovete più rimanere per forza nella mia casa. Ma prima c'è un altro viaggio da compiere, dovete andare alla dimora di Ade e della tremenda Persefone, a interrogare l'anima del tebano Tiresia, il cieco profeta dalla mente perfetta: a lui solo ha concesso la dea di conservare la sua sapienza anche dopo la morte. Gli altri sono ombre che vagano".

Disse così, e a me si spezzò il cuore. Seduto sul letto, piangevo, e non volevo più vivere e vedere la luce del sole. Ma quando fui sazio di agitarmi e di piangere, allora le risposi con queste parole:

"O Circe, ma chi mi guiderà per questa via? Nessuno mai giunse all'Ade con una nave nera".

Dissi così, e subito mi rispose la dea:

"Divino figlio di Laerte, Odisseo ricco d'ingegno, se non hai una guida sulla tua nave, non darti pensiero; tu alza l'albero, spiega le vele bianche, e rimani seduto: la porterà il soffio di Borea. E quando, con la tua nave, avrai attraversato l'Oceano, là dove troverai una riva bassa e i boschi sacri a Persefone e alti pioppi e i salici, i cui frutti non maturano mai, là tira in secco la nave, vicino all'Oceano dai gorghi profondi, e poi scendi nelle orride case di Ade. Qui si gettano nell'Acheronte il Piriflegetonte e il Cocito, che è un ramo della fonte Stige, e là dove i due fiumi scroscianti si uniscono, vi è una roccia. Quando sarai arrivato vicino, eroe, io ti ordino di scavare una fossa larga un cubito e lunga altrettanto: intorno ad essa versa le libagioni per tutti i defunti, prima latte con miele, poi vino dolcissimo, e poi acqua; spargi anche della bianca farina. Supplica infine le vane ombre dei morti e prometti che, tornato a Itaca, immolerai nella tua casa una giovenca che non ha ancora figliato, la più bella che hai, e riempirai di offerte splendide un rogo; per Tiresia soltanto sacrificherai, a parte, un montone tutto nero, il migliore del gregge. Ma quando avrai fatto voti e implorato le stirpi gloriose dei morti, allora immola un ariete nero ed una nera pecora, volgendoli in direzione dell'Erebo; tu invece guarda lontano verso le acque del fiume: là verranno in gran numero le anime dei trapassati. Ordina allora ai compagni di scuoiare e bruciare le bestie uccise dal bronzo crudele, e di invocare gli dei, Ade possente e la tremenda Persefone. Tu invece, sguainata la spada tagliente, sta' lì vicino e non lasciare che le ombre vane dei morti si accostino al sangue prima di aver interrogato Tiresia. Verrà poi, l'indovino, o signore di eroi, e ti indicherà il cammino, la lunghezza del viaggio e come potrai ritornare, sul mare ricco di pesci".

Disse così, e ben presto giunse l'Aurora dal trono d'oro. Mantello e tunica mi fece indossare la dea, lei vestì un grande manto d'argento, leggero, bello, e mise ai fianchi una fascia d'oro, stupenda, avvolse la testa nel velo. Io intanto andavo per la casa e incitavo i compagni con parole suadenti, avvicinando ciascuno:

"Non dormite più, ora, non indugiate nel sonno, andiamo! La dea Circe l'ha detto!".

Così dicevo, e persuasi il loro animo fiero. Ma neppure di là ricondussi salvi i compagni. Elpenore era il più giovane, non molto forte in guerra, non troppo saldo nell'animo; lontano dagli altri e gravato dal vino, nella sacra dimora di Circe si era disteso, cercando un po' di frescura. Udendo le voci e i rumori dei compagni che si muovevano, si alzò di scatto e scordò, nel suo cuore, di tornare alla lunga scala per scendere. A capofitto cadde dal tetto. Gli si spezzò l'osso del collo, l'anima piombò nell'Ade.

Ai compagni che si radunavano io dicevo intanto:

"Voi credete di andare a casa, nell'amata terra dei padri: ma un altro viaggio ci impone Circe, alla dimora di Ade e della tremenda Persefone, per interrogare l'anima del tebano Tiresia".

Così parlai, e ad essi si spezzò il cuore nel petto, seduti per terra si strappavano i capelli piangendo. Ma non c'era nessun vantaggio, nel pianto. Alla riva del mare e alla nave veloce andavamo, pieni di angoscia, versando lacrime fitte, e venne anche Circe, che presso la nave legò un ariete nero e una nera pecora, senza farsi vedere: e chi mai potrebbe vedere un dio che non vuole essere visto, dovunque egli vada?

IL VIAGGIO NELL'ADE

E quando al mare fummo giunti, la nave per prima cosa spingevamo nel mare divino, e albero e vele alzavamo sulla nave nera, poi imbarcammo le bestie e anche noi salimmo col cuore afflitto, versando molte lacrime. Dietro la nave dalla prora azzurra Circe dai bei capelli, la dea che parla con voce umana, ci mandava compagno un vento propizio, un vento che gonfia le vele. Dopo aver disposto, uno per uno, gli attrezzi sulla nave, noi stavamo seduti: la guidavano il vento e il nocchiero. Per un giorno intero, a vele spiegate, correva sul mare. Tramontò il sole, si velarono d'ombra le strade, ed essa giungeva ai confini di Oceano dalle acque profonde. Là c'è il popolo e la città dei Cimmeri, avvolti di nuvole e nebbie; il Sole fulgente non li illumina mai coi suoi raggi né quando sale verso il cielo stellato né quando dal cielo ridiscende verso la terra: una cupa notte incombe su quella gente infelice. Giunti là, approdammo e portammo fuori le pecore; poi, seguendo il corso di Oceano, giungemmo al luogo che Circe ci aveva indicato.

Trattennero qui le vittime Euriloco e Perimede; io

estrassi la spada affilata e scavai una fossa lunga un cubito e larga altrettanto. Intorno ad essa versai, per tutti i defunti, una libagione, miele mescolato con latte, vino dolcissimo e acqua; tutto cosparsi con bianca farina. Poi supplicai le vane ombre dei morti, e promisi, tornato a Itaca, di immolare nella mia casa una giovenca che non avesse ancora figliato, la più bella di tutta la mandria, di riempire un rogo con splendide offerte, di sacrificare a parte, per Tiresia soltanto, un ariete nero, il migliore del gregge. E quando ebbi implorato con voti e suppliche le stirpi dei morti, afferrai le bestie e le sgozzai sulla fossa, scorreva il loro sangue scuro. Fuori dall'Erebo si radunarono le anime dei trapassati: fanciulle, ragazzi, vecchi che molto soffrirono, giovani donne dall'animo nuovo al dolore; molti guerrieri caduti in battaglia, colpiti da lance di bronzo, con le armi macchiate di sangue. Si affollavano intorno alla fossa, da ogni parte, con grida acute: un livido terrore mi colse. Ordinai ai compagni di scuoiare e bruciare le bestie che giacevano uccise dal bronzo crudele e di invocare gli dei, Ade possente e la tremenda Persefone; io intanto con la spada sguainata stavo in guardia e non permettevo che le ombre vane dei morti si accostassero al sangue prima che avessi interrogato Tiresia.

L'anima del mio compagno Elpenore si fece avanti per prima; non era ancora stato sepolto sotto la terra dalle ampie strade: il suo corpo avevamo lasciato in casa di Circe, senza sepoltura e senza compianto, incalzati da altre necessità. Piansi, quando lo vidi, provai pena nel cuore e rivolgendogli la parola gli dissi:

"Come sei giunto, Elpenore, tra le nebbie, nell'ombra? A piedi sei arrivato prima di me sulla mia nave nera".

Così dissi, e lui mi rispose piangendo:

"Divino figlio di Laerte, Odisseo ricco d'ingegno, il destino funesto e il troppo vino mi hanno perduto. In casa di Circe mi ero steso a dormire e non pensai di ritornare alla lunga scala per scendere: a capofitto caddi dal tetto, mi ruppi l'osso del collo, l'anima discese nell'Ade. In nome di coloro che non sono qui io ti supplico, ora, per la tua sposa e tuo padre che ti ha allevato, per Telemaco, unico figlio che hai lasciato nella tua casa; io so che, partendo da qui, dalla casa di Ade, all'isola Eea fermerai la tua nave ben costruita. Là io ti prego, signore, di ricordarti di me. Non andartene, non partire lasciandomi senza sepoltura, senza compianto, che io non diventi per te causa dell'ira divina: bruciami invece, con tutte le armi, e sulla riva del mare bianco di schiuma eleva un tumulo per questo infelice, che sia di ricordo anche a coloro che poi verranno. Questo compi per me, e sulla mia tomba pianta il remo con cui, quand'ero vivo, remavo insieme ai compagni".

Disse così, e io gli risposi dicendo:

"Per te questo farò e compirò, infelice".

Così scambiavamo queste tristi parole, io da una parte, con la spada tesa sul sangue, l'ombra del mio compagno dall'altra, che molte cose diceva.

Venne poi l'anima di mia madre, Anticlea, figlia del grande Autolico, che viva avevo lasciato partendo per Ilio sacra. Piansi quando la vidi, e provai pena nel cuore: e tuttavia, pur soffrendo atrocemente, non lasciavo che si accostasse al sangue prima che io interrogassi Tiresia.

Giunse infine l'anima del tebano Tiresia: impugnava uno scettro d'oro, mi riconobbe e mi disse:

"Divino figlio di Laerte, Odisseo dal grande ingegno, perché hai lasciato la luce del sole, perché sei venuto a vedere i morti in questo tristissimo luogo? Ma dalla fossa allontanati, allontana la spada affilata, perché io possa bere il sangue e dirti la verità".

Così parlò e io indietreggiai e riposi nel fodero la spada ornata d'argento. Dopo che ebbe bevuto il sangue scuro, allora il nobile profeta mi disse:

"Un dolce ritorno tu cerchi, glorioso Odisseo; amaro invece te lo farà un dio. Non credo che potrai sfuggire a Poseidone, all'ira che cova nel cuore perché gli accecasti suo figlio. Ma anche così, tra molte sventure, potrai arrivare se riuscirai a frenare l'animo tuo e dei compagni quando con la solida nave approderai all'isola Trinachia, sfuggendo al mare dai riflessi violacei: là troverete al pascolo le vacche e le pecore fiorenti del Sole, che vede e sente ogni cosa. Se non tocchi le bestie, se pensi al ritorno, allora, pur tra molti dolori, potrete giungere a Itaca. Ma se fai loro del male, allora io ti dico che sarà la fine per te, per la nave e per i tuoi uomini. E se pur riesci a scampare, tardi farai ritorno e male, su una nave non tua, dopo aver perduto tutti i tuoi compagni. Troverai, nella tua casa, sciagure, uomini tracotanti che ti divorano i beni, corteggiano la tua sposa divina, le offrono doni. Della loro violenza ti vendicherai, al tuo ritorno. Ma quando, nella tua casa, avrai ucciso i Pretendenti, con l'inganno o affrontandoli con le armi taglienti, prendi allora il remo e rimettiti in viaggio fino a che giungerai presso genti che non conoscono il mare, da uomini che non mangiano cibi conditi col sale, che non conoscono navi dalle prore dipinte di rosso, né gli agili remi che sono ali alle navi. Ti indicherò un chiaro segno, che non potrà sfuggirti:

quando un altro viandante, incontrandoti, ti dirà che sulla spalla porti un ventilabro, pianta allora in terra il tuo agile remo, offri al dio Poseidone sacrifici perfetti – un montone, un toro, un verro che monta le scrofe – e fa ritorno a casa: qui offri sacre ecatombi agli dei immortali che possiedono il cielo infinito, a tutti, senza escludere alcuno. La morte verrà per te lontano dal mare, ti coglierà nella vecchiaia ricca di beni, e sarà dolce. Avrai, intorno a te, un popolo felice. Questa è la verità che ti dico".

Così parlava e io così gli risposi:

"Tiresia, questo è il destino che mi hanno filato gli dei. Ma ora dimmi una cosa e parlami sinceramente: vedo qui l'anima di mia madre, che è morta; vicino al sangue siede, in silenzio, e non guarda suo figlio negli occhi, non gli rivolge parola. Dimmi, signore, come può riconoscermi?".

Dissi, e subito egli rispose:

"Semplice è quello che ti dirò e porrò nel tuo cuore. Se tu lasci che qualcuno dei morti si accosti al sangue, costui dirà cose vere; se glielo impedisci, tornerà indietro di nuovo".

Così disse e tornò nelle case di Ade l'anima di Tiresia, dopo che ebbe dato il responso. Ma io rimasi là finché giunse mia madre e bevve il sangue oscuro. Subito mi riconobbe e piangendo mi disse queste parole:

"Figlio mio, come sei giunto tra le nebbie, nell'ombra, tu, che sei vivo? Grandi fiumi dalle impetuose correnti ci sono in mezzo, Oceano soprattutto, che non si può attraversare senza una nave ben costruita. Vieni forse da Troia e sei giunto qui dopo aver a lungo errato con la nave e i compagni? Non sei ancora tornato a Itaca, non hai visto la tua casa, la sposa?".

Così disse, e io così le risposi:

"Madre mia, nell'Ade mi ha spinto necessità di interrogare l'anima di Tiresia tebano. Non ho neppure sfiorato l'Acaia, non sono giunto alla nostra terra, vado sempre errando con l'angoscia nel cuore dal giorno in cui ho seguito il divino Agamennone a Ilio dai bei cavalli per battermi con i Troiani. Ma ora dimmi una cosa e parlami sinceramente. Quale doloroso destino di morte ti ha colto? Una lunga malattia o Artemide arciera con le sue dolci frecce ti ha ucciso? E di mio padre dimmi, e del figlio che ho lasciato laggiù: il mio potere l'hanno essi ancora o qualcun altro lo tiene, e pensano che io non faccia più ritorno? E della mia sposa rivelami la mente, il pensiero: con il figlio rimane e tutto custodisce com'era, oppure è già moglie del più nobile fra gli Achei?".

Così parlai e subito mi rispose mia madre:

"Con cuore paziente lei resta nella tua casa. Dolorosi le scorrono i giorni e le notti, nel pianto. Nessuno ha il tuo potere regale: serenamente Telemaco amministra le terre e ai pranzi comuni partecipa come conviene a chi esercita la giustizia: tutti infatti lo invitano. Nei campi rimane tuo padre, e non scende in città: non ha coperte né variopinti tappeti per il suo letto: dorme, d'inverno, dove stanno gli schiavi, nella cenere vicino al fuoco, coperto da misere vesti; quando invece viene l'estate, e poi l'autunno fecondo, allora, nella sua vigna sul colle, dovunque vi sono, per terra, giacigli di foglie cadute, là egli giace e soffre, e mentre piange la tua sorte, il dolore gli cresce nell'animo: è diventato ormai vecchio. E io così sono morta, così ho compiuto il destino: non mi ha ucciso nella mia casa l'Arciera dall'occhio acuto cogliendomi con le sue dolci frecce; non mi ha colpito nessuno dei mali che, consumandoti il corpo, ti privano della vita. La nostalgia di te, glorioso Odisseo, della tua saggezza, della tua gentilezza, mi ha tolto la vita dolcissima".

Disse così, e io volevo, pur esitando nel cuore, stringere tra le braccia l'anima di mia madre morta. Tre volte mi protesi in avanti, ad abbracciarla mi spingeva il cuore, tre volte mi sfuggì dalle mani, simile a un'ombra o a un sogno. Un dolore acuto mi penetrava nel cuore; rivolto a lei dissi queste parole:

"Madre mia, perché mi sfuggi? io voglio abbracciarti affinché anche nell'Ade, stringendoci uno con l'altro, possiamo entrambi saziarci di dolore e di pianto. O è solo un fantasma che mi ha mandato la gloriosa Persefone perché ancora di più io pianga e mi lamenti?".

Così parlai e subito mi rispose mia madre:

"O figlio mio, infelice fra tutti i mortali, no, non è un inganno di Persefone, figlia di Zeus, questa è la sorte degli uomini, quando si perde la vita: la carne, le ossa, non sono più rette dai nervi, la violenza del fuoco ardente le annienta appena lo spirito lascia le bianche ossa; l'anima se ne vola via come un sogno. Ma tu torna presto alla luce: e tutto questo ricorda per dirlo poi alla sposa".

Così noi parlavamo, e delle donne vennero intanto – le mandava la gloriosa Persefone –, erano spose e figlie di uomini illustri. Intorno al sangue oscuro si affollavano, ma io meditavo come interrogarle una per una. E questa mi sembrò nell'animo la soluzione migliore. Trassi dal fianco la spada dalla punta acuta e impedivo loro di bere, tutte insieme, il sangue nero: si avvicinavano allora, una dopo l'altra, ciascuna diceva il suo nome e io interrogavo ciascuna.

E vidi allora per prima Tiro di nobile stirpe, che del glorioso Salmoneo diceva di essere figlia, e sposa di Creteo figlio di Eolo. Si innamorò di un fiume, il divino Enipeo – il più bello tra quelli che scorrono sulla terra – e spesso si recava alle sue bellissime acque. Ma, somigliando a Enipeo, Poseidone, signore della terra, accanto a lei si distese sulla foce del fiume impetuoso: un'onda si levò, gonfia e ricurva, simile a una montagna, e nascose il dio e la donna mortale. Allora il dio le infuse il sonno e i veli le sciolse; e dopo che ebbe compiuto l'atto d'amore, le prese una mano, le parlò e le disse:

"Del mio amore, donna, sii lieta; al finire dell'anno darai alla luce splendidi figli, perché unirsi con gli immortali non è mai vano: tu allevali e abbine cura. Ora però torna a casa, ma taci, non pronunciare il mio nome: solo per te io sono Poseidone, che scuote la terra".

Disse così, e nelle onde del mare si immerse. Lei generò Pelia e Neleo, che del grande Zeus divennero forti scudieri: Pelia, ricco di greggi, viveva nell'ampia città di Iolco, Neleo a Pilo sabbiosa. Altri figli diede a Creteo la nobilissima donna, Esone e Ferete e Amitaone, che combatteva col carro.

E dopo di lei vidi Antiope, figlia di Asopo, che si vantava di aver dormito fra le braccia di Zeus; lei generò due figli, Anfione e Zeto, che fondarono Tebe dalle sette porte e di mura la cinsero perché non potevano vivere senza mura nell'ampia città di Tebe, benché fossero forti.

E vidi Alcmena, sposa di Anfitrione, che tra le braccia del grande Zeus generò Eracle cuor di leone; e Megara, figlia di Creonte superbo, sposa del figlio di Anfitrione, dalla forza indomabile.

Vidi la madre di Edipo, la bella Epicasta, che una grande colpa commise senza saperlo, sposò suo figlio: e il figlio la sposò dopo aver ucciso suo padre. Ben presto gli dei agli uomini lo resero noto. Egli tuttavia, nonostante il dolore, regnò sui Cadmei nella bella città di Tebe, per funesto volere dei numi; lei invece, in preda al dolore, alle travi dell'alto soffitto appese un laccio mortale e nelle dimore di Ade discese, guardiano inflessibile. E a lui lasciò tutte le pene che infliggono le Erinni di una madre.

E vidi Clori, meravigliosa, che Neleo sposò per la sua bellezza offrendo infiniti doni di nozze, la più giovane figlia di Anfione figlio di Iaso, che un tempo regnava a Orcomeno dei Minii. Lei fu regina di Pilo e diede a Neleo splendidi figli, Nestore e Cromio e Periclimeno superbo; dopo questi partorì la bellissima Però, meravigliosa fanciulla che tutti i vicini chiedevano in sposa. Ma Neleo voleva darla solo a colui che riportasse da Filache le mandrie di Ificle, dall'ampia fronte e dalle corna ricurve, impresa difficile; solo Melampo, il profeta glorioso, promise di riportarle, ma glielo impedirono il destino crudele, le pesanti catene e i guardiani dei buoi. Quando furono trascorsi i giorni e i mesi e si compì l'anno e le stagioni tornarono, allora lo liberò Ificle il forte, dopo che gli ebbe dato tutti i responsi. Si compiva così il volere di Zeus.

E vidi Leda, sposa di Tindaro, che a Tindaro diede due figli dall'animo forte, Castore domatore di cavalli e Polluce pugile esperto. La terra feconda li copre entrambi, ma vivi: anche sotto la terra hanno da Zeus il privilegio di essere un giorno vivi e l'altro morti, a vicenda. Hanno gli onori riservati agli dei.

E vidi Ifimedea, di Aloeo sposa, che a Poseidone di-

ceva di essersi unita: due figli generò, destinati a breve
vita, Oto simile a un dio ed il famoso Efialte. Sulla terra feconda crebbero alti e bellissimi, i più belli dopo
Orione glorioso. Nove cubiti in larghezza e nove braccia di altezza misuravano, all'età di nove anni: e mi-
nacciavano gli immortali di scatenare in Olimpo una
furiosa battaglia. Volevano mettere l'Ossa sopra
l'Olimpo, e sopra l'Ossa il Pelio dalle fronde fruscian-
ti, per poter giungere al cielo. E l'avrebbero fatto se
fossero giunti al fiore della giovinezza. Ma il figlio di
Zeus e di Latona dai bei capelli li uccise entrambi prima che sotto le tempie spuntasse loro la barba e fitta
ricoprisse il mento.

E Fedra e Procri io vidi e Arianna la bella, figlia di Minosse funesto, lei che un giorno Teseo da Creta portò sul
colle sacro di Atene, ma non poté averla, Artemide prima
l'uccise per le accuse di Dioniso, a Dia cinta dal mare.

E Maira e Climene vidi, e l'odiosa Erifile che per
l'oro prezioso tradì suo marito. Tutte non potrei dirle,
non potrei nominarle, le spose e le figlie di uomini illustri che vidi: prima si consumerebbe la notte divina.
E invece è ora che io dorma o insieme ai compagni
sulla nave veloce, oppure qui. Del mio viaggio, vi oc-
cuperete voi e gli dei».

Disse così, e tutti rimasero muti in silenzio, come
presi d'incanto, nella sala piena di ombre. Poi fra di
loro Arete dalle bianche braccia prese a parlare:

«Che cosa pensate di quest'uomo, Feaci, del suo
volto, del suo aspetto, della sua mente assennata? Egli
è mio ospite, ma di quest'onore avete parte voi tutti.
Non mandatelo via troppo in fretta, non privatelo dei
vostri doni, poiché ha tanto bisogno: molte ricchezze
avete nelle vostre case, per volontà degli dei».

Fra di loro parlò anche il vecchio Echeneo, il più anziano di tutti i principi dei Feaci:

«A proposito e giustamente ci parla la nostra saggia regina: ascoltatela dunque. Ma da Alcinoo dipendono fatti e parole».

E subito Alcinoo gli rispose e gli disse:

«Sia dunque così, come è vero che io vivo e regno sui Feaci che amano il remo. Sia paziente l'ospite, anche se brama il ritorno, e resti fino a domani, fino a che tutti i doni io raccolga. Del viaggio si occuperanno i principi tutti, ma io più di ogni altro, che in questo paese ho il potere».

A lui rispose l'accorto Odisseo:

«O grande Alcinoo, fra la tua gente illustre, anche se per un anno intero mi invitaste a restare e mi preparaste il viaggio offrendomi splendidi doni, sì, io lo vorrei e molto meglio sarebbe che io non tornassi in patria a mani vuote. Sarò così più gradito e avrò più rispetto da tutti gli uomini che a Itaca mi vedranno tornare».

A lui Alcinoo rispose e disse:

«Certo tu non somigli, a vederti, Odisseo, a un imbroglione, a un bugiardo, dei tanti che prosperano sulla terra e fabbricano storie incredibili. Il tuo racconto è bello, saggia è la tua mente, come un aedo hai narrato, con arte, la storia, le tristi sventure di tutti gli Argivi, e le tue. Ma ora dimmi una cosa e parlami sinceramente: hai visto forse qualcuno dei tuoi divini compagni che insieme a te vennero a Ilio e là trovarono morte? Lunga è la notte, infinita, non è tempo di dormire ancora, in questa casa: narrami dunque le tue meravigliose avventure. Fino alla luce dell'alba io rimarrei, se tu volessi narrarmi le tue pene».

A lui rispose l'accorto Odisseo:

«O Alcinoo potente, gloria della tua gente, c'è un tempo per i lunghi racconti, e un tempo per dormire. Ma se vuoi ascoltare ancora, non te lo posso negare: altre tristi sciagure ti narrerò, quelle dei miei compagni che trovarono, dopo, la morte: scamparono alla dolorosa guerra dei Teucri, ma al ritorno morirono a causa di una donna malvagia. Quando la dea Persefone ebbe disperso le anime delle donne, da una parte e dall'altra, giunse l'anima afflitta di Agamennone figlio di Atreo. E intorno gli si stringevano quelle di coloro che insieme a lui nella dimora di Egisto incontrarono la morte e il destino. Non appena mi vide, subito mi riconobbe: e amaramente piangeva, versando lacrime fitte, e tendeva le braccia verso di me, voleva abbracciarmi. Ma non aveva più la forza e il vigore di prima nelle sue agili membra. Piansi, vedendolo, provai pena nel cuore e rivolto a lui gli dissi queste parole:

"Glorioso figlio di Atreo, Agamennone, signore di eroi, quale destino di morte crudele ti ha vinto? Poseidone ti ha forse travolto, insieme alle navi, dopo aver suscitato un'orrenda tempesta di venti? O a terra ti uccise gente nemica, mentre rubavi dei buoi o greggi di pecore belle? O mentre ti battevi per una città, per le sue donne?".

Così dissi, e subito egli rispose:

"Divino figlio di Laerte, Odisseo ricco d'ingegno, no, non fu Poseidone a travolgermi insieme alle navi dopo aver suscitato un'orrenda tempesta di venti, né sulla terra mi ha ucciso gente nemica: Egisto ha costruito il mio destino di morte, Egisto insieme alla mia sposa malvagia, dopo avermi invitato a casa, a banchetto, come si uccide un toro alla greppia. Questa è stata la mia tristissima morte. E intorno a me cadevano uno dopo l'altro i compagni, come porci dalle bianche zanne che in casa di un uomo ricco e potente vengono uccisi per una festa di nozze, o un pranzo in comune, o un ricco banchetto. Alla strage di molti guerrieri fosti presente, uccisi in duello o nella battaglia violenta: ma molto di più avresti pianto vedendo quello scempio, noi che giacevamo nella sala, intorno alla grande coppa del vino e alle tavole imbandite, e tutto il pavimento fumava di sangue. Udii il grido straziante della figlia di Priamo, Cassandra, che sul mio corpo la perfida Clitennestra uccideva. E io, dalla spada trafitto, morendo, colpivo la terra con le mie mani, ma quella cagna si allontanò e mentre scendevo nell'Ade non volle chiudermi gli occhi e la bocca. Nulla c'è di più odioso ed infame di una donna che nella mente concepisce tali misfatti, come lei che un orrendo delitto tramò dando la morte al suo sposo. E io pensavo che sarei ritornato a casa per la gioia dei figli, dei servi. Ma lei, che conobbe la perfidia più grande, di vergogna ha coperto se stessa e tutte le donne che verranno dopo, anche se oneste".

Così disse, e io così gli risposi:

"Ahimè, tremendamente Zeus, signore del tuono, ha odiato la stirpe di Atreo, perseguitandola con trame di donne, fin dal principio. A causa di Elena siamo morti in tanti. E a te quest'inganno ordì Clitennestra, mentre eri lontano".

Dissi così, e subito lui mi rispose:

"E dunque anche tu non essere buono con la tua sposa, non confidarle tutto quello che sai, dille una cosa, un'altra nascondi. Ma a te, Odisseo, non darà morte la sposa: è molto accorta, pensieri assennati ha nell'animo la figlia di Icario, la saggia Penelope. Era giovane quando noi la lasciammo, partendo per la guerra; aveva al petto un bambino che ora certo siede fra gli uomini. Giovane fortunato! il padre lo vedrà al suo ritorno e lui potrà abbracciare suo padre, così com'è giusto. Ma la mia sposa non ha lasciato che mi saziassi gli occhi guardando mio figlio; prima che lo vedessi mi ha ucciso. E un'altra cosa ti voglio dire, tu imprimila nella tua mente: la nave, falla approdare alla tua terra di nascosto, non in modo palese: delle donne non bisogna fidarsi. Ma ora dimmi questo, e parla sinceramente: è ancora vivo mio figlio, e dov'è, forse a Orcomeno, o a Pilo sabbiosa o presso Menelao nella grande città di Sparta? Perché certo non è morto ancora, su questa terra, il divino Oreste".

Così disse e io così gli risposi:

"Figlio di Atreo, perché me lo domandi? Se è vivo o morto, non so; non è bene far chiacchiere inutili".

Così noi scambiavamo tristi parole, con l'animo afflitto, versando molte lacrime.

E venne l'anima di Achille figlio di Peleo, e quella di Patroclo e del valoroso Antiloco e di Aiace, che nel volto e nella figura era il più bello fra tutti gli Achei dopo il nobile figlio di Peleo. Mi riconobbe l'anima del discendente di Eaco e sospirando mi disse queste parole:

"Divino figlio di Laerte, Odisseo dal grande ingegno, quale impresa ancora più grande concepirai nel tuo animo audace? Come hai osato discendere all'Ade dove dimorano, privi della parola, i fantasmi degli uomini morti?".

Disse così, e io così gli risposi:

"O Achille, figlio di Peleo, di tutti gli Achei il più

forte, per Tiresia sono venuto, perché mi consigli come giungere a Itaca irta di rocce; ancora non sono giunto vicino all'Acaia, ancora non ho toccato la mia terra, ma sempre continuo a soffrire. Di te invece, Achille, nessuno fu più felice, quando eri vivo, e ora che sei qui, hai grande potere tra i morti: non dolerti perciò di essere morto, Achille".

Dissi così, e lui così mi rispose:

"Della morte non parlarmi, glorioso Odisseo. Vorrei essere il servo di un padrone povero che pochi mezzi possiede, piuttosto che regnare su tutte le ombre dei morti. Ma del mio splendido figlio ora dimmi, se è il più valoroso in battaglia. Dimmi se hai notizie del nobile Peleo, se ancora conserva il suo onore tra i Mirmidoni o se invece nell'Ellade e a Ftia lo disprezzano perché la vecchiaia gli incatena i piedi e le mani. Vorrei poterlo aiutare, alla luce del sole, così com'ero un tempo nella vasta terra troiana, quando uccidevo i guerrieri più forti, difendendo gli Argivi. Se fossi ancora così e potessi tornare per pochi istanti alla casa del padre, il mio furore e le mie mani invincibili sarebbero odiose a coloro che gli fanno violenza e lo privano del suo onore".

Così diceva, e io così gli risposi:

"Del nobile Peleo non ho notizie; ma di tuo figlio Neottolemo tutta la verità ti dirò, come mi chiedi. Sulla concava nave io lo condussi da Sciro tra gli Achei dalle belle armature. E quando intorno alla città di Troia tenevamo consiglio, era sempre il primo a parlare e mai sbagliava parole. Io solamente, e Nestore simile a un dio, eravamo a lui superiori. E quando intorno alla città di Troia noi Achei davamo battaglia, non rimaneva mai tra la folla, nel gruppo, ma davanti a tutti correva e nella sua furia guerriera non era secondo a nessuno: molti guerrieri uccideva nella lotta tremenda. Tutti non potrei dire, non potrei nominarli quelli che uccise difendendo gli Argivi; dirò soltanto che con la lancia abbatté Eurifilo, figlio di Telefo, e intorno a lui molti dei Cetei furono uccisi – e tutto per il dono fatto a una donna! Fra gli eroi era il più bello che vidi, dopo il divino Memnone. Quando poi penetrammo dentro il cavallo fabbricato da Epeo, noi, gli Argivi più forti – e da me tutto dipendeva, quando aprire la solida trappola, quando richiuderla –, gli altri principi e duci dei Danai si asciugavano le lacrime e tremavano in tutto il corpo. Ma lui, non lo vidi mai coi miei occhi tergersi una lacrima o cambiare colore nel volto; spesso invece mi domandava di uscire dal cavallo e, impugnando la spada e la pesante lancia di bronzo, ardentemente desiderava la rovina dei Teucri. Quando infine noi distruggemmo l'alta città di Priamo, col suo bottino e il suo splendido dono d'onore tornò sulla nave, illeso: né da lontano era stato colpito dal bronzo acuto né da vicino ferito, come spesso avviene in battaglia: cieca è la furia di Ares".

Dissi così, e l'anima di Achille se ne andava a lenti passi sul prato di asfodeli, lieto perché di suo figlio gli avevo narrato la gloria.

Le anime degli altri morti se ne stavano afflitte, ciascuna le sue pene diceva. Solo Aiace, figlio di Telamone, rimaneva in disparte, adirato per la vittoria che io riportai quando presso le navi andammo in giudizio per le armi di Achille: la dea sua madre le mise in palio, giudici furono i figli dei Teucri e Pallade Atena. Non avessi mai vinto in quella contesa! Per quelle armi un tale uomo la terra coperse, Aiace, che per aspetto e valore era il più grande fra tutti gli Achei, dopo il nobile figlio di Peleo. A lui mi rivolsi con parole di affetto:

"Figlio del nobile Telamone, Aiace, neanche da morto hai potuto scordare l'ira per quelle armi funeste? Furono la sciagura che gli dei inflissero ai Danai, perché moristi tu, il loro baluardo; e, morto, noi ti piangiamo sempre, come piangiamo Achille, il figlio di Peleo. Ma nessuno è colpevole, soltanto Zeus che odiava ferocemente l'armata dei Danai guerrieri e per te stabilì questa sorte. Vieni ora, signore, ascolta le mie parole, vinci l'ira ed il cuore orgoglioso".

Così parlai, ma egli non mi rispose e verso l'Erebo andò tra le anime degli altri morti. E tuttavia, benché pieno d'ira, avrebbe potuto parlarmi, ed io a lui. Ma desideravo nel cuore vedere le anime di altri defunti.

Vidi Minosse, splendido figlio di Zeus, che, stando seduto, con in mano lo scettro d'oro, faceva giustizia tra i morti: ed essi giustizia chiedevano al re, stando in piedi o seduti, nella dimora di Ade dalle ampie porte.

Dopo di lui vidi Orione, il gigante, che sul prato degli asfodeli andava a caccia di fiere, le fiere che un tempo uccise lui stesso sui monti deserti con la sua mazza tutta di bronzo, indistruttibile.

E vidi Tizio, figlio di Gaia gloriosa, che giaceva a terra coprendo una lunghezza di nove iugeri: da una parte e dall'altra due avvoltoi gli rodevano il fegato penetrando fino nei visceri, e non poteva difendersi. Usò violenza a Latona, gloriosa compagna di Zeus, che attraversava la grande città di Panopeo per raggiungere Pito.

E vidi Tantalo che soffriva pene tremende, fermo in mezzo a uno stagno, con l'acqua che gli sfiorava il mento. Aveva una sete continua, ma non poteva prenderne e bere: tutte le volte che si curvava, avido, l'acqua spariva, inghiottita – un dio la prosciugava – e intorno ai suoi piedi appariva, nera, la terra. Alberi dalle altissime chiome lasciavano pendere i loro frutti dall'alto, peri, melograni, splendidi meli, fichi dolcissimi, olivi fiorenti. Ma tutte le volte che il vecchio tendeva le mani a toccarli, il vento li lanciava fino alle nuvole oscure.

Ed anche Sisifo vidi, che dure pene soffriva: un masso enorme reggeva con entrambe le braccia e, puntando i piedi e le mani, lo spingeva in alto, verso la cima di un colle. Ma quando stava per superare la vetta, allora una forza violenta lo precipitava all'indietro: rotolava di nuovo a terra quel masso dannato. Ancora una volta spingeva, con il corpo teso, dalle membra scorreva il sudore, dal capo saliva la polvere.

E dopo di lui vidi il fortissimo Eracle, ma era la sua ombra soltanto: tra gli dei immortali egli siede felice a banchetto insieme con Ebe dalle belle caviglie, figlia del sommo Zeus e di Era dai sandali d'oro. Intorno a lui i morti fuggivano da ogni parte atterriti, stridendo come uccelli: lui, simile a notte cupa, impugnava l'arco nudo, la freccia incoccata sul nervo e girando intorno lo sguardo tremendo, sembrava sempre sul punto di colpire. Aveva sul petto, a tracolla, un balteo d'oro, stupendo, dov'erano incise scene meravigliose: orsi, cinghiali selvatici, leoni dagli occhi di fuoco e mischie e battaglie e stragi di eroi. Neppure colui che con la sua arte incise quel balteo, con la sua arte potrebbe rifarne uno eguale. Appena mi vide, subito mi riconobbe e lamentandosi disse queste parole:

"Divino figlio di Laerte, Odisseo ricco d'ingegno,

misera sorte è la tua, come fu la mia sotto la luce del sole: ed ero figlio di Zeus Cronide, ma senza tregua dovetti soffrire. Fui servo di un uomo a me inferiore, che mi ordinò crudeli fatiche. Un giorno mi mandò qui a prendere Cerbero, il Cane dell'Ade: pensava che nessun'altra impresa sarebbe stata per me più dura di questa. Ma io glielo riportai, lo ricondussi dall'Ade: mi guidavano Hermes e Atena dagli occhi lucenti".

Disse così, e ritornò nelle dimore di Ade. Ma io restavo là, per vedere se giungeva ancora qualcuno dei guerrieri morti in passato. Ed avrei visto gli antichi eroi che volevo vedere, Teseo, Piritoo, gloriosi figli di dei, ma innumerevoli schiere di morti si radunarono, con grida paurose: allora mi prese il terrore che la gloriosa Persefone mi mandasse dall'Ade la testa della Gorgone, orrenda, mostruosa. Rapido feci ritorno alla nave e ai compagni ordinai di imbarcarsi e levare gli ormeggi. Subito essi salirono e si sedettero ai banchi.

Sull'onda del fiume Oceano correva la nave, prima a forza di remi, poi con il vento propizio.

DALLE SIRENE A CARIDDI

Non appena ebbe lasciato le acque del fiume Oceano, la nave giunse al mare vastissimo e all'isola Eea, dov'è la casa di Aurora che sorge al mattino, e i luoghi delle sue danze e quelli ove si leva il Sole. Qui giunti, sulla sabbia spingemmo la nave, poi anche noi sbarcammo sulla riva del mare. Là ci mettemmo a dormire aspettando l'Aurora divina.

E quando all'alba apparve l'Aurora lucente, allora mandai i compagni alla casa di Circe a prendere il corpo di Elpenore morto. Tagliammo in fretta dei rami e su un tratto di costa sporgente lo seppellimmo afflitti, versando lacrime amare. E dopo che il morto fu bruciato con le sue armi, quando fu elevato il tumulo ed eretta la stele, sulla tomba, in alto, piantammo l'agile remo.

E di ogni cosa noi parlavamo.

Venne a sapere, Circe, che eravamo giunti dall'Ade, e sopraggiunse rapida, tutta adorna; vennero insieme a lei le ancelle portando pane e carne in quantità e rosso vino lucente. E stando in mezzo a noi disse la dea: "O voi audaci che siete scesi, vivi, nella dimora di

Ade, due volte mortali, mentre una sola volta muoiono gli uomini, prendete il cibo, ora, e il vino bevete, qui, per tutto il giorno; all'alba riprenderete il mare. E io vi mostrerò la rotta e vi indicherò ogni cosa perché non abbiate a soffrire sventure, per mare, per terra, a causa di qualche trama funesta".

Così parlò, e persuase il nostro animo fiero.

Così per tutto il giorno, fino al tramonto del sole, seduti mangiammo carne in quantità e vino dolcissimo. E quando il sole calò e sopraggiunse la tenebra, sulla nave dormirono, a poppa, i miei compagni. Ma Circe mi prese per mano, lontano dagli altri, mi fece sedere e si mise accanto a me, mi chiedeva ogni cosa. E io tutto le raccontavo, con ordine. Queste parole mi disse, allora, Circe divina:

"Tutto questo così si è compiuto, ma ora ascoltami e fa quello che dico; te lo ricorderà anche un dio. Giungerai per prima cosa dalle Sirene che incantano tutti gli uomini che passano loro vicino. Chi senza saperlo si accosta e ode la voce delle Sirene, non torna più a casa, i figli e la sposa non gli si stringono intorno, festosi: le Sirene lo stregano con il loro canto soave, sedute sul prato; intorno hanno cumuli d'ossa di uomini imputriditi, dalla carne disfatta. Va oltre, dunque, e chiudi le orecchie dei tuoi compagni con della morbida cera, perché nessuno di loro le oda; tu ascolta, se vuoi, ma fatti legare coi piedi e le mani alla base dell'albero, sulla nave veloce – all'albero siano attaccate le funi – perché possa godere ascoltando la voce delle Sirene. E se preghi i compagni, se comandi loro di scioglierti, con funi ancor più numerose ti stringano.

Quando lontano di là si saranno spinti i compagni, allora io non posso più dirti con esattezza la via, con te stesso dovrai consigliarti: te le indicherò tutte e due.

Si ergono da una parte altissime rocce, sulle quali le onde del mare oscuro cozzano con fragore. Rupi erranti le chiamano gli dei beati. Di là neppure gli uccelli passano, neppure le colombe trepide che portano ambrosia al padre Zeus: una ne afferra sempre la nuda roccia, e allora il padre un'altra ne invia per completare il numero. Di là nessuna nave riuscì a passare quando vi giunse, la furia del mare e del fuoco funesto trascina legni di navi e corpi di uomini. Una sola passò, delle navi che solcano il mare, Argo, che tutti conoscono, tornando dal regno di Eeta. E veniva anch'essa gettata contro le altissime rupi, ma Era la fece passare, perché le era caro Giasone.

Dall'altra parte vi sono due scogli, uno con la sua vetta aguzza sfiora il vastissimo cielo, lo avvolge una nuvola scura che mai l'abbandona e mai, né estate né autunno, è limpido il cielo intorno alla vetta. Un uomo non potrebbe scalarla né potrebbe salirvi neppure se venti piedi avesse e venti mani: così liscia è la pietra che par levigata. A metà dello scoglio vi è un antro nebbioso, rivolto all'Erebo, verso occidente: qui volgi la concava nave, glorioso Odisseo. Un uomo forte che dalla nave scagliasse una freccia non potrebbe colpire quella cava spelonca. Vive là dentro Scilla, che latra in modo pauroso. La sua voce è quella di un cucciolo, ma essa è un orribile mostro. Di vederla nessuno godrebbe, neppure un dio. Ha dodici piedi, ancora informi, sei colli lunghissimi e su ciascuno una testa orrenda, con tre file di denti, numerosi e fitti, pieni di morte nera. Per metà si cela dentro la cava spelonca, ma sporge le teste fuori dall'orrido antro. E pesca, spiando bramosa intorno allo scoglio, foche, delfini e mostri anche più grandi, di quelli che nutre a migliaia il mare sonoro. Di là nessun marinaio riesce a scampare, illeso, con la sua nave: con ognuna delle sue teste essa afferra un uomo, strappandolo alla nave dalla prora azzurrina.

Un altro scoglio, più basso, vedrai vicino, Odisseo; distano un tiro di freccia l'uno dall'altro. Un grande fico c'è sopra, pieno di foglie, sotto c'è la divina Cariddi che inghiotte l'acqua scura. Tre volte, durante il giorno, la inghiotte, e la rigetta tre volte, orrendamente. Non devi trovarti là, quando la inghiotte: neppure il dio Poseidone potrebbe sottrarti alla morte. Allo scoglio di Scilla tieni accostato e, rapido, spingi oltre la nave, perché è molto meglio piangere sei compagni piuttosto che piangerli tutti".

Disse così, e io le risposi, turbato:

"Ma almeno questo, dea, dimmi sinceramente, se alla funesta Cariddi posso sfuggire, se da Scilla posso difendermi, quando mi toglie i compagni".

Dissi così, e subito mi rispose la dea:

"Sciagurato, tu pensi ancora ad azioni di guerra e non vuoi cedere agli dei immortali. Non è mortale, Scilla, è un mostro immortale, spaventoso, tremendo, selvaggio, invincibile. Non c'è via di scampo, la cosa migliore è fuggire. Se indugi vicino allo scoglio per indossare le armi, si avventerà di nuovo, ti raggiungerà con le sue teste, ti porterà via altrettanti compagni. Tu spingi forte la nave e chiama in aiuto Crataide, la madre di Scilla che la generò per la rovina degli uomini. Lei saprà impedirle di lanciarsi di nuovo.

Giungerai all'isola di Trinachia dove pascolano numerose le vacche e le greggi fiorenti del Sole, sette mandrie di vacche, sette greggi di pecore belle, con

cinquanta bestie ciascuna. Non partoriscono mai e
non muoiono, hanno guardiane due dee, due ninfe dai
bei capelli, Faetusa e Lampezia, che al Sole Iperione
generò la divina Neera. Le partorì e le allevò la nobile
madre, e poi le mandò a vivere lontano nell'isola di
Trinachia, a custodire le greggi del padre e le vacche
dalle corna lunate. Se non le tocchi e pensi al ritorno,
allora, dopo molto soffrire, potrete giungere a Itaca;
ma se fai loro del male, allora ti dico che sarà la fine
per la nave e per i compagni. Tu, se riesci a scampare,
tardi farai ritorno, e male, dopo aver perduto tutti i
tuoi uomini".

Così parlò. Giunse l'Aurora dal trono dorato e la divina Circe si allontanava verso l'interno dell'isola. Io invece andai alla nave e ai compagni ordinavo di imbarcarsi
e di sciogliere a poppa gli ormeggi. Rapidi essi salirono e
sedettero ai banchi, uno vicino all'altro battevano il mare coi remi. Dietro alla nave dalla prora azzurra ci mandava compagno un vento propizio, un vento che gonfia
le vele, Circe dai bei capelli, la dea che parla con voce
umana. Sulla nave ponemmo tutti gli attrezzi, e poi stavamo seduti: la guidava il vento e il nocchiero. Allora parlai ai compagni col cuore pieno di angoscia:

"Amici, non è giusto che una persona o due soltanto sappiano quello che mi ha rivelato Circe divina. Io
ve lo dirò, affinché, consapevoli, possiamo affrontare
la morte o sfuggire al destino fatale. Per prima cosa ci
impone di evitare il canto divino delle Sirene e il loro
prato fiorito. Posso ascoltarle io solo: ma con saldissi-
me funi dovete legarmi perché io resti immobile, ritto
alla base dell'albero – ad esso siano fissate le corde. E
se vi prego e vi ordino di liberarmi, allora dovete strin-
germi con funi ancor più numerose".

Così ai miei compagni parlavo e dicevo ogni cosa.

Rapidamente intanto all'isola delle Sirene giunse la nave ben costruita: la spingeva il vento propizio. Ma all'improvviso il vento cessò e fu calma bonaccia, un dio placò le onde del mare. Balzarono in piedi i compagni, ammainarono tutte le vele e sulla concava nave le posero, poi si misero ai remi e con i legni ben levigati sollevavano la bianca schiuma. Io presi intanto un grande disco di cera e con il bronzo lo feci a piccoli pezzi, che premetti con le mie mani. Rapidamente fondeva la cera, alla vampa del Sole, ai raggi di Iperione sovrano. Sulle orecchie di tutti i compagni la spalmai, uno per uno. Sulla nave poi mi legarono, coi piedi e con le mani, alla base dell'albero, e ad esso furono fissate le corde. Poi si sedettero e battevano il mare coi remi. Ma quando fummo a un tiro di voce, pur navigando veloci, non sfuggì alle Sirene la nave che passava vicina: intonarono un canto dolcissimo:

"Avvicinati dunque, glorioso Odisseo, grande vanto dei Danai, ferma la nave, ascolta la nostra voce. Nessuno mai è passato di qui con la sua nave nera senza ascoltare il nostro canto dolcissimo: ed è poi ritornato più lieto e più saggio. Noi tutto sappiamo, quello che nella vasta terra troiana patirono Argivi e Troiani per volere dei numi. Tutto sappiamo quello che avviene sulla terra feconda".

Così cantavano con voce bellissima. E il mio cuore voleva ascoltare, ordinavo ai compagni di sciogliermi, accennando loro con gli occhi. Ma sui remi si curvavano essi. Ed Euriloco e Perimede si alzarono e con altre funi mi legarono e ancor più mi strinsero. Ma quando le oltrepassammo e più non sentivamo la loro voce né il canto, subito i miei fedeli compagni si tolsero la cera che sulle loro orecchie spalmai, e sciolsero me dalle funi.

Quando lasciammo quell'isola, subito vidi del fumo e un gran vortice d'acqua e udii un rombo. Ai compagni, atterriti, sfuggirono di mano i remi che con un tonfo ricaddero nella corrente. Là si fermava la nave, poiché essi più non spingevano i remi dalla punta sottile. Ma io percorrevo la tolda e incitavo i compagni con parole suadenti fermandomi accanto a ciascuno:

"Amici, noi conosciamo i pericoli: e questo non è più grande di quando il Ciclope a forza ci chiuse nel suo antro profondo. Ma anche di là fuggimmo, per il mio accorto consiglio e il mio valore: così anche di questo potremo ricordarci, io credo. Ma fate ora tutti come vi dico: voi, seduti sui banchi, battete coi remi le acque del mare profondo, nella speranza che Zeus ci conceda di salvarci e scampare al disastro. E a te, nocchiero, io ordino questo: imprimilo bene nel cuore perché sei tu a tenere la barra della concava nave: da questo fumo tienla lontana, e dal vortice d'acqua, e bada agli scogli, che non ti sfugga se vi si lancia contro, che tu non ci mandi in rovina".

Così parlavo, ed essi ascoltarono le mie parole. Non dissi loro di Scilla, sciagura senza rimedio, perché dal terrore non lasciassero i remi per nascondersi dentro la nave. Dimenticai, allora, l'ordine severo di Circe, che mi imponeva di non rivestire le armi: io invece indossai le mie armi gloriose e stringendo due lunghe lance in entrambe le mani salii sulla tolda: di là pensavo che mi sarebbe apparsa sopra le rocce Scilla, per fare del male ai compagni. Ma non riuscivo a vederla: i miei occhi erano stanchi di scrutare dovunque sul tetro scoglio.

Navigavamo lungo lo stretto, piangendo. Da una parte era Scilla, dall'altra la divina Cariddi che stava inghiottendo, paurosamente, l'acqua salata del mare. E mentre la rigettava, ribolliva tutta mugghiando come un lebete su un gran fuoco: da entrambe le parti in cima agli scogli ricadeva la schiuma. E quando invece ingoiava l'acqua salata del mare, ribolliva tutta al di dentro e intorno la roccia risuonava orrendamente mentre di sotto appariva il fondo nero di sabbia. Un tremendo terrore colse i compagni. Tutti guardavano il mostro, temendo la morte. E intanto Scilla dalla concava nave rapì sei compagni, le braccia più forti, i migliori. Quando volsi di nuovo lo sguardo alla nave veloce, cercandoli, ne vidi, in alto, i piedi e le mani: sollevati per aria urlavano, gridando il mio nome, allora per l'ultima volta, col cuore straziato. Come quando su di uno scoglio a strapiombo un pescatore adesca con cibo i piccoli pesci gettando in mare un cannello di corno di bue attaccato alla lenza lunghissima, e, preso il pesce che guizza, lo getta lontano, così essi guizzavano in aria contro le rocce. E là, davanti al suo antro, Scilla li divorava urlanti, mentre tendevano le braccia verso di me, nella lotta mortale. Fu la cosa più triste ch'io vidi fra tutte quelle che sopportai solcando le vie del mare.

Scampati agli scogli, a Scilla e alla tremenda Cariddi, rapidamente giungemmo all'isola bella del Sole: là vi erano le vacche dalla fronte spaziosa e le greggi numerose e fiorenti di Iperione. Mentre ero ancora sul mare, nella mia nave nera, udivo le mucche muggire nei loro recinti, e belare le pecore; e mi ricordai le parole del cieco profeta, di Tiresia tebano e di Circe di Eea, che spesso mi ripeteva di evitare l'isola del Sole che allieta i mortali. Mi rivolsi allora ai compagni, con l'angoscia nel cuore:

"Compagni di sventura, datemi ascolto, le profezie vi dirò di Tiresia e di Circe di Eea: spesso lei mi diceva di evitare l'isola del Sole che allieta i mortali; diceva che qui ci sarebbe toccata una tremenda sciagura. Spingete dunque la nave nera oltre quest'isola".

Dissi così, e ad essi si spezzò il cuore nel petto. E subito mi rispose Euriloco con odiose parole:

"Terribile sei, Odisseo, grande è la tua forza, le tue membra non cedono. Sei fatto, certo, di ferro, e ai compagni stremati dalla fatica e dal sonno non permetti di scendere a terra, di prepararsi un buon cibo su quest'isola cinta dal mare: ci imponi invece di allontanarci dall'isola e andare errando sul mare oscuro, nella notte profonda: di notte si levano i venti funesti che le navi distruggono. Come potremo sfuggire all'abisso di morte, se all'improvviso si alza una tempesta di vento, di Noto o del violento Zefiro, che, contro il volere degli dei sovrani, possono mandare in pezzi una nave? Cediamo, invece, alla notte nera, e accanto alla nave veloce prepariamo la cena. All'alba ci imbarcheremo e spingeremo la nave sul mare infinito".

Così disse Euriloco, approvavano gli altri compagni. Capii allora che un dio preparava sventure e, a loro rivolto, dissi queste parole:

"Euriloco, mi costringete a forza, poiché sono solo. Ma allora giuratemi tutti solennemente: se incontriamo una mandria di vacche o un gregge di pecore, nessuno, preso da funesta follia, uccida una mucca o una pecora: mangiate soltanto il cibo che vi diede Circe divina".

Dissi così e subito essi giurarono come volevo. Dopo che ebbero compiuto il giuramento, ormeggiammo la solida nave in un porto profondo, vicino a una fonte di acqua dolce, scesero dalla nave i miei uomini e prepararono il pasto con cura. Ma quando furono sazi di cibo e bevande, piangevano ricordando gli amati compagni divorati da Scilla che li ghermì dalla concava nave. Un sonno profondo li colse, piangenti.

La notte era all'ultimo terzo, già tramontavano gli astri, quando Zeus suscitò un vento impetuoso, una tremenda tempesta, ricoprì di nuvole il mare e la terra. Un buio fitto scese dal cielo. E quando all'alba apparve l'Aurora lucente, mettemmo la nave all'ancora dentro una grotta profonda, dove le Ninfe danzavano e avevano i loro troni. Tenni allora consiglio e, in mezzo a tutti, parlai:

"Sulla nave, amici, abbiamo cibo e bevande, dalle mandrie teniamoci dunque lontani, che non ci accada qualcosa. Queste vacche e le greggi fiorenti sono di un dio potente, del Sole che tutto vede e tutto sente dall'alto".

Dissi così, e persuasi il loro animo fiero.

Per tutto il mese soffiava Noto, incessante, e altri venti non si levarono, se non Euro e Noto. Fino a che ebbero cibo e rosso vino, i compagni alle vacche non si accostarono, desiderosi di vivere. E quando i viveri furono tutti esauriti, andavano in giro a cacciare, spinti da necessità, e pesci e uccelli e quel che gli capitava prendevano, coi loro ami ricurvi: mordeva il ventre la fame.

Mi addentrai, allora, nell'isola, per invocare gli dei, se mai mi indicassero il modo di andarmene. E quando, penetrato nell'isola, fui lontano dai miei compagni, in un luogo al riparo dai venti purificai le mani e tutti gli dei supplicavo, che regnano nell'Olimpo: sulle palpebre mi versarono essi un sonno profondo.

Intanto Euriloco dava agli altri un cattivo consiglio: "Compagni di sventura, ascoltate le mie parole. Odiano, gli uomini, ogni tipo di morte, ma morire di fame è la cosa più atroce. Su, dunque, catturiamo le vacche più belle del Sole e offriamole in sacrificio agli dei che il vasto cielo possiedono. Se mai giungeremo a Itaca, nella terra dei padri, subito eleveremo al Sole un tempio sontuoso e dentro vi collocheremo in gran numero doni votivi, stupendi. Ma se, irato per le sue vacche dalle corna diritte, il dio vorrà annientare la nave e gli altri dei lo approveranno, preferisco allora morire all'istante, con la bocca piena di acqua, piuttosto che languire per tanto tempo su quest'isola abbandonata".

Così parlò Euriloco, lo approvarono gli altri compagni. E subito catturarono le vacche più belle del Sole – non lontane dalla nave azzurra, anzi vicine, pascolavano le belle vacche dall'ampia fronte e dalle corna lunate –, le circondarono dunque e invocarono i numi, dopo aver colto le foglie più tenere da una quercia dalle alte fronde, poiché non avevano il bianco orzo sulla nave dai solidi scalmi. E dopo aver pregato, le uccisero e le scuoiarono, tagliarono a pezzi le cosce, nel grasso le avvolsero tutte, le parti scelte vi posero sopra. Non avevano vino da versare sul fuoco, libarono quindi con acqua, ed arrostirono i visceri. E dopo che ebbero bruciato le cosce e mangiato i visceri, tagliarono il resto in piccoli pezzi e li infilarono sugli spiedi.

Fu allora che il sonno profondo abbandonò le mie palpebre. Mi avviai verso la riva del mare, alla nave veloce, ma quando già ero vicino all'agile nave mi giunse un soave odore di grasso. Rivolto agli dei immortali gemevo e gridavo:

"O padre Zeus e voi numi beati che vivete in eterno, per mia disgrazia mi avete immerso in un sonno crudele, e intanto i miei compagni hanno commesso un grave misfatto".

Rapida andò messaggera a Iperione Lampezia dal lungo peplo, a dirgli che noi gli uccidemmo le vacche. E subito, irato nel cuore, il Sole disse agli dei:

"O padre Zeus e voi numi beati che vivete in eterno, punite i compagni del figlio di Laerte, Odisseo: con tracotanza mi hanno ucciso le vacche alla cui vista godevo salendo verso il cielo stellato o quando dal cielo scendevo di nuovo verso la terra. Se non pagheranno la giusta pena, io scenderò nell'Ade e splenderò per i morti".

A lui rispose Zeus, signore dei nembi:

"Sole, continua a risplendere per gli dei immortali e per gli uomini, sulla terra feconda, e io, con la mia vivida folgore, gli colpirò la nave veloce, la farò in tanti pezzi sul mare colore del vino".

Tutto questo l'ho udito narrare da Calipso, la ninfa dai bei capelli. Lei diceva di averlo sentito da Hermes, il Messaggero.

Quando giunsi alla nave ed al mare, rimproveravo i compagni, ora l'uno ora l'altro, ma ormai non c'era rimedio, le vacche erano morte. Prodigi ci manifestavano invece gli dei: le pelli che si muovevano, le carni, crude o già cotte, che sugli spiedi muggivano, come le vacche. Per sei giorni i fedeli compagni mangiarono, dopo aver catturato le vacche più belle del Sole. Ma quando il figlio di Crono aggiunse il settimo giorno, cessò allora la furia impetuosa del vento e subito noi ci imbarcammo; issato l'albero e spiegate le vele bianche, spingemmo la nave nel mare infinito.

Lasciata l'isola, quando non si vedeva più terra, ma cielo e mare soltanto, allora il figlio di Crono stese una nuvola scura sopra la concava nave, si oscurò anche il mare, di sotto. Correva, la nave, ma non durò a lungo: sopraggiunse all'improvviso Zefiro fischiando furioso, con una grande tempesta. Entrambe le funi dell'albero strappò l'uragano, l'albero cadde all'indietro, nella sentina si rovesciarono tutti gli attrezzi. L'albero a poppa colpì alla testa il pilota fracassandogli, dentro, le ossa, e simile a un tuffatore egli cadde dal ponte, abbandonò le membra il suo animo fiero. Zeus tuonò, e scagliò la sua folgore; colpita, girò su se stessa la nave, esalando odore di zolfo. Precipitarono in acqua i compagni: e intorno alla nave nera come corvi erano trascinati dai flutti, il dio li privò del ritorno.

Sulla nave io mi aggiravo finché un'ondata strappò le fiancate alla chiglia: nuda essa correva sul mare. Gettò anche l'albero contro la chiglia: su di esso vi era una fune fatta di pelle di bue, con questa legai insieme albero e chiglia e mi sedetti là sopra; mi trascinavano i venti funesti.

Quando cessò la tempesta di Zefiro, sopraggiunse Noto a procurarmi tormenti, a farmi passare ancora attraverso la funesta Cariddi. Per tutta la notte vagai, e al sorgere del sole giunsi allo scoglio di Scilla e alla tremenda Cariddi. Essa stava ingoiando l'acqua salata del mare: io mi slanciai in alto verso l'altissimo fico e ad esso mi tenevo attaccato, simile a un pipistrello. Non riuscivo a puntare i piedi, non potevo salire: distavano le radici, alti erano i rami, i lunghi rami robu-

sti che facevano ombra a Cariddi. Mi tenni saldo, finché rigettò di nuovo albero e chiglia: li attendevo, e mi
giunsero, infine; nell'ora in cui un uomo che giudica le
molte contese di chi cerca giustizia, lascia la piazza per
andare a cena, a quell'ora dalle fauci di Cariddi com-
parvero i legni della mia nave. Lasciai andare i piedi e
le mani e in acqua piombai accanto ai lunghissimi legni; e su di essi seduto, remavo con le mie braccia.
Non permise il padre degli dei e degli uomini che mi
vedesse Scilla: non avrei potuto sfuggire all'abisso di
morte. Per nove giorni vagai, la decima notte gli dei mi
gettarono sull'isola Ogigia, dove vive Calipso dai bei
capelli, la dea che parla con voce umana. Lei mi accolse ed ebbe cura di me.

Ma perché sto a raccontare? Già l'ho narrato ieri, in
questa sala, a te e alla tua nobile sposa: non amo ripetere ancora cose già dette».

ITACA

Così narrava. E tutti rimasero muti, in silenzio, come presi d'incanto, nella sala piena di ombre. Replicò infine Alcinoo e disse:

«Odisseo, poiché alla mia alta dimora sei giunto, e alla mia soglia di bronzo, ecco, io credo che non andrai più errando, ma tornerai a casa, anche se hai molto sofferto. E a ognuno di voi che nella mia sala sempre bevete il vino lucente, il vino dei principi, ed ascoltate il cantore, questo io dico: in un lucido scrigno sono le vesti dell'ospite, e l'oro prezioso e tutti gli altri doni che i consiglieri feaci portarono qui. Ma un grande tripode ed un lebete gli doni ancora ciascuno di noi; altri ne raccoglieremo tra il popolo, per ricompensa: non è facile infatti donare senza nulla ricevere in cambio».

Così disse Alcinoo, piacquero le sue parole. Nelle loro case andarono tutti a dormire, e quando all'alba si levò l'Aurora lucente, si affrettarono verso la nave portando i vasi di solido bronzo. Sulla nave li collocava il re Alcinoo, lui stesso li disponeva sotto i banchi con ordine, perché non disturbassero gli uomini quando, spingendo la nave, remavano con tutte le forze. Poi ritornarono tutti alla reggia di Alcinoo e pensarono al cibo. In loro onore il re offrì un bue in sacrificio a Zeus figlio di Crono, il signore dei nembi che regna sovrano. Dopo aver bruciato le cosce della vittima, consumarono, lieti, un sontuoso banchetto: e in mezzo a loro cantava l'aedo divino, Demodoco, che il popolo onora.

Ma Odisseo continuamente volgeva il capo verso il sole splendente, sperando che tramontasse: voleva partire. Come quando un uomo desidera la sua cena – dopo che tutto il giorno due buoi dal manto rossastro gli hanno trainato il solido aratro nel campo – ed è lieto che il sole tramonti, per andare a mangiare e, mentre va, le gambe gli tremano. Così con gioia Odisseo vide calare la luce del sole. Subito allora parlò ai Feaci che amano il remo, e, rivolto soprattutto ad Alcinoo, disse queste parole:

«O Alcinoo potente, fra le tue genti famoso, dopo aver libato, lasciatemi andare: che io abbia fortuna, e siate felici anche voi. È tutto pronto quel che voleva il mio cuore, la scorta, i doni carissimi (me li rendano fausti gli dei del cielo). Al mio ritorno, possa io ritrovare a casa la nobile sposa con tutti i miei cari. E voi che qui rimanete, possiate fare la gioia delle vostre spose, dei figli, che ogni sorta di beni gli dei vi concedano, e nessun male capiti al popolo».

Così parlò, e tutti approvarono ed esortavano a far partire l'ospite, che in modo giusto aveva parlato. Allora il re Alcinoo disse all'araldo:

«Pontonoo, nella coppa grande mescola l'acqua col vino e, nella sala, versalo a tutti affinché, dopo aver invocato il padre Zeus, lasciamo che l'ospite torni alla terra dei padri».

Disse così, e Pontonoo mescolava con l'acqua il vino dolcissimo, e a tutti uno dopo l'altro, lo distribuiva: seduti sui seggi, essi libarono agli dei beati che il vasto cielo possiedono. Si levò invece il divino Odisseo, nelle mani di Arete pose la coppa a due anse e le rivolse queste parole:

«Sii felice, regina, per tutta la vita, fino a che giungano la vecchiaia e la morte, che sono comuni agli uomini. Io parto: ma tu, in questa casa, goditi i figli, il tuo popolo, il re».

Così disse, e oltre la soglia passò il divino Odisseo, e insieme a lui il re Alcinoo mandava l'araldo che lo guidasse alla nave veloce, alla riva del mare. Con lui Arete mandava inoltre alcune schiave, una portava un mantello nuovo e una tunica, l'altra lo scrigno pesante, un'altra ancora del rosso vino e del cibo. E quando alla nave furono giunti ed al mare, subito i marinai gloriosi sulla concava nave accolsero e collocarono tutto, anche cibo e bevande. Poi, per Odisseo, stesero a poppa coperte e un telo di lino, perché dormisse un sonno profondo, sul ponte. Salì sulla nave Odisseo e si distese, in silenzio. Essi sedettero ai banchi, tutti, con ordine, e la gomena sciolsero dalla pietra forata: e poi, piegati in avanti, sollevavano l'acqua del mare coi remi.

Ma un dolce sonno cadde a Odisseo sulle palpebre, dolce e profondo, che somigliava molto alla morte. Come quando in pianura quattro cavalli aggiogati ad un carro, ai colpi di frusta balzano tutti insieme, impennandosi, e divorano rapidamente il cammino, così si alzava la poppa mentre dietro infuriava schiumante l'onda del mare sonoro. Correva la nave, sicura, più veloce di uno sparviero, di un falco, che degli uccelli è il più veloce, rapida correva e solcava le onde del mare portando un uomo che aveva la mente pari a quella dei numi, un uomo che molto aveva sofferto nell'animo, sul mare tremendo e nelle guerre degli uomini. Ma ora dormiva tranquillo, scordando tutte le pene.

Quando si levò la stella più fulgida, che salendo annuncia la luce dell'alba, all'isola si avvicinava la nave che corre sul mare. Vi è un porto, a Itaca, che è sacro a Forco, il vecchio marino. Due promontori si spingono avanti, scoscesi, che verso il porto degradano e lontane tengono le grandi onde sollevate dai venti impetuosi; dentro stanno le navi ben costruite, senza bisogno di ormeggio, quando hanno raggiunto il punto di attracco. All'entrata del porto si erge un olivo dalle foglie sottili e, lì vicino, vi è una grotta bellissima, avvolta di nebbia, sacra alle Ninfe Naiadi. Vasi vi sono, all'interno, ed anfore di pietra, dove le api depongono il miele; e grandi telai di pietra, vi sono, dove le Ninfe tessono mantelli colore di porpora, meravigliosi. Vi sono fonti di acqua perenne e la grotta ha due entrate, una per i mortali verso occidente, l'altra ad oriente, per gli immortali: da questa non passano gli uomini, è la via riservata agli dei.

Qui essi entrarono, già conoscevano il posto, e di slancio la nave si spinse, per metà, sulla battigia, trasportata dall'impeto dei rematori. Dalla nave ben costruita scesero a terra, trasportando, fuori dalla concava nave, Odisseo avvolto nel telo di lino e nella coperta splendente; sulla spiaggia lo deposero, ancora immerso nel sonno; portarono fuori poi tutti i beni che i Feaci gloriosi gli offrirono alla partenza, ispirati da Atena; e ai piedi di un olivo li collocarono, tutti insieme, fuori dalla via battuta, perché qualche viandante non li rubasse prima che si fosse svegliato Odisseo. Poi ritornarono indietro.

Ma Poseidone non scordò le minacce che aveva prima scagliato contro il divino Odisseo. E così sondava la mente di Zeus:

«O padre Zeus, fra gli dei immortali io non avrò più onore, poiché neppure gli uomini hanno rispetto di me, come questi Feaci che pure dalla mia stirpe discendono. Avevo detto che Odisseo sarebbe giunto in patria dopo aver molto sofferto; non gli negavo certo il ritorno che tu gli avevi già promesso e giurato. Ma costoro, trasportandolo addormentato sulla nave veloce, a Itaca lo hanno deposto, gli hanno offerto doni infiniti, e bronzo e oro in quantità, una ricchezza che mai da Troia avrebbe portato Odisseo se fosse tornato illeso, con la sua parte di preda».

A lui rispose Zeus, signore dei nembi:

«O Poseidone potente, che cosa hai mai detto. Non ti negano onore, gli dei: sarebbe difficile coprire di infamia il dio più anziano e più illustre. Ma se qualcuno fra gli uomini, pur inferiore per forza e potere, non ti rispetta, tua è la vendetta sempre, anche in futuro. Dunque fa come vuoi, come piace al tuo cuore».

Gli disse allora Poseidone che scuote la terra:

«Dio delle nuvole oscure, avrei già fatto così come dici. Ma la tua collera sempre temo e rifuggo. Ora io voglio distruggere la nave dei Feaci, la splendida nave che sull'oscuro mare ritorna dopo averlo portato: perché si fermino e la finiscano di fare scorta ai mortali. Coprirò poi la città con una grande montagna».

Gli rispose Zeus, signore dei nembi:

«Sì, a me sembra che questa sia la cosa migliore.

Quando, dalla città, vedranno la nave che si avvicina, trasformala allora in pietra vicino a riva: una roccia simile a nave veloce, perché stupiscano tutti; e dopo, copri la città con una grande montagna».

Come ebbe udito questo, il dio che scuote la terra mosse alla volta di Scheria, dove stanno i Feaci. E qui restava in attesa, fino a che giunse vicina la nave spinta dai rematori; le fu subito accanto, Poseidone, e la fece di pietra inchiodandola, con la sua mano, sul fondo del mare. Poi se ne andava lontano. Ma i Feaci dai lunghi remi, navigatori famosi, queste parole scambiavano fra di loro, e l'uno all'altro diceva:

«Ahimè, chi mai ha fermato sul mare la nave veloce che i remi spingevano in patria? La vedevamo già tutta».

Così diceva qualcuno: e non sapevano quel che era accaduto. Ma a loro si rivolse Alcinoo e disse:

«È l'antica profezia che si compie. Diceva mio padre che Poseidone era adirato con noi perché a tutti impunemente procuriamo una scorta. Diceva che, un giorno, egli avrebbe distrutto una nave delle genti feacie, bellissima, mentre tornava da un viaggio di scorta sul mare nebbioso, e poi avrebbe coperto la nostra città con un gran monte. Così il vecchio diceva: e tutto, ora, si compie. Ma fate come vi dico: cessate di offrire una scorta a chiunque giunga nella nostra città. E a Poseidone offriamo in sacrificio dodici tori scelti, perché abbia pietà e non copra la città nostra con un'enorme montagna».

Così diceva ed essi, atterriti, prepararono i tori. Poi, tutti intorno all'altare, i consiglieri e i principi delle genti feacie invocavano il dio Poseidone.

Si svegliò intanto il divino Odisseo, che sulla terra

dei suoi padri dormiva: ma non la conobbe, da troppo tempo era lontano. Intorno a lui nebbia diffuse Pallade Atena, la dea figlia di Zeus, per farlo irriconoscibile e rivelargli ogni cosa, perché la sposa e i cittadini non lo riconoscessero prima che avesse fatto scontare ai Proci tutta la loro insolenza. Perciò tutto gli appariva straniero, i lunghi sentieri, i porti, gli approdi, le ripide rocce, gli alberi in fiore. Balzò in piedi, e immobile guardava la patria, poi con un gemito batté sulle cosce le mani e piangendo diceva:

«Ahimè, su quale terra mi trovo, tra quali uomini? Violenti, selvaggi, senza giustizia, oppure ospitali e timorati di dio? Tutti questi tesori, dove li porto? E dove vado, io stesso? Era meglio restassero presso i Feaci. Sarei andato da un altro re potentissimo, che mi ospitasse e mi desse una scorta. Ora non so dove metterli e qui non posso lasciarli, che non finiscano in altre mani. Non furono certo né giusti né saggi i consiglieri e i principi dei Feaci, che in un'altra terra mi hanno portato; dicevano che mi avrebbero condotto a Itaca piena di sole, ma non l'hanno fatto. Li punisca il dio dei supplici, Zeus, che tutti gli uomini vede e castiga chi cade in errore. Ma ora voglio contare i miei tesori e vedere che non siano partiti portandomi via qualcosa sulla concava nave».

Disse così, e contava i bellissimi tripodi e i lebeti e l'oro e le splendide vesti. Ma nulla mancava. La patria, allora, piangeva, trascinandosi in lacrime sulla riva del mare sonoro. E Atena gli venne accanto, somigliando nell'aspetto a un ragazzo, pastore di greggi, ma delicato come lo sono i figli dei re. Portava, sulle spalle, un doppio mantello ben lavorato, ai piedi aveva dei sandali, impugnava un giavellotto. Si rallegrò nel vederla

Odisseo, le andò incontro e le disse queste parole:

«Giovane, poiché sei la prima persona che incontro in questo luogo, io ti saluto, e tu non accostarti a me con animo ostile, salva queste mie cose e salva anche me. Io ti supplico come si supplica un dio, sono ai tuoi piedi. Dimmi la verità, perché io sappia, che terra è questa, quale paese, chi sono gli uomini che vivono qui? Siamo su un'isola assolata o sulla costa di un continente ricco e fecondo, che si protende sul mare?».

A lui rispose la dea dagli occhi lucenti:

«Non sai proprio nulla, straniero, o vieni da molto lontano, se di questa terra mi chiedi. Non è poi così sconosciuta, anzi la conoscono in molti, sia coloro che vivono a oriente, verso l'aurora ed il sole, sia quanti stanno a occidente, verso l'ombra e le nebbie. È terra aspra, non adatta ai cavalli, non troppo stretta, non troppo vasta. Ma molto grano produce, e vino; pioggia e rugiada la bagnano sempre. È buona per capre, per buoi. Vi è una selva fitta di alberi e fonti di acqua perenne. Straniero, il nome di Itaca è giunto fino a Troia, anche se è molto lontana dalla terra d'Acaia».

Disse, gioì il tenace, glorioso Odisseo, lieto di essere in patria, così come gli aveva detto Pallade Atena, la figlia di Zeus. E a lei si rivolse con queste parole (ma non disse la verità, si trattenne, meditando sempre in cuor suo accorti pensieri):

«Ho udito parlare di Itaca a Creta, in quell'isola grande, lontano, di là dal mare; ora, con queste ricchezze, vi sono giunto io stesso; ne ho lasciate altrettante ai miei figli e sono in fuga perché ho ucciso il figlio di Idomeneo, ho ucciso Orsiloco dal piede veloce che nella corsa vinceva uomini esperti, nell'isola grande di Creta. Di tutto il bottino egli voleva privarmi –

quello per cui a Troia soffersi pene nel cuore, nelle
battaglie e poi sul mare tremendo, – perché in terra
troiana non obbedivo, non servivo suo padre, ma co-
mandavo ad altri compagni. Con la lancia di bronzo io
lo colpii mentre tornava dai campi, insieme a un complice gli tesi un agguato lungo la via. Copriva il cielo
una notte cupa e nessuno ci vide, non si seppe che gli
avevo tolto la vita. Ma dopo che l'ebbi ucciso con l'arma di bronzo acuto, raggiunsi subito una nave fenicia
e supplicai i marinai gloriosi, dando loro un ingente
compenso: chiesi che mi prendessero a bordo e mi
portassero a Pilo, oppure dove gli Epei comandano,
nell'Elide bella. Fu la violenza del vento a respingerli
di là, loro malgrado, non volevano certo ingannarmi.
Deviati dunque, qui giungemmo di notte, a forza di
remi spingemmo la nave nel porto, e certo non pensavamo al cibo, anche se ne avevamo bisogno, ma, dalla
nave sbarcati, ci stendemmo tutti sul lido. Ero sfinito e
un sonno profondo mi colse, ed essi allora dalla concava nave tolsero tutti i miei beni e li deposero là sulla
sabbia, dove giacevo io stesso. Poi si imbarcarono e si
diressero verso la popolosa città di Sidone. Qui io sono rimasto, col cuore pieno di angoscia».

Così parlò, sorrise la dea dagli occhi lucenti e lo accarezzò con la mano. Ora aveva l'aspetto di una donna
bellissima, di alta statura, capace di opere splendide.
E gli parlò e gli disse:

«Scaltro sarebbe davvero chi ti superasse nelle tue
astuzie, anche se fosse un dio. O uomo tenace, ingegnoso, mai sazio di inganni, neppure adesso che sei
nella tua terra vuoi rinunciare alle bugie, alle invenzioni che ti sono care. Ma ora finiamola, entrambi sappiamo essere astuti, tu fra tutti gli uomini sei il migliore

per la parola e i pensieri, e io fra tutti gli dei sono famosa per intelligenza e saggezza. Non hai dunque riconosciuto Atena, figlia di Zeus, io che in ogni impresa ti sono sempre accanto e ti proteggo, io che ti resi caro a tutti i Feaci? Ora sono venuta qui, per tessere piani insieme con te: nasconderò le ricchezze che i Feaci gloriosi, per mio consiglio e pensiero, ti diedero quando partisti; e ti dirò le pene che ti è destino patire nella tua casa ben costruita: dovrai sopportarle per forza e a nessun uomo, a nessuna donna rivelerai che dopo molto errare sei giunto; in silenzio dovrai soffrire i molti dolori, subendo la violenza degli uomini».

A lei rispose l'accorto Odisseo:

«O dea, non è facile per un uomo mortale riconoscerti quando ti incontra, anche se è molto accorto: tanti sono gli aspetti che assumi. Ma questo io so bene, che mi eri amica un tempo, quando a Troia combattemmo noi, figli dei Danai. Ma dopo che distruggemmo l'alta città di Priamo e sulle navi salimmo e un dio disperse gli Achei, io non ti vidi più, figlia di Zeus, sulla mia nave tu non salisti per difendermi dalla sciagura. Con il cuore pieno di angoscia sono andato vagando, fino a che gli dei mi hanno liberato dai mali: e fu quando, nella terra feconda delle genti feacie, con le tue parole mi hai fatto coraggio e mi hai condotto tu stessa in città. E ora, in nome di tuo padre, ti supplico: non credo di essere giunto a Itaca piena di sole; in qualche altra terra mi aggiro e penso che tu mi dica questo per gioco, per ingannare il mio cuore. Dimmi se davvero io sono nella mia patria amatissima».

A lui rispose la dea dagli occhi lucenti:

«Hai sempre questo pensiero nel cuore. E nell'angoscia io non posso lasciarti perché sei saggio, accorto e gentile. Un altro uomo, tornando dal lungo errare, sarebbe corso con gioia alla sua casa per vedere i figli, la sposa. Ma tu non vuoi domandare, non vuoi sapere, se prima non metti alla prova la donna che, nella tua casa, tristemente consuma i giorni e le notti, piangendo. Io non ho mai dubitato, io sapevo nel cuore che saresti tornato, dopo aver perduto tutti i compagni. Ma non volli lottare con Poseidone, il fratello di mio padre, che l'ira covava nel cuore contro di te perché gli accecasti suo figlio. Ora ti mostrerò la terra di Itaca, perché tu mi creda. Ecco il porto di Forco, il vecchio del mare, e all'entrata del porto l'olivo dalle foglie sottili; accanto c'è la grotta avvolta di nebbia e sacra alle Ninfe che chiamano Naiadi: eccolo, l'antro vasto e profondo dove spesso offrivi alle Ninfe ecatombi perfette. Ed ecco il monte Nerito, coperto di boschi».

Parlando, la dea disperdeva la nebbia: Itaca apparve. Si rallegrò il paziente, divino Odisseo, lieto di essere in patria e baciò la terra feconda. E subito, levando le mani, pregava le Ninfe:

«Ninfe Naiadi, figlie di Zeus, non credevo di rivedervi; ora accogliete le mie preghiere, ma vi offrirò anche doni come una volta, se la figlia di Zeus, dea della guerra, mi è propizia e concede che io viva e che cresca mio figlio».

Gli rispose la dea dagli occhi lucenti:

«Fatti coraggio, e di questo non darti pena nel cuore. Subito invece mettiamo i tuoi tesori in fondo all'antro divino, che ti si conservino intatti. Pensiamo a come agire nel modo migliore».

Così disse la dea, ed entrò nella grotta oscura, cercava i segreti recessi; e intanto Odisseo trasportava tutto, l'oro e il bronzo indistruttibile e le bellissime vesti che gli donarono i Feaci. Tutto depose con cura, e sull'entrata un masso di pietra mise Pallade Atena, la figlia di Zeus.

E poi, seduti ai piedi dell'olivo sacro, per i Pretendenti superbi meditavano morte. Parlò per prima la dea dagli occhi lucenti:

«Divino figlio di Laerte, Odisseo dal grande ingegno, pensa dunque a come potrai affrontare i Proci insolenti che da tre anni fanno i padroni in casa tua e insidiano la tua sposa divina offrendole doni. Ma lei, nel suo cuore, sospira il tuo ritorno, e piange: concede speranze a tutti, fa promesse a ciascuno, manda messaggi, ma ad altro pensa, nel cuore».

A lei rispose l'accorto Odisseo:

«Dovevo dunque morire di mala morte nella mia casa, come Agamennone figlio di Atreo, se tu, dea, non mi avessi detto ogni cosa. Ma ora medita un piano, perché io possa punirli: e stammi vicina, infondimi forza e furore come quando sciogliemmo i veli splendenti di Troia. Se con quella passione tu mi fossi accanto, dea dagli occhi lucenti, anche trecento uomini affronterei insieme a te, divina, se tu mi dessi il tuo aiuto».

A lui disse la dea dagli occhi lucenti:

«Sarò accanto a te, non ti perderò d'occhio, quando il momento verrà: e ti dico che sangue e cervello di quei Pretendenti che ti divorano i beni macchieranno la terra infinita. Ma ora io ti farò, per tutti, irriconoscibile: la morbida pelle avvizzita sull'agile corpo, via dal tuo capo i biondi capelli, e come abito cenci che facciano orrore a chi te li vede addosso; offuscherò i tuoi bellissimi occhi perché tu ispiri ribrezzo alla sposa e al figlio che lasciasti nella tua casa. Per prima cosa vai dal guardiano che ti custodisce i porci e ti serba un cuore fedele, che ama tuo figlio e la tua saggia Penelope. Lo troverai tra le scrofe che pascolano presso la Roccia del Corvo e la fonte Aretusa: mangiano mucchi di ghiande, bevono acqua scura e così nutrono il loro florido grasso. Rimani lì e domandagli tutto, mentre io vado a Sparta, città di donne bellissime, a chiamare Telemaco, tuo figlio, Odisseo, che è andato da Menelao, a Lacedemone dalle ampie strade, per cercare notizie di te, se sei ancora in vita».

A lei rispose l'accorto Odisseo:

«Perché non glielo hai detto, tu che nella tua mente sai tutto? Forse perché anche lui vada errando e soffrendo sul mare profondo, mentre altri divorano le sue ricchezze?».

La dea dagli occhi azzurri allora gli disse:

«Non stare in pena per lui, nel tuo cuore. L'ho accompagnato io stessa perché acquisti fama laggiù. Non soffre alcun dolore ma se ne sta tranquillo in casa del figlio di Atreo, in mezzo a infinite ricchezze. È vero che i Pretendenti gli hanno teso un agguato, su di una nave nera, con l'intenzione di ucciderlo prima che in patria ritorni. Ma questo non avverrà: prima la terra ricoprirà qualcuno di questi uomini che ti divorano i beni».

Disse così, e con la bacchetta lo toccò, Pallade Atena. Su tutte le membra dell'agile corpo gli fece avvizzire la morbida pelle: sembrava quella di un vecchio; i capelli biondi gli tolse dal capo; offuscò gli occhi che prima brillavano; addosso gli gettò dei miseri cenci e una tunica, laceri, sudici, anneriti dal fumo; sopra lo rivestì con la logora pelle di una cerva veloce; gli diede un bastone e una bisaccia misera, piena di strappi: per tracolla aveva una corda.

Dopo aver deciso così, si separarono. E la dea si recò alla divina città di Lacedemone, a cercare il figlio di Odisseo.

XIV.

EUMEO

E invece Odisseo dal porto si avviò per l'aspro sentiero, tra i boschi, attraverso le alture, nel luogo indicato da Atena, dov'era il valente guardiano di porci che dei suoi beni aveva cura più di ogni altro dei servi di casa. Lo trovò seduto davanti all'entrata del recinto che si elevava altissimo, circolare di forma, grande e bello, in luogo appartato: lo costruì lui stesso, per i porci del suo padrone lontano, senza ricevere ordine dalla regina o dal vecchio Laerte; era fatto di pietre ammassate e tutto cinto di spini. Al di fuori aveva piantato dei pali, in fila fitta e serrata, spaccando neri tronchi di quercia. Dentro al recinto costruì per le scrofe dodici stalle, una vicino all'altra: cinquanta scrofe sdraiate a terra – le femmine madri – ne conteneva ciascuna; fuori dormivano i maschi, molto inferiori di numero: se li mangiavano i Pretendenti superbi e di continuo il guardiano mandava loro il più grasso di tutti i maiali, che erano trecentosessanta. Con essi stavano sempre quattro cani simili a belve, che allevò il porcaro, signore di uomini. Lui si fabbricava dei sandali, tagliando una solida pelle di bue; se n'erano andati gli altri guardiani, chi da una parte chi dall'altra, dietro ai maiali; erano in tre, il quarto l'aveva mandato in città a portare, suo malgrado, una bestia ai Pretendenti superbi, perché la sacrificassero e si saziassero della sua carne.

Videro Odisseo i cani abituati a latrare, e abbaiando gli corsero incontro. Su se stesso Odisseo si raccolse, prudente, il bastone gli cadde di mano. E là, vicino al recinto, uno strazio indegno avrebbe sofferto, ma velocemente il guardiano fu dietro ai cani e balzò sulla soglia, lasciando cadere il pezzo di cuoio. Li disperse da una parte e dall'altra minacciandoli, a colpi di pietra. Poi disse al suo signore:

«O vecchio, per poco non ti sbranavano i cani e tu mi avresti coperto di insulti. Altri dolori ancora, altre pene mi hanno inflitto gli dei: me ne sto qui a soffrire e a piangere il mio divino padrone, mentre per gente estranea nutro grassi maiali perché se li mangino: e lui forse ha bisogno di cibo e se ne va errando in città e paesi stranieri, se pure è ancora vivo e vede la luce del sole. Ma ora seguimi, vecchio, entriamo nella capanna perché ti sazi di cibo e bevanda e possa dirmi poi da dove vieni e quali pene hai sofferto».

Disse così, il divino guardiano, e nella capanna lo precedeva, lo fece entrare e sedere, ammucchiò delle frasche e sopra vi stese il suo stesso giaciglio, il vello ampio e folto di una capra selvatica. Fu lieto Odisseo che lo accogliesse così, e gli rivolse la parola dicendo:

«Zeus e gli altri immortali ti concedano, ospite, quello che più desideri, perché mi hai accolto con amicizia».

E tu così gli rispondesti Eumeo, guardiano di porci: «Non è mio costume, straniero, trattare male un ospite, anche se fosse più malridotto di te. Stranieri e mendicanti, è Zeus che li manda, il dono che possiamo offrire è piccolo ma sincero. Questa è la sorte dei servi, tremano sempre quando comandano i giovani. Gli dei hanno impedito il ritorno a colui che mi voleva bene di cuore e mi avrebbe fatto dei doni, una casa, un pezzo di terra, una donna di grande bellezza, i doni che un generoso padrone può fare al servo che molto fatica per lui, e nella fatica un dio lo assiste così come assiste me in questo lavoro tenace. Molto mi avrebbe aiutato il padrone, se qui fosse invecchiato. Invece è morto. Così fosse morta, estinta per sempre, la stirpe di Elena, che a tanti eroi ha tolto la vita: per l'onore del figlio di Atreo anche lui se ne andò a Ilio dai bei cavalli, a combattere contro i Troiani».

Disse così, e rapido rimboccò la tunica alla cintura, si avviò alle stalle dov'erano chiusi i porcelli, due ne prese e li portò in casa e li uccise, poi li abbrustolì e li fece a pezzi, infilò i pezzi sugli spiedi e quando furono cotti li mise davanti a Odisseo, ancora caldi coi loro spiedi, sopra vi sparse bianca farina. In una coppa di legno mescolò vino dolcissimo, poi si sedette davanti a lui e lo incoraggiava dicendo:

«Mangia ora, straniero, quello che mangiano i servi, i porci piccoli: quelli grandi e grossi se li divorano i Proci, senza provare nel cuore rimorso o vergogna. Eppure non amano le azioni indegne gli dei beati, onorano la giustizia e l'onestà degli uomini. Anche i ribelli, i malvagi che giungono in una terra straniera e a cui Zeus concede di fare bottino, dopo aver riempito le navi se ne tornano a casa, ma cade loro in cuore una paura tremenda della vendetta divina. Essi invece lo sanno – hanno udito la voce di un dio – che il re ha incontrato una triste fine, e tuttavia non corteggiano la regina nel modo giusto e non se ne tornano alle loro case, ma tranquillamente gli divorano i beni, con arroganza e senza risparmio. Tutte le notti e i giorni che manda Zeus, sgozzano vittime, e non una o due soltanto. Consumano il vino, attingendone senza misura. Era infinita, la ricchezza del re: nessuno degli altri eroi aveva altrettanto, né sulla terraferma né a Itaca; venti uomini illustri tutti insieme non hanno tanto. Io ti elencherò questi beni: in terraferma, dodici mandrie di buoi, altrettante di capre, che i suoi pastori o degli stranieri gli portano al pascolo. E qui, agli estremi lembi dell'isola, ha undici greggi di capre che dei guardiani valenti gli sorvegliano al pascolo. Ma sempre, ogni giorno, ciascuno di loro porta ai Proci una bestia, il caprone più bello del florido gregge. Queste scrofe gli custodisco io e le proteggo e ai Pretendenti mando un maiale scelto, il più bello».

Così parlava. E Odisseo avidamente mangiava la carne e beveva il vino, in silenzio gustava il cibo, ma per i Pretendenti meditava rovina. Dopo che ebbe mangiato e si fu ristorato col cibo, Eumeo gli riempì la coppa in cui beveva e gliela porse, colma di vino; egli la prese, lieto in cuor suo, e gli rivolse queste parole:

«Chi è dunque l'amico, l'uomo che col suo denaro ti comperò, l'uomo ricco e potente di cui tu parli? Per l'onore del figlio di Atreo è morto, tu dici. Ma dimmi chi è, se mai io lo conosca, un uomo simile. Lo sa Zeus, e gli altri dei immortali, ma forse io l'ho visto e potrei darti notizie: a lungo, infatti, ho viaggiato».

Gli rispose allora il guardiano di porci:

«O vecchio, nessun vagabondo che venisse a portare notizie potrebbe convincere la sua sposa e suo fi-

glio. Perché, bisognosi di aiuto, mentono, i vagabondi, non dicono cose vere. Coloro che giungono a Itaca,
erranti, si recano dalla padrona e le raccontano storie
bugiarde; lei li accoglie e li cura e ogni cosa domanda;
piange, e dagli occhi le scendono lacrime, come usano
fare le donne quando lo sposo muore lontano. Fabbri-
cheresti anche tu frottole, vecchio, per delle vesti, un
mantello, una tunica. Ma a lui ormai i cani e gli uccelli
veloci hanno strappato dalle ossa la carne, lo ha abbandonato la vita; oppure, in mare, i pesci lo hanno
mangiato e le sue ossa giacciono a terra, sotto un mucchio di sabbia. Così egli è morto, procurando dolore
ai suoi cari per il futuro, a me soprattutto: perché non
avrò un altro padrone così buono, dovunque io vada,
neppure se torno di nuovo alla casa del padre e della
madre, là dove nacqui e fui allevato. Ma neppure di
loro ho tanto rimpianto, anche se bramo vederli con i
miei occhi nella terra dei padri: è la nostalgia di Odisseo lontano che mi possiede. Il suo nome, straniero,
ho ritegno a pronunciarlo anche se lui non è qui. Mi
amava molto e si curava di me: ma è il mio signore, anche se è lontano».

A lui disse il tenace, divino Odisseo:

«Tu ti rifiuti di credere, dici che non tornerà: ma
non hai fiducia, nel cuore. Io invece ti dico, anzi ti giu-
ro, che Odisseo tornerà. E mi sia data la ricompensa
quando sarà giunto nella sua casa: mi donerai delle
splendide vesti, un mantello, una tunica; prima non
vorrei nulla, anche se ho molto bisogno. Mi è odioso
come le porte dell'Ade colui che, per bisogno, racconta menzogne. Ma ora mi siano testimoni Zeus, primo
fra i numi, e la mensa ospitale, e il focolare di Odisseo,
a cui sono giunto: tutto questo avverrà, come dico.

Quando una luna cala e l'altra incomincia, in questo tempo Odisseo sarà qui, tornerà a casa e punirà tutti coloro che oltraggiano la sua sposa, il suo splendido figlio».

Gli rispondesti così, Eumeo, guardiano di porci:

«Vecchio, nessun compenso io ti darò, e Odisseo non tornerà più a casa. Ma tu bevi tranquillo, e di altro parliamo, non ricordarmi più queste cose: perché il mio cuore soffre quando qualcuno rammenta il mio amato signore. Il giuramento, lasciamolo stare, e che Odisseo ritorni! come voglio io stesso e Penelope e il vecchio Laerte e Telemaco, simile a un dio. Anche per lui, ora, ho un'angoscia tremenda, per Telemaco, il figlio di Odisseo: gli dei lo fecero crescere come un germoglio, e io pensavo che, fra gli uomini, non sarebbe stato inferiore a suo padre, bello com'era nel volto e nella figura. Ma qualche iddio o qualche uomo gli ha sconvolto la mente assennata: è andato alla sacra città di Pilo, a cercare notizie del padre, e i Pretendenti illustri in agguato lo attendono al suo ritorno, perché la stirpe del divino Archesio sparisca senza gloria da Itaca. Ma anche di lui non parliamo più, si salvi o si perda, su di lui Zeus stenda la mano. Ora tu, vecchio, narrami le tue pene e dimmi sinceramente, perché io lo sappia: chi sei, da dove vieni, dov'è la tua città, i genitori chi sono? Quale nave ti ha portato a Itaca? E i marinai, chi erano? Certo non sei venuto a piedi fin qui».

Rispose a sua volta l'accorto Odisseo:

«Tutto io ti dirò, sinceramente. Ma anche se avessimo una provvista di cibo, e vino dolcissimo, e in questa capanna potessimo mangiare tranquilli mentre altri pensano a lavorare, neppure nello spazio di un anno io finirei di narrarti le mie sventure, tutte quelle che ho dovuto patire per volontà degli dei.

Dall'isola vasta di Creta io vengo, e sono figlio di un ricco signore. Molti altri figli crebbero nella sua casa, nati dalla sua sposa, legittimi. Mia madre era invece una schiava, sua concubina, ma come i figli suoi mi considerava Castore, figlio di Ilaco, da cui io discendo: a Creta, in quel tempo, il popolo lo venerava come un dio per l'opulenta ricchezza e per questi suoi splendidi figli. Ma vennero le dee della morte e lo condussero nella dimora di Ade. Divisero i beni i figli superbi, tirandoli a sorte, ma a me diedero molto poco, mi assegnarono solo una casa. Per il mio valore sposai una donna di ricca famiglia, non ero infatti un uomo da nulla e neppure un vile. Ma ora tutto è finito. Penso che tu lo capisca, anche guardando ciò che rimane: grande miseria è la mia. E pure audacia e forza guerriera mi concessero Ares e Atena. Quando, per un agguato, sceglievo i più valorosi fra gli uomini ed ai nemici preparavo sciagure, non pensavo mai alla morte nel mio animo fiero, ero il primo a balzare con la mia lancia e colpivo chiunque degli avversari fosse meno veloce di me. Così ero, in guerra. Non amavo invece il lavoro, né la casa dove crescono i figli, mi erano cari i remi e le navi, le guerre, le lance lucenti, le frecce: cose funeste che agli altri fanno paura. Ma a me erano care, forse un dio me le pose nel cuore. Ama cose diverse ogni uomo.

Prima che a Troia giungessimo, noi, figli dei Danai, per nove volte contro genti straniere condussi guerrieri e navi veloci e conquistai un grande bottino; scelsi ciò che mi piaceva, molto mi toccò in sorte più tardi. In breve tempo fu ricca la mia dimora e fra i Cretesi divenni onorato e potente. Ma quando Zeus, signore

del tuono, concepì l'odioso viaggio che molti guerrieri
privò della vita, allora a me e a Idomeneo glorioso im-
posero di condurre a Ilio le navi. Rifiutare non era
possibile, lo impediva la voce severa del popolo. Laggiù per nove anni combattemmo, noi, figli dei Danai, e
il decimo, dopo aver distrutto la città di Priamo, sulle
navi salpammo verso la patria. Ma un dio disperse gli
Achei, e per me Zeus meditò tristi sciagure: un mese
solo rimasi a godermi i figli, la sposa, i miei beni. Poi il
cuore mi spinse ad andare in Egitto, con navi ben allestite e valorosi compagni.

Nove navi io preparai, rapidamente si radunarono
gli uomini. Per sei giorni i miei fedeli compagni mangiarono, e io davo loro molte vittime da offrire agli dei
e per preparare il banchetto. Ci imbarcammo il settimo giorno e da Creta vasta salpammo al soffio di Borea, forte e gagliardo, navigando senza fatica, come
portati da una corrente. Nessuna delle mie navi subì
danno alcuno: noi sedevamo al sicuro, le guidavano il
vento e i nocchieri. Dopo quattro giorni giungemmo
all'Egitto dalle belle acque e nel fiume attraccai le mie
agili navi.

Ai fedeli compagni ordinavo allora di rimanere lì e
fare guardia alle navi, e le vedette esortavo perché andassero ad esplorare. Ma essi, seguendo l'impulso, cedendo all'istinto, devastarono le campagne bellissime
del popolo egizio, rapirono donne e bambini, uccisero
gli uomini. Subito la notizia giunse in città. Quando
l'ebbero udita gli Egizi arrivarono, alle prime luci del-
l'alba: la pianura tutta era piena di fanti e cavalli, scintillavano le armi di bronzo. Allora Zeus, signore dei
fulmini, gettò il panico fra i miei compagni, nessuno
osò rimanere e affrontarli. Da ogni parte incombeva

rovina. E molti dei miei furono uccisi con il bronzo acuto, altri vennero presi vivi e costretti a lavorare per loro. A me Zeus mise un pensiero nel cuore. Fossi morto, invece, e avessi compiuto il mio destino là, in Egitto; mi aspettavano infatti altre sventure. Tolsi dal capo l'elmo ben fatto, dalle spalle lo scudo, gettai via la mia lancia; poi corsi davanti al carro del re, gli abbracciai e baciai le ginocchia: egli ebbe pietà e mi salvò, mi fece sedere sul carro e alla sua reggia mi condusse, piangente. In molti cercavano di assalirmi con le lance, volevano uccidermi, il loro furore era grande. Ma il re li teneva lontani temendo l'ira di Zeus protettore degli ospiti, che ha in odio le azioni malvagie.

Per sette anni rimasi là, molte ricchezze raccolsi fra il popolo egizio, tutti mi offrivano doni. Ma quando, compiuto il suo corso, giunse l'ottavo anno, arrivò un Fenicio, un uomo che conosceva gli inganni, un furfante che molte azioni malvagie aveva compiuto; con le sue arti costui mi persuase ad andare con lui in Fenicia, dove aveva la casa e i suoi beni. Presso di lui per un anno intero rimasi. Ma quando furono trascorsi i giorni e i mesi, si compì l'anno, le nuove stagioni tornarono, mi fece salire su di una nave veloce, diretta in Libia, e mi mentiva dicendomi che avrei portato il carico insieme con lui, e invece laggiù mi avrebbe venduto ottenendo un grande guadagno. Io lo capii, ma sulla nave dovetti seguirlo. Ed essa correva al soffio di Borea, forte e impetuoso, al di là di Creta, in alto mare. Ma Zeus, per loro, meditava sciagure.

Lasciata Creta, quando non si vedeva più altra terra, ma cielo e mare soltanto, allora sulla concava nave il figlio di Crono stese una nuvola nera, si oscurò anche il mare di sotto. Zeus tuonò e scagliò sulla nave una folgore: colpita, essa girò su se stessa, esalando odore di zolfo. Precipitarono in acqua i compagni: e intorno alla nave nera come corvi di mare erano trascinati dai flutti, il dio li privò del ritorno. Ma a me, ch'ero pieno di angoscia nel cuore, Zeus pose in mano il solido albero della nave dalla prora azzurrina, perché potessi sfuggire al disastro. Aggrappato ad esso, mi trascinavano i venti funesti. Per nove giorni andai errando, il decimo, nell'oscurità della notte, le grandi ondate rotolando mi spinsero nella terra dei Tesproti. Qui il re dei Tesproti mi accolse e mi ospitò, il glorioso Fidone; mi condusse nella sua casa il figlio, che mi trovò sfinito dal freddo e dalla stanchezza e mi offrì il suo appoggio finché fummo giunti alla reggia del padre. Delle vesti mi diede anche, un mantello, una tunica. Fu là che ebbi notizie di Odisseo. Diceva, il re, di averlo accolto e ospitato mentre tornava in patria e mi mostrò i tesori che aveva raccolto Odisseo, bronzo e oro e solidissimo ferro: da mantenere una stirpe per dieci generazioni, tanti erano i beni che aveva nella casa del re. Disse che Odisseo era andato a Dodona per udire, dalla quercia dall'alta chioma, la voce di Zeus, come potesse fare ritorno nella fertile terra di Itaca – da cui era assente da tanto – se apertamente o in segreto. E, versando le libagioni, mi giurò che la nave era in mare e pronti i marinai per condurlo nella terra dei padri. Ma fece partire me, prima: c'era infatti una nave dei Tesproti che andava a Dulichio ricca di grano. E lui ordinava che mi conducessero dal re Acasto, con ogni riguardo. Ma ad essi nacque nel cuore un disegno malvagio perché giungessi al culmine della sventura. Quando la nave che corre sul mare fu molto lontana da terra, meditarono di farmi schiavo. Mantello e tunica, tutte le vesti mi tolsero, mi gettarono addosso dei miseri cenci e una tunica, logori, quelli che con i tuoi occhi ora vedi. A sera giunsero a Itaca. Qui mi legarono stretto, con funi ritorte, nella nave dai solidi banchi, ed essi, sbarcati, cenarono in fretta sulla riva del mare. Ma facilmente gli dei disciolsero i lacci: intorno al capo avvolsi i miei cenci e lungo il timone liscio discesi fino a toccare il mare col petto, poi nuotavo con entrambe le braccia e presto fui fuori tiro, lontano da loro. Salito a riva, dov'era una folta macchia di alberi, me ne stavo acquattato, ed essi andavano intorno cercandomi con alti lamenti. Ma poi sembrò loro inutile cercare più a lungo e di nuovo salirono sulla concava nave. Gli dei, che mi aiutarono a tenermi nascosto, mi guidarono alla capanna di un uomo saggio: è dunque destino ch'io viva».

E tu gli dicesti allora, Eumeo, guardiano di porci:

«Straniero infelice, molto hai commosso il mio cuore narrandomi tutto questo, quanto hai vagato e quanto hai sofferto. Ma non è giusto – io credo, e non riuscirai a convincermi – quello che hai detto riguardo a Odisseo. Quale vantaggio ricavi a mentire invano, nella tua condizione? Io conosco bene il ritorno del mio signore: a tutti gli dei era in odio, non lo fecero quindi morire in mezzo ai Troiani né fra le braccia dei suoi, dopo la guerra: gli avrebbero elevato un tumulo gli Achei tutti e anche suo figlio ne avrebbe avuto gloria in futuro. Senza gloria ora lo hanno rapito le Arpie.

Io me ne sto lontano, tra i porci. Non scendo in città se non mi invita ad andare la saggia Penelope, quando arriva qualche notizia. Loro stanno seduti e fanno mille domande, sia quelli che soffrono per il padrone lontano, sia quelli che impunemente godono divorando i suoi beni. Ma a me non piace domandare, cercare, da quando un uomo d'Etolia mi ingannò con le sue parole. Aveva ucciso un uomo, costui, e dopo aver errato per molti paesi, giunse alla mia casa ed io lo accolsi da amico. Disse che aveva visto Odisseo a Creta, presso Idomeneo, e che riparava le navi distrutte dalle tempeste; diceva che sarebbe tornato in estate o in autunno, portando molte ricchezze, insieme ai divini compagni. Anche tu, vecchio che hai molto sofferto, poiché un dio ti ha condotto da me, non volermi sedurre con le menzogne, non volermi incantare. Non è per questo che io ti ospito e ti rispetto, ma per timore di Zeus protettore degli ospiti, e perché mi fai pena».

Gli rispose l'accorto Odisseo:

«Hai nel petto un cuore di poca fede se neppure giurando ti ho persuaso, e non ti convinco. Ma via, ora facciamo un patto: e, per entrambi, siano testimoni gli dei che l'Olimpo possiedono. Se in questa casa ritornerà il tuo signore, allora dammi le vesti, un mantello, una tunica, e fammi portare a Dulichio, come il mio cuore desidera. Se il tuo signore non torna, come io dico, ordina allora ai tuoi servi di gettarmi da un'altissima rupe, affinché anche altri mendicanti si guardino dall'ingannare».

A lui disse a sua volta il divino guardiano:

«Ospite, onore e gloria avrei davvero fra gli uomini, ora e in futuro, se dopo averti condotto e ospitato a casa mia, poi ti uccidessi, ti togliessi la vita. Di mia volontà farei offesa a Zeus, figlio di Crono. Ma adesso è ora di cena. Vorrei che al più presto fossero qui i miei compagni per consumare, nella capanna, una cena gradita».

Così essi tra di loro parlavano.

Giunsero intanto i guardiani con le scrofe; le misero nelle stalle, a dormire, e dalle bestie rinchiuse si levarono alti grugniti. E il divino Eumeo ordinava ai compagni:

«Portate il più grasso dei maiali, che io lo uccida per l'ospite che viene da lontano. Ne godremo anche noi che da tempo ci affanniamo per questi porci dalle candide zanne: e altri intanto si divorano impunemente la nostra fatica».

Così disse, e poi con l'ascia di bronzo spaccò la legna. I compagni portarono un maiale grasso, di cinque anni, e lo misero accanto al focolare. Non si scordò degli dei il guardiano di porci, aveva un animo pio. Incominciò gettando nel fuoco i peli strappati dalla testa del maiale dalle candide zanne e supplicava gli dei tutti perché il saggio Odisseo tornasse alla sua casa. Poi sollevò un pezzo di quercia che non aveva tagliato e colpì la bestia, che esalò la vita. La scannarono i compagni, l'abbrustolirono e poi la fecero a pezzi; e pezzi crudi prese il guardiano – da tutto il corpo le parti scelte –, li pose sopra uno strato di grasso, poi li gettava nel fuoco, coperti da farina d'orzo. Il resto lo fecero a piccoli pezzi, li infilarono negli spiedi, li arrostirono con ogni cura e poi dal fuoco li tolsero e li posero tutti sul desco. Si alzò Eumeo per fare le parti: sapeva nell'animo quel ch'era giusto. E tutto divise in sette porzioni: la prima offriva alle Ninfe e a Hermes, figlio di Maia, invocandoli; le altre le divideva fra tutti, ma a Odisseo in segno d'onore diede l'intera schiena del porco dalle bianche zanne, e allietò l'animo del suo signore. Gli rivolse la parola e gli disse, l'accorto Odisseo:

«Che tu sia caro, Eumeo, al padre Zeus, come lo sei

a me, poiché, misero come sono, mi onori con il cibo migliore».

E tu gli rispondesti, Eumeo, guardiano di porci:

«Mangia, divino ospite, e di quello che hai davanti rallegrati. Dio dà, dio toglie, come gli piace: egli può tutto».

Disse così, e agli dei che vivono eterni offrì le primizie, e dopo aver libato pose in mano a Odisseo distruttore di città – che sedeva davanti alla sua parte di cibo – il calice di vino lucente. Distribuì il pane Mesaulio, che Eumeo comprò mentre il padrone era lontano, all'insaputa della regina e del vecchio Laerte: lo comprò dai Tafi, col suo denaro.

Sui cibi pronti e imbanditi stesero allora le mani. Ma quando furono sazi di cibo e bevande, portò via il pane Mesaulio. Sazi di pane, di carne, bramavano tutti il riposo.

Era una notte cupa, senza luce di luna. Tutta la notte scese la pioggia di Zeus, e senza sosta soffiava l'umido Zefiro. Allora Odisseo prese a parlare fra loro, per mettere Eumeo alla prova, se mai si togliesse di dosso il mantello e glielo desse o invitasse un compagno a farlo, dato che tanto si prendeva cura di lui:

«Ascoltami, Eumeo, e voi altri compagni, io vi rivolgerò una preghiera. Il vino mi spinge, il vino che rende folli, che fa cantare anche l'uomo più saggio, lo induce a ridere scioccamente, a danzare, gli fa sfuggire parole che meglio sarebbe non dire. Ma poiché ho aperto bocca, ormai, non voglio tacere. Vorrei essere giovane e pieno di forza ancora, come quando a Troia ordimmo un agguato: lo guidavano Odisseo e Menelao figlio di Atreo, io ero terzo duce con loro, poiché mi invitarono a farlo. Quando giungemmo alla città e alle alte mura, in mezzo a fitti cespugli, tra le canne della palude stavamo, rannicchiati sotto gli scudi. Scese una notte gelida e cupa, Borea soffiava, poi cadde la neve fredda come brina gelata, il ghiaccio incrostava le armi. E gli altri tutti, che avevano mantello e tunica, dormivano tranquilli, gli scudi sopra le spalle. Ma io, stupidamente, andandomene avevo lasciato il mantello ai compagni, al freddo non pensavo, li seguii con lo scudo soltanto e la cintura splendente. Quando la notte fu all'ultimo terzo e impallidivano gli astri, dissi allora a Odisseo che mi era vicino, dopo averlo urtato col gomito (e lui subito mi stette a sentire): "Divino figlio di Laerte, ingegnoso Odisseo, il freddo mi vince, presto non sarò più fra i vivi. Non ho mantello, un dio mi ha ingannato facendomi venire con la sola tunica: e adesso non c'è più rimedio". Così gli dissi, e a lui subito balenò nella mente un pensiero – lui solo sapeva pensare e combattere –; parlando a bassa voce mi disse: "Taci ora, che nessuno degli altri ti senta". E appoggiata la testa sul gomito così parlò: "Amici, ascoltate. Un dio mi ha inviato un sogno, mentre dormivo. Dalle navi siamo troppo lontani: vada qualcuno da Agamennone figlio di Atreo, signore di eserciti, a dirgli se può mandare altri uomini qui, dalle navi". Disse così, e subito si alzò Toante figlio di Andremone, gettò il suo bruno mantello e si mise a correre verso le navi. Nella sua veste lieto mi avvolsi, spuntò poi l'Aurora dall'aureo trono.

Se fossi giovane e pieno di forza... mi donerebbe un mantello qualcuno di questi guardiani di porci, per simpatia e per rispetto di un valoroso. Con questi cenci ora mi disprezzano tutti».

E tu così gli rispondesti, Eumeo:

«Bella è la storia che hai raccontato, vecchio, neppure una parola inutile e inopportuna. Perciò un mantello non ti mancherà e nessun'altra delle cose che spettano a un misero e a un supplice: ma per ora soltanto. All'alba dovrai rivestire i tuoi cenci. Qui non abbiamo mantelli e tuniche di ricambio, c'è un solo capo per uno. Ma quando verrà il figlio di Odisseo, lui ti darà le vesti, tunica e mantello, e ti farà portare dove il tuo cuore desidera».

Così disse e si alzò; e per lui vicino al fuoco fece un giaciglio, vi gettò sopra pelli di capra, di pecora. Qui si distese Odisseo: e il porcaro lo ricoprì con un manto, ampio e pesante, che gli serviva come ricambio da mettere se scoppiava qualche tremenda tempesta. Là dormì dunque Odisseo, e accanto a lui dormivano i giovani. Ma ad Eumeo non piaceva star lì, dormire lontano dai porci, e si preparava ad uscire. Fu lieto Odisseo che dei suoi beni si prendesse cura mentre lui era lontano. Alle forti spalle appese il porcaro la spada affilata, si avvolse in un manto pesante, a riparo dal vento; prese la pelle di un capro grande e robusto, e un giavellotto aguzzo, a difesa da uomini e cani. E se ne andava a dormire là dove dormivano i porci dalle bianche zanne, nel cavo di una rupe, al riparo dal vento.

IL RITORNO DI TELEMACO

A Lacedemone dalle ampie strade andò intanto Pallade Atena per ricordare allo splendido figlio del generoso Odisseo che era ora di fare ritorno, per invitarlo a partire. Trovò Telemaco e il nobile figlio di Nestore nel vestibolo di Menelao glorioso, uno era vinto dal dolce sonno, ma il sonno soave non possedeva Telemaco perché nella notte divina lo teneva desto il pensiero del padre. Standogli accanto gli disse la dea dagli occhi lucenti:

«Non è bene, Telemaco, che tu vada errando più a lungo lontano da casa, lasciando laggiù i tuoi beni e uomini così prepotenti: che non ti divorino tutto, dividendosi le tue ricchezze, e tu abbia fatto un inutile viaggio. A Menelao dal grido possente di' subito che ti faccia partire, che tu possa ancora trovare a casa la nobile madre. Padre e fratelli ormai la spingono a sposare Eurimaco, che tutti i Pretendenti supera con i suoi doni e moltiplica le offerte nuziali. Bada che – tuo malgrado – dalla casa non si porti via qualche cosa. Tu sai com'è un cuore di donna: vuole accrescere il patrimonio di colui che la sposa, e dei figli di prima e del marito morto non si ricorda più, non domanda. Ma tu ritorna e affida ogni cosa all'ancella che fra tutte ti sembra migliore, fino a che gli dei non ti concedano una nobile sposa. E un'altra cosa ti dirò perché tu la serbi nel cuore. I più forti fra i Pretendenti sono in agguato nello stretto fra Itaca e Same rocciosa: vogliono ucciderti prima che tu raggiunga la patria. Ma non credo che vi riusciranno: prima la terra ricoprirà qualcuno di quei superbi che ti divorano i beni. Dalle isole tieni lontana la nave ben costruita e naviga di notte senza fermarti: ti spingerà il vento mandato dal dio che ti custodisce e protegge. Appena avrai toccato la prima punta di Itaca, manda in città la nave e tutti i compagni e tu recati subito dal guardiano di porci, che ti custodisce le bestie e ti è sempre fedele. Lì passa la notte. Mandalo poi in città perché dia notizia alla saggia Penelope che tu sei salvo e sei tornato da Pilo».

Telemaco destò il figlio di Nestore dal sonno soave toccandolo con il piede, e gli disse:

«Svegliati, Pisistrato, porta i cavalli dai solidi zoccoli e aggiogali al carro, affinché riprendiamo il cammino».

Gli rispose Pisistrato, figlio di Nestore:

«Anche se siamo impazienti di andare, Telemaco, non possiamo guidare i cavalli nell'oscurità della notte. Presto sarà l'alba: aspetta che il figlio di Atreo, Menelao dalla lancia gloriosa, porti i doni, li ponga sul carro e ci congedi con cortesi parole. L'ospite sempre ricorda colui che lo ha accolto e che gli ha offerto la sua amicizia».

Così disse, e presto giunse l'Aurora dall'aureo trono e venne anche Menelao dal grido possente, dal letto dove dormiva accanto ad Elena dai bei capelli. Quando lo vide venire il figlio di Odisseo, rapidamente indossò la splendida tunica, si gettò sulle forti spalle l'ampio mantello, uscì dalla porta e standogli accanto gli disse – Telemaco, il figlio del divino Odisseo:

«Figlio di Atreo, Menelao divino, signore di popoli, fammi tornare ora alla mia patria terra; con tutto il cuore desidero andare a casa».

A lui rispose Menelao dal grido possente:

«Telemaco, io non voglio trattenerti qui per troppo tempo, se tu desideri andare. Biasimerei anche un altro, se si mostrasse troppo sollecito o troppo impaziente: l'equilibrio è la cosa migliore. Sbaglia ugualmente chi fa fretta all'ospite che non vuole andare e chi lo trattiene se vuole partire. Bisogna averne cura quando rimane, lasciarlo andare se lo desidera. Ma aspetta ora, che io porti i doni bellissimi e li deponga sul carro, perché tu li veda, lascia che dica alle donne di preparare, in sala, il banchetto, con tutto quello che abbonda nella mia casa. È onore e gloria, ed è anche un vantaggio andarsene per la terra infinita dopo aver consumato un pranzo. Ma se tu vuoi dirigerti verso Argo e la Grecia, allora farò aggiogare i cavalli per seguirti io stesso, per guidarti attraverso le città degli uomini; e nessuno ci lascerà andare senza donarci qualcosa, un tripode di solido bronzo, un lebete, due mule o un calice d'oro».

Gli rispose il saggio Telemaco:

«Figlio di Atreo, Menelao divino, signore di uomini, alla mia casa voglio tornare; partendo, non ho lasciato nessuno a sorvegliare i miei beni. Non voglio morire io stesso mentre cerco il padre divino, o che dalla mia casa sparisca qualche tesoro prezioso».

Quando ebbe udito questo, Menelao dal grido possente subito comandava alle ancelle e alla sposa di preparare il pranzo in sala con tutto quello che nella casa vi era in abbondanza. E giunse Etoneo di Boetoo, appena alzato dal letto, non abitava molto lontano. A lui ordinò di accendere il fuoco Menelao dal grido possente, e di arrostire le carni: ed egli ascoltava e obbediva. Poi nella stanza odorosa discese il re, non da solo, con lui andavano Elena e Megapente. E quando furono giunti là dov'erano i beni preziosi, il figlio di Atreo scelse un calice a due anse, e a Megapente ordinò di prendere una grande coppa d'argento. Elena invece si accostava alla cassa dov'erano i pepli dai mille colori che aveva tessuto lei stessa. Di questi uno ne scelse, la donna divina, il più grande, il più bello, adorno di molti ricami: splendeva come una stella e sotto tutti gli altri giaceva. Si avviarono poi attraverso la casa fino a che giunsero da Telemaco: e a lui il biondo Menelao diceva:

«Telemaco, il ritorno che tu desideri tanto nel cuore, te lo conceda Zeus, lo sposo di Era, signore del tuono. Dei tesori che giacciono nella mia casa ti donerò il più prezioso e il più bello: ti darò questa grande coppa intarsiata; è tutta d'argento, ma gli orli sono coperti d'oro, è lavoro di Efesto. A me la diede il valoroso Fedimo, re dei Sidoni, quando nella sua casa mi accolse durante il mio viaggio di ritorno. E io a te voglio donarla».

Disse così il figlio di Atreo e in mano gli pose il calice a due anse. Davanti a lui il forte Megapente collocò la coppa d'argento, splendente. Si avvicinò Elena dal bellissimo volto che teneva tra le mani il peplo e gli rivolse la parola e gli disse:

«Un dono anche da parte mia, figlio, eccolo, dalle mani di Elena un ricordo da dare alla sposa nel giorno lieto delle tue nozze. Fino a quel giorno rimanga presso tua madre nella tua casa: che tu possa felicemente tornare alla dimora ben costruita, nella terra dei padri».

Disse così e glielo mise fra le braccia, egli lo ricevette con gioia. Accolse i doni e nella cassa, sul carro, li pose il valente Pisistrato, ammirandoli tutti in cuor suo. Poi li guidava in casa il biondo Menelao e là si sedettero sui seggi e sui troni. In una brocca d'oro, bellissima, portava l'acqua lustrale un'ancella e la versava in un bacile d'argento perché si lavassero. Accanto a ciascuno dispose un tavolo liscio. Venne la dispensiera fedele portando il pane e molte vivande, che in abbondanza distribuiva. Tagliava le carni il figlio di Boetoo e divideva le parti, versava il vino il figlio di Menelao glorioso. Sui cibi pronti e imbanditi tesero essi le mani. Ma quando furono sazi di cibo e bevande, allora Telemaco e il glorioso figlio di Nestore misero al giogo i cavalli, salirono sul carro dai mille colori e lo spinsero fuori dall'atrio e dal portico pieno di echi. Con loro andava il biondo figlio di Atreo che aveva in mano un calice d'oro colmo di vino dolcissimo, perché libassero prima di andare. In piedi davanti al carro, nel salutarli disse queste parole:

«Giovani, addio. E salutate anche Nestore, signore di popoli, che fu buono con me come un padre quando a Troia combattevamo, noi, figli dei Danai».

A lui rispose il saggio Telemaco:

«Certo, a lui tutto questo diremo, al nostro arrivo, come desideri, divino re. Così potessi tornare a Itaca e trovare in casa Odisseo, e dirgli che ho avuto da te accoglienza d'amico e che porto con me molti, splendidi doni».

Mentre così parlava, da destra venne volando un uccello, un'aquila che tra gli artigli teneva un'oca bianca, grande, domestica, rapita da un cortile: uomini e donne le correvano dietro gridando. Essa si avvicinò a loro da destra e piombò davanti ai cavalli. Si rallegrarono tutti vedendola e il cuore balzò loro nel petto. Parlò per primo Pisistrato, figlio di Nestore:

«Di' tu, Menelao divino, signore di popoli, se è per noi o per te che il dio ha mandato il prodigio».

Disse così, e Menelao caro ad Ares non sapeva come rispondergli nel modo giusto. Ma prima di lui parlò Elena dal lungo peplo e disse:

«Ascoltatemi: io interpreterò il prodigio, così come gli dei mi ispirano in cuore e come credo avrà compimento. Quest'aquila, venendo dai monti dove ha la sua stirpe e i suoi nati, ha rapito l'oca allevata in casa: così Odisseo, dopo aver molto errato e sofferto, tornerà a casa e farà vendetta. Forse è già ritornato e ai Pretendenti tutti prepara la morte».

A lei rispose il saggio Telemaco:

«Voglia così Zeus, sposo di Era, signore del tuono. E io anche laggiù ti onorerei come una dea».

Disse, e con la frusta colpì i cavalli: veloci balzarono essi con impeto per la città, verso la pianura. Per tutto il giorno scossero il giogo che portavano insieme.

Tramontò il sole, si velarono d'ombra le strade, ed essi giunsero a Fere, alla dimora di Diocle figlio di Ortiloco, generato da Alfeo. Qui passarono la notte, ospitalmente egli li accolse. Ma quando all'alba apparve l'Aurora lucente, misero al giogo i cavalli, sul variopinto carro salirono, e lo guidarono fuori dall'atrio e dal portico pieno di echi. Frustò i cavalli Pisistrato perché partissero, ed essi impetuosi volarono. Giunsero in fretta all'alta città di Pilo: disse allora Telemaco al figlio di Nestore:

«Mi prometti di compiere quel che ti dico? Siamo ospiti da antico tempo per l'amicizia dei padri e abbiamo la medesima età; questo viaggio ci renderà ancora più uniti. Non portare oltre la nave, figlio di Zeus, lasciami qui; non voglio che il vecchio Nestore mi trattenga in casa sua mio malgrado, desideroso di offrirmi ospitalità: devo tornare al più presto».

Così disse, e il figlio di Nestore pensava in cuor suo a come promettere e adempiere alla richiesta nel modo giusto. E mentre pensava, questa gli sembrò la cosa migliore: volse i cavalli verso la nave veloce e la riva del mare; presso la nave, a poppa, depose i doni bellissimi, l'oro, le vesti che Menelao gli diede. E gli diceva, incitandolo:

«Sali ora, in fretta, e a tutti i compagni da' ordine di partire prima che io giunga a casa e al vecchio Nestore dia la notizia. Io lo so bene, nella mente e nel cuore: il suo animo è fiero, non lascerà che tu parta ma verrà lui stesso fin qui a chiamarti e io ti dico che non verrà invano: e certo si adirerà terribilmente».

Disse così, e spinse i cavalli dalle folte criniere verso la città di Pilo, rapidamente giunse al palazzo. Telemaco intanto esortava i compagni e ordinava:

«Amici, preparate la nera nave con tutti gli attrezzi, e poi imbarchiamoci per riprendere il viaggio».

Così parlò, lo ascoltarono e obbedirono essi, rapidi si imbarcarono e sedettero ai banchi. E Telemaco si affaccendava e pregava, offrendo sacrifici ad Atena presso la poppa della sua nave.

Ed ecco gli venne vicino uno straniero, un profeta che era fuggito da Argo dopo aver commesso un delitto. Discendeva per stirpe da Melampo, che un tempo viveva a Pilo ricca di greggi ed era ricco e abitava sontuose dimore. Ma poi dovette andare in un altro paese, lontano dalla patria e dal grande Neleo, famoso fra gli uomini, che nel giro di un anno gli aveva tolto a forza molte ricchezze. Ed egli poi nella dimora di Filaco fu avvinto in pesanti catene e soffrì pene crudeli a causa della figlia di Neleo e dell'acuta follia che l'Erinni tremenda gli mise nel cuore. Riuscì a sfuggire alla morte e a portare da Filache a Pilo le vacche muggenti: qui punì l'atto indegno del divino Neleo e a casa condusse – per il fratello – la sposa. Ma poi se ne andò in un altro paese, ad Argo dai bei cavalli: era infatti destino che là vivesse regnando su molti Argivi. Là prese moglie e costruì un alto palazzo; ebbe due forti figli, Antifate e Mantio. Antifate generò il nobile Oicle e Oicle Anfiarao signore di uomini, amato di amore grandissimo da Apollo e da Zeus signore dell'egida; ma alla soglia della vecchiaia non giunse perché sotto Tebe morì a causa di un dono fatto a una donna. Suoi figli furono Alcmaone e Anfiloco. Mantio generò invece Polifido e Clito. Ma Aurora dall'aureo trono rapì Clito per la sua bellezza, perché vivesse fra gli dei immortali; e il valoroso Polifido Apollo lo fece profeta, il migliore fra gli uomini dopo la morte di Anfiarao: adiratosi poi con il padre, se ne andò ad Iperesia dove visse dando responsi ai mortali. Era suo figlio colui che giunse, Teoclimeno era il suo nome; si fermò accanto a Telemaco che stava libando e pregava accanto alla nera nave veloce, a lui si rivolse e disse queste parole:

«Amico, poiché in questo luogo ti trovo, a far sacrifici, per questi sacrifici ti supplico, e per il dio, per te stesso e i compagni che sono con te, rispondi alla mia domanda sinceramente e non nascondermi nulla: chi sei? qual è la tua città, chi sono i tuoi genitori?».

A lui rispose il saggio Telemaco:

«Te lo dirò, straniero, con molta franchezza. Sono di Itaca, mio padre è Odisseo, se mai visse: ma ormai dev'essere morto di morte tristissima. Per questo, con la nave nera e i compagni, sono venuto a domandare notizie del padre che da tanto tempo è lontano».

Gli disse Teoclimeno simile a un dio:

«Dalla mia patria anch'io sono lontano, poiché ho ucciso un uomo della tribù; in Argo dai bei cavalli ha molti amici e fratelli, che tra gli Achei hanno grande potere. Per evitare la morte io fuggo, errare fra gli uomini è il mio destino. Prendimi sulla tua nave, ti supplico, perché non mi uccidano. Credo che mi stiano inseguendo».

Gli rispose il saggio Telemaco:

«Non ti respingo dall'agile nave, se vuoi salire: vieni e avrai l'accoglienza che possiamo darti».

Disse così, e si fece dare la lancia di bronzo che sul ponte dell'agile nave depose. Lui stesso salì poi sulla nave che corre sul mare, si mise a sedere a poppa, accanto fece sedere Teoclimeno. Sciolsero le funi di poppa, i compagni. A loro ordinava Telemaco di preparare gli attrezzi, prontamente essi obbedirono. Sollevarono l'albero in legno di abete e nell'incavo in mezzo alla nave lo posero legandolo poi con le funi. Alzarono le vele bianche con corde di cuoio ritorte. Mandò loro un vento propizio la dea dagli occhi lucenti, un vento impetuoso che soffiava nell'aria, affinché al più presto la nave attraversasse veloce l'acqua salsa del mare. Oltrepassarono il Cruni e il Calcide dalle belle acque.

Tramontò il sole, si velarono d'ombra le strade. Spinta dal vento di Zeus, la nave puntò verso Fea, lungo l'Elide bella dove hanno potere gli Epei. Di qui la spinse Telemaco verso le isole aspre: non sapeva se sarebbe sfuggito alla morte.

Cenavano intanto, nella capanna, Odisseo e il divino guardiano: accanto a loro cenavano gli altri. Ma quando furono sazi di cibo e bevande, prese a parlare Odisseo, e metteva alla prova il porcaro per vedere se lo ospitava di cuore e lo invitava a restare là nelle stalle o se l'avrebbe mandato in città:

«Ascoltami ora, Eumeo, e voi altri tutti, ascoltatemi. All'alba io voglio andare in città a mendicare, per non sfruttare te e i compagni. Dammi dei buoni consigli e una guida valente che mi conduca laggiù: poi me ne andrò da solo per la città, se mai qualcuno mi offra una ciotola d'acqua e un pezzo di pane. Entrando nella dimora del divino Odisseo, potrei dare la notizia alla saggia Penelope e mescolarmi ai Proci superbi, per vedere se mi danno del cibo, loro che ne hanno tanto. Potrei fare per loro qualunque cosa volessero. Ti dirò infatti una cosa e tu ascolta e comprendi. Per volere di Hermes, il messaggero divino, che alle opere degli uomini concede grazia e valore, nessuno potrebbe rivaleggiare con me nel servire, spaccare la legna secca e accatastarla per fare fuoco, tagliare la carne, cuocerla, versare il vino, tutto quello che i servi fanno per i padroni».

Irato gli rispondesti, Eumeo, guardiano di porci:

«Quale idea ti è mai venuta in mente, straniero? Vuoi forse perderti, completamente, unendoti alla folla dei Proci? Fino al livido cielo giunge la loro violenza superba. E i loro servi non sono simili a te: sono giovani, vestono bene, hanno teste e volti splendenti, quelli che sono al loro servizio. Sono colmi di pane, di vino, di carni, i tavoli ben levigati. Rimani dunque. Non dai fastidio a nessuno, né a me né ai compagni. E quando verrà il figlio di Odisseo, lui ti darà le vesti, un mantello e una tunica, e ti manderà dove il tuo cuore desidera».

A lui disse allora il divino, tenace Odisseo:

«Possa essere tu caro al padre Zeus, Eumeo, come lo sei a me, tu che hai messo fine al mio errare e alla mia triste miseria. Niente è più amaro per gli uomini di una vita raminga, e tuttavia, per la maledetta fame, pene crudeli sopportano coloro cui tocca andare vagando tra angosce e dolori. Ma ora, poiché mi trattieni e mi inviti ad aspettare Telemaco, parlami della madre del divino Odisseo, e del padre che egli partendo lasciò alle soglie della vecchiaia, dimmi se sono vivi e vedono la luce del sole, o sono morti e discesi nelle dimore di Ade».

Gli rispose il nobile guardiano di porci:

«Ti parlerò, straniero, con molta franchezza. Vive ancora Laerte, ma prega Zeus ogni giorno perché dal suo corpo svanisca la vita. Amaramente egli piange il figlio lontano e la sposa nobile e saggia che morendo gli ha procurato un immenso dolore e l'ha abbandonato a una vecchiaia crudele. Lei morì di dolore per il figlio glorioso, una morte tristissima: non muoia così nessuno di coloro che vivono qui e mi sono cari e mi fanno del bene. Finché era in vita, benché sempre afflitta, amavo andare a chiederle e domandarle qualcosa, perché fu lei ad allevarmi insieme a Ctimene dal lungo peplo, la sua figlia bellissima, quella che le nacque per ultima. Insieme a lei crebbi, non meno di lei mi onorava. Ma dopo che entrambi giungemmo alla giovinezza, diedero lei in sposa, a Same, ed ebbero infiniti doni di nozze. A me la regina diede splendide vesti, un mantello, una tunica, mi donò dei sandali e mi mandò nei campi. Mi amava con tutto il suo cuore. Queste cose, ora, mi mancano. Ma gli dei beati benedicono il mio lavoro tenace. Ho da mangiare e da bere e posso donare a chi ne è degno. Dalla padrona però una parola buona non puoi più sentirla, e nessun atto gentile, da quando è capitata questa sciagura in casa, i Pretendenti superbi. Perché i servi hanno gran desiderio di parlare alla padrona e chiedere ogni cosa, e mangiare e bere con lei, e riportare poi qualche dono nei campi, di quelli che sempre allietano l'animo ai servi».

Gli rispose l'accorto Odisseo:

«O Eumeo infelice, eri dunque ancora bambino quando fosti condotto lontano dalla patria e dai genitori. Ma ora dimmi una cosa e parla sinceramente: fu forse distrutta la città dalle ampie vie dove vivevano tuo padre e tua madre, oppure, mentre eri solo a guardia di pecore e buoi, delle genti nemiche ti rapirono sulle navi e ti vendettero nella dimora di quest'uomo, che pagò il giusto prezzo?».

Gli rispose il nobile guardiano di porci:

«Ospite, poiché questo mi chiedi e domandi, ora siedi in silenzio ed ascolta, e lietamente beviti il vino. Queste notti sono infinite; si può dormire, si può ascoltare, se piace. Non è necessario che tu vada a letto prima del tempo: viene a noia anche il lungo sonno. E voi altri, se il cuore e l'animo invita, andate pure a dormire: domani all'alba, dopo mangiato, seguirete le scrofe del re. Ma noi due, nella capanna, bevendo e mangiando, godiamo insieme nel ricordare le nostre tristi sventure. Anche del dolore passato gode l'uomo che ha molto errato e molto sofferto. Io ti narrerò quello che chiedi e domandi.

C'è un'isola, chiamata Siria, se mai ne udisti il nome, è sopra Ortigia, là dove sono i solstizi del sole, non popolosa ma bella, ricca di pascoli e greggi, di viti e di grano. Non soffre la fame, quell'isola, e nessun flagello mortale colpisce mai il suo popolo. Quando gli uomini invecchiano, nella città, sopraggiunge Apollo dall'arco d'argento, insieme ad Artemide, e con le sue dolci frecce li colpisce e li uccide. Vi sono due città, e tutto è diviso in due parti fra loro. Su entrambe regnava mio padre, Ctesio figlio di Ormeno, simile agli immortali. Dei Fenici giunsero un giorno, navigatori e mercanti famosi, che sulla nera nave portavano gioielli di ogni tipo. E nella reggia del padre c'era una donna fenicia, alta e bella, capace di opere splendide. La sedussero gli scaltri Fenici. Mentre lavava i panni, uno di loro fece l'amore con lei presso la concava nave – l'amore illude l'animo fragile delle donne, anche di quelle sagge ed oneste –, e poi le chiese chi fosse e da dove venisse. E subito lei indicò l'alta dimora paterna. "Sono nata a Sidone, ricca di bronzo, e sono figlia di Aribante, uomo ricchissimo, ma i pirati di Tafo mi rapirono mentre tornavo dai campi, mi portarono qui e mi vendettero nella dimora di questo signore che pagò il giusto prezzo". Disse allora l'uomo che si era unito a lei di nascosto: "Ma vorresti, ora, tornare in patria con noi e rivedere la casa dagli alti soffitti, e tuo padre e tua madre? Sono ancora vivi e molto ricchi, si dice". Gli rispose la donna: "Sì, lo vorrei, ma solo se voi, marinai, consentite a giurarmi che mi condurrete incolume a casa!". Così disse, ed essi giurarono tutti, come voleva. E dopo che ebbero compiuto il giuramento, di nuovo la donna parlò e disse: "Ora tacete. Nessuno di voi mi rivolga parola incontrandomi in strada o presso la fonte. Qualcuno potrebbe andare a palazzo e riferirlo al vecchio, ed egli, insospettito, potrebbe costringere me in pesanti catene e meditare la morte per voi. Tenete il segreto nel cuore e affrettatevi ad acquistare le merci. Quando la nave sarà piena di viveri, venite subito ad avvertirmi, a palazzo. Prenderò tutto l'oro che avrò a portata di mano. E un altro prezzo d'imbarco potrei pagare, se volessi. Un figlio di quell'uomo potente allevo in casa, un bambino che mi corre dietro fin fuori e che si può vendere bene. Potrei portarlo alla nave, vi procurerà molto denaro, dovunque lo vendiate fra gente straniera". Così disse e si avviò alla sontuosa dimora.

Per un anno intero essi rimasero presso di noi e molte ricchezze accumularono sulla concava nave. Ma quando la concava nave fu carica e pronta a partire, mandarono allora un messaggero ad avvertire la donna. E venne, alla dimora del padre, un uomo molto astuto che aveva una collana d'oro e di ambra. Mia madre e le ancelle la rimiravano, là nella sala, tenendola in mano, e proponevano un prezzo. Egli fece un cenno col capo, in silenzio. Poi, dopo quel segno, tornò alla concava nave. Lei mi prese per mano e mi portò fuori di casa, nell'atrio trovò i tavoli apparecchiati per gli uomini che erano al seguito di mio padre: essi erano andati all'assemblea del popolo. Rapida prese tre tazze e le nascose nel petto; io la seguivo senza capire. Tramontò il sole, si velarono d'ombra le strade. Camminando in fretta giungemmo al gran porto dov'era la nave veloce degli uomini della Fenicia. Essi ci presero a bordo e poi percorrevano le vie d'acqua: Zeus mandava buon vento. Per sei giorni navigammo, di giorno e di notte. Ma quando il figlio di Crono fece nascere il settimo giorno, Artemide dea delle frecce colpì all'improvviso la donna che con un tonfo precipitò nella stiva, simile ad una rondine marina. La gettarono in mare, in pasto ai pesci e alle foche. E io restai solo, col cuore pieno di angoscia. A Itaca li trasportarono il vento e la corrente, e qui Laerte mi comprò col suo denaro. Fu così che questa terra conobbi».

A lui replicò il divino Odisseo:

«Eumeo, hai commosso il mio cuore narrando una per una le pene che hai sofferto nell'animo. Ma insieme al male anche un bene Zeus ti concesse perché, dopo tanto dolore, sei giunto alla casa di un uomo buono, che ti fornisce da mangiare e da bere, e tu vivi una vita serena. Io invece sono giunto qui dopo aver vagato per molte città degli uomini».

Queste parole scambiavano essi fra loro, poi dormirono, non per molto, per poco tempo. Subito venne l'Aurora dall'aureo trono.

Sulla riva, intanto, i compagni di Telemaco scioglievano le vele, toglievano l'albero in fretta e, a forza di remi, spingevano la nave all'ormeggio. Gettarono gli ancoraggi, legarono i cavi di poppa; poi scesero anch'essi sulla riva del mare, preparavano il pasto, mescevano il vino lucente. E quando furono sazi di cibo e bevande, allora il saggio Telemaco incominciò a parlare fra loro:

«Ora portate la nave nera in città. Io invece andrò

dai pastori, nei campi. Dopo aver visto i miei beni, a sera verrò in città. E domattina, a compenso del viaggio, vi offrirò un grande banchetto di carni e vino dolcissimo».

A lui disse Teoclimeno simile a un dio:

«Figlio, e io dove vado? Alla dimora di qualcuno degli uomini che governano l'aspra Itaca, o a casa tua, da tua madre?».

Gli rispose il saggio Telemaco:

«In altra occasione ti inviterei a venire alla mia casa: l'ospitalità, certo, non manca. Ma non sarebbe un bene per te, io sarò assente e mia madre non ti vedrà: non si mostra spesso ai Proci, nella casa, ma lontano da loro, al piano di sopra, lavora al telaio. Un'altra persona ti indicherò, da cui puoi andare, Eurimaco, lo splendido figlio del saggio Polibo, che gli Itacesi ora guardano come se fosse un dio: è nobilissimo e più di ogni altro desidera sposare mia madre ed avere l'onore di Odisseo. Ma lo sa Zeus, che vive nel cielo, se, prima di queste nozze, compirà per loro il giorno fatale».

Mentre così parlava, a destra gli volò un uccello, un falco, messaggero veloce di Apollo. Tra gli artigli teneva una colomba e la dilaniava, lasciando cadere le penne in mezzo, tra la nave e Telemaco. Lontano dai compagni lo trasse allora Teoclimeno, gli prese una mano e gli disse:

«Telemaco, è un dio che ti manda quest'uccello, da destra: ho capito che è di buon augurio, al vederlo. Non vi è altra stirpe, in Itaca, che della vostra sia più regale, voi sarete sempre i più forti».

Gli rispose il saggio Telemaco:

«Che il tuo augurio si compia, straniero. Conosceresti allora la mia amicizia e molti doni riceveresti da me, così che chiunque ti incontrasse ti direbbe felice».

Disse, e si rivolse a Pireo, suo compagno fedele:

«Pireo, figlio di Clitio, in ogni cosa tu mi obbedisci più di tutti i compagni che mi seguirono a Pilo. Porta ora quest'ospite nella tua casa e accoglilo e onoralo, fino al mio ritorno».

Gli rispose Pireo dalla lancia gloriosa:

«Telemaco, se anche rimani laggiù per molto tempo, io avrò cura di lui, sarà ben accolto».

Disse, salì sulla nave e ordinava ai compagni di imbarcarsi anche loro e sciogliere i cavi di poppa. Subito essi salirono e si sedettero ai banchi.

Telemaco intanto si legò i sandali ai piedi, sul ponte della nave prese la solida lancia dall'acuta punta di bronzo. Essi sciolsero i cavi di poppa e verso la città navigarono, come aveva ordinato Telemaco, il figlio del divino Odisseo. Lui camminava veloce, lo portavano i piedi al recinto dov'erano le sue mille scrofe, tra le quali soleva dormire il guardiano valente, ai suoi padroni fedele.

TELEMACO E ODISSEO

Nella capanna intanto Odisseo e il divino guardiano all'alba accendevano il fuoco, preparavano il pasto,
dopo aver mandato via i pastori con tutti i maiali. E
mentre avanzava Telemaco, muovevano le code i cani,
senza abbaiare. Si accorse il divino Odisseo dei cani
che facevano festa, udì anche un rumore di passi. Subito si rivolse a Eumeo e gli disse:

«Eumeo, sta arrivando certo un amico o una persona ben conosciuta, muovono le code i cani, e non ab-
baiano; sento anche un rumore di passi».

Non finì di parlare, e il suo amato figlio era lì, sulla
soglia. Balzò in piedi, stupito, il guardiano, dalle mani
gli caddero i vasi coi quali mesceva il vino lucente. Al
suo signore si fece incontro, gli baciò la testa, i begli
occhi, le mani. Gli cadevano fitte le lacrime. Come un
padre amoroso con affetto accoglie il figlio che dopo
dieci anni ritorna da terre lontane, l'unico figlio amatissimo per il quale ha molto sofferto, così allora il
guardiano di porci abbracciava e baciava il divino Telemaco, come se fosse scampato alla morte; e piangendo gli diceva queste parole:

«Sei dunque tornato, Telemaco, luce dei miei occhi. Non credevo di rivederti mai più da quando partisti sulla nave per Pilo. Ma entra ora, figlio carissimo, perché io goda nel cuore a vederti qui in casa, appena tornato. Non vieni spesso nei campi, in mezzo ai pastori, preferisci stare in città, ti piace forse guardare la funesta folla dei Proci».

Gli rispose il saggio Telemaco:

«Forse è così, padre. Ma ora sono qui per te, per vederti e sentire da te se in casa mia madre attende ancora o se l'ha già sposata qualcuno e il letto di Odisseo, vuoto e deserto, è coperto da tristi tele di ragno».

Gli disse il guardiano, signore di uomini:

«No, lei è sempre nella tua casa e aspetta con cuore paziente consumando le notti e i giorni nella pena e nel pianto».

Così parlò e gli prese la lancia di bronzo. Entrò Telemaco oltrepassando la soglia di pietra e al suo entrare il padre Odisseo gli voleva cedere il posto, ma lo trattenne Telemaco e disse:

«Resta seduto, straniero, troverò da sedere anche altrove, nella mia stalla. Ecco l'uomo che mi troverà posto».

Disse, tornò a sedersi Odisseo. E per Telemaco ammucchiava il guardiano delle verdi frasche e le copriva con pelli di pecora. Qui si sedette allora il figlio di Odisseo. A loro offriva il guardiano di porci piatti di carne arrostita, quella avanzata dal giorno prima, rapido riempiva di pane i canestri, nella ciotola di legno mesceva il vino dolcissimo. Poi si sedette davanti al divino Odisseo. Sui cibi pronti e imbanditi stesero essi le mani. Ma quando furono sazi di cibo e di bevande, si rivolse allora Telemaco al guardiano glorioso:

«Padre, da dove viene quest'ospite? in che modo lo hanno portato a Itaca, per mare? chi sono i marinai? Certo non è venuto a piedi fin qui».

E tu così gli rispondesti, Eumeo:

«Tutta la verità ti dirò, figlio mio. Della grande Creta dice di essere, e di aver vagato, ramingo, per molte città degli uomini: questo destino ha avuto in sorte dal dio. Fuggito da una nave dei Tesproti, è giunto ora alla mia stalla. Io te lo affido. Fa come vuoi, egli è tuo supplice».

Gli disse a sua volta il saggio Telemaco:

«Eumeo, hai detto un'amara parola. Come potrei accogliere l'ospite in casa? Sono giovane e non mi fido delle mie forze per affrontare un uomo che mi offenda per primo. E mia madre è incerta, in cuor suo, se rimanere con me e governare la casa, rispettando il letto nuziale e il volere del popolo, o andarsene ormai col più nobile degli Achei che la corteggia in casa e le offre più doni degli altri. Ma ora quest'ospite, poiché alla tua casa è venuto, lo rivestirò con begli abiti, un mantello, una tunica, gli darò una spada a doppio taglio e dei sandali, e lo farò accompagnare dove il suo cuore desidera. Ma, se vuoi, tienilo pure con te nelle stalle e abbine cura. Manderò qui le vesti e tutto il cibo che è necessario perché non sfrutti te e i compagni. Laggiù, fra i Pretendenti, io non vorrei che venisse perché – nella loro insolenza superba – non lo scherniscano: ne avrei tremendo dolore. Agire è difficile per un uomo solo fra molti, anche se è forte, perché sono molto più forti di lui».

A lui disse allora il divino, paziente Odisseo:

«Amico, poiché è giusto che ora parli anch'io, troppo mi morde il cuore sentirvi narrare i soprusi che nella reggia commettono i Proci, a dispetto di te, del tuo rango. Ma dimmi se di tua volontà ti sei lasciato piegare o se ti è nemico il popolo, che segue la voce di un dio. Oppure la colpa è dei fratelli, nei quali pure si dovrebbe aver fede quando nasce una grande contesa. Se fossi giovane come te, o del nobile Odisseo fossi figlio, – o se lui stesso tornasse dal suo errare, una speranza c'è ancora –, vorrei che mi fosse tagliata la testa se a tutti quanti non portassi rovina – io da solo – entrando nella dimora del figlio di Laerte, Odisseo. E se fossi sopraffatto dai molti, preferirei essere ucciso nella mia casa piuttosto che stare a guardare queste azioni indegne: ospiti trattati male, vino consumato a volontà, e loro che trascinano indegnamente le ancelle, nella bellissima casa, e sempre divorano cibo, stoltamente e senza scopo».

A lui rispose il saggio Telemaco:

«Ti parlerò con molta franchezza, straniero. Non tutti mi hanno in odio, fra il popolo, e non devo incolpare fratelli, nei quali un uomo confida quando sorge un'aspra contesa. Di figli unici è fatta la nostra stirpe, così volle il figlio di Crono. Archesio generò solamente Laerte, Laerte soltanto Odisseo, Odisseo lasciò solo me, nella reggia, e non poté godermi. E così ora ho in casa molti nemici. I nobili, che nelle isole hanno il potere, a Dulichio, a Same, a Zacinto coperta di boschi, e quelli che dominano qui, nella pietrosa Itaca, tutti aspirano a sposare mia madre e mi distruggono, intanto, la casa. A queste nozze odiose lei non si rifiuta, ma neppure acconsente. Mangiano, intanto, costoro, consumano ciò che è mio e presto rovineranno anche me. Ma tutto questo è nella mente di un dio. Padre, tu va al più presto a dire alla saggia Penelope che sono salvo, sono tornato da Pilo. Io aspetterò qui, e tu ritorna dopo aver dato notizia a lei sola: nessuno degli altri lo sappia, perché contro di me tramano in molti».

E tu allora dicesti, Eumeo, guardiano di porci:

«So bene, capisco. Parli a chi intende. Ma dimmi anche questo e parlami francamente: strada facendo, devo dare la notizia anche a Laerte? Il vecchio infelice, finché soffriva per Odisseo, tuttavia sorvegliava i lavori dei campi e nella sua casa coi servi mangiava e beveva, quando glielo imponeva il suo animo. Ma dal giorno in cui con la nave partisti per Pilo, non mangia, non beve più – così dicono –, non bada ai lavori, ma se ne sta seduto e si lamenta e piange: sulle ossa la carne gli si consuma».

Gli rispose il saggio Telemaco:

«È triste, ma dobbiamo lasciarlo così, per quanto ci affligga. Se gli uomini potessero scegliere ogni cosa da soli, per prima cosa vorrei il ritorno del padre. Tu va a portar la notizia, e poi ritorna. Non andare pei campi a cercarlo. Di' piuttosto a mia madre di mandare da lui la governante, al più presto e di nascosto: al vecchio può dare lei la notizia».

Disse così, incitando il guardiano: e lui prese i sandali, li legò ai piedi e si avviò verso la città.

Ma non sfuggì ad Atena che il guardiano Eumeo se ne andava via dalla stalla, e subito si avvicinò. D'aspetto pareva una donna alta e bella, capace di opere splendide. Sulla soglia della capanna stette, visibile solo a Odisseo. Non la vide Telemaco, non se ne accorse – non a tutti appaiono chiaramente gli dei – ma la vide Odisseo e anche i cani, che senza abbaiare fuggirono mugolando in fondo alla stalla. Accennò con gli occhi, la dea. Capì, il divino Odisseo, e dalla stalla uscì rasentando il muro, si fermò davanti a lei. Atena gli disse:

«Figlio di Laerte, divino Odisseo dal grande ingegno, parla, ora, a tuo figlio, non nasconderti più. Morte e rovina dovete ordire ai Pretendenti e insieme re-
carvi alla città gloriosa. Io stessa sarò vicina a voi,
pronta a combattere».

Disse così, e con la bacchetta d'oro lo toccò, la dea
Atena. E per prima cosa lo rivestì con una tunica e un
mantello nuovissimo, e poi lo fece giovane e bello:
bruno, di nuovo, il colorito, tesa la pelle del volto, scura la barba intorno al mento. Dopo aver fatto questo,
andò via. Tornava nella capanna Odisseo. Restò stu-
pefatto suo figlio, distolse lo sguardo temendo che
fosse un dio, e rivolgendogli la parola gli disse:

«Diverso mi sembri, ospite, da come eri prima, altre
vesti indossi, non è più lo stesso il colore del volto.
Certo tu sei un dio, di quelli che il vasto cielo possiedono. Sii dunque propizio, ti faremo sacrifici graditi, e
oro ben lavorato ti offriremo in dono: abbi pietà di
noi».

Gli rispose il paziente, divino Odisseo:

«Non sono un dio. Perché mi paragoni a un immortale? Sono tuo padre, quello per cui tu piangi e soffri
tanto dolore, subendo la violenza dei Proci».

Disse così, e baciò suo figlio, mentre dalle guance
gli cadevano a terra le lacrime che prima aveva sempre
frenato.

E ancora gli disse Telemaco, non credendo che fosse suo padre:

«No, tu non sei Odisseo, non sei mio padre, è un
dio che mi illude perché io soffra e pianga ancora di
più. Non può fare questi prodigi un uomo mortale, da
solo, se non interviene un dio che facilmente può ren-

derlo giovane o vecchio, se vuole. Tu poco fa eri un vecchio e vestivi miseri cenci: e ora somigli agli dei che il vasto cielo possiedono».

A lui rispose l'accorto Odisseo:

«Non è bello, Telemaco, che ti stupisca e ti meravigli a tal punto perché tuo padre è tornato. Qui non giungerà mai più un altro Odisseo: sono io che, dopo aver tanto errato e tanto sofferto, sono giunto dopo vent'anni alla terra dei padri. E questa è opera di Atena, la predatrice, che mi ha trasformato come voleva – lei infatti può farlo – e ora mi ha fatto simile a un mendicante, ora a un giovane uomo che indossa vesti bellissime. È facile per gli dei, che il vasto cielo possiedono, fare splendido o miserabile un uomo mortale».

Così disse, e si mise a sedere. E Telemaco, abbracciando il padre glorioso, versava lacrime fitte. Entrambi avevano voglia di piangere, e piangevano forte, gemendo più degli uccelli, più delle aquile o degli avvoltoi dagli artigli ricurvi a cui i contadini rubarono i piccoli prima che avessero messo le ali. Così, pietosamente, versavano lacrime da sotto le ciglia. E fino al tramonto del sole avrebbero pianto se a un tratto Telemaco non avesse chiesto a suo padre:

«Con quale nave, padre, ti portarono a Itaca? I marinai, chi sono? Certo non sei venuto a piedi fin qui».

Gli rispose il divino, paziente Odisseo:

«La verità ti dirò, figlio mio. Mi hanno condotto i Feaci, navigatori famosi, che accompagnano tutti gli uomini che giungono presso di loro. Immerso nel sonno, sulla nave veloce mi han trasportato sul mare e a Itaca mi hanno deposto. Splendidi doni mi diedero, bronzo e oro e moltissime vesti, che ora giacciono dentro le grotte, per volontà degli dei. Sono venuto qui per consiglio di Atena, per tramare insieme con te morte ai nemici. Orsù, nomina i Pretendenti, uno per uno, affinché io sappia quanti e quali uomini sono. E dopo aver meditato in cuor mio, deciderò se potremo affrontarli noi due soli senza l'aiuto di altri o se altri dobbiamo cercare».

A lui disse il saggio Telemaco:

«Padre mio, della tua grande fama ho sempre udito parlare, che eri un grande guerriero e un consigliere sapiente. Ma troppo audace è quello che hai detto, lo stupore mi vince. Non è possibile che due uomini soli si battano con numerosi e forti nemici. Non sono in dieci, i Pretendenti, e in venti neppure, ma molti di più: presto saprai quanti sono. Cinquantadue di Dulichio, giovani scelti, con sei servitori, ventiquattro di Same, da Zacinto sono venuti venti figli dei Danai, dodici da Itaca stessa, tutti i più nobili. Con loro è l'araldo Medonte e il divino cantore e due servi, abilissimi a tagliare la carne. Se li affrontiamo tutti dentro la casa, temo che per vendicare gli oltraggi pagherai un prezzo amaro, tremendo. Pensa dunque, se puoi, a un difensore, che ci possa aiutare con animo amico».

Gli rispose il divino, paziente Odisseo:

«Io ti dirò, e tu ascolta e comprendi; dimmi se potranno bastarci Atena e il padre Zeus o se a qualcun altro devo pensare».

E il saggio Telemaco disse:

«Alleati valenti sono questi che dici, anche se in alto siedono, fra le nubi; ma hanno il potere sugli uomini e sugli dei immortali».

Gli rispose il divino, paziente Odisseo:

«Non si terranno lontani per molto dalla dura battaglia quando fra noi e i Pretendenti, nella mia casa, deciderà la furia di Ares. Ma, appena sorge l'alba, tu va alla reggia e unisciti ai Pretendenti superbi. Più tardi in città mi guiderà il porcaio, e sarò simile a un mendicante, misero e vecchio. E se mi faranno oltraggio, là nella casa, il tuo cuore sopporti di vedermi soffrire, anche se per i piedi mi trascinano lungo la sala fuori dall'uscio, se mi colpiscono. Tu guarda e sopporta. Invitali solo a cessare dalla loro follia, usando parole cortesi. Essi non ti daranno ascolto, su di loro già incombe il giorno fatale. E un'altra cosa ti dirò, tu imprimila bene nel cuore. Quando Atena dai saggi consigli me lo suggerirà, io ti farò un cenno col capo, e a questo segno va a prendere tutte le armi che sono dentro la casa e portale in fondo al talamo dall'alto soffitto, tutte. E ai Proci – se le cercano e ti domandano – rispondi con parole suadenti: "Le ho poste lontano dal fumo perché non erano più quelle che un tempo, partendo per Troia, lasciò qui Odisseo; son rovinate, là dove giunse la vampa del fuoco. E un altro pensiero più grave mi ha messo in cuore il figlio di Crono: che, ubriachi, litigando fra voi, non vi feriate a vicenda, oltraggiando la mensa e le nozze. Le armi infatti attirano l'uomo". Due spade e due lance lascia, per noi due soli, e due scudi di pelle di bue, a portata di mano, per afferrarli d'un balzo quando li incanteranno Pallade Atena e Zeus dalla mente accorta. E un'altra cosa ti dirò, tu imprimila nel tuo cuore. Se sei davvero mio figlio, se del mio sangue tu sei, nessuno venga a sapere che Odisseo è tornato. Non lo sappia Laerte, e neppure il guardiano di porci, e nessuno dei servi e nemmeno Penelope. Soli, tu ed io dobbiamo conoscere l'animo delle donne e mettere alla prova anche qualcuno dei servi, sia chi ci rispetta e ci teme nell'animo, sia chi non ha riguardo e ti disprezza, nonostante il tuo rango».

A sua volta gli disse, lo splendido figlio:

«Padre, il mio animo potrai conoscerlo anche in futuro, io penso. Sprovveduto, certo, non sono. Ma quello che dici non credo sia un vantaggio per noi, ti invito a riflettere. Per molto tempo tu metterai alla prova ciascuno, andando nei campi: e intanto in casa costoro tranquillamente divorano i beni senza misura e senza risparmio. Le donne, invece, io ti consiglio di cercar di conoscere quali non ti rispettano e quali sono prive di colpa. Gli uomini, non vorrei andar per le stalle e metterli alla prova, ci occuperemo dopo di questo, se tu davvero conosci un segno di Zeus, signore dell'egida».

Così parlavano essi tra loro.

E intanto giungeva a Itaca la nave ben costruita che da Pilo aveva portato Telemaco e i suoi compagni. Quando furono dentro al porto profondo, trassero a riva la nave e gli scudieri valenti portarono via gli attrezzi, e i doni bellissimi recarono a casa di Clitio. Inviarono poi alla dimora di Odisseo un araldo, ad annunciare alla saggia Penelope che Telemaco era nei campi e aveva ordinato di condurre la nave in città – affinché non versasse calde lacrime la gloriosa regina, temendo in cuor suo.

Si incontrarono, l'araldo e il divino guardiano, per portare alla donna la stessa notizia. E quando furono giunti alla dimora del re, parlò l'araldo in mezzo alle ancelle:

«Regina, tuo figlio è tornato».

Stando accanto a Penelope il guardiano invece le disse quello che il figlio gli aveva ordinato di dire. E quando ebbe eseguito l'ordine, lasciò la sala e il cortile, tornò tra i suoi porci.

Ma i Pretendenti, rattristati, abbattuti nell'animo, uscirono dalla sala lungo il muro dell'atrio e là, davanti alle porte, sedettero. Fra loro Eurimaco, figlio di Polibo, prese a parlare:

«Un atto di grande audacia ha compiuto Telemaco, con questo viaggio. E noi dicevamo che non ci sarebbe riuscito. Ma ora mettiamo in mare una nave nera, la migliore che abbiamo, raduniamo dei marinai che al più presto vadano a dire ai nostri di ritornare a casa, rapidamente».

Non aveva finito che Anfinomo si volse e vide la nave già dentro al porto profondo e i compagni che ammainavano le vele e prendevano i remi. Si mise a ridere e disse ai compagni:

«Non dobbiamo mandare alcun messaggio: sono già qui. Forse un dio gliel'ha detto o loro stessi hanno visto passare la nave e non hanno potuto raggiungerla».

Così disse, ed essi si alzarono e andarono sulla riva del mare. Subito trassero a riva la nave nera, portarono via gli attrezzi gli scudieri valenti, e tutti insieme andarono in piazza e non permisero che nessun altro sedesse con loro, giovane o vecchio. Parlò fra di loro Antinoo, figlio di Eupite:

«Ahimè, gli dei hanno sottratto quest'uomo alla morte. Giorni e giorni sedevano le sentinelle sulle cime battute dai venti, alternandosi di continuo. E quando il sole calava non passavamo a terra la notte ma con la nave veloce navigando sul mare aspettavamo l'Aurora divina, in agguato, per catturare Telemaco e ucciderlo. E intanto a casa lo ha ricondotto un dio. Ma ora noi qui tramiamo per lui una triste fine, e che non ci sfugga. Non credo che potremo concludere nulla, se resta in vita. Ha mente saggia e prudente, e non ci è più favorevole il popolo. Muovetevi, prima che raduni gli Achei in assemblea: non credo che tralascerà nulla, sarà certo furente e in piedi in mezzo a tutti dirà che gli abbiamo ordito una morte orrenda ma non l'abbiamo colto. E la gente, udendolo, non loderà l'azione indegna: che non ci facciano, anzi, del male, che non ci scaccino dalla nostra terra e ci costringano a fuggire in terra straniera. Prima uccidiamolo, dunque, lontano dalla città, in campagna, o per strada. E teniamoci i beni e le ricchezze dividendoli tra di noi in modo giusto; lasciamo la casa a sua madre e a chi la sposerà. Ma se non vi piace quello che dico, se volete che viva e tutti i beni paterni si tenga, allora non divoriamogli più le sue amate ricchezze, qui tutti insieme riuniti, ma da casa sua le faccia la corte ciascuno, offrendole doni, e lei sposi chi dona di più e chi le destina la sorte».

Disse così, e tutti rimasero muti in silenzio; poi fra di loro prese a parlare Anfinomo, splendido figlio di Niso, signore Aretiade, che da Dulichio, ricca di verde e di grano, guidava alcuni dei Pretendenti ed era gradito a Penelope per i suoi discorsi: aveva un cuore gentile. Con saggezza egli prese a parlare e disse:

«Amici, io non vorrei eliminare Telemaco. Uccidere il figlio di un re è atto tremendo. Per prima cosa interroghiamo gli dei. Se il responso degli dei è a favore, io stesso lo ucciderò e inciterò voi tutti. Ma se gli dei non vogliono, vi invito a desistere».

Così parlò Anfinomo, piacquero agli altri le sue parole. Si alzarono subito e andarono alla dimora di Odisseo e qui giunti sedettero sui troni lucenti.

E intanto pensava la saggia Penelope di mostrarsi ai Pretendenti superbi. Aveva saputo la morte ordita a suo figlio, glielo disse l'araldo Medonte, che conobbe la trama. Si avviò dunque verso la sala con le sue ancelle, e quando fu in mezzo ai Proci, la donna divina, si fermò accanto a un pilastro del solido tetto, si coprì il volto col velo splendente e si rivolse ad Antinoo con parole di biasimo:

«Antinoo, violento, che trami sciagure, eppure dicono che fra gli Itacesi tuoi coetanei sei il migliore per senno e parola: ma non è vero! Pazzo, perché ordisci a Telemaco morte e rovina e non ti curi dei supplici dei quali Zeus è garante? Non è giusto farsi del male gli uni con gli altri. Non sai che tuo padre si rifugiò qui per paura dei cittadini? Erano tutti furenti perché, seguendo i pirati di Tafo, fece danno ai Tesproti che erano nostri alleati: e volevano ucciderlo, strappargli la vita e divorargli i beni che erano molti, ricchissimi. Ma li trattenne Odisseo, frenò il loro furore. E ora tu impunemente gli divori la casa, gli corteggi la sposa, vuoi uccidergli il figlio e mi dai grande dolore. Io ti dico di smettere e di imporlo anche agli altri».

Le rispose Eurimaco, figlio di Polibo:

«Figlia di Icario, saggia Penelope, fatti coraggio, non darti pena per questo nell'animo. Non c'è, non ci sarà mai, non esiste l'uomo che su Telemaco, tuo figlio, alzi la mano, finché io vivo e su questa terra vedo la luce. E ti dirò una cosa che certo avrà compimento: del suo nero sangue si bagnerà la mia lancia, perché spesso Odisseo, distruttore di città, sulle sue ginocchia mi tenne e pezzi di carne arrostita mi dava e rosso vino mi offriva. Per questo Telemaco mi è il più caro fra tutti e io ti dico: non deve temere che morte gli venga dai Pretendenti; quella che viene dai numi non si può evitare».

Così diceva, rassicurandola. Ma egli stesso gli preparava la morte. E lei, risalita nelle sue splendide stanze, piangeva il suo sposo Odisseo, fino a che sulle palpebre le fece scendere il dolce sonno la dea dagli occhi lucenti.

A sera il divino guardiano raggiunse Odisseo e suo figlio che preparavano il pasto, dopo aver ucciso un maiale di un anno. Ma Atena si avvicinò a Odisseo, lo toccò con la bacchetta, lo fece vecchio di nuovo e vestito di miseri cenci perché il porcaro, al vederlo, non lo riconoscesse e andasse a dirlo a Penelope, anziché conservarlo nel cuore. A Eumeo parlò per primo Telemaco:

«Sei dunque giunto Eumeo. Che cosa si dice in città? Sono tornati dal loro agguato i Pretendenti superbi, o ancora aspettano là, che io faccia ritorno?».

E tu gli rispondesti, Eumeo, guardiano di porci:

«Non mi importava chiedere e domandare di questo, andando in città. L'animo mi spingeva a dare la notizia e ritornare indietro al più presto. Ho incontrato un messaggero veloce inviato dai tuoi compagni, un araldo che parlò con tua madre per primo. Ma un'altra cosa so perché con i miei occhi l'ho vista. Tornando, quando ero già sopra la città, sulla collina dov'è il tumulo di Hermes, ho visto una nave veloce che entrava nel nostro porto. C'erano molti uomini a bordo, era carica di scudi, di lance a doppio taglio. Ho pensato che fossero loro, ma non ho la certezza».

Disse così, sorrise il forte Telemaco e con gli occhi guardava suo padre, evitando il guardiano. Cenarono, e ognuno ebbe la sua giusta parte di cibo. E quando furono sazi di cibo e di bevande, pensarono al riposo e colsero il dono del sonno.

ARGO

Quando all'alba apparve l'Aurora lucente, legò allora ai piedi i sandali belli Telemaco, l'amato figlio del divino Odisseo, e prese la solida lancia, adatta alla sua mano, per andare in città. E al guardiano di porci diceva:

«Padre, io vado in città, perché mia madre mi veda; non credo che cesserà dal triste pianto e dal lacrimoso lamento prima di avermi veduto. Ma a te dico questo: conduci in città lo straniero infelice perché mendichi il cibo laggiù; chi vuole gliene darà, un pezzo di pane, una tazza di vino: a tutti io non posso pensare, con la pena che ho in cuore. E se lo straniero si adira, sarà peggio per lui: voglio essere sincero».

Gli rispose l'accorto Odisseo:

«Ma neanch'io, figlio, voglio restare. È meglio che un mendicante chieda in città piuttosto che in mezzo ai campi. Chi vuole mi darà qualche cosa. Non ho più l'età per restare nelle stalle a obbedire in tutto e per tutto a un pastore. Ora va: mi guiderà quest'uomo, come comandi, subito, non appena il fuoco mi avrà riscaldato e sarà tiepida l'aria. Misere sono le vesti che indosso: che non debba vincermi il gelo dell'alba. Perché la città è lontana, voi dite».

Così parlava. E Telemaco era andato via dalla stalla, a passi svelti, e ai Pretendenti meditava sciagure. Quando giunse alla bella dimora andò ad appoggiare la lancia ad un'alta colonna, poi entrò, oltrepassando la soglia di pietra. Lo vide per prima Euriclea, la nutrice, che sopra i seggi adorni stendeva pelli di pecora, e gli andò incontro piangendo; e tutte le ancelle del paziente Odisseo si radunarono intorno e con affetto gli baciavano il capo e le spalle. Scese dal talamo la saggia Penelope, bella come Artemide o la bionda Afrodite, si gettò tra le braccia del figlio e piangeva, gli baciava la testa e gli occhi bellissimi, e tra le lacrime gli diceva queste parole:

«Sei tornato, Telemaco, mia dolce luce; non pensavo di rivederti da quando sulla nave partisti per Pilo, di nascosto, senza che io lo sapessi, per cercare notizie del padre. Ma orsù, ora dimmi quello che ti capitò di vedere».

Le rispose il saggio Telemaco:

«Madre mia, non suscitare il pianto e non turbare il mio cuore, poiché davvero sono sfuggito all'abisso di morte. Va ora a lavarti e indossa una veste pulita, alle stanze di sopra sali con le tue ancelle e agli dei tutti prometti di offrire perfette ecatombi se vorrà compiere Zeus l'opera della vendetta. Io invece andrò nella piazza a cercare lo straniero che mi ha seguito al ritorno; lo mandai avanti insieme ai divini compagni e a Pireo raccomandai di condurlo nella sua casa e con ogni cura ospitarlo e onorarlo fino al mio arrivo».

Così disse, e lei comprese a volo. Andò a lavarsi, indossò vesti pulite e a tutti gli dei promise ecatombi perfette, se Zeus avesse compiuto l'opera della vendetta.

Intanto Telemaco con la lancia in pugno era uscito fuori di casa; due cani veloci gli andavano dietro. Su di lui riversava Atena meravigliosa bellezza, e, mentre si avvicinava, lo guardavano tutti con meraviglia. Gli si affollavano intorno i Pretendenti superbi e dicevano parole gentili, meditando sciagure nel cuore. Ma lui evitò la folla dei Proci e andò a sedersi là dov'erano Mentore e Antifo e Aliterse, i vecchi amici del padre: essi gli ponevano mille domande. A loro si avvicinò Pireo dalla lancia gloriosa che conduceva lo straniero alla piazza. Non per molto rimase Telemaco lontano dall'ospite, ma gli andò accanto. Pireo gli rivolse la parola per primo:

«Presto, Telemaco, manda le donne a casa mia a prendere i doni che Menelao ti fece».

Gli rispose il saggio Telemaco:

«Pireo, non sappiamo come andranno a finire le cose. Forse nella mia casa i Pretendenti superbi uccideranno me a tradimento e si spartiranno i beni paterni; voglio che sia tu a goderti quei doni, e non uno di loro. Se invece ai Proci io darò morte e rovina, allora li porterai a casa mia, per la gioia di entrambi».

Disse così e verso casa guidava lo sventurato straniero. E quando alla bella dimora furono giunti, sui sedili e sui seggi deposero i loro mantelli, entrarono nelle vasche lucenti e fecero il bagno. Poi, dopo che li ebbero lavati e unti con olio, le ancelle misero loro addosso le tuniche e i mantelli di lana: usciti dalle vasche, essi presero posto sui seggi. Venne un'ancella portando l'acqua lustrale in una brocca d'oro, bellissima, e la versava in un bacile d'argento, perché si lavassero; accanto a loro poi collocò un tavolo ben levigato. Venne la dispensiera portando il pane e molte vivande, che con larghezza dispose. Sedeva di fronte a loro la madre – a una colonna della sala poggiava il suo seggio – volgendo il fuso leggero. Sui cibi pronti e imbanditi tesero essi le mani. Ma quando furono sazi di cibo e bevande, fra loro prese a parlare la saggia Penelope:

«Telemaco, io salirò alle mie stanze e mi stenderò su quel letto che per me è di dolore, sempre bagnato dalle mie lacrime da quando Odisseo se ne andò a Ilio insieme agli Atridi. E tu non hai il coraggio – prima che nella casa entrino i Proci superbi – di dirmi chiaramente se hai saputo qualcosa sul ritorno del padre».

Le rispose il saggio Telemaco:

«La verità ti dirò, madre mia. Siamo andati a Pilo da Nestore, signore di popoli; ed egli nell'alta dimora mi accolse e mi ospitò con affetto, come un padre accoglie il figlio che da lontano e dopo molto tempo ritorna: così si prese cura di me Nestore, con i suoi figli gloriosi. Ma del valoroso Odisseo diceva di non aver sentito dire da alcuno se era vivo o morto. Dal figlio di Atreo, Menelao dalla lancia gloriosa, mi mandò allora con dei cavalli e un solido carro. Là Elena d'Argo io vidi, per la quale molto soffrirono Argivi e Troiani, per volontà degli dei. Menelao dal grido possente mi domandava che cosa ero venuto a cercare nella divina Lacedemone. E io gli dicevo tutta la verità. Lui allora mi disse queste parole: "E dunque nel letto di un uomo intrepido vogliono entrare costoro, vigliacchi che sono. Come quando una cerva annida i suoi piccoli appena nati, ancora lattanti, nella tana di un leone possente, e nelle forre e nelle valli erbose va a pascolare – ma quello ritorna al suo covo e all'una e agli altri infligge una morte straziante: così morte orrenda darà ai Proci Odisseo. O padre Zeus, Atena e Apollo, se egli fosse ancora com'era quando a Lesbo ben costruita si alzò per sfidare alla lotta Filomelide e lo atterrò con la forza – esultarono tutti gli Achei –, se così fosse e tra i Proci giungesse Odisseo: breve sarebbe la loro vita, amare le nozze. Le cose che mi domandi e mi preghi di dirti, te le dirò come sono, senza mutarle, senza ingannarti. E di quello che mi disse il Vecchio del mare, che conosce la verità, non ti nasconderò né ti celerò una parola. Disse di averlo visto soffrire amaramente in un'isola, nella dimora della ninfa Calipso, che a forza lo trattiene. Alla terra dei padri non può fare ritorno, non ha più navi fornite di remi e neppure compagni che lo conducano sulla vasta distesa del mare". Così disse l'Atride, Menelao dalla lancia gloriosa. Dopo questo, io ritornai: mi concessero il vento gli dei che velocemente mi ricondussero in patria».

Disse così, e a lei si turbava il cuore nel petto. Prese allora a parlare Teoclimeno, simile a un dio:

«O nobile sposa del figlio di Laerte, Odisseo, Menelao non sa chiaramente, ascolta invece le mie parole: ti dirò il futuro con sincerità, senza nasconderti nulla. Siano testimoni Zeus, prima di tutti gli dei, e la mensa ospitale, e il focolare del nobile Odisseo a cui sono giunto: Odisseo già siede o cammina nella terra dei padri e queste azioni indegne conosce e ai Proci sta meditando la morte. Sulla nave ben costruita io vidi un uccello fatale e lo dissi a Telemaco».

A lui rispose allora la saggia Penelope:

«Se quello che hai detto, ospite, si compisse davvero! Conosceresti allora la mia amicizia e molti doni riceveresti da me; chiunque ti incontrasse ti direbbe felice».

Così parlavano essi fra loro.

Davanti alla dimora di Odisseo intanto i Pretendenti giocavano a lanciare dischi e giavellotti, su un apposito spiazzo, superbi come in passato. Ma quando fu l'ora di cena e da ogni parte dei campi, condotto dai servi, arrivava il bestiame, allora Medonte parlò, che ai Proci piaceva più di tutti gli araldi, e con loro sedeva a banchetto:

«Giovani, vi siete dilettati tutti alle gare, ora andiamo a casa, a preparare il banchetto. È bello prendere il cibo, quando è il momento».

Disse così, e loro obbedirono e andarono. Quando furono giunti alla bella dimora, sui sedili e sui troni deposero i loro mantelli, e grandi arieti, floride capre uccidevano, sgozzavano grassi maiali e una vacca, per preparare il banchetto.

Dai campi alla città si affrettavano intanto Odisseo e il divino porcaro. E il nobile guardiano di porci prese a parlare:

«Straniero, poiché in città desideri andare oggi, come ha ordinato il padrone – io preferivo che rimanessi alle stalle a fare il guardiano, ma di lui ho rispetto, temo che mi rimproveri dopo, e il biasimo dei padroni è pesante –, andiamo dunque! Il giorno è quasi trascorso e tra poco, a sera, sarà più freddo».

Gli rispose l'accorto Odisseo:

«Lo so, capisco. Parli a chi intende. Andiamo dunque: e tu fammi da guida. Ma dammi un bastone, se ce l'hai, perché mi appoggi: la strada è sconnessa, così dicevate».

Disse, e sulle spalle si gettò una bisaccia logora, piena di strappi – la tracolla era una corda. Eumeo gli diede il bastone che aveva richiesto. Si avviarono. Cani e pastori restavano a guardare le stalle. Lui conduceva in città il suo signore, simile a un mendicante miserabile e vecchio che si appoggiava a un bastone e sul corpo vestiva miseri cenci. Ma quando, procedendo per la strada scoscesa, furono vicini alla città, quando furono giunti alla fontana dalle limpide acque dove attingevano i cittadini – la fecero Itaco, Nerito e Polittore, tutt'intorno era un bosco di pioppi nutriti dall'acqua che scorreva gelida dall'alto di una rupe; vi era, sopra, un altare sacro alle Ninfe, dove offrivano sacrifici tutti i viandanti –, là si imbatterono in Melanzio figlio di Dolio, che conduceva le capre più belle di tutte le greggi per il pasto dei Pretendenti. Erano con lui due pastori. Appena li vide, con parole insolenti e volgari li ingiuriava, turbando il cuore di Odisseo:

«Ecco un villano che guida un altro villano: dio accoppia sempre il simile al simile. Dove porti questo morto di fame, disgraziato porcaro, questo pitocco, divoratore di avanzi? Si consumerà le spalle, costui, appoggiandosi a molti stipiti per chiedere tozzi di pane, non certo spade né calici. Se a me tu lo dessi, a fare il guardiano di stalla, a pulire il letame, a portare foraggio ai capretti, si farebbe le cosce robuste, bevendo il siero del latte. Ma poiché ha imparato soltanto a fare del male, non vorrà lavorare di certo: preferisce nutrire il suo ventre insaziabile mendicando in mezzo alla gente. Ma questo ti dico, e questo avrà compimento: se mai entra nella dimora del divino Odisseo, lo colpiranno i Proci lanciandogli addosso molti sgabelli che gli si romperanno sui fianchi».

Così disse e passando lo colpì con un calcio sull'anca, il pazzo, ma non lo smosse, resistette fermo Odisseo, e fu incerto se balzargli addosso e ucciderlo a bastonate, o afferrarlo e fracassargli al suolo la testa. Sopportò, invece, frenando il suo cuore. Ma il porcaro affrontava Melanzio rimproverandolo e poi, levando le mani al cielo, ad alta voce pregava:

«Ninfe della fontana, se è vero che un tempo Odisseo bruciò per voi cosce di agnelli e capretti avvolte nel grasso, ora esauditemi questa preghiera: che quell'uomo ritorni, lo riconduca qui un dio. Disperderebbe lui l'arroganza che ora tu inalberi con insolenza andandotene sempre in giro in città: e intanto i cattivi pastori portano alla rovina le greggi».

Gli rispose allora Melanzio, pastore di capre:

«Che cosa ha detto mai questo cane funesto. Ma lontano da Itaca lo porterò un giorno, su una nera nave dai solidi banchi, per ricavarne un ricco guadagno. Che Apollo dall'arco d'argento colpisca Telemaco oggi nella sua casa, o i Pretendenti lo uccidano, così com'è vero che si è perduto lontano il ritorno di Odisseo».

Così disse, e li lasciò lì – essi camminavano lenti –, ma lui andò avanti e presto raggiunse la dimora del re. Subito entrò e andava a sedersi fra i Proci davanti a Eurimaco, che molto lo amava. Una porzione di carne gli offrirono i servi, la dispensiera venne a portargli il pane perché mangiasse. Arrivarono intanto Odisseo e il divino guardiano e si fermarono, giungeva loro il suono della concava cetra: per i Proci Femio incominciava a cantare. Allora Odisseo prese la mano del porcaro e gli disse:

«Eumeo, questa è certo la bella dimora di Odisseo: riconoscerla è facile, anche tra molte. Tutto è disposto

bene, il cortile è chiuso da mura con cornicioni agget-
tanti, hanno saldi battenti le porte, nessuno potrebbe
far meglio. Mi par di capire che dentro vi sono molte
persone sedute a banchetto, perché si sente profumo
di carne arrostita e risuona la cetra, che della mensa gli
dei fecero amica».

E tu gli rispondesti Eumeo, guardiano di porci:

«Subito l'hai capito, del resto non sei uno sciocco.
Ma ora pensiamo al da farsi: o tu nella bella dimora
entri per primo, ti unisci ai Pretendenti, e io qui rimango. Oppure aspetta, se vuoi, e io entro prima di te.
Ma non indugiare troppo, che non ti veda qualcuno
qui fuori e non ti colpisca o ti batta: a questo devi pensare».

E il paziente, divino Odisseo gli disse:

«Lo so, capisco. Parli a chi intende. Va avanti tu, io
rimango. Ai colpi e alle percosse non sono nuovo: ma
ho un cuore paziente perché molti mali ho sofferto in
guerra e sul mare; a quelli, anche questo si aggiunga.
Nascondere non si può la fame funesta che tante sciagure procura agli uomini: per essa si armano le navi
dai solidi banchi che portano guerra ai nemici sul mare profondo».

Queste parole scambiavano essi fra loro.

E un cane, che lì giaceva, sollevò la testa e le orecchie: era Argo, il cane del valoroso Odisseo, che un
tempo egli stesso allevò senza poterne godere perché
partì per Ilio sacra. A caccia di capre selvatiche, di cer-
vi, di lepri lo portavano i giovani, un tempo; ma ora,
partito il padrone, giaceva nell'abbandono sopra il letame dei muli e dei buoi, che davanti alle porte si ammucchiava abbondante fino a che i servi di Odisseo lo
portavano a concimare i suoi vasti terreni. Qui il cane

Argo giaceva, pieno di zecche. Quando sentì che Odisseo era vicino, mosse la coda, abbassò le orecchie, ma al suo padrone non poteva accostarsi. E Odisseo distogliendo lo sguardo si asciugava una lacrima, di nascosto da Eumeo, e poi gli domandava:

«Eumeo, questo cane, che giace nel letame, d'aspetto è bellissimo, ma non so dire se era altrettanto veloce a correre o era invece come quei cani da mensa che i padroni allevano per vanità».

Gli rispondesti così Eumeo, guardiano di porci:

«È il cane di un uomo ch'è morto lontano. Se nelle azioni e nel corpo fosse qual era quando Odisseo lo lasciò partendo per Troia, stupiresti al vedere la sua velocità, la sua forza. Nel folto della foresta profonda, non una preda sfuggiva al suo inseguimento, era esperto nel fiutare le tracce. Ora la sventura l'ha colto. Lontano da casa è morto il padrone, le donne non hanno cura di lui. Quando i padroni non governano più, i servi non hanno voglia di compiere il loro lavoro. Metà del suo valore toglie all'uomo Zeus, signore del tuono, quando schiavo lo rende».

Così disse ed entrò nella bella dimora, andò verso la sala, tra i nobili Pretendenti.

E la morte oscura scese su Argo, non appena ebbe visto Odisseo, dopo vent'anni.

Per primo Telemaco, simile a un dio, vide il porcaro entrare in sala e subito lo chiamò con un cenno; ed egli si guardò intorno e prese un seggio, quello dove soleva sedersi il servo quando molti pezzi di carne distribuiva ai Pretendenti che mangiavano in sala. Lo prese e lo mise accanto al tavolo di Telemaco, davanti a lui, e si sedette; dal canestro l'araldo prese un pezzo di pane e glielo porse. Dopo di lui entrò nella casa

Odisseo – un mendicante vecchio e infelice che si appoggiava a un bastone, vestito di miseri cenci. Sulla soglia di legno di frassino, all'interno, si mise a sedere, appoggiato allo stipite di cipresso che un artigiano levigò con arte, squadrandolo a filo. Telemaco chiamò a sé il porcaro e, dopo aver preso da un cesto bellissimo un pane intero e tutta la carne che nelle mani poteva tenere, gli disse:

«Prendi questo, dallo all'ospite e digli di andare da tutti i Pretendenti, a domandare: un uomo che ha bisogno non deve avere vergogna».

Disse così e, udite le sue parole, si mosse il porcaro, andò vicino a Odisseo e gli disse:

«Ospite, Telemaco ti dona questo e ti esorta ad andare da tutti i Pretendenti, a domandare; dice che un mendicante non deve avere vergogna».

Gli rispose l'accorto Odisseo:

«O Zeus sovrano, fa che Telemaco sia felice fra gli uomini e tutto si compia per lui ciò che desidera in cuore».

Disse, e con entrambe le mani prese il cibo e lo depose ai suoi piedi, sopra la brutta bisaccia, e mangiò finché nella sala cantava l'aedo; quando ebbe finito, e l'aedo divino cessò di cantare, si udivano nella sala le voci dei Pretendenti. E Atena, vicina a Odisseo, lo esortava a raccogliere i pezzi di pane tra i Proci, per capire quali fra essi erano giusti e quali malvagi: ma anche così, non avrebbe risparmiato nessuno. Egli da destra si avviò, per domandare a ciascuno, da ogni parte tendendo la mano come se avesse mendicato da sempre. Impietositi essi gli davano, e stupiti, guardandolo, chiedevano l'uno all'altro chi fosse mai e da dove venisse. Prese allora a parlare Melanzio, pastore di capre:

«Pretendenti della gloriosa regina, ascoltate me, su questo straniero: io l'ho già visto. Qui l'ha portato il guardiano di porci, ma non so chiaramente chi sia».

Così parlò, ed Antinoo rimproverava il porcaro:

«Tu, disgraziato guardiano, perché mai l'hai portato in città? Non abbiamo forse anche troppi vagabondi, pezzenti molesti, divoratori di avanzi? Ti lamenti perché, qui riuniti, mangiamo gli averi del tuo padrone, e hai invitato costui?».

E tu così gli rispondesti, Eumeo:

«Non parli bene, Antinoo, anche se sei un uomo valente. Chi mai potrebbe andare – in un paese o in un altro – a invitare un estraneo che non appartenga alla classe degli artigiani? che non sia un indovino, un medico, un falegname o un aedo divino che col suo canto diletta? Queste persone si invitano, sulla terra vastissima. Nessuno chiamerebbe un mendico per rovinare se stesso. Sempre aspro tu sei, più di tutti i Proci, verso i servi di Odisseo, con me soprattutto. Ma non mi importa finché in questa casa vive la saggia Penelope e Telemaco simile a un dio».

Telemaco a sua volta gli disse:

«Taci, non parlare troppo con lui. È sua abitudine provocare con parole mordaci, eccitando anche gli altri».

Disse, e si rivolse ad Antinoo:

«Antinoo, ti curi davvero di me, come un padre, se ordini che lo straniero sia cacciato di casa con dure parole: iddio non lo voglia! Prendi invece e dagli qualcosa, io non mi oppongo, anzi ti esorto. E non avere timore né di mia madre né di nessuno dei servi che vivono in casa del divino Odisseo. Ma a questo non pensi in cuor tuo: vuoi mangiare molto tu stesso piuttosto che darne ad un altro».

Antinoo a sua volta rispose:

«Che cosa hai mai detto, Telemaco, violento, arrogante che sei. Se tutti i Proci gli dessero tanto, per tre mesi potrebbe starsene lontano da questa casa».

Parlò così, e da sotto la tavola tirò fuori lo sgabello dove soleva posare i bei piedi quando pranzava. Intanto offrivano gli altri e riempivano la bisaccia di pane, di carne, e presto Odisseo, tornando sull'uscio, avrebbe gustato i doni dei Proci. Ma accanto ad Antinoo egli si fermò e gli disse:

«Dammi anche tu, amico. Degli Achei non mi sembri l'ultimo, ma il primo, perché a un re somigli. Perciò devi donarmi cibo migliore degli altri: e io sulla terra infinita canterò le tue lodi. Un tempo anch'io ebbi fortuna, abitavo una casa ricca e spesso donavo ai vagabondi, chiunque fossero, quando giungevano bisognosi di aiuto. Avevo moltissimi servi e tutte le altre cose che rendono bella la vita e per cui ti dicono ricco. Ma volle distruggermi il figlio di Crono e mi spinse ad andare in Egitto con dei predoni vagabondi, in un lungo viaggio, per mia rovina. Nel fiume Egitto ormeggiai le agili navi. E ai fedeli compagni ordinavo di rimanere lì e fare guardia alle navi, e le vedette esortavo perché andassero ad esplorare. Ma essi, seguendo l'impulso, cedendo all'istinto, devastarono le campagne bellissime del popolo egizio, rapirono donne e bambini, uccisero gli uomini. Subito la notizia giunse in città. Quando l'ebbero udita gli Egizi, alle prime luci dell'alba arrivarono: la pianura tutta era piena di fanti e di cavalli, scintillavano le armi di bronzo. Allora Zeus, signore dei fulmini, gettò il panico fra i miei compagni, nessuno osò rimanere e affrontarli. Da ogni parte incombeva rovina. E molti dei miei furono uccisi dalle acute armi di bronzo, altri vennero presi vivi e costretti a lavorare per loro. Diedero me a uno straniero, a Dmetore figlio di Iaso, che regnava su Cipro. Da Cipro qui sono giunto, dopo aver molto sofferto».

E Antinoo gli rispose e gli disse:

«Ma quale dio ha mandato questa sciagura, questa rovina del pranzo? Sta lì, lontano dalla mia tavola, che tu non debba giungere presto a un amaro Egitto, ad un'amara Cipro. Sfrontato e impudente accattone! A tutti, uno dopo l'altro, ti accosti; e loro ti donano, stolidamente, perché non c'è esitazione o ritegno a dare cose d'altri, quando ognuno molto possiede».

Indietreggiando gli disse l'accorto Odisseo:

«Ahimè, il tuo pensiero non corrisponde al tuo aspetto. Certo dei tuoi averi non daresti un grano di sale a chi ti supplicasse, se ora, in casa altrui, non vuoi darmi nemmeno un pezzo di pane: eppure c'è grande abbondanza».

Disse così, ancor più si adirava Antinoo che, guardandolo male, gli disse queste parole:

«Non credo che uscirai illeso da questa sala, ora che dici anche insolenze».

Disse, e con lo sgabello lo colpì sulla schiena, vicino alla spalla. Saldo rimase Odisseo, come una roccia, non lo smosse il colpo di Antinoo: scosse la testa in silenzio, meditando sciagure. Alla soglia tornò di nuovo e sedette, depose la bisaccia rigonfia e disse ai Pretendenti:

«Pretendenti della gloriosa regina, ascoltatemi, vi dirò quello che il cuore comanda: non vi è dolore né pena nell'animo se un uomo viene colpito mentre si batte per i suoi beni, per i buoi, per le candide pecore. Ma Antinoo mi ha colpito a causa della fame tremenda, funesta, che molti mali alla gente procura. Ma se vi sono gli dei e le Erinni dei poveri, la morte colga Antinoo prima delle sue nozze».

Gli rispose Antinoo, figlio di Eupite:

«Siediti e mangia in silenzio, straniero, o vattene altrove, perché, a sentire quello che dici, i giovani non ti afferrino per un piede, per una mano, e ti trascinino per la casa, scorticandoti tutto».

Parlò così, ma tutti si indignarono molto. E qualcuno di quei giovani fieri diceva:

«Antinoo, non è bello colpire un viandante infelice. Sciagurato, e se fosse uno degli dei celesti? Simili a stranieri di altri paesi anche gli dei, assumendo forme diverse, vanno per le città a vedere se gli uomini sono giusti od ingiusti».

Così dicevano i Proci, ma lui non si curava delle loro parole.

Un grande dolore nacque nel cuore a Telemaco per il padre colpito, ma neppure una lacrima gli cadde a terra dagli occhi, scosse il capo in silenzio, meditando sciagure.

Quando la saggia Penelope seppe dell'uomo colpito in sala, subito disse alle ancelle:

«Così Apollo, signore dell'arco, potesse colpirti, Antinoo».

Soggiunse Eurinome, la dispensiera:

«Se le nostre preghiere potessero compiersi, nessuno di loro giungerebbe a vedere l'Aurora dallo splendido trono».

Le rispose la saggia Penelope:

«O madre, odiosi sono tutti perché vanno tramando sciagure. Ma più di tutti Antinoo somiglia alla nera dea della morte. Uno straniero infelice va mendicando per casa, poiché il bisogno lo spinge; gli altri donano a piene mani, lui invece alla spalla destra lo colpisce con uno sgabello».

Così parlava, seduta nel talamo, fra le sue ancelle. Mangiava intanto il divino Odisseo. Ma lei chiamò a sé il nobile guardiano di porci e gli disse:

«Divino Eumeo, va dallo straniero e digli di salire perché io lo saluti e gli domandi se del paziente Odisseo ha notizia, se l'ha visto lui stesso. Sembra che abbia molto vagato».

E tu le rispondesti Eumeo, guardiano di porci:

«Se gli Achei stessero zitti, mia regina! I suoi racconti ti incanterebbero il cuore. Tre giorni è stato con me, tre notti l'ho trattenuto nella capanna: da me infatti per primo è venuto, quando fuggì dalla nave; ma ancora non ha finito di narrarmi le sue sventure. Come quando si guarda un aedo, che dagli dei ha appreso l'arte di cantare storie mirabili per i mortali, e quando canta si vorrebbe ascoltarlo per sempre; così lui mi incantava nella mia casa. Di Odisseo dice di essere ospite antico, e abita a Creta, dov'è la stirpe di Minosse. Di là è arrivato fin qui, soffrendo molte sventure, da un luogo all'altro vagando. Afferma di aver udito – non molto lontano, nel ricco paese dei Tesproti – che Odisseo è vivo, e che molti tesori porta alla sua casa».

A lui disse la saggia Penelope:

«Va, chiamalo qui, perché me lo dica lui stesso. E intanto costoro, seduti sulla soglia o qui in casa, si divertano pure, poiché il loro animo è lieto. Intatti sono gli averi nelle loro case: il pane, il vino dolcissimo li mangiano i servi soltanto; e loro invece ogni giorno arrivano qui, scannano buoi, pecore, floride capre, mangiano e bevono il vino lucente, senza darsi pensiero. E molte cose consumano. Non c'è infatti un uomo, come era Odisseo, per allontanare questa sciagura. Se lui giungesse, se ritornasse nella sua terra, subito, insieme a suo figlio, punirebbe i soprusi dei principi».

Disse così, e Telemaco starnutì forte, ne risuonò tutta la casa. Rise Penelope e rivolgendosi a Eumeo gli disse:

«Va dunque, chiamami questo straniero. Non vedi che ad ogni parola starnutisce mio figlio? Una morte infallibile colpisse così i Pretendenti, e nessuno di loro potesse sfuggire al destino. E un'altra cosa ti dirò, tu imprimila bene nel cuore. Se capirò che egli dice la verità, gli darò bellissime vesti, un mantello, una tunica».

Così parlò e, udite queste parole, si mosse il porcaro, andò vicino a Odisseo e gli disse:

«Ti manda a chiamare, straniero, la madre di Telemaco, la saggia Penelope: desidera in cuore domandarti notizie del suo sposo, anche se è piena di angoscia. E se capisce che dici la verità, ti donerà un mantello, una tunica, di cui hai tanto bisogno. E fra la gente mendicando il cibo potrai saziare la fame. Chi vuole te lo darà».

Gli rispose il divino, tenace Odisseo:

«Eumeo, subito io narrerei la verità alla figlia di Icario, alla saggia Penelope. So molte cose di lui, abbiamo patito le stesse sventure. Ma di questa folla di Proci malvagi ho timore; fino al livido cielo giunge la loro violenza superba. Anche ora, mentre andavo per casa senza far nulla di male, mi ha colpito quest'uomo, mi ha procurato dolore, ma Telemaco non l'ha impedito, né nessun altro. Perciò di' a Penelope di rimanere nelle sue stanze, per quanto impaziente sia, fino al tramonto del sole. Allora mi chiederà dello sposo, del suo ritorno, facendomi sedere vicino al fuoco. Ho questi miseri abiti, tu lo sai bene, perché da te venni a supplicare per primo».

Disse così, e, udite le sue parole, si mosse il porcaro. E mentre varcava la soglia, gli disse Penelope:

«Non è dunque con te, Eumeo? Che cosa pensa questo viandante? Si vergogna a venire in casa perché teme qualcuno o per altri motivi? È vile il mendicante che prova vergogna».

E tu così le rispondesti, Eumeo:

«In modo giusto egli parla, lo penserebbe chiunque volesse evitare la violenza dei Proci superbi. Dice che tu lo aspetti fino al tramonto del sole. Ed è molto meglio per te, mia regina, che tu parli e lo ascolti da sola».

A lui disse allora la saggia Penelope:

«Non è sciocco questo straniero, che prevede quel che accadrebbe; perché nessuno fra gli uomini è così prepotente e trama azioni indegne, come costoro».

Così essa diceva, e il divino guardiano andò fra i Pretendenti, dopo aver spiegato ogni cosa. E subito disse a Telemaco, accostando la testa alla sua perché non udissero gli altri:

«Figlio, io me ne vado a badare ai porci e alle altre cose, ai tuoi beni ed ai miei. Tu resta qui e provvedi a ogni cosa. Salva prima te stesso e bada che non ti accada nulla di male. Tramano sciagure molti dei Danai, che Zeus li annienti prima che ci procurino danno».

Replicò il saggio Telemaco:

«Sia così, padre. Ma tu va, dopo avere mangiato. E torna domani portando vittime belle. Io penserò a tutto con l'aiuto di dio».

Disse così, ed egli sedette di nuovo sul lucido seggio. Poi, sazio di cibo e bevande, si avviò per tornare ai suoi porci, lasciando il cortile e la sala piena di convitati che si godevano il canto e le danze.

Intanto era ormai calata la sera.

IRO, IL GIROVAGO

Sopraggiunse un accattone del luogo, che mendicava in città, a Itaca, ed era noto per la fame insaziabile che lo spingeva a mangiare e bere senza misura. Non aveva vigore né forza, solo d'aspetto era grande e grosso a vedersi. Arneo era il suo nome, questo gli impose la madre alla nascita; ma Iro solevano chiamarlo i giovani, perché andava a portare messaggi, se glielo ordinava qualcuno. Giunse, e voleva scacciare dalla sua casa Odisseo, e, ingiuriandolo, diceva queste parole:

«Via dalla porta, vecchio, o presto ti trascinerò io per un piede. Non vedi che tutti mi fanno cenno e mi esortano perché ti trascini? E tuttavia non mi sento di farlo. Vattene dunque, che per questa contesa non veniamo anche alle mani».

Lo guardò con odio e gli disse l'accorto Odisseo:

«Sciagurato, io non faccio e non dico nulla di male, e a nessuno impedisco di farti dei doni, anche molti. Su questa soglia possiamo restare entrambi e tu non devi invidiare ciò che gli altri possiedono. Un vagabondo sei, come me, così mi sembra: la nostra fortuna è nelle mani di dio. E non provocarmi troppo alla rissa, non farmi irritare, bada che, pur essendo vecchio, non ti riempia il petto e la bocca di sangue. Sarei più tranquillo domani perché non credo che per la seconda volta ritorneresti alla casa del figlio di Laerte, Odisseo».

Gli rispose, furente, Iro, il girovago:

«Mio dio, come parla questo mangione, sembra una vecchia fornaia: potrei ridurlo male colpendolo con entrambe le mani e tutti i denti strappargli dalle mascelle, come a una scrofa che distrugge il raccolto. Ora raccogli le vesti alla cintura perché tutti costoro ci vedano mentre lottiamo: ma come potrai batterti con un uomo più giovane?».

Così essi, davanti alle alte porte, sulla soglia ben fatta, litigavano violentemente. Li udì il nobile Antinoo e ridendo di cuore diceva ai Pretendenti:

«Amici, nulla di simile è mai successo, che godimento ci hanno portato in casa gli dei; Iro e lo straniero si stanno sfidando alla lotta. Presto, andiamo ad aizzarli l'uno contro l'altro».

Così parlò, si alzarono tutti ridendo, e si raccolsero intorno ai due mendicanti cenciosi. E Antinoo prese a parlare, figlio di Eupite:

«Nobili Pretendenti, ascoltate quello che dico. Vi sono, sul fuoco, queste salsicce che, per la cena, abbiamo riempito di grasso e di sangue. Chi dei due riporterà la vittoria, si sceglierà lui stesso quella che vuole: e siederà sempre a banchetto con noi, nessun altro lasceremo che mendichi dentro la casa».

Così disse Antinoo, piacquero le sue parole. Ma a loro disse, astutamente, l'accorto Odisseo:

«Miei signori, non è possibile che con un giovane lotti un vecchio oppresso dalla sventura; è la maledetta fame che mi costringe a subire. Ma pronunciate ora voi tutti un giuramento solenne: nessuno, per favorire Iro, oserà colpirmi con mano pesante, nessuno a forza mi farà sottomettere a lui».

Disse così, ed essi giurarono come voleva. Ma quando ebbero fatto e compiuto il giuramento, il nobile e forte Telemaco disse, fra loro:

«Straniero, se il cuore e l'animo audace ti spingono a difenderti contro di lui, degli altri Achei però non avere paura, perché con molti dovrà battersi chi ti colpisce. Io sono l'ospite, ma anche i principi approvano, Eurimaco ed Antinoo, che sono saggi».

Così parlò, e furono tutti d'accordo. Strinse intanto Odisseo intorno all'inguine i cenci e scoprì le cosce solide e belle, le spalle si rivelarono, larghe, robusti il petto e le braccia. Atena – che gli era vicina – fece più grandi le membra al signore di popoli. I Pretendenti guardavano con grande stupore e, rivolto al suo vicino, qualcuno diceva:

«Ah, presto Iro non sarà più Iro e avrà il fatto suo, guarda le gambe del vecchio che i cenci hanno scoperto».

Così dicevano, si turbò il cuore di Iro; ma gli legarono, i servi, le vesti e a forza lo trascinavano, pieno di angoscia: la carne gli tremava sul corpo. E Antinoo, rimproverandolo, disse:

«Dovresti essere morto, spaccone, o non essere nato, se hai tanta paura e tremi di fronte a un vecchio oppresso dalla sventura. Ma questo io ti dico, e questo avrà compimento: se vincerà, se sarà il migliore, su una nave nera ti getterò e ti manderò in terraferma, dal re Echeto, flagello degli uomini, che naso e orecchie ti taglierà con il bronzo crudele, ti strapperà i genitali e li darà in pasto ai cani».

Così disse, e a lui ancor più le ginocchia tremarono. Nel mezzo lo spinsero. Entrambi levarono i pugni. Ed era incerto allora il paziente, divino Odisseo, se colpirlo così che cadesse e lo abbandonasse la vita, o coglierlo soltanto di striscio, in modo da stenderlo a terra. E mentre così pensava gli sembrò che la cosa migliore fosse dargli un colpo leggero, affinché i Danai non potessero sospettare chi era. Alzarono allora le braccia e Iro gli sferrò un pugno sulla spalla destra; al collo sotto l'orecchio lo colpì invece Odisseo e gli spezzò, dentro, le ossa; subito il rosso sangue gli uscì dalla bocca, cadde gemendo e digrignava i denti scalciando contro la terra. I Pretendenti gloriosi, levando al cielo le braccia, morivano dalle risate. Lo afferrò per un piede Odisseo e lo trascinò fuori dal portico, fino al cortile ed alle porte esterne; contro il muro di cinta lo appoggiava, seduto, in mano gli mise un bastone e gli parlò dicendo:

«Ora qui resta seduto, tieni lontani i cani e i maiali, e con gli stranieri e i mendicanti non fare il padrone, tu che sei miserabile, se non vuoi che ti capiti anche di peggio».

Parlò così, e sulle spalle gli gettò la bisaccia logora, piena di strappi che aveva una corda come tracolla. Di nuovo andò sulla soglia e sedette. Tornarono dentro ridendo di cuore i Proci, e gli rendevano omaggio dicendo:

«Zeus ti conceda, straniero – e con lui gli altri dei immortali – ciò che più di ogni cosa desideri e che è caro al tuo cuore, perché hai fatto sì che quest'uomo insaziabile la finisca di mendicare fra il popolo; ora lo spediremo in terraferma, dal re Echeto, flagello degli uomini».

Così dicevano, e il divino Odisseo gioiva all'augurio. Accanto Antinoo gli pose una grossa salsiccia, piena di sangue e di grasso, Anfinomo prese due pani dal canestro e glieli offriva, poi con la coppa d'oro gli rese omaggio dicendo:

«Salute a te, ospite; possa tu essere felice un giorno, perché molte sventure ti opprimono».

Gli rispose l'accorto Odisseo:

«Anfinomo, mi sembra che tu sia molto saggio: tale era tuo padre – la sua fama gloriosa conosco –, Niso di Dulichio, nobile e ricco; da lui ti dicono nato e sembri un uomo cortese. Per questo io ti dico, e tu ascolta e comprendi: di tutto ciò che nutre la terra, e sulla terra si muove e cammina, nulla è dell'uomo più effimero. Egli pensa che non gli accadrà nulla di male, finché gli dei gli concedono forza e le sue membra si muovono. Ma quando i numi beati dolori gli infliggono, anche questi sopporta, suo malgrado, con cuore paziente. Così è l'animo degli uomini che vivono sulla terra, come il giorno che manda il padre degli dei e degli uomini. Un tempo potevo essere felice anch'io fra i mortali, ma molti errori commisi abusando di forza e potere e fidando nei miei fratelli e nel padre. Mai dovrebbe essere ingiusto l'uomo, ma godere in silenzio i doni che i numi gli danno. Ora vedo i Pretendenti compiere azioni indegne, distruggendo gli averi e oltraggiando la sposa di un uomo che – io vi dico – non resterà per molto tempo lontano dalla patria e dalla famiglia: anzi è molto vicino. Meglio che un dio alla tua casa ti riconduca e che tu non ti incontri con lui quando alla terra dei padri farà ritorno; non credo che senza sangue si divideranno, lui e i Pretendenti, quando entrerà nella sua casa».

Disse così e, dopo aver libato, beveva il vino dolcissimo, poi restituì la coppa al signore di popoli. E lui attraversava la sala col cuore turbato, scuotendo la testa: prevedeva sventure nell'animo. Non sfuggì, tuttavia, alla morte: Atena lo condannò a cadere ucciso per mano di Telemaco e della sua lancia. Tornò a sedersi sul trono da dove si era levato.

Intanto la dea dagli occhi lucenti suggeriva a Penelope, la saggia figlia di Icario, di mostrarsi ai Pretendenti, per ammaliare ancor più il loro cuore e davanti al marito ed al figlio apparire, più di quanto prima lo fosse, degna d'onore. All'improvviso ella rise e disse:

«Eurinome, il cuore mi spinge – come mai prima – a mostrarmi ai Pretendenti, per quanto siano odiosi. Ma voglio dire a mio figlio che molto meglio sarebbe se non si accompagnasse sempre ai Proci superbi, che parlano bene, ma tramano alle sue spalle».

Replicò Eurinome, la dispensiera:

«In modo giusto, figlia, hai parlato. Va, ora, e parla a tuo figlio, non nascondergli nulla. Prima però lavati il viso e ungi le guance, non andare col volto inondato di lacrime, non è bello che ti mostri sempre dolente. Ormai è grande il figlio per cui tanto pregavi gli dei, di vedergli spuntare la barba».

Le rispose la saggia Penelope:

«Eurinome, se mi vuoi bene, non dirmi di lavare il viso, di spalmare l'unguento; tutto lo splendore mi tolsero gli dei dell'Olimpo da quando lui se ne andò sulle concave navi. Di' piuttosto ad Autonoe e ad Ippodamia che vengano, per stare accanto a me nella sala; non scendo sola fra gli uomini, provo vergogna».

Disse così, e la vecchia uscì dalla stanza per chiamare le donne e invitarle a venire.

Ad altro allora pensò la dea dagli occhi lucenti. Sulla figlia di Icario versò un sonno dolcissimo, e lei dormiva supina, sulla sua seggiola, le membra abbandonate; intanto la dea luminosa le fece doni immortali, perché gli Achei l'ammirassero. Il bellissimo volto le unse con olio divino, quello con cui Afrodite dalla bella corona si unge quando con le amabili Cariti si reca a danzare. E più alta la fece, più grande, la fece più bianca dell'avorio tagliato. E dopo aver fatto questo se ne andò, la dea luminosa. Giunsero dalla sala le ancelle dalle candide braccia, accorrendo al richiamo; il sonno soave lasciò Penelope che passò le mani sul viso e disse:

«Un sonno soave mi ha avvolto, nonostante il mio dolore; fosse così dolce la morte e me la desse la pura Artemide subito, ora; non consumerei più la mia vita soffrendo nell'animo e rimpiangendo il mio sposo, le sue molte virtù, perché fra tutti gli Achei si distingueva».

Così diceva, e dalle luminose stanze discese, non sola, erano con lei due ancelle. E quando giunse fra i Pretendenti, la donna divina, si fermò accanto a un pilastro del tetto ben fatto, coprendosi il volto con il candido velo. A fianco, da una parte e dall'altra, aveva un'ancella fedele. E ai Proci si piegarono le ginocchia, furono vinti dalla passione, tutti volevano stendersi accanto a lei, nel suo letto. Ma lei si rivolse a Telemaco, il figlio amato:

«Telemaco, non hai più intelligenza né senno. Quando eri fanciullo avevi pensieri migliori nell'animo. Ora sei grande, hai raggiunto il fiore della giovinezza e chiunque, anche uno straniero, vedendoti così alto e bello, ti direbbe figlio di un uomo ricco: ma non hai senno né giusti pensieri. Un così grande misfatto è accaduto qui, nella casa, hai lasciato che l'ospite venisse offeso in tal modo. Come è possibile che nella nostra dimora uno straniero debba soffrire così, per maltrattamenti crudeli? Sarebbe un disonore, una vergogna per te fra gli uomini».

A lei replicò il saggio Telemaco:

«Madre mia, per la tua collera io non ti biasimo; ma nell'animo so e conosco ogni cosa, le azioni nobili e queste, indegne. Tuttavia non posso pensare a tutto nel modo giusto perché da ogni parte mi stanno addosso, mi opprimono costoro con le loro trame malvagie, ed io non ho chi mi aiuti. Ma non per volere dei Proci avvenne la lotta fra l'ospite e Iro, e l'ospite è stato il più forte. O padre Zeus, Atena e Apollo, se nella nostra casa i Pretendenti, sconfitti, piegassero il capo, chi nel cortile, chi dentro casa, e a tutti venisse meno il vigore del corpo, così come adesso Iro siede contro le porte esterne e la testa gli ciondola come se fosse ubriaco, e non riesce a stare in piedi né a tornarsene a casa, dove torna di solito, perché non si regge sulle sue gambe».

Queste parole scambiavano essi fra loro. Ma Eurimaco si rivolse a Penelope e disse:

«Figlia di Icario, saggia Penelope, se tutti gli Achei ti vedessero, ad Argo di Iaso, più numerosi i Pretendenti pranzerebbero domani in casa vostra, perché ogni altra donna tu superi per bellezza, statura, e per la tua mente assennata».

Gli rispose la saggia Penelope:

«Eurimaco, il mio valore, la mia bellezza, me l'hanno tolta gli dei quando per Ilio salparono i Danai e con loro era il mio sposo, Odisseo. Se lui tornasse a occuparsi della mia vita, la mia fama sarebbe certo più grande e più bella. Ma ora soffro: tante sono le pene che mi hanno inflitto gli dei. Quando lui se ne andò lasciando la terra dei padri, mi prese la mano e stringendomi il polso mi disse: "Moglie mia, io non credo che gli Achei dalle belle armature ritorneranno tutti salvi da Troia: dicono che i Troiani siano forti guerrieri, abili con le lance e a scagliare le frecce, a guidare i carri dai veloci cavalli che rapidamente decidono la grande contesa della guerra crudele. Per questo io non so se gli dei mi faranno tornare o se sarò ucciso lì, a Troia. Tu, qui, abbi cura di tutto. Bada al padre e alla madre, come fai ora, e anche di più, mentre sono lontano. Ma quando vedrai spuntare la barba sul viso del figlio, sposati con chi vuoi e lascia questa tua casa". Così egli parlava: ed ora tutto si compie. Verrà la notte in cui nozze odiose toccheranno a me, sventurata, a cui Zeus ha tolto ogni bene. E un altro tremendo dolore colpisce il cuore, la mente: non era questo l'uso dei pretendenti, un tempo, di quanti volevano corteggiare una donna nobile, di ricca famiglia, e fare a gara fra loro. Sono loro che portano buoi e fiorenti pecore alla famiglia della fanciulla, per il banchetto, e offrono splendidi doni. Ma non divorano i beni altrui, impunemente».

Così disse, ed esultò il paziente, divino Odisseo, perché lei cercava di ottenere doni da loro e li incantava con dolci parole, ma ad altro pensava nell'animo.

Le rispose Antinoo, figlio di Eupite:

«Figlia di Icario, saggia Penelope, accetta dunque i doni che qui vorranno portarti gli Achei: non è bello rifiutare dei doni. Ma noi non torneremo al nostro lavoro né d'altro ci occuperemo prima che tu abbia sposato uno degli Achei, il migliore».

Così disse Antinoo, piacquero le sue parole. E ognuno mandava un araldo a prendere i doni. Ad Antinoo l'araldo portò un grande peplo, ricamato, bellissimo; su di esso vi erano dodici fibbie, tutte d'oro, con i fermagli ricurvi; a Eurimaco, una collana preziosa, d'oro misto a grani di ambra, lucenti al pari del sole; a Euridamante i servi portarono due orecchini, fatti di tre grosse perle ciascuno, splendevano di infinita bellezza; dalla casa del re Pisandro figlio di Polittoride, un servo portò un cerchio da collo, meraviglioso gioiello. E altri doni bellissimi portarono tutti gli Achei.

Salì alle sue stanze, la donna divina, e con lei le ancelle che portavano gli splendidi doni. Essi tornarono invece a godere le danze ed il canto, aspettando che giungesse la sera. Mentre così si dilettavano, scese l'oscurità. Subito, nella sala, misero tre bracieri perché facessero luce: e vi collocarono intorno legna, secca e ben stagionata, tagliata da poco con l'ascia di bronzo; vi unirono anche legno di pino; e a turno attizzavano il fuoco le ancelle del paziente Odisseo. A loro si rivolse l'eroe divino:

«Ancelle di Odisseo, il re che da tempo è lontano, tornate alle stanze dov'è la vostra regina. Accanto a lei avvolgete il fuso, con le mani aggiustate la lana; cercate di rallegrarla, sedendo nella sua stanza. Provvederò ˙io a far luce per tutti: anche se vorranno aspettare l'Aurora divina, saprò resistere, sono molto tenace».

Così parlò, ed esse risero, guardandosi l'una con l'altra. E in modo villano gli replicava Melanto dal bellissimo volto, nata da Dolio, che Penelope crebbe, e allevò come una figlia, dandole molti giocattoli: ma di Penelope lei non si curava nel cuore e con Eurimaco si univa e faceva l'amore. Lei insultava Odisseo con parole d'offesa:

«Miserabile, davvero sei fuori di senno. Invece di andare a dormire in casa di un fabbro o in un luogo qualsiasi, te ne stai qui a parlare sfrontatamente in mezzo a tante persone, e non hai timore nell'animo; o il vino ti ha dato alla testa, o sempre sei stato così, uno che dice sciocchezze. Oppure sei fuori di te perché hai vinto Iro, il girovago? Bada che non si presenti un altro più forte di Iro, che con le mani pesanti ti colpisca in testa e dalla casa ti cacci via, coperto di sangue».

Guardandola irato le disse l'accorto Odisseo:

«Subito andrò da Telemaco, cagna, a riferirgli quello che dici, perché ti squarti pezzo per pezzo».

Disse così, e atterrì le donne con queste parole. Si dispersero nella casa con le ginocchia tremanti per la paura: credevano che avesse parlato sul serio. Egli era rimasto invece presso i bracieri ardenti, a far luce, e tutti osservava: ma meditava nell'animo cose che non sarebbero rimaste incompiute.

Atena non permetteva che i Pretendenti superbi smettessero i loro insulti crudeli, perché ancora più a fondo nel cuore del figlio di Laerte, Odisseo, penetrasse il dolore. Eurimaco figlio di Polibo prese a parlare e a schernire Odisseo suscitando il riso fra i Proci:

«Ascoltatemi, Pretendenti della gloriosa regina, perché io vi dica quello che il cuore mi suggerisce nel petto. È un dio che manda quest'uomo in casa di Odisseo, davvero, da lui mi sembra provenga la luce, dalla sua testa, perché non ha più nemmeno un capello».

Disse, e si rivolse a Odisseo, distruttore di città:

«Straniero, se io ti prendessi, vorresti farmi da servo

laggiù nei campi – la ricompensa sarà sicura – per raccogliere pietre o piantare degli alberi? Ti darei cibo abbondante, e vesti per ricoprirti, e sandali ti donerei, per i piedi. Ma poiché hai appreso solo azioni dappoco, non vorrai lavorare, ma mendicare piuttosto fra il popolo per nutrire il tuo ventre insaziabile».

Gli rispose l'accorto Odisseo:

«Eurimaco, se dovessimo fare a gara fra noi, a primavera, quando i giorni sono più lunghi, in un prato con tanta erba, e io avessi una falce ricurva e tu pure una ne avessi per misurarci al lavoro fino a sera, senza mangiare; o se dovessimo spingere buoi di colore fulvo, i più forti, i più grandi, sazi di fieno, pari di forza e di età, pieni di inesausto vigore, in un campo di quattro misure dove la terra cede all'aratro, allora tu mi vedresti tagliare solchi senza fermarmi. E se infine una guerra scatenasse il figlio di Crono, oggi stesso, e io avessi uno scudo e due lance e un elmo di solido bronzo calzato alle tempie, mi vedresti allora in prima fila e non mi parleresti così, non mi rinfacceresti la fame. Sei molto arrogante e scortese: credi di essere grande e potente perché stai in mezzo a gente vile e da poco. Ma se ritornasse Odisseo, se giungesse alla terra dei padri, questa porta, allora, che pure è molto larga, sarebbe stretta per te mentre fuggi fuori dall'atrio».

Così parlò, ancor più si adirava Eurimaco in cuore, lo guardò con odio e gli disse queste parole:

«Sciagurato, ti concerò male davvero, perché con insolenza parli in mezzo a tante persone e non hai timore nell'animo. Ti ha dato alla testa il vino o sempre sei stato così, uno che dice sciocchezze. Oppure sei fuori di senno perché hai sconfitto Iro, il girovago?».

Ciò detto afferrò uno sgabello; ma Odisseo andò a rannicchiarsi ai piedi di Anfinomo di Dulichio, per timore di Eurimaco; ed egli colpì alla mano destra il coppiere che cadde a terra supino, gemendo; risuonò, cadendo, la brocca. Le voci dei Pretendenti si alzarono, nella sala piena di ombre, e, guardando il suo vicino, così diceva qualcuno:

«Fosse morto altrove questo straniero, errando, prima di giungere qui: non avrebbe provocato tanto scompiglio. Litighiamo, adesso, per dei mendicanti, non vi sarà più piacere nel ricco banchetto, prevalgono le cose meschine».

E il nobile e forte Telemaco disse:

«Sciagurati, voi siete pazzi, e non nascondete più in cuore la brama di cibo e di vino; certo vi eccita un dio. Ma dopo aver ben mangiato, andate a casa a dormire, quando il cuore ve lo comanda; certo io non scaccio nessuno».

Così disse, ed essi si mordevano le labbra stupiti perché Telemaco con tanta audacia aveva parlato.

Prese allora a parlare fra loro Anfinomo, il glorioso figlio di Niso, sovrano Aretiade:

«Amici, nessuno deve adirarsi contro chi dice parole giuste, assalendolo con risposte cattive. Non maltrattate più lo straniero e nessun altro dei servi, nella casa del divino Odisseo. Su via, che il coppiere cominci a riempire i calici perché, dopo avere libato, ce ne andiamo a casa a dormire. Lasciamo l'ospite nella dimora di Odisseo, ne avrà cura Telemaco: alla sua casa è venuto».

Disse così, piacquero le sue parole. Per loro mescolava l'acqua col vino nella grande coppa l'araldo venuto da Dulichio, Mulio, che era servo di Anfinomo: a tutti versava, uno per uno, ed essi, dopo aver libato agli dei beati, bevevano il vino dolcissimo.

Dopo aver libato e bevuto quanto il cuore voleva, si mossero per andare a dormire, alla sua casa ciascuno.

XIX.

EURICLEA

Ma nella sala rimase il divino Odisseo, e con Atena tramava ai Proci la morte. Subito a Telemaco si rivolse e disse:

«Telemaco, le armi bisogna portarle tutte all'interno e ai Proci rispondere cortesemente, se le cercano e fanno domande: "Le ho tolte dal fumo perché non erano più come quelle che un tempo, partendo per Troia, lasciò qui Odisseo: son rovinate, là dove giunse la vampa del fuoco. E inoltre questo più grave pensiero il dio mi ha ispirato nel cuore: che, ebbri di vino, veniate fra voi a contesa e vi feriate a vicenda, oltraggiando la mensa e le nozze; le armi, infatti, attirano l'uomo"».

Disse, e al padre obbediva Telemaco: chiamò la nutrice Euriclea e le disse:

«Madre, tienimi in casa le donne finché ripongo nel talamo le armi del padre, le belle armi che ora il fumo deturpa, da quando egli è partito; allora ero ancora bambino; ma ora voglio riporle dove non giunga la vampa del fuoco».

A lui replicò Euriclea, l'amata nutrice:

«Oh se davvero, figlio, mettessi giudizio e ti curassi della tua casa e badassi a tutti i tuoi beni. Ma orsù, chi verrà ora con te portando la torcia? Non vuoi le ancelle, che ti farebbero luce».

Le rispose il saggio Telemaco:

«C'è lo straniero: non lascerò in ozio chi mangia il mio pane, anche se viene da molto lontano».

Disse così, lei comprese a volo. Chiuse le porte delle stanze ben fatte. Si levarono allora, Odisseo e il suo splendido figlio, e dentro riposero gli elmi e gli scudi convessi e le lance di legno di faggio: davanti a loro Pallade Atena con una lucerna d'oro faceva una luce bellissima. Allora Telemaco disse a suo padre:

«Padre mio, quale spettacolo vedono mai i miei occhi: mi sembra che le mura di tutta la casa, e le belle campate, le travi di legno di pino e le alte colonne splendano come fuoco che arde. Qui dentro c'è uno dei numi che possiedono il cielo vastissimo».

Gli rispose l'accorto Odisseo:

«Taci, trattieni i pensieri, non fare domande: così fanno gli dei, signori d'Olimpo. Tu ora va a dormire, io invece rimarrò qui, per mettere ancora alla prova le ancelle e tua madre: lei mi chiederà ogni cosa, piangendo».

Disse così, e Telemaco uscì dalla sala alla luce delle fiaccole ardenti per andare nella sua stanza, dove soleva dormire quando lo coglieva il sonno soave; là allora si mise a giacere e aspettava l'Aurora divina. Ma nella sala rimase il divino Odisseo, e con Atena tramava ai Proci la morte. E dal talamo scese la saggia Penelope, bella come Artemide o la bionda Afrodite. Per lei collocarono vicino al fuoco il seggio su cui soleva sedere, ornato d'avorio e d'argento, che fabbricò un tempo l'artefice Icmalio – e sotto, per i piedi, vi attaccò lo sgabello –; una gran pelle di pecora era sopra distesa. Qui si mise a sedere la saggia Penelope. Uscirono dalla sala le ancelle dalle candide braccia portando via il molto pane, le mense e le coppe dove bevevano i Pretendenti superbi; dai bracieri gettarono a terra il fuoco e molta legna vi ammucchiarono sopra, per fare luce e calore. E ancora Melanto insultava Odisseo:

«Te ne starai qui, straniero, a dar noia tutta la notte, a girare per casa, a guardare le donne? Ma vattene via, miserabile, va a goderti il tuo cibo: o te ne andrai, e presto, colpito da un tizzone».

Le rispose l'accorto Odisseo, guardandola male:

«Perché, sciagurata, con tanta furia mi assali? Forse perché sono sporco, vesto miseri cenci e fra la gente vado a mendicare? È la necessità che mi spinge; sono così i mendicanti, i vagabondi. Un tempo ero felice anch'io e una casa ricca abitavo fra gli uomini, e spesso donavo ai viandanti, chiunque fossero, quando giungevano bisognosi di aiuto; avevo moltissimi servi e tutte le cose che fanno vivere bene e per cui ti dicono ricco. Ma il figlio di Crono volle la mia rovina. Anche tu, donna, bada a non perdere un giorno la bellezza per cui ti distingui ora in mezzo alle ancelle, se la regina si infuria con te o se ritorna Odisseo: una speranza c'è ancora. Ma se fosse morto e non facesse più ritorno, c'è suo figlio, Telemaco, a cui, per volere di Apollo, non sfugge nessuna delle donne che in casa si comportano male: non è più un bambino».

Disse così, lo udì la saggia Penelope e, rimproverando l'ancella, le disse:

«Tu, spudorata, insolente, ho visto l'azione indegna che hai fatto e che pagherai con la testa. Eppure sapevi, da me stessa l'avevi udito, che all'ospite, in casa mia, volevo chiedere del mio sposo, Odisseo, poiché soffro profondamente».

Disse, e si rivolse a Eurinome, la dispensiera:

«Eurinome, porta un seggio, con delle pelli di pecora sopra, perché lo straniero si sieda e parli e mi ascolti: voglio fargli delle domande».

Così parlò, e rapida portava l'ancella una sedia ben levigata, sopra vi stese pelli di pecora. Là sedette il paziente, divino Odisseo. Incominciò a parlare la saggia Penelope:

«Ospite, sarò io a domandare per prima: chi sei, da dove vieni, dov'è la tua città, i genitori chi sono?».

Le rispose l'accorto Odisseo:

«Donna, nessun essere umano, sulla terra infinita, potrebbe dir male di te: la tua fama il vasto cielo raggiunge, come quella di un nobile re, un re timorato di dio che su molti e forti uomini regna e la giustizia osserva: per il suo buon governo, orzo e grano produce la terra, si piegano gli alberi sotto il peso dei frutti, le greggi sono sempre feconde, il mare è pieno di pesci, prospera il popolo sotto di lui. A me ora, nella tua casa, tutto domanda, ma non chiedermi qual è la stirpe, la patria, perché l'animo non si riempia ancor più di dolore, al ricordo. Sono molto infelice. Ma non devo piangere e lamentarmi qui, in casa d'altri, non è bello che io mi mostri sempre dolente. Qualcuna delle ancelle potrebbe adirarsi con me, o anche tu stessa, e dire che piango a dirotto perché sono gravato dal vino».

Gli rispose la saggia Penelope:

«Ospite, il mio valore, la bellezza del corpo me l'hanno tolta gli dei quando per Ilio salparono i Danai e con loro era il mio sposo, Odisseo. Se lui tornasse a prendersi cura della mia vita, la mia fama certo sarebbe più grande e più bella. Ma ora soffro: molte sono le pene che mi hanno inflitto gli dei. I nobili che nelle isole hanno il potere – a Dulichio, a Same, nella selvosa Zacinto – e quelli che vivono a Itaca piena di sole, mio malgrado mi vogliono in sposa e distruggono tutta la casa. Per questo di stranieri e di supplici io non mi curo, e neppure di araldi, che appartengono alla casta degli artigiani; ma, rimpiangendo Odisseo, consumo il mio cuore. Essi vogliono affrettare le nozze: e io tramo inganni. Un dio mi ispirò nell'animo di tessere nella mia stanza una tela grande e sottile, e a loro dicevo: "Giovani, miei Pretendenti, è morto il divino Odisseo, ma voi, anche se desiderate sposarmi, aspettate che finisca la tela: non voglio che vada perduta la trama del lenzuolo funebre che sto tessendo al valoroso Laerte per il giorno in cui lo coglierà il funesto destino di morte; nessuna delle donne Achee debba mai biasimarmi se privo di sudario dovesse giacere lui che tanti beni raccolse". Dissi così e persuasi il loro cuore superbo. Così di giorno tessevo la tela grandissima e la disfacevo di notte, al chiarore delle lucerne. Per tre anni così mi celavo e illudevo gli Achei. Ma quando giunse il quarto anno e venne la primavera, e molti mesi erano passati, molti giorni trascorsi, allora, per opera delle ancelle, sfrontate e senza rispetto, vennero, mi sorpresero e mi mossero aspri rimproveri. Così dovetti finirla, mio malgrado, per forza. Ora non posso sfuggire alle nozze e non ho più altre risorse; mi spingono i genitori a sposarmi, e il figlio si adira perché gli divorano i beni; ora capisce: è uomo capace di badare alla sua casa quello a cui Zeus dona ricchezza. Ma anche così, dimmi qual è la tua stirpe; certo non sei nato né da una vecchia quercia né da una roccia».

A lei rispose l'accorto Odisseo:

«Nobile sposa del figlio di Laerte, Odisseo, non rinunci a chiedere qual è la mia stirpe? Ebbene, te la dirò; ma mi darai in preda a un dolore più grande di quello che provo: e questo accade quando dalla sua patria un uomo è lontano da tempo quanto lo sono io, che per molte città e molte genti sono andato errando e soffrendo. Ma anche così ti dirò quello che tu mi chiedi e domandi.

In mezzo al mare colore del vino c'è un'isola, Creta, fertile e bella, circondata dall'acqua. Molti uomini vivono in essa, assai numerosi, e vi sono novanta città: parlano lingue diverse in ognuna. Vi sono Achei, Eteocretesi dall'animo fiero, Cidoni, i Dori divisi in tre tribù e i divini Pelasgi. C'è, fra le altre, Cnosso, grande città, dove per nove anni regnò Minosse, ministro del sommo Zeus e padre di mio padre, il grande Deucalione. Deucalione generò me e il principe Idomeneo, che insieme ai figli di Atreo salpò per Ilio sulle navi ricurve. Etone è il mio nome glorioso, e sono il più giovane; lui è il maggiore e il più forte. Là io vidi Odisseo e lo ospitai. A Creta lo spinse la forza del vento, deviandolo dal capo Malea, mentre si dirigeva a Troia. Si ancorò ad Amniso, dov'è una grotta di Ilitia, un porto difficile, a stento sfuggì alle tempeste. Giunto in città chiese subito di Idomeneo, diceva di essere per lui un ospite onorato ed amato. Ma era ormai il decimo o l'undicesimo giorno da che, sulle navi ricurve, Idomeneo era salpato per Ilio. Alla mia casa io lo condussi e lo ospitai, con ogni cura lo accolsi nell'abbondanza che c'era; e per gli altri compagni che erano insieme con lui gli donai farina d'orzo e vino lucente raccolti fra il popolo, e buoi da immolare, perché si saziassero. Dodici giorni rimasero là, gli Achei divini: li tratteneva un gran vento di Borea che anche a terra impediva il cammino, lo suscitava un demone ostile. Il tredicesimo giorno il vento cadde, ed essi salparono».

Parlava, e diceva molte menzogne simili al vero; e lei ascoltava piangendo, il volto inondato di lacrime. Come quando, sulla cima dei monti, Euro scioglie la neve dopo che Zefiro l'ha accumulata, e quando si scioglie i fiumi scorrono in piena; così le lacrime che lei versava inondavano il volto bellissimo, piangeva il suo sposo, che le sedeva vicino. E Odisseo nel cuore aveva pietà per la sposa piangente, ma fra le palpebre gli occhi rimasero fermi, come fossero di corno o di ferro: nascondeva le lacrime. Quando fu sazia di pianti e lamenti, di nuovo riprese a parlare e gli disse:

«Ora ti metterò alla prova, straniero, se è vero che là tu accogliesti nella tua casa il mio sposo con i divini compagni, così come narri; dimmi dunque quali abiti aveva addosso, e lui stesso com'era, e i compagni che lo seguivano».

Le rispose l'accorto Odisseo:

«Donna, non è facile dirlo, da tanto tempo sono lontano: vent'anni sono trascorsi ormai da quando se ne andò e lasciò la mia patria; ma ti dirò ciò che mi sembra di ricordare. Aveva, il divino Odisseo, un mantello di porpora, morbido, doppio, con una fibbia d'oro a duplice scanalatura, e, sopra, un'incisione, un cane che tra le zampe anteriori teneva un cerbiatto maculato e lo guardava dibattersi; stupivano tutti come – pur incisi nell'oro – il cane cercasse di soffocare il cerbiatto e il cerbiatto tentasse di fuggire, agitando le zampe. Vidi che aveva sul corpo una splendida tunica, simile a squama di cipolla secca, tanto era lieve e, come il sole, lucente. Lo guardavano, ammirate, le donne. Ma questo ti dico, e tu imprimilo bene nel cuore: io non so se a casa sua indossava queste vesti Odisseo o se un amico gliele donò quando partì sulla nave veloce, oppure un ospite: perché a molti era caro Odisseo, fra gli Achei pochi gli somigliavano. Anch'io gli donai una spada di bronzo e un doppio mantello di porpora, bello, e una tunica lunga; e con ogni riguardo lo accompagnai sulla nave dai solidi banchi. Lo seguiva un araldo di poco più vecchio, ti dirò qual era il suo aspetto: spalle rotonde, pelle bruna, capelli ricciuti, Euribate era il suo nome; più degli altri compagni lo stimava Odisseo perché concordava con lui nei pensieri».

Così disse e in lei ancor più fece nascere il desiderio di pianto poiché riconosceva sicuri i segni di cui le parlava Odisseo. Ma quando fu sazia di pianti e lamenti, allora riprese a parlare e gli disse:

«Ospite, se prima mi facevi pietà, ora davvero nella mia casa sarai onorato ed amato; le vesti, di cui narri, gliele diedi io stessa, le presi dal talamo e vi attaccai, come ornamento, la fibbia lucente. Ma lui non lo vedrò più ritornare a casa, alla terra dei padri. Triste destino accompagnava Odisseo sulla concava nave quando partì per Ilio odiosa, funesta».

Le rispose l'accorto Odisseo:

«Nobile sposa del figlio di Laerte, Odisseo, non sciupare più il tuo bel viso, non consumare il tuo cuore piangendo lo sposo. Io non ti biasimo: piange qualunque donna abbia perduto il suo sposo, l'uomo che ha amato e a cui ha dato dei figli, anche se non è Odisseo, che dicono fosse pari agli dei. Tuttavia smetti di piangere e ascolta le mie parole. Sinceramente ti dico, non te lo nascondo, che del ritorno di Odisseo ho udito parlare qui vicino, nella ricca terra dei Tesproti: egli è vivo, e porta con sé molte, preziose ricchezze, che ha raccolto fra il popolo. Ma ha perduto i fedeli compagni e la concava nave sul mare colore del vino quando partì dall'isola Trinachia: erano irati con lui Zeus ed il Sole, perché i suoi compagni uccisero le vacche del Sole. Sul mare dalle onde infinite perirono tutti, lui, aggrappato alla chiglia, fu gettato dai flutti sul lido, nella terra dei Feaci che sono di stirpe divina. Essi gli resero onore come a un dio, dal profondo del cuore, molti doni gli offrirono e in patria volevano accompagnarlo in salvo essi stessi. Da tempo sarebbe qui, Odisseo: ma gli sembrò che fosse meglio andare per molte terre, raccogliendo ricchezze. Perché, più di tutti i mortali, Odisseo sa trarre profitti, nessun altro può fare a gara con lui. Così mi narrava il re dei Tesproti, Fidone: e mi giurava, libando nella sua casa, ch'era già in mare la nave ed erano pronti gli uomini che l'avrebbero ricondotto nella terra dei padri. Ma prima fece partire me: c'era una nave dei Tesproti che andava a Dulichio ricca di grano. E mi mostrò le ricchezze che aveva raccolto Odisseo: potrebbero mantenere un uomo fino alla decima generazione tutti i tesori che egli aveva nella dimora del re. E disse che era andato a Dodona per domandare alla quercia divina dalle altissime fronde il consiglio di Zeus, come poteva tornare alla terra dei padri da cui era lontano da tempo, se apertamente oppure in segreto. E dunque egli è vivo e tornerà molto presto, non resterà a lungo lontano dai suoi, dalla sua terra. E ora farò un giuramento, Zeus per primo lo sappia, che fra gli dei è il più grande, e il focolare del nobile Odisseo a cui sono giunto: queste cose si compiranno come io dico. Quando una luna cala e l'altra incomincia, in questo tempo farà ritorno Odisseo».

A lui disse la saggia Penelope:

«Se ciò che dici si compisse, straniero! Conosceresti subito la mia amicizia e molti doni riceveresti da me, chiunque incontrandoti ti direbbe felice. Ecco invece come sarà, così io penso nel cuore: Odisseo non tornerà, e tu non avrai chi ti accompagna perché in casa non c'è chi comanda come Odisseo – se mai visse – che sapeva accogliere gli ospiti sacri e farli partire. E ora, ancelle, lavate quest'uomo, preparate un letto con tappeti e coltri splendidi perché stia ben caldo fino all'aurora. Domani all'alba fategli il bagno e ungetelo d'olio affinché sieda a banchetto in sala accanto a Telemaco. E guai se qualcuno di loro dovesse dargli fastidio o procurargli dolore: non avrà più nulla a che fare con noi anche se terribilmente si infuria. E tu, straniero, come potresti dire che supero le altre donne per intelligenza e saggezza, se dovessi sederti a tavola sporco e malvestito? Breve è la vita degli uomini. Se uno è malvagio e nutre malvagi pensieri, tutti gli augurano che debba soffrire, da vivo; morto, lo maledicono tutti. Se invece è buono e generoso è il suo cuore, diffondono gli ospiti la sua fama fra gli uomini e nobile lo chiamano in molti».

A lei rispose l'accorto Odisseo:

«Nobile sposa del figlio di Laerte, Odisseo, tappeti e coltri preziose io li detesto da quando ho lasciato i monti nevosi di Creta per salire sulla nave dai lunghi remi. Voglio giacere come spesso ho trascorso, vegliando, le notti: molte ne ho passate sopra giacigli miseri, aspettando l'Aurora divina, l'Aurora dal bellissimo trono. E nemmeno voglio che mi si lavino i piedi: i miei piedi nessuna li toccherà delle donne che nella casa ti servono, solo se c'è una vecchia, dal cuore fedele, che abbia patito quanto ho patito io stesso, a questa io lascerò toccare i miei piedi».

E ancora la saggia Penelope disse:

«Ospite: mai da terre lontane venne alla mia casa un uomo più saggio e più caro, come sei tu che dici ogni cosa con chiarezza e con senno. C'è, sì, una vecchia, che ha saldi pensieri nel cuore; è quella che accolse nelle sue mani il mio sposo infelice quando la madre lo partorì; e poi lo allevò e lo crebbe. Lei ti laverà i piedi, anche se ha poca forza. Alzati dunque, mia saggia Euriclea, e lava quest'uomo che ha gli anni del tuo padrone. Certo anche Odisseo avrà ormai i piedi e le mani così: perché gli uomini invecchiano, nella sventura».

Disse, e la vecchia si coprì il volto con le mani e versando lacrime fitte gemeva dicendo:

«Per te nulla io posso fare, figlio! Zeus ti ha odiato molto fra gli uomini, eppure avevi un animo pio. Certo nessun uomo mortale per Zeus signore del fulmine bruciò tante cosce di vittime, tante scelte ecatombi quante tu gli offristi, e pregavi di giungere alla serena vecchiaia e crescere lo splendido figlio. Invece a te solo è stato tolto il ritorno. Così forse anche lui schernivano le donne di genti straniere in paesi lontani quando alla loro sontuosa dimora giungeva, come di te ridono tutte queste cagne impudenti e tu, per evitare le offese e gli insulti, non vuoi che ti lavino. E dunque a me ha ordinato di farlo la figlia di Icario, la saggia Penelope, e io lo faccio: i piedi ti laverò, per far piacere a Penelope e anche per te, perché il mio cuore, dentro, è turbato. Ascolta, dunque, quel che ti dico: molti stranieri provati dalla sventura sono giunti in questa casa ma nessuno – ti dico – così somigliante a vedersi come tu nel corpo, nella voce e nei piedi, assomigli a Odisseo».

Le rispose l'accorto Odisseo:

«O vecchia, così dicono tutti coloro che ci videro entrambi, che siamo molto simili l'uno all'altro, come tu dici con molta saggezza».

Disse così, e la vecchia prese il bacile lucente per la lavanda dei piedi, e molta acqua fredda versava, poi ne aggiungeva di calda. Ma Odisseo, che sedeva al focolare, subito si girò verso il buio: all'improvviso lo colse il timore che lei, toccandolo, si accorgesse della cicatrice e tutto fosse scoperto. Lei andò vicino al suo re e lo lavava: e subito riconobbe la cicatrice della ferita che con le bianche zanne gli inflisse un cinghiale quando salì sul Parnaso insieme ad Autolico ed ai suoi figli, Autolico, che era il padre di sua madre ed era noto fra gli uomini per essere ladro e spergiuro: così lo rese Hermes al quale egli bruciava cosce di agnelli e capretti, gradite al dio che lo assisteva benigno. Giunse Autolico nel ricco paese di Itaca e vi trovò il figlio di sua figlia, appena nato; sulle ginocchia glielo pose Euriclea, dopo che ebbe finito la cena, e gli parlò e gli disse:

«Autolico, trova tu ora un nome da imporre al figlio di tua figlia: l'hai tanto desiderato».

E Autolico le rispose e le disse:

«Figlia mia, genero mio, mettetegli il nome che dico: poiché io odio e sono odiato da molti, uomini e donne, sulla terra feconda, sia il suo nome Odisseo; e quando sarà cresciuto e alla grande dimora materna verrà, sul Parnaso, dove sono i miei beni, gliene darò una parte e lo rimanderò a casa felice».

Per questo andò da lui Odisseo, perché gli desse splendidi doni. E Autolico e i figli di Autolico lo accolsero abbracciandolo, con parole d'affetto. La madre di sua madre, Anfitea, lo stringeva baciandogli il capo e gli occhi bellissimi. Ai figli gloriosi Autolico ordinò di preparare il pranzo: ed essi obbedirono. Portarono subito un bue di cinque anni: lo scuoiarono, lo prepararono e lo squartarono tutto, poi lo fecero a piccoli pezzi, abilmente, e li infilarono negli spiedi, li arrostirono tutti con cura e distribuirono le parti. Così per tutto il giorno, fino al tramonto del sole, mangiarono, e a nessuno mancò la giusta porzione di cibo. E quando tramontò il sole e giunse la tenebra, andarono allora a dormire e colsero il dono del sonno.

Ma non appena all'alba sorse l'Aurora lucente, andavano a caccia coi cani i figli di Autolico, e con loro andava il divino Odisseo; salirono all'alto monte, al Parnaso coperto di boschi, e giunsero presto alle valli battute dai venti. Il sole da poco illuminava i campi, sorgendo da Oceano calmo e profondo, quando i cacciatori giunsero in una forra: avanti andavano i cani fiutando le tracce, dietro venivano i figli di Autolico; e con loro il divino Odisseo camminava, vicino ai cani, impugnando l'asta lunghissima. Un enorme cinghiale si nascondeva là, in una fitta boscaglia: non la penetra l'umido soffio dei venti, non la colpisce il sole con i suoi raggi ardenti, la pioggia non l'attraversa, tanto è folta, e per terra vi è un gran mucchio di foglie. Udì la bestia il calpestio di uomini e cani che venivano avanti gridando: dalla macchia balzò con le setole irte, gli occhi infuocati, e fu loro davanti. Per primo Odisseo si slanciava, levando a colpirlo la lunga lancia nella mano robusta; ma prima di lui il cinghiale lo colse sopra il ginocchio e con la zanna strappò un pezzo di carne, balzando di fianco, ma non riuscì a scalfire l'osso. Lo ferì allora Odisseo cogliendolo alla spalla destra, da parte a parte passò la punta della lancia lucente; stramazzò nella polvere, rantolando, il cinghiale, volò via la sua vita. E i figli di Autolico intorno a Odisseo si strinsero, fasciarono con ogni cura la ferita del nobile eroe, simile a un dio, con un magico canto fermarono il sangue oscuro e rapidamente raggiunsero la dimora del padre. E Autolico ed i suoi figli, dopo aver curato Odisseo, gli diedero splendidi doni e lieti lo accompagnarono a Itaca. Si rallegrarono al suo ritorno il padre e la madre, ogni cosa gli domandavano e come fosse stato ferito. Ed egli narrava loro come a caccia lo avesse assalito un cinghiale con la sua bianca zanna, mentre saliva al Parnaso insieme ai figli di Autolico.

Quella ferita toccò con le mani aperte la vecchia, toccandola la riconobbe e lasciò andare il piede. Nel bacile cadde la gamba, risuonò il recipiente di bronzo e si inclinò da una parte: l'acqua si versava per terra. Gioia e dolore insieme le presero il cuore, le si empirono gli occhi di lacrime, le venne a mancare la voce. E toccando il mento di Odisseo, così parlava:

«Tu sei Odisseo, figlio mio caro: e prima non ti riconobbi, non riconobbi il mio re, prima di averlo toccato».

Disse, e volse gli occhi a Penelope per dirle che il suo amato sposo era lì, nella casa. Ma lei non poteva guardarla in viso e comprendere, le distolse la mente Pallade Atena. Con una mano allora Odisseo l'afferrò alla gola, e con l'altra la trasse a sé e le disse:

«Madre, vuoi la mia morte, tu, che mi hai nutrito al tuo petto? Sono giunto nella mia terra dopo vent'anni, e ho sofferto molti dolori. Ma poiché hai compreso, un dio te l'ha messo nel cuore, taci, che nessun altro in casa lo venga a sapere. E questo ti dirò, e questo avrà compimento: se un dio per mano mia abbatterà i nobili Pretendenti, non risparmierò te, che sei la mia nutrice, quando le altre donne ucciderò nella casa».

Gli rispose la saggia Euriclea:

«Figlio mio, quale parola ti è uscita di bocca? Tu sai com'è saldo il mio volere, e inflessibile: sarò come dura roccia o come ferro. E ti dirò una cosa, imprimila bene nel cuore: se per mano tua un dio abbatterà i nobili Pretendenti, io ti indicherò quali sono in casa le donne che non ti rispettano e quelle prive di colpa».

Le rispose l'accorto Odisseo:

«Perché vorresti dirmi chi sono? Non è necessario; io stesso lo capirò, conoscerò io stesso ciascuna. Tu conserva il segreto e affidati agli dei».

Disse così, e la vecchia uscì dalla sala per prendere l'acqua per i piedi: l'altra si era tutta versata. E dopo che l'ebbe lavato e unto con olio abbondante, di nuovo Odisseo trasse accanto al fuoco il sedile, per riscaldarsi, e con i cenci copriva la cicatrice.

Prese allora a parlare la saggia Penelope:

«Ospite, per poco ancora potrò parlare con te, giungerà presto il momento del sonno soave per chi può serenamente dormire, anche se soffre; a me hanno dato gli dei un dolore senza misura: in lacrime passo i miei giorni, badando ai lavori miei e delle ancelle dentro la casa; e quando viene la notte e tutti vanno a dormire, sul letto mi metto a giacere, ma acuta la pena intorno al cuore oppresso mi strazia. Come la figlia di

Pandareo, il bruno usignolo, canta soavemente quando torna la primavera, nascosto tra il fitto fogliame degli alberi, e la sua voce armoniosa spesso muta di tono mentre piange Itilo, l'amato figlio suo e del re Zeto, che un giorno uccise per sua follia; così da una parte e dall'altra oscilla il mio cuore: se restare col figlio e custodire ogni cosa, le mie ricchezze, i servi, la reggia dall'alto soffitto, rispettando il letto nuziale e la voce del popolo, oppure andarmene ormai con uno degli Achei, il migliore di quelli che in casa mi fanno la corte offrendo doni infiniti. Mio figlio, finché era giovane e ingenuo, non voleva che io mi sposassi lasciando la casa nuziale; ma ora che è cresciuto e il tempo della giovinezza ha raggiunto, mi supplica di andar via, irato per i suoi beni che gli divorano i Danai. Ma ora ascolta e spiegami questo mio sogno.

Venti oche, uscite dall'acqua, in casa mi beccano il grano, e io mi rallegro a vederle; ma un'aquila enorme dal becco ricurvo piomba dal monte, a tutte spezza il collo, le uccide: riverse giacciono in casa, in un mucchio, l'aquila vola nel cielo chiaro. Ma nel sogno io piango e singhiozzo e le Achee dai bei capelli si affollano intorno a me che gemo e mi lamento perché l'aquila mi ha ucciso le oche. Essa ad un tratto ritorna e, posata sul tetto sporgente, parlando con voce umana mi dice: "Figlia di Icario glorioso, fatti coraggio. Questo non è un sogno ma una visione reale, che avrà compimento. Le oche sono i tuoi pretendenti e io che prima ero aquila ora sono il tuo sposo tornato che a tutti i Proci darà morte tremenda". Disse così, mi abbandonò il sonno soave; e quando mi guardai intorno vidi in casa le oche che, accanto alla vasca, beccavano il grano come facevano prima».

Le rispose l'accorto Odisseo:

«Mia signora, non è possibile interpretare il sogno in modo diverso, perché te l'ha detto Odisseo, come andrà a finire: a tutti i Proci è vicina la morte e nessuno sfuggirà al destino fatale».

E la saggia Penelope disse:

«Straniero, sono ambigui e inspiegabili i sogni e non si avverano tutti, per gli uomini. Due sono le porte dei sogni effimeri: una è fatta di corno, l'altra d'avorio; quelli che varcano la soglia di avorio tagliato sono ingannevoli, portano un vano messaggio; quelli che passano attraverso la porta di lucido corno, dicono il vero quando l'uomo li vede. Ma io non credo che sia venuto di qui il mio sogno tremendo: certo sarebbe gradito a me e a mio figlio. Ma ti dirò una cosa e tu tienila a mente: sorgerà l'alba funesta che dalla casa di Odisseo mi vedrà andare lontana: ora infatti voglio proporre una gara con quelle scuri che nella sua casa egli poneva in fila, tutte e dodici, come sostegni di nave, e con una freccia le attraversava tutte, stando molto lontano – ai Proci io proporrò questa gara. Chi più facilmente saprà tendere l'arco fra le mani e con la freccia trapasserà le dodici scuri, quello io seguirò lasciando la casa nuziale, così bella e ricca di beni che sempre ricorderò, anche in sogno».

Le rispose l'accorto Odisseo:

«O nobile sposa del figlio di Laerte, Odisseo, non rimandare più questa gara; perché l'astuto Odisseo sarà qui prima che costoro tocchino il lucido arco, tendano la corda e attraversino con la freccia le scuri».

A lui disse la saggia Penelope:

«Ospite, se tu volessi darmi conforto, seduto accanto a me nella sala, non scenderebbe sulle mie palpebre il sonno. Ma stare svegli sempre non è possibile per i mortali: perché ad ogni cosa gli dei posero un limite per gli uomini, sulla terra feconda. E dunque io salirò alle mie stanze e riposerò su quel letto che per me è doloroso, sempre bagnato dalle mie lacrime da quando Odisseo partì per Ilio odiosa, funesta. Là mi stenderò; tu dormi qui nella sala, per terra o sopra un letto che ti prepareranno».

Disse, e salì alle stanze splendenti, non sola, andavano con lei le sue ancelle. Salita alle sue stanze insieme alle ancelle, piangeva l'amato sposo, Odisseo, finché sulle palpebre Atena dagli occhi lucenti le fece scendere il sonno soave.

XX.

LA VIGILIA

E invece il divino Odisseo andava a dormire nell'atrio. Stese una pelle di bue non ancora conciata e molte pelli di pecore che avevano ucciso gli Achei. Quando si fu coricato, Eurinome gli pose sopra un mantello. E qui giaceva Odisseo senza dormire, meditando nell'animo la strage dei Proci.

Uscirono dalla sala le donne che con i Proci solevano unirsi in amore, e ridevano rallegrandosi l'una con l'altra. E a lui il cuore si gonfiava nel petto, a lungo fu incerto nell'animo se assalirle e dar loro la morte o lasciare che ai Pretendenti superbi si unissero per l'ultima volta. Il cuore gli urlava nel petto. Come una cagna difende i suoi cuccioli, abbaia a chi non conosce e si prepara a combattere, così urlava il cuore dentro di lui, sdegnato per le ignobili azioni. E comprimendosi il petto egli parlava al suo cuore:

«Cuore, sopporta; pena più atroce hai tollerato il giorno in cui il Ciclope furente divorò i tuoi valorosi compagni: e tu hai tollerato fino a che la mente accorta ti ha fatto uscire dall'antro dove pensavi già di morire».

Così diceva, rivolto al suo cuore, ed esso si placava, sopportando paziente. Ma lui si girava da una parte e dall'altra. Come quando un uomo volta e rivolta sulla fiamma ardente una salsiccia piena di grasso e di sangue, impaziente che sia presto arrostita, così da una parte e dall'altra si volgeva Odisseo e meditava come aggredire i Proci superbi, lui solo contro di loro che erano molti. E Atena, scesa dal cielo, gli si avvicinò, simile a donna mortale e, sovrastandolo, gli parlò e gli disse:

«Perché sei sveglio ancora, infelicissimo uomo? Sei a casa tua e nella casa c'è la tua sposa e un figlio che tutti desidererebbero avere».

Le rispose l'accorto Odisseo:

«Quello che hai detto è giusto, dea. Ma nell'animo a questo io penso, come aggredire i Pretendenti superbi, io, da solo: sono sempre in molti dentro la casa. E un altro più grave pensiero rimugino in cuore. Se anche riuscissi ad ucciderli con l'aiuto tuo e di Zeus, dove cercherò scampo? Questo ti prego di dirmi».

Rispose allora la dea dagli occhi lucenti:

«Uomo ostinato; eppure c'è chi si fida di amici più deboli, persone mortali che non hanno così astuti pensieri; io sono, invece, la dea che sempre ti protegge, in ogni impresa. Ti parlerò apertamente: anche se cinquanta schiere di uomini ci circondassero per ucciderci in combattimento, tu riusciresti a sottrar loro i buoi e le floride greggi. Dunque abbandonati al sonno: è penoso vegliare per tutta la notte. Presto avranno fine i tuoi mali».

Disse così, e sonno gli versò sulle palpebre, poi sull'Olimpo tornò, la dea luminosa. E allora lo vinse il sonno, che scioglie le membra e gli affanni del cuore.

Ma si destava la sposa fedele, e piangeva, seduta sul morbido letto. E quando il suo cuore fu sazio di lacrime, allora ad Artemide si rivolse pregando, la donna divina:

«Artemide, figlia di Zeus, dea venerata, vorrei che tu mi scagliassi ormai un dardo nel petto e mi togliessi la vita, ora, subito, o mi rapissero le tempeste portandomi via per oscuri sentieri e mi gettassero alle foci di Oceano che scorre in se stesso, come quando i venti rapirono le figlie di Pandareo: ad esse gli dei uccisero i genitori, rimasero orfane in casa ma le nutriva la divina Artemide con miele dolce, vino soave e formaggio. A loro Era concesse bellezza e saggezza superiori ad ogni altra donna, Artemide donò l'alta statura e Atena insegnò l'arte di fare lavori bellissimi. Ma quando Afrodite divina salì al vasto Olimpo e a Zeus signore del fulmine chiese per le fanciulle il compimento di nozze felici – egli conosce ogni cosa, fortuna e sfortuna di tutti i mortali –, allora le Arpie rapirono le fanciulle e alle odiose Erinni le diedero schiave. Così mi facciano scomparire gli dei che in Olimpo hanno dimora, o mi colpisca Artemide dai bei capelli, perché sotto la terra odiosa io discenda con Odisseo negli occhi e non debba fare la gioia di un uomo a lui inferiore. E tuttavia si sopporta, il dolore, quando di giorno uno piange, col cuore oppresso di pena, ma di notte lo vince il sonno – il sonno che fa scordare ogni cosa, buona e cattiva, quando chiude le palpebre –, ma a me gli dei inviano anche sogni crudeli: perché questa notte ha dormito accanto a me uno simile a lui, a lui com'era quando partì con l'armata; e io ero felice perché non pensavo che fosse sogno ma realtà».

Così diceva. Giunse ben presto l'Aurora dall'aureo

trono. E il divino Odisseo l'udì, che piangeva. Ed esi-
tò, gli parve nel cuore che lei già sapesse e gli fosse vicina. Poi raccolse il mantello e le pelli sulle quali aveva
dormito, le portò in sala e le pose su un seggio; fuori
dalla porta mise invece la pelle di bue; poi, levate le
mani al cielo, pregava Zeus:

«Padre Zeus, se per terra e per mare avete voluto
guidarmi alla mia terra, dopo tanto soffrire, fate che io
dalla casa oda la voce presaga di qualcuno ch'è sveglio, e fuori mi appaia un altro segno di Zeus».

Così diceva pregando; lo udì Zeus dalla mente accorta e subito dall'Olimpo splendente fece udire un
tuono, alto, tra le nubi; ne gioì il divino Odisseo. E
dalla casa una donna diede il presagio, una schiava
che macinava il grano là presso, dov'erano le macine
del signore di uomini; ad esse lavoravano dodici donne, a produrre farina d'orzo e di grano, nutrimento
degli uomini. Le altre donne dormivano, dopo aver
macinato, lei sola non aveva finito perché era più debole. Fermò la macina e disse – e questo fu il segno
per il suo signore –:

«O padre Zeus, che sugli dei regni e sugli uomini,
come tuonasti forte dall'alto del cielo stellato: eppure
non c'è una nuvola. A qualcuno tu dunque fai segno.
Anche a me misera esaudisci ciò che ti chiedo: che in
questo giorno per l'ultima volta i Proci si godano il
pranzo in casa di Odisseo, essi che mi hanno sfinito le
membra nella penosa fatica di far la farina: che mangino per l'ultima volta».

Così disse, si rallegrava il divino Odisseo a quell'augurio e al tuono di Zeus; capì che avrebbe punito i colpevoli.

Si erano intanto svegliate le ancelle nella bella dimora di Odisseo e accendevano nel focolare il fuoco indomabile. Si levò dal letto Telemaco, simile a un dio, indossò le sue vesti, alla spalla appese la spada affilata, legò i bei sandali ai piedi lucenti, prese la solida lancia, dall'acuta punta di bronzo. E sulla soglia si fermò e disse a Euriclea:

«Nutrice, avete dato all'ospite in casa un letto e del cibo, oppure è rimasto così, senza cure? Ecco com'è diventata mia madre che prima era saggia: colma di onori un uomo peggiore degli altri, disprezza e manda via uno migliore».

Gli rispose la saggia Euriclea:

«Non accusarla, figlio mio, è senza colpa. Lo straniero ha bevuto del vino, finché ha voluto, di cibo disse di non avere bisogno quando lei glielo chiese. E quando pensò al sonno e al riposo, lei ordinò alle ancelle di preparare un giaciglio. Ma lui, come chi è troppo sventurato e infelice, non volle dormire in un letto, tra le coperte; sopra una pelle di bue non conciata e sopra pelli di pecora ha dormito, nell'atrio: con un mantello l'abbiamo coperto».

Disse così e Telemaco uscì dalla casa, impugnando la lancia; lo seguivano i cani veloci. Si avviò verso la piazza, all'assemblea degli Achei.

Intanto Euriclea, figlia di Opo di Pisenore, donna divina, ordinava alle ancelle:

«Presto, spazzate tutta la casa in fretta, lavate per terra, stendete sui seggi ben fatti i tappeti di porpora; e voi con le spugne pulite i tavoli, tutti, lavate i bacili e le coppe a due anse; voi invece andate ad attingere acqua alla fonte e in fretta portatela qui; non per molto staranno i Proci lontani da questa sala, presto anzi verranno, per tutti è giorno di festa».

Così diceva, esse ascoltarono e obbedirono. E venti di loro andavano alla fonte di acqua bruna, le altre sollecite si affaccendavano in casa. Vennero anche dei servi che tagliavano abilmente la legna. Dalla fonte le donne tornarono, con loro venne il porcaro che guidava tre grossi maiali, i migliori fra tutti; liberi li lasciò nei recinti ben fatti e si rivolse a Odisseo con parole cortesi:

«Straniero, ora ti trattano meglio gli Achei, o nella grande sala ti insultano, come prima?».

Gli rispose l'accorto Odisseo:

«Eumeo, volessero i numi punire l'oltraggio che essi compiono con la loro arroganza, commettendo azioni ignobili in casa altrui, senza nessuna vergogna».

Queste parole scambiavano essi tra loro. E venne vicino Melanzio, pastore di capre, spingendo le capre più belle del gregge per il pasto dei Proci; erano con lui due pastori; le legò sotto il portico pieno di echi e si rivolse a Odisseo con parole di scherno:

«Sei ancora qui, straniero, a dar noia per casa, mendicando tra i principi, non te ne sei andato dunque? Non ci separeremo, penso, noi due, prima di aver fatto a pugni, perché non mendichi come si deve. Anche altrove vi sono banchetti di Achei».

Disse così, nulla rispose l'accorto Odisseo, ma scosse la testa, meditando sciagure.

E terzo dopo di loro venne Filezio, signore di uomini, che ai Proci portava una vacca sterile e floride capre. Lo trasportarono i barcaioli che di solito portano la gente che capita presso di loro. Legò con cura le bestie sotto il portico pieno di echi, si avvicinò al porcaro e gli disse:

«Chi è questo straniero che alla nostra reggia è

giunto da poco? Da chi discende? Qual è la sua stirpe, dov'è la sua patria? Infelice! eppure il suo aspetto è quello di un re; ma gli dei rendono miseri gli uomini erranti ed anche ai re infliggono pene».

Disse e gli andò vicino, gli tese la mano destra e gli rivolse queste parole:

«Ti saluto, ospite: possa tu essere un giorno felice, perché ora sei oppresso da molte sventure. O padre Zeus, nessuno fra gli dei è più funesto di te; non hai pietà degli uomini, tu che li generi, non hai ritegno di procurare loro sofferenza e crudeli dolori. Mi ha inondato il sudore, quando ti ho visto, e gli occhi si sono riempiti di lacrime, pensando a Odisseo: anche lui – io credo – andrà ramingo fra gli uomini, con addosso dei cenci simili ai tuoi, se pure è ancora vivo e vede la luce del sole. Ma se è morto ed è sceso nella dimora di Ade, io piango il nobile Odisseo, che ancora fanciullo mi mandò tra i Cefalleni a guardare le vacche: ora sono assai numerose, a nessuno potrebbero crescere meglio, le vacche dall'ampia fronte; ma i Proci mi impongono di portarle a loro, per il banchetto: non si curano del figlio che è nella casa, non hanno timore di dio; pensano già a dividersi i beni del re che da tempo è lontano. Ma nel mio petto spesso si agita questo pensiero: non è bello – finché c'è il figlio di Odisseo – andarsene con le vacche in un altro paese, presso gente straniera, è più duro restare qui a soffrire, guardando le vacche di altri. Sarei fuggito da tempo presso un altro potente sovrano, perché accadono cose non più tollerabili: ma penso ancora a quell'infelice, se mai tornasse a cacciare di casa i Pretendenti».

Gli rispose l'accorto Odisseo:

«Né malvagio né stolto mi sembri, guardiano, capisco io stesso che hai mente assennata, e per questo ti parlerò e pronuncerò un giuramento solenne: Zeus sia testimone per primo, e la mensa ospitale, e il focolare del nobile Odisseo a cui sono giunto; mentre tu sarai ancora qui Odisseo tornerà, lo vedrai coi tuoi occhi, se vuoi, uccidere i Pretendenti che spadroneggiano in casa».

Gli rispose il guardiano di buoi:

«Possa il figlio di Crono compiere quello che dici; sapresti allora qual è la forza delle mie mani».

Ed anche Eumeo pregava tutti gli dei perché il saggio Odisseo tornasse alla sua casa.

Queste parole scambiavano essi fra loro.

Per Telemaco intanto preparavano i Proci morte e rovina. Ma un'aquila – che vola alto – apparve loro a sinistra, e stringeva una colomba tremante. Allora Anfinomo parlò e disse:

«Amici, non riuscirà questo piano, dar morte a Telemaco. Pensiamo piuttosto a mangiare».

Così disse Anfinomo, piacquero le sue parole. Entrarono nella casa del divino Odisseo, deposero i loro mantelli sui seggi e sui troni, uccisero grandi arieti e capre fiorenti, grassi maiali e una mucca della mandria. Cucinarono e distribuirono i visceri, mescolarono nei bacili il vino con l'acqua. Distribuiva le coppe il porcaro, il pane lo dava Filezio, signore di uomini, entro canestri bellissimi; versava il vino Melanzio. Sui cibi pronti e imbanditi stesero essi le mani.

Telemaco, con pensiero accorto, faceva sedere Odisseo dentro la sala ben costruita, vicino alla soglia di pietra; per lui mise una povera sedia e un piccolo tavolo; poi gli offriva una parte di cibo, versava il vino in un calice d'oro e così gli diceva:

«Siedi qui ora, a bere fra noi; dalle ingiurie e dalle percosse dei Proci ti difenderò io stesso, perché questa casa non è pubblica, è di Odisseo che l'ha comprata per me. E voi, Pretendenti, trattenetevi dagli insulti e dalle percosse, perché non debbano nascere liti e contese».

Disse così, si mordevano tutti le labbra, stupiti perché Telemaco con grande audacia aveva parlato. E diceva fra loro Antinoo, figlio di Eupite:

«Le parole che ha detto Telemaco, benché aspre, accettiamole, Achei: duramente ci ha minacciato. Zeus, figlio di Crono, non volle, ma l'avremmo già fatto tacere, nella sua casa, benché sia un brillante oratore».

Così diceva Antinoo; ma delle sue parole non si curava Telemaco.

Intanto gli araldi guidavano per la città la sacra ecatombe e nella selva ombrosa di Apollo, signore dei dardi, si radunarono gli Achei dai lunghi capelli. Arrostirono i pezzi di carne scelta, dal fuoco li tolsero, li ripartirono e consumarono un ricco banchetto. A Odisseo diedero i servi una parte uguale a quella degli altri: così ordinava Telemaco, l'amato figlio del divino Odisseo.

Ma Atena non permetteva che i Proci superbi rinunciassero ai loro insulti crudeli perché nel cuore di Odisseo più a fondo penetrasse il dolore.

Vi era fra loro un uomo empio ed infame, di nome Ctesippo, che abitava a Same. Confidando nelle ricchezze del padre costui corteggiava la sposa di Odisseo, da tempo lontano. Egli allora parlò ai Pretendenti superbi:

«Nobili principi, ascoltate le mie parole. Ha già

avuto, l'ospite, la sua parte di cibo, come conviene; non è bello né giusto trattare male gli ospiti di Telemaco, chiunque giunga in questa casa. Ma ora gli offro anch'io un dono ospitale, perché lo regali a sua volta allo schiavo che versa l'acqua per il bagno, o a qualcun altro dei servi che vivono nella casa del divino Odisseo».

Disse così e da un canestro prese una zampa di bue e gliela lanciò con forza; Odisseo la schivò, piegando la testa di lato, e amaramente sorrise; essa colpì il muro ben fatto. E Telemaco rimproverava Ctesippo con queste parole:

«Ctesippo, molto meglio è stato per te non aver colpito l'ospite: ha schivato il colpo lui stesso; altrimenti ti avrei trapassato con la mia lancia acuta, e invece di nozze ti avrebbe qui preparato la tomba tuo padre. Non voglio più azioni malvagie nella mia casa, ormai so e capisco ogni cosa, il bene e il male, prima ero giovane ancora. E tuttavia tutto questo io lo sopporto, veder decimare le greggi, bere il mio vino, mangiare il mio pane; è difficile per uno solo opporsi a molte persone. Dunque, non offendetemi più, con animo ostile; e se volete uccidere me con le armi, questo vorrei e molto meglio sarebbe morire piuttosto che contemplare sempre questo turpe spettacolo: offendono gli ospiti e maltrattano ignobilmente le ancelle nella bella dimora».

Disse così, e rimasero tutti in silenzio. Incominciò infine Agelao di Damastore:

«Amici, a chi ha parlato in modo giusto, non rispondete con parole aggressive. Non maltrattate più lo straniero, e nessun altro dei servi, nella dimora del divino Odisseo. A Telemaco e a sua madre io vorrei dare un moderato consiglio, che sia gradito al cuore di entrambi. Finché speravate, nell'animo vostro, che tornasse nella sua casa il saggio Odisseo, non era ingiusto aspettarlo e in casa tenere a bada i Proci, anzi era meglio così, se Odisseo ritornava, se giungeva alla sua casa. Ma ormai è ben chiaro, egli non tornerà. Siediti dunque accanto a tua madre e dille di sposare il Pretendente più illustre, che le offre più doni; così tu, lieto, governerai i beni paterni, mangiando e bevendo, e lei curerà la casa di un altro».

Gli rispose il saggio Telemaco:

«O Agelao, in nome di Zeus e di mio padre infelice, che forse lontano da Itaca è morto o ancora va errando, io non impedisco le nozze anzi spingo mia madre a sposare chi vuole e le offro doni infiniti. Ma suo malgrado non voglio mandarla via dalla casa, obbligandola: dio non lo voglia».

Così disse Telemaco.

E Pallade Atena sconvolse la mente dei Proci, che ridevano sfrenatamente; ridevano in modo strano e mangiavano carne; gli occhi erano pieni di lacrime, sentivano voglia di piangere. E fra di loro allora parlò Teoclimeno, simile a un dio:

«Sciagurati, che cosa vi accade? L'ombra della notte vi avvolge, il capo, il volto, fino ai ginocchi, le guance sono inondate di lacrime, si odono risuonare lamenti; gronda il sangue dai muri e dalle belle architravi; il portico è pieno di ombre, pieno è anche il cortile, di fantasmi che scendono nel buio dell'Erebo; il sole è scomparso dal cielo, è scesa una nebbia funesta».

Così diceva e di lui ridevano tutti, ed Eurimaco, figlio di Polibo, prese a parlare:

«È pazzo, questo straniero giunto da poco. Presto,

ragazzi, portatelo fuori di casa, che vada in piazza, se qui gli sembra sia notte».

Gli rispose Teoclimeno, simile a un dio:

«Eurimaco, non ti ho chiesto una scorta. Ho due occhi, due orecchie, tutti e due i piedi e una mente ferma, per nulla turbata: me ne vado quindi da solo perché penso che vi capiterà una sciagura e nessuno potrà fuggirla o evitarla, nessuno dei Proci che nella casa del divino Odisseo fanno violenza alla gente e compiono ignobili azioni».

Così parlò, uscì dalla bella dimora e se ne andò da Pireo, che lo accolse con gioia.

E i Pretendenti, guardandosi l'uno con l'altro, provocavano Telemaco, deridendo i suoi ospiti. Fra quei giovani alteri, così diceva qualcuno:

«Telemaco, nessuno è più sfortunato di te con gli ospiti; questo qui è un mendicante ramingo, affamato di cibo, di vino, inetto alla fatica e al lavoro: inutile peso alla terra; quest'altro si alza ad un tratto e si mette a dar vaticini. Ma se vuoi ascoltarmi, meglio sarebbe gettarli entrambi sopra una nave dai molti remi e spedirli in Sicilia, ne avresti un guadagno».

Così dicevano i Proci. Ma lui non badava alle loro parole e muto guardava suo padre aspettando sempre il momento in cui avrebbe aggredito i Proci insolenti.

Seduta di fronte a loro sul trono bellissimo, Penelope, la saggia figlia di Icario, ascoltava le parole di ognuno, lì, nella sala.

Prepararono lieti il banchetto, buono e abbondante poiché molte bestie avevano ucciso. Ma nulla sarebbe stato più amaro della cena che la dea e il fortissimo eroe stavano preparando per loro, loro che azioni infami avevano commesso per primi.

XXI.

LA GARA DELL'ARCO

E la dea dagli occhi lucenti ispirò nell'animo a lei, a Penelope, la saggia figlia di Icario, di offrire ai Pretendenti l'arco e le scuri di ferro, nella dimora di Odisseo, per la gara che fu principio di morte. L'alta scala salì nella casa, e prese la chiave ricurva, la bella chiave di bronzo dall'impugnatura d'avorio, e insieme alle ancelle mosse verso la stanza ultima, dov'erano i tesori del re: oro e bronzo e il ferro che si lavora a fatica. Là era l'arco flessibile e la faretra per i dardi, colma di frecce amare. Erano i doni che a Lacedemone gli offrì un ospite, Ifito figlio di Eurito, simile agli dei immortali. Si incontrarono essi a Messene, in casa del saggio Ortiloco, dove Odisseo era andato a causa di un debito che tutto il popolo aveva con lui: da Itaca infatti i Messeni rapirono trecento pecore con i pastori sulle navi dai molti remi. Per questo andò ambasciatore Odisseo e fece un lungo viaggio anche se era ancora un ragazzo: lo mandarono suo padre e gli anziani. Ifito invece cercava le cavalle che aveva perduto, dodici femmine che nutrivano muli pazienti (furono causa di morte funesta per lui, quando andò dal forte figlio di

Zeus, da Eracle, autore di imprese grandissime: in casa sua lo uccise benché fosse ospite, il folle, e degli dei non ebbe rispetto né della mensa che pure gli aveva imbandita: lo uccise, e in casa si tenne le cavalle dai solidi zoccoli). Mentre le stava cercando incontrò Odisseo e gli donò l'arco: apparteneva prima al grande Eurito, ed egli morendo lo lasciò al figlio, nell'alto palazzo. A lui Odisseo diede invece una spada affilata e una solida lancia, in segno di ospitalità e di amicizia; ma non conobbero l'uno la mensa dell'altro, prima Ifito figlio di Eurito, simile agli dei immortali, che l'arco gli aveva donato, fu ucciso dal figlio di Zeus. Non lo prese con sé il divino Odisseo, quando andò in guerra sulle nere navi; lo teneva lì in casa a ricordo del caro amico e solo nella sua terra soleva portarlo.

Ma quando giunse alla stanza, la donna divina, e fu sulla soglia di quercia che l'artigiano un tempo levigò abilmente e raddrizzò con la squadra, e poi vi adattò gli stipiti e mise le lucide porte, rapida sciolse dall'anello la cinghia, infilò dritta la chiave, spinse via i chiavistelli: emise un suono la porta, come il muggito di un toro al pascolo: risuonarono così i battenti al giro di chiave, e subito si spalancarono. Lei salì sull'alto soppalco dov'erano le cassapanche e, dentro, le vesti odorose; di qui si protese e dal chiodo staccò l'arco, che nel suo fodero lucente era avvolto. E lì si mise a sedere, tenendolo sulle ginocchia, e tra i singhiozzi, piangendo, estrasse l'arco del re. Ma quando fu sazia di pianti e lamenti, mosse verso la sala, dai nobili Pretendenti, tenendo in mano l'arco flessibile e la faretra, colma di frecce amare; le ancelle la seguivano portando una cesta dov'erano le scuri di ferro e di bronzo, per le gare del re. E quando giunse fra i Pretendenti, la donna divina, si fermò accanto a un pilastro del tetto ben costruito, coprendosi il volto con il velo splendente; le stavano a fianco, da una parte e dall'altra, le ancelle fedeli. Ai Proci essa si rivolse e disse:

«Ascoltatemi, Pretendenti superbi che in questa casa siete piombati per bere e mangiare senza misura, nella casa di un uomo che da tanto tempo è lontano, e nessun altro pretesto avete potuto trovare se non che volete sposarmi, prendermi in moglie. Orsù, Pretendenti, ecco una gara per voi: io offrirò il grande arco del divino Odisseo. E chi più facilmente lo tenderà con le mani e passerà con la freccia tutte le dodici scuri, quello io seguirò, lasciando questa casa nuziale, così bella, così ricca, della quale penso che mi ricorderò anche in sogno».

Così disse, e a Eumeo, guardiano di porci, ordinava di offrire ai Pretendenti l'arco e le scuri di ferro. Eumeo prese l'arco e lo depose, piangendo. Anche il guardiano di buoi piangeva, quando vide l'arco del re. Ma, rimproverandoli, Antinoo parlò e disse:

«Stupidi contadini, dal pensiero corto, miserabili, perché piangete e a lei turbate il cuore nel petto? Già soffre dolori nell'animo perché ha perduto l'amato sposo. Ma sedete e mangiate in silenzio, oppure andate a piangere fuori e lasciate qui l'arco, che per i Proci sarà funesto strumento di gara: perché io non credo sia facile tendere quest'arco lucente. Non c'è, fra noi tutti, un uomo pari a Odisseo: io l'ho veduto, e me lo ricordo, anche se ero ancora un bambino».

Disse così, ma sperava in cuor suo di tendere la corda e trapassare col dardo le scuri. E invece doveva per primo gustare la freccia scagliata dal nobile Odisseo, che allora egli offendeva nella sua casa incitando tutti i compagni.

E il nobile e forte Telemaco disse:

«Ahimè, il senno mi ha tolto il figlio di Crono! Dice mia madre, sebbene sia saggia, che seguirà un altro e lascerà questa casa; e io rido e mi diverto con animo stolto! Ma via, Pretendenti, ecco il premio per voi: una donna che non ha l'eguale, in terra d'Acaia, né a Pilo sacra, né ad Argo, neanche a Micene, neppure a Itaca o in terraferma; ma questo lo sapete anche voi, non c'è bisogno che io lodi mia madre. Orsù, non cercate pretesti, non rinviate più a lungo la prova dell'arco, affinché possiamo vederla. Voglio provare io stesso: e se riuscirò a tenderlo e a passare col dardo le scuri, non dovrà andarsene allora mia madre con un altro uomo lasciando questa casa e me nel dolore, perché io rimango, io che sono capace di sostenere ormai le belle gare del padre».

Disse, e si alzò in piedi, dalle spalle si tolse il rosso mantello, staccò la spada affilata. E per prima cosa dispose le scuri, dopo aver scavato per tutte un'unica, lunga fossa, tirata a filo di squadra, ai lati vi ammassò della terra. Stupirono tutti vedendo come le mise con ordine, poiché prima non le aveva mai viste. Andò poi a mettersi sulla soglia, e tentava di tendere l'arco: per tre volte tentò, desideroso di tenderlo, per tre volte gli mancò la forza di tirare la corda e trapassare col dardo le scuri, benché lo sperasse nel cuore; e alla quarta sarebbe riuscito, tirando con tutte le forze, ma Odisseo gli fece segno e lo fermò nel suo slancio. Allora disse loro il nobile e forte Telemaco:

«Ahimè, forse è destino che io sia debole e inetto, o sono troppo giovane e non posso fidarmi delle mie mani per difendermi da chi mi offende per primo. Ma orsù, voi che siete più forti di me, provate a tendere l'arco, portiamo a compimento la gara».

Disse così, e a terra depose l'arco, appoggiandolo ai saldi e ben levigati battenti; alla maniglia appoggiò invece la rapida freccia. Poi tornò a sedersi sul trono da dove si era levato.

Antinoo allora parlò, figlio di Eupite:

«Alzatevi tutti, compagni, uno dopo l'altro, incominciando da destra, da dove si inizia a versare il vino».

Così disse Antinoo, piacquero le sue parole. E Leode per primo si alzò, figlio di Enopo, che era l'aruspice, e sempre in fondo sedeva, accanto alla grande coppa del vino; era il solo a odiare i soprusi degli altri, con tutti i Proci era adirato. Per primo allora egli prese l'arco e la rapida freccia. Andò a mettersi sulla soglia e tentava di tendere l'arco, ma non riuscì, si stancarono prima a tirare le sue mani deboli e delicate. Disse allora ai Pretendenti:

«Amici, io non riesco, qualcun altro ci provi. Ma a molti valorosi principi quest'arco toglierà l'ardore e la vita, perché è molto meglio morire piuttosto che vivere avendo fallito lo scopo per cui qui ci raduniamo sempre, ogni giorno, aspettando. Se qualcuno sperava nel cuore e ardeva di sposare Penelope, la sposa di Odisseo, dopo che avrà provato a tendere l'arco vada a fare la corte ad un'altra delle Achee dalle belle vesti e la conquisti coi doni, ed essa sposi chi le offre di più, chi le destina la sorte».

Disse così, e a terra depose l'arco, appoggiandolo ai saldi e ben levigati battenti; alla maniglia appoggiò invece la rapida freccia. Poi tornò a sedersi sul trono da dove si era levato.

Ma lo rimproverò Antinoo e gli disse:

«Leode, quale parola ti è uscita di bocca, aspra e cattiva, a sentirla m'indigno: che ai principi quest'arco toglierà l'ardore e la vita, perché tu non sei capace di tenderlo. Certo tua madre non ti ha generato arciere capace di scagliare dardi: ma altri nobili Proci ci riusciranno ben presto».

Disse, e ordinò a Melanzio, pastore di capre:

«Svelto, accendi il fuoco in sala, Melanzio, porta qui uno sgabello con sopra una pelle di capra, e un bel pezzo di grasso che c'è dentro casa, affinché, dopo averlo unto e scaldato, proviamo a tendere l'arco e mettiamo fine alla gara».

Disse così, e subito accese Melanzio il fuoco indomabile, prese e portò lo sgabello con sopra le pelli, e un gran pezzo di grasso ch'era dentro la casa. Dopo averlo unto e scaldato, provavano i giovani, ma non riuscivano a tenderlo, non avevano forza bastante. Antinoo restava ancora, ed Eurimaco simile a un dio, i primi fra i Pretendenti, i migliori per forza e valore.

Uscirono intanto di casa insieme il guardiano di buoi e il porcaro del divino Odisseo; e, dopo di loro, venne fuori anche Odisseo. Ma quando ebbero oltrepassato le porte e il cortile, egli si rivolse a loro, e con gentilezza disse:

«Guardiano di buoi, e tu, porcaro, non so se parlare o tacere: eppure il cuore mi spinge a parlare. Sareste pronti a lottare per Odisseo, se giungesse così, all'improvviso, se un dio lo riportasse? Vi battereste per lui o per i Proci? Parlate come vi suggerisce l'animo e il cuore».

A lui rispose il guardiano di buoi:

«O padre Zeus, che questo voto si compia davvero, che lui faccia ritorno, lo guidi qui un dio; conosceresti

allora la forza delle mie mani». Ed anche Eumeo pregava tutti gli dei perché nella sua casa il saggio Odisseo facesse ritorno.

E allora, dopo aver conosciuto il loro pensiero, egli
parlò di nuovo e disse:

«Eccomi, sono io che, dopo vent'anni e dopo molto
soffrire, sono tornato alla terra dei padri. So che, fra i
servi, mi rimpiangete voi soli; nessuno degli altri ho
udito pregare perché a casa io facessi ritorno. A voi
dunque dirò come andranno le cose. Se un dio mi
concede di abbattere i nobili Pretendenti, a entrambi
darò una moglie e delle ricchezze e farò costruire una
casa vicino alla mia; di Telemaco sarete, per il futuro,
compagni, fratelli. E un altro chiaro segno vi mostrerò, perché mi riconosciate del tutto e siate sicuri nel-
l'animo: la cicatrice della ferita che un tempo con la
candida zanna mi inflisse il cinghiale, quando salii sul
Parnaso insieme ai figli di Autolico».

Così parlò, e scoprì la grande ferita. Ed essi, dopo
che l'ebbero vista ed ebbero compreso ogni cosa,
piangevano abbracciando il valoroso Odisseo e con
affetto gli baciavano il capo e le spalle; anche Odisseo
baciava loro la testa e le mani. E avrebbero pianto fino
al tramonto del sole, se Odisseo non li avesse fermati
dicendo:

«Smettete di piangere e singhiozzare, che dalla sala
non esca qualcuno e vi veda e poi vada a riferirlo.
Rientrate, invece, ma uno alla volta, non tutti insieme,
io prima e voi dopo. E sia questo il segnale: i Pretendenti illustri, tutti quanti sono, non lasceranno che mi
siano dati arco e faretra; ma tu, divino Eumeo, porta
l'arco attraverso la sala e mettilo nelle mie mani, e poi
comanda alle donne di chiudere, in sala, le solide por-

te; e se qualcuna dentro, dove noi siamo, ode rumore o lamenti di uomini, non esca fuori ma taccia e badi al suo lavoro. A te invece, Filezio, io dico di chiudere col chiavistello le porte dell'atrio e annodarvi una corda».

Disse, rientrò nella dimora bellissima e andò a sedersi sul seggio, da dove si era levato. Rientrarono anche i servi del divino Odisseo.

E già Eurimaco, con l'arco tra le mani, lo riscaldava girandolo da una parte e dall'altra sulla fiamma del fuoco; ma neppure così riusciva a tenderlo, e molto si crucciava nel cuore. Adirato, infine parlò e disse:

«Ahimè, è un dolore, per me e per tutti. E non sono soltanto le nozze che piango, benché addolorato: molte altre donne vi sono, in Acaia, a Itaca stessa, cinta dal mare, e nelle altre città; ma perché siamo tanto inferiori di forza al divino Odisseo, da non riuscire a tender l'arco: una vergogna anche per coloro che lo sapranno in futuro».

Gli rispose Antinoo, figlio di Eupite:

«Eurimaco, non sarà così; lo sai anche tu. Oggi, in paese, c'è la festa sacra di Apollo: chi vorrà tendere l'arco? Deponetelo, e state tranquilli; lasciamo stare così anche tutte le scuri; nessuno, io credo, entrerà nella casa del figlio di Laerte, Odisseo, per portarsele via. E dunque il coppiere incominci a distribuire le coppe affinché dopo aver libato deponiamo l'arco ricurvo; e a Melanzio, il pastore di capre, ordinate che all'alba porti le capre più belle di tutte le greggi: ne offriremo le cosce ad Apollo signore dei dardi, e cercheremo di tendere l'arco per mettere fine alla gara».

Così disse Antinoo, piacquero le sue parole.

E versarono l'acqua sulle mani gli araldi, i giovani riempirono fino all'orlo le grandi coppe e a tutti distribuirono il vino nei calici. E dopo che ebbero libato e bevuto quanto il cuore voleva, disse loro l'accorto Odisseo meditando l'inganno:

«Pretendenti della gloriosa regina, ascoltate, vi dirò quello che il cuore mi detta nell'animo. A Eurimaco io mi rivolgo, e ad Antinoo simile a un dio che nel modo giusto ha parlato, e prego che smettano la gara dell'arco e si affidino ai numi. Domani il dio concederà forza a chi vuole. Ma ora date a me il lucido arco, perché tra di voi io provi la forza delle mie mani, se in me c'è ancora il vigore che avevo prima nelle agili membra, o se la vita errabonda e gli stenti me l'hanno ormai tolto del tutto».

Così parlò, ma si adirarono tutti, temendo che riuscisse davvero a tendere il lucido arco. E lo rimproverò Antinoo e gli disse:

«Miserabile, sei pazzo davvero. Mangi tranquillo in mezzo a noi, non ti manca il cibo, ascolti le nostre parole e i nostri discorsi, e non ti basta: nessun altro, straniero o mendicante, ascolta ciò che diciamo. È il dolce vino che ti turba la mente, il vino che anche ad altri fa male quando lo bevono a piena gola e senza misura. Anche il Centauro travolse, Euritione famoso, quando andò fra i Lapiti, in casa del valoroso Piritoo. Quando il vino gli sconvolse la mente, furente egli commise azioni nefande in casa di Piritoo. Gli furono addosso gli eroi, sdegnati, e fuori dall'atrio lo trascinarono, dopo avergli tagliato il naso e le orecchie col bronzo spietato; e lui andava, con la mente stravolta, portando la sua follia nel cuore impazzito. Fu guerra, allora, fra Centauri ed eroi, ma a se stesso per primo egli fece del male, bevendo. Così a te io predico una grave sventura, se tendi quell'arco; non troverai più amicizia, fra noi: dal re Echeto, flagello degli uomini, ti spediremo su di una nera nave, e lì non avrai scampo. Sta dunque tranquillo, e bevi, non misurarti coi giovani».

Ma la saggia Penelope disse:

«Antinoo, non è bello né giusto trattar male gli ospiti di Telemaco, chiunque giunga in questa dimora. Temi forse che lo straniero, con la forza delle sue mani, riesca a tendere il grande arco di Odisseo e nella sua casa mi porti e mi faccia sua sposa? Neppure lui lo spera, in cuor suo; e nessuno di voi che qui sedete a banchetto si addolori per questo, nell'animo, perché non è cosa possibile».

Le rispose Eurimaco, figlio di Polibo:

«Figlia di Icario, saggia Penelope, noi non crediamo che ti porti con sé, non è cosa possibile, ma con vergogna pensiamo a quanto diranno uomini e donne, temiamo che qualcun altro degli Achei, a noi inferiore, dica: "Principi molto dappoco vogliono la sposa di un uomo nobile e non sono capaci di tendere il lucido arco; ma capita un vagabondo, un mendicante qualunque e senza sforzo lo tende, passa tutte le scuri". Così diranno, e sarà una vergogna per noi».

E la saggia Penelope disse:

«Eurimaco, com'è possibile che goda buona fama tra il popolo chi con disprezzo divora i beni di un valoroso? Perché dunque questa è una vergogna? L'ospite è alto e forte, e di un nobile padre dice di essere figlio. Dategli dunque il lucido arco, vediamo! Perché questo io vi dico, e questo avrà compimento: se riuscirà a tenderlo, se Apollo gli concede gloria, io gli darò abiti splendidi, un mantello, una tunica, gli darò un'asta aguzza per difendersi da uomini e cani, e una spada a due tagli; e dei sandali per i piedi gli donerò, e poi farò in modo che vada dove il suo cuore desidera».

Le rispose il saggio Telemaco:

«Madre, nessuno fra gli Achei è più padrone di me di dare l'arco a chi voglio, o di negarlo, non coloro che nella pietrosa Itaca hanno il potere, o nelle altre isole, di fronte all'Elide che alleva cavalli; di costoro nessuno mi obbligherà suo malgrado, anche se volessi donare allo straniero quest'arco, per sempre. Ma tu ora va nelle tue stanze e bada al tuo lavoro, al fuso, al telaio, e ordina anche alle ancelle di fare altrettanto; all'arco penseranno gli uomini, io sopra tutti, che in questa casa comando».

Lei, stupefatta, tornò nelle sue stanze, con le sagge parole del figlio chiuse nel cuore. E quando fu risalita insieme alle ancelle, piangeva il suo sposo, Odisseo, fino a che sulle palpebre le versò il dolce sonno la dea dagli occhi lucenti.

Intanto il guardiano di porci prese l'arco ricurvo e lo portava a Odisseo. E i Proci in sala si misero tutti a gridare, così diceva qualcuno di quei giovani alteri:

«Ma dove porti l'arco ricurvo, disgraziato porcaro, pazzo che sei! Fra poco, tra i tuoi maiali, lontano da tutti, ti sbraneranno i cani veloci, i cani che tu allevasti, se Apollo ci assiste e con lui gli altri dei immortali».

Così dicevano, ed egli lo riportò al suo posto, atterrito, perché in molti gridavano dentro la sala. Ma gridava anche Telemaco, minacciando:

«Vecchio, orsù, porta l'arco! o tra poco a tutti obbedirai male. Bada che non ti cacci in campagna a colpi di pietra: sono più giovane, ma sono anche più for-

te. Ah, se di tutti i Pretendenti che sono in casa fossi
tanto più forte, qualcuno ne caccerei dal mio palazzo
in malo modo, perché tramano ignobili azioni».

Disse così, di lui risero tutti i Proci e smisero l'ira
violenta contro Telemaco. E il guardiano, portando
l'arco attraverso la sala, si avvicinò al valoroso Odisseo
e glielo mise fra le mani. Poi chiamò in disparte Euriclea e le disse:

«Telemaco ti ordina, o saggia Euriclea, di chiudere,
in sala, le solide porte; e se qualcuna ode, da dentro,
dove noi siamo, rumore o lamenti di uomini, non esca
fuori ma taccia e badi al suo lavoro».

Disse così, lei capì a volo e chiuse le porte della bellissima sala. Silenzioso uscì dalla casa Filezio e chiuse i
portoni del cortile cintato. Vi era nel portico una fune
di nave, una corda in fibra di papiro, e con essa legò
rapidamente i battenti. Poi ritornò dentro e sedette
sul seggio da cui si era levato, con gli occhi fissi su
Odisseo.

Egli aveva già in mano l'arco e lo girava da ogni parte, toccandolo, per vedere se i tarli avessero corroso il
legno, mentre era lontano. E, rivolto al vicino, qualcuno diceva:

«Ha occhio e mano per gli archi, costui, forse ne ha
uno simile a casa, o vuole farselo, a vedere come se lo
rigira, questo vagabondo oppresso dai mali».

E un altro di quei giovani alteri diceva:

«Possa avere così poca fortuna quanta ne avrà nel
tendere l'arco».

Così dicevano i Pretendenti.

Ma l'accorto Odisseo, dopo aver sollevato e guar-
dato bene il grande arco, come quando un esperto
suonatore di cetra senza sforzo tende la corda intorno

alla nuova chiavetta, fissando da una parte e dall'altra il ritorto budello di pecora, così, senza sforzo, tese il grande arco Odisseo. Toccò, con la mano destra, la corda, ed essa emise un suono bellissimo, simile a voce di rondine. Presi da grande spavento, impallidirono i Proci. Zeus tuonò forte, manifestando il suo segno: e fu lieto il paziente Odisseo che un segno gli avesse inviato il figlio di Crono dalla mente sottile. Prese una rapida freccia che accanto a lui giaceva su un tavolo (dentro la cava faretra erano le altre che presto avrebbero sperimentato gli Achei), la pose nel mezzo, tese la corda e, restando seduto dov'era, lanciò la freccia mirando diritto, non fallì il primo colpo, tutte le scuri attraversò uscendo dall'altra parte il dardo dalla punta di bronzo.

Allora egli disse a Telemaco:

«Telemaco, non ti disonora l'ospite che siede nella tua sala; non ho faticato a tendere l'arco, non ho fallito il bersaglio; possiedo ancora la forza, non è come dicono i Proci, con disprezzo insultandomi. E adesso è ora di preparare la cena agli Achei, finché c'è luce: e dilettarsi, dopo, con la cetra ed il canto che accompagnano ogni banchetto».

Disse, e fece cenno con gli occhi. Cinse allora la spada affilata Telemaco, l'amato figlio del divino Odisseo, impugnò la lancia e, con l'elmo di bronzo accecante, si mise accanto al trono del padre.

XXII.

LA STRAGE

E allora dai cenci si spogliò, l'accorto Odisseo, e sulla grande soglia balzò impugnando l'arco e la faretra piena di frecce, poi rovesciò per terra i rapidi dardi, lì, davanti ai suoi piedi, e disse ai Pretendenti:

«La gara funesta è finita. Ora un altro bersaglio, quale nessuno mai ha colpito, io coglierò, se riesco, se Apollo mi concede la gloria».

Disse, e su Antinoo puntò il dardo amaro: lui stava alzando una coppa a due anse, d'oro, bellissima, la teneva tra le mani per bere il vino; e non pensava alla morte. Chi avrebbe immaginato che, tra gli uomini seduti a banchetto, uno solo, sia pure fortissimo, gli avrebbe inflitto il nero destino di morte? Odisseo lo prese di mira e lo colse col dardo alla gola, la punta trapassò il morbido collo. Colpito, si piegò all'indietro, la coppa gli cadde di mano, un denso fiotto di sangue scorreva dalle narici. Col piede respinse la tavola, rovesciando i cibi per terra, si insozzarono il pane e i pezzi di carne. Urlarono, i Proci, quando videro l'uomo cadere, balzarono dai loro seggi e si agitavano dentro la sala guardando ovunque verso i muri ben fatti:

ma non vi era nessuno scudo, nessuna solida lancia. Con irate parole assalivano allora Odisseo:

«Straniero, tu colpisci gli uomini, è male; non affronterai più altre gare, ora devi morire. Hai ucciso un uomo che era il migliore fra i giovani d'Itaca: qui gli avvoltoi ti divoreranno».

Così dicevano perché pensavano che avesse ucciso senza volere; e non capivano, gli stolti, che erano giunti ormai al confine di morte. Con ira guardandoli disse l'accorto Odisseo:

«Cani, non pensavate che dalla terra troiana io facessi ritorno a casa, voi che divorate i miei beni, entrate a forza nel letto delle mie schiave e, me vivo, mi corteggiate la sposa senza temere gli dei che il vasto cielo possiedono, e neppure la tarda vendetta degli uomini».

Disse, e lividi per il terrore divennero tutti, ognuno guardava dove potesse scampare all'abisso di morte; Eurimaco solo gli rispose e gli disse:

«Se davvero sei Odisseo d'Itaca e sei tornato, è giusto quello che hai detto, le molte infamie che hanno commesso gli Achei nella reggia, nei campi. Ma è morto ormai colui che fu causa di tutto, Antinoo: era lui che provocò queste azioni, e non voleva, non desiderava tanto le nozze, ad altro pensava (ma non lo concesse il figlio di Crono): uccidere in un agguato tuo figlio e regnare lui stesso in Itaca ben costruita. Ma ora è stato ucciso lui, giustamente, e tu allora risparmia la tua gente; noi ti risarciremo di tutto quanto in casa si è mangiato e bevuto, pagando ciascuno un prezzo di venti vacche, il bronzo e l'oro ti renderemo, perché si plachi il tuo cuore. La tua collera non può biasimarla nessuno».

Guardandolo irato gli disse l'accorto Odisseo:

«Eurimaco, neppure se voi mi donaste tutti i beni paterni, tutto quello che avete, e altro ancora aggiungeste, neanche così fermerei le mie mani prima di aver punito i Pretendenti per la loro arroganza. Ora a voi non resta che lottare o fuggire, se mai qualcuno riesca a scampare alla morte e al destino: ma nessuno, io credo, riuscirà a sfuggire alla morte».

Così parlò, e ad essi tremarono il cuore e le ginocchia. Ma ancora una volta Eurimaco parlò e disse:

«Amici, quest'uomo non fermerà le sue mani invincibili: ora che ha il lucido arco e la faretra, dalla soglia ben levigata scaglierà frecce finché non ci avrà ucciso tutti quanti. Pensiamo dunque a lottare. Sguainate le spade, opponete i tavoli ai dardi mortali; e su di lui piombiamo compatti per vedere se dalla soglia e dalle porte riusciamo a smuoverlo; e poi correremo in città a dare l'allarme al più presto. Avrebbe così tirato ora per l'ultima volta».

Parlò ed estrasse la spada affilata, la spada di bronzo a doppio taglio, e balzò su di lui con un urlo tremendo; ma nello stesso tempo il divino Odisseo scagliò una freccia e lo colpì in pieno petto: gli trapassò il fegato, il dardo veloce; dalla mano gli cadde la spada, si piegò in avanti e piombò sopra il tavolo, a terra rovesciò le vivande e la coppa a due anse: con la fronte percosse la terra, nell'agonia, e con i piedi il sedile, scalciando. L'ombra gli scese sugli occhi.

Sul glorioso Odisseo si scagliò allora Anfinomo balzandogli addosso, con la spada sguainata, per cacciarlo via dalla porta. Ma prima Telemaco lo colpì con la lancia di bronzo alla schiena, proprio in mezzo alle spalle, trapassandogli il petto. Con un tonfo cadde, battendo a terra la fronte. Balzò indietro Telemaco, lasciando nel corpo di Anfinomo la lunga lancia; temeva che fra gli Achei qualcuno lo assalisse con la spada o lo colpisse mentre era curvo ad estrarre l'asta lunghissima. Di corsa raggiunse suo padre e standogli accanto gli disse queste parole:

«Padre, voglio portarti uno scudo e due lance e un elmo di bronzo che ti si adatti alle tempie, io stesso prenderò delle armi e ne darò al porcaro e al guardiano di buoi; è meglio essere armati».

Gli rispose l'accorto Odisseo:

«Va a prenderle presto, finché mi restano frecce per tenerli lontani, che non mi caccino via dalle porte mentre sono da solo».

Disse, e Telemaco obbedì a suo padre. Mosse verso la stanza dov'erano le armi gloriose: prese quattro scudi, otto lance, quattro elmi di bronzo dal folto pennacchio e rapidamente fece ritorno dal padre. Lui per primo vestì le armi di bronzo, e come lui anche i servi indossarono le armi belle e si posero intorno al valoroso Odisseo dagli accorti pensieri. E finché ci furono frecce per tenerli lontani, mirava e sempre colpiva uno dei Proci, dentro la sala; essi cadevano uno sull'altro. Ma quando non ebbe più frecce da scagliare, il re posò l'arco contro lo stipite della sala ben costruita, sul muro splendente, appese alle spalle lo scudo a quattro strati di cuoio, calzò sulla testa fiera l'elmo ben fatto, col pennacchio di crine e il cimiero che ondeggiava paurosamente; impugnò due solide lance con la punta coperta di bronzo.

Vi era una porta, in alto, sul solido muro, sopra la soglia della bellissima sala, e dava su un passaggio, ma era chiusa da saldi battenti; al guardiano di porci aveva ordinato Odisseo di sorvegliarla da vicino: era la sola via d'uscita. E ai Pretendenti si rivolse Agelao dicendo:

«Amici, non c'è nessuno che salirà alla porta, per avvertire la gente e dare l'allarme al più presto? Allora davvero costui avrebbe scagliato le frecce per l'ultima volta».

Gli rispose Melanzio, pastore di capre:

«Divino Agelao, non è possibile; sono troppo vicine le belle porte dell'atrio, è difficile l'ingresso al passaggio: anche un uomo solo, se è forte, potrebbe tener testa a tutti. Ma io dal talamo vi porterò le armi perché le indossiate; là dentro, io credo, e non altrove, le hanno nascoste Odisseo e il suo figlio glorioso».

Così disse Melanzio, pastore di capre, e attraverso i corridoi saliva alle stanze di Odisseo. Qui prese dodici scudi, dodici lance, dodici elmi di bronzo dal folto pennacchio; e rapido ritornava e le dava ai Pretendenti. Allora Odisseo si sentì mancare il cuore e le ginocchia, come li vide vestire le armi e brandire le lance lunghissime: troppo grande gli parve l'impresa. A Telemaco si rivolse e disse:

«Telemaco, è qualcuna delle donne che ci fa guerra in casa, oppure è Melanzio?».

Gli rispose il saggio Telemaco:

«O padre, sono io che ho sbagliato, nessun altro ne ha colpa, io che ho lasciato socchiusa la salda porta del talamo; la loro spia è stata più attenta. Va tu, divino Eumeo, chiudi la porta e guarda se è una donna che fa queste cose, oppure è Melanzio figlio di Dolio, come io credo».

Queste parole scambiavano essi fra loro.

E intanto ritornava al talamo Melanzio, pastore di

capre, per prendere le belle armi; lo scorse il divino porcaro e subito disse a Odisseo che gli era vicino:

«Figlio di Laerte, divino Odisseo dal grande ingegno, eccolo, quell'uomo funesto, che sale al talamo, come noi pensavamo. Dimmi ora, chiaramente, se lo uccido, purché ci riesca, o te lo porto qui perché sconti tutte le infamie che ha compiuto nella tua casa».

Gli rispose l'accorto Odisseo:

«Io e Telemaco terremo testa ai Proci superbi che sono in sala, furenti. Voi gettatelo dentro al talamo, legategli i piedi e le mani ad un asse dietro la schiena, e, dopo averlo attaccato a una fune ritorta, appendetelo a un'alta colonna, tirandolo fino alle travi perché rimanga vivo a lungo soffrendo crudeli dolori».

Disse così, ed essi ascoltarono ed obbedirono. Si recarono al talamo, e lui, ch'era dentro, non se ne accorse: era in fondo alla stanza e cercava le armi. Si posero accanto agli stipiti, da una parte e dall'altra, aspettando. E varcava la soglia Melanzio, pastore di capre, tenendo in una mano un elmo, bello, e nell'altra un grande scudo, un vecchio scudo coperto di polvere che Laerte portava quando era giovane e che ora giaceva là, con le cinghie allentate. Gli balzarono addosso, lo presero e per i capelli lo trascinarono dentro, lo gettarono a terra pieno di angoscia, con una corda crudele legarono stretti i piedi e le mani alla schiena, come aveva ordinato il figlio di Laerte, il divino, paziente Odisseo; poi lo attaccarono ad una fune ritorta e lo sospesero a un'alta colonna, tirandolo fino alle travi.

Schernendolo così gli dicesti, Eumeo, guardiano di porci:

«Ora sì veglierai per tutta la notte, Melanzio, com'è

giusto per te, in un morbido letto. Non ti sfuggirà la dea dall'aureo trono quando si leva dalle correnti di Oceano nell'ora in cui porti ai Proci le capre perché pranzino in casa».

Così fu lasciato, appeso alla fune mortale. Ed essi, vestite le armi, chiusa la porta lucente, tornarono dal sapiente e astuto Odisseo.

Si affrontarono allora, furenti, i quattro sulla soglia e gli altri dentro la sala, che erano molti e valenti. E Atena, figlia di Zeus, venne loro vicino, simile a Mentore nell'aspetto e nella voce. Si rallegrò nel vederla Odisseo e gli disse:

«Mentore, aiutami, ricordati dell'amico che ti faceva del bene; abbiamo la stessa età».

Disse, e pensava che fosse Atena, che muove gli eserciti. Ma dall'altra parte, in sala, gridavano i Pretendenti; e Agelao, figlio di Damastore, minacciava per primo:

«Mentore, non ti persuada Odisseo a difenderlo e a combattere i Proci. Così, io penso, si compirà il nostro piano: quando li avremo uccisi, il padre e il figlio, anche tu sarai ucciso con loro per quello che pensi di fare qui nella sala: pagherai con la testa. Ma quando con le armi vi avremo tolto la vita, i tuoi beni, tutto quello che fuori e dentro casa possiedi, li uniremo a quelli di Odisseo; non lasceremo che i figli vivano nella tua casa, né che le figlie e la sposa fedele abitino nella città di Itaca».

Così parlò, terribilmente si infuriava la dea che prese a insultare Odisseo con irate parole:

«Odisseo, non hai più la forza e il furore che avevi quando per Elena dalle candide braccia, figlia di nobile padre, per nove lunghi anni lottasti contro i Troiani e molti guerrieri uccidesti nella tremenda battaglia, fino a che, per tuo consiglio, fu presa la città di Priamo, dalle ampie strade. E ora che sei nella tua casa, in mezzo ai tuoi beni, non sai affrontare i Pretendenti? Ma via, ora stammi vicino e guardami: vedrai come, in mezzo ai nemici, Mentore figlio di Alchimo ricambia i benefici».

Disse, ma non concedeva completa vittoria, voleva ancora provare la forza e il valore di Odisseo e del suo splendido figlio. Con un balzo andò a collocarsi sulla trave maestra della sala piena di fumo, e somigliava a una rondine.

Intanto Agelao incitava i Pretendenti: erano Eurinomo, Anfimedonte, Demottolemo, Pisandro figlio di Polittore e il saggio Polibo: per valore i migliori fra i Proci che vivevano ancora e per la vita lottavano; gli altri erano caduti ormai sotto la pioggia di frecce. A tutti Agelao si rivolse e disse:

«Amici, ora quest'uomo fermerà le sue mani implacabili. È sparito Mentore, che si vantava invano, sono rimasti soli là, sulla soglia. Scagliate ora le lunghe lance, ma non tutti insieme, in sei tirate per primi, se mai Zeus ci conceda di colpire Odisseo, di conquistare la gloria. Non contano gli altri, una volta che lui sia caduto».

Così disse, e tutti con forza tirarono, come aveva ordinato: ma tutti i colpi li mandò a vuoto la dea. E uno colpì lo stipite della sala ben costruita, un altro la porta chiusa, colse il muro la lancia del terzo, dalla punta di bronzo pesante. E dopo che ebbero evitato le aste dei Proci, prese a parlare il paziente, divino Odisseo:

«Amici, ora anch'io vi dirò di tirare nel mucchio, contro i Proci che vogliono ucciderci dopo il male che hanno già fatto».

Così parlò, e tutti scagliarono le lance acute, mirando diritto: Odisseo colpì Demottolemo, Telemaco Euriade, Eumeo Elato e il guardiano di buoi uccise Pisandro; tutti costoro morsero la terra coi denti. In fondo alla sala si ritirarono i Proci: gli altri balzarono avanti e strapparono le lance dai morti.

E ancora una volta i Proci scagliarono le lance acute, con forza; ma quasi tutte le mandò a vuoto Pallade Atena. E uno colpì il pilastro della sala ben costruita, un altro la porta chiusa; il muro colse la lancia di legno del terzo, dalla punta di bronzo pesante. Anfimedonte colpì Telemaco al polso, di striscio, il bronzo scalfì la pelle, in superficie. Ctesippo sfiorò la spalla ad Eumeo sopra lo scudo con la lunga lancia, che volò oltre e cadde per terra.

E ancora una volta i compagni del valoroso e astuto Odisseo scagliarono le lance acute sui Proci, nel mucchio. Odisseo, distruttore di città, colpì Euridamante, Telemaco Anfimedonte, Eumeo Polibo; e il guardiano di buoi colse al petto Ctesippo, e vantandosi disse:

«O figlio di Politerse, dalla lingua ingiuriosa, nella tua stoltezza non aprire più bocca, lascia la parola agli dei, che sono molto più forti. Ecco il mio dono ospitale, per quella zampa di bue che donasti un giorno al divino Odisseo quando mendicava per casa».

Così disse il guardiano dei buoi dalle corna lunate. E Odisseo ferì da vicino Agelao con l'asta lunghissima; Telemaco colpì al ventre Leocrito figlio di Evenore e spinse l'arma a fondo; cadde bocconi Leocrito e col volto percosse la terra. Allora in alto, sul soffitto, Atena sollevò l'egida che annienta i mortali. Si sconvolsero le menti dei Proci. Fuggivano per la sala come le vacche di una mandria che il tafano veloce assale e scompiglia a primavera, quando i giorni si allungano. E gli altri erano come avvoltoi dagli artigli e dal becco ricurvo che dai monti calano e sugli uccelli si avventano: questi volano bassi nella pianura fuggendo le nuvole ma gli altri piombano su di loro e li uccidono, non c'è difesa né scampo; gode la gente a vedere la caccia. Così essi assalivano i Pretendenti nella sala e li colpivano da ogni parte; saliva penoso il lamento, il suolo fumava di sangue.

Con un balzo Leode si gettò ai piedi di Odisseo e lo supplicava dicendo:

«Ti scongiuro, Odisseo; abbi rispetto e pietà. Non ho mai detto né fatto nulla di male alle donne qui nella casa: e cercavo di trattenere anche gli altri, se lo facevano. Ma essi non mi ascoltavano, non si tenevano lontani dal male. Così per la loro follia hanno avuto un amaro destino. Ma io, che fra di loro ero l'aruspice, morirò senza aver fatto nulla, non c'è gratitudine per chi fa del bene».

Con sguardo irato gli disse l'accorto Odisseo:

«Se fra loro eri l'aruspice, così come dici, certo più volte nella sala hai pregato perché rimanesse lontano da me il termine del dolce ritorno, e che la mia sposa ti seguisse e ti generasse dei figli: non puoi dunque sfuggire alla morte crudele».

Disse, e con la forte mano sollevò da terra la spada che Agelao aveva lasciato cadere, quando fu ucciso; lo colpì al collo, e la testa rotolò nella polvere mentre ancora parlava.

Anche il figlio di Terpis voleva sfuggire al nero destino, Femio, l'aedo che fra i Proci era costretto a cantare. Tenendo in mano la cetra sonora si fermò vicino alla porta alta, incerto nell'animo se uscire dalla sala e andare a sedersi sull'altare di Zeus protettore, là dove tante cosce di buoi bruciarono Laerte e Odisseo, o gettarsi supplice ai piedi di Odisseo. E mentre così pensava gli sembrò che la cosa migliore fosse abbracciare le ginocchia del figlio di Laerte. Depose a terra la concava cetra, tra una grande coppa e un seggio ornato d'argento, poi si slanciò verso Odisseo, gli abbracciò le ginocchia e supplicando diceva:

«Ti scongiuro, Odisseo; abbi rispetto e pietà. Avrai rimorso, dopo, se uccidi l'aedo che canta per gli dei e per gli uomini. Da solo ho imparato quest'arte, un dio mi ha ispirato nel cuore ogni sorta di canti: per te come tu fossi un dio posso cantare; non volermi tagliare la testa. Anche Telemaco, il tuo amato figlio, può dirti che non per mia volontà o desiderio venivo in casa tua a cantare per i Proci dopo i banchetti, mi costringevano loro che erano in molti e più forti».

Così parlò, lo udì Telemaco, nobile e forte, e subito disse al padre, che gli era vicino:

«Fermati, non colpire quest'uomo innocente. E anche l'araldo Medonte salviamo, che sempre in casa si prese cura di me quando ero bambino: se già non lo ha ucciso Filezio, oppure Eumeo, o è capitato davanti a te quando infuriavi dentro la sala».

Così parlò, lo udì il saggio Medonte che stava acquattato sotto un sedile con addosso una pelle di bue appena scuoiato, per scampare al destino di morte. Subito sbucò da sotto il sedile, si tolse la pelle di bue e gettandosi ai piedi di Telemaco lo supplicava piangendo:

«Eccomi, sono io, fermati: e di' a tuo padre, che ora è il più forte, di non uccidermi con il bronzo affilato, irato com'è con i Proci che in casa gli divoravano i beni e non rispettavano te, nella loro stoltezza».

Sorridendo gli disse l'accorto Odisseo:

«Fatti coraggio, ti ha già salvato Odisseo perché tu sappia nel cuore, e anche ad altri lo dica, che agire bene è meglio che fare del male. Ma ora tu e l'aedo glorioso uscite da questa sala e andate a sedere nell'atrio, lontano da questa strage, finché io avrò fatto quello che devo fare».

Così parlò, ed essi, usciti dalla sala, andarono a sedersi sul grande altare di Zeus, e si guardavano intorno aspettandosi sempre la morte.

Anche Odisseo guardava, nella sua casa, se qualcuno era ancora vivo e si nascondeva, per sfuggire al nero destino. Ma tutti li vide giacere nel sangue e nella polvere, come pesci che i pescatori hanno tratto a riva dal mare bianco di schiuma, nella rete a maglie, e che giacciono sulla sabbia rimpiangendo le onde del mare: ma il sole ardente toglie loro la vita. Così giacevano allora i Pretendenti, uno sull'altro. E a Telemaco disse l'accorto Odisseo:

«Telemaco, chiama la nutrice Euriclea, devo dirle una cosa che mi sta a cuore».

Disse, e Telemaco obbediva a suo padre; batté alla porta e disse a Euriclea:

«Vieni qui, vecchia nutrice, che in casa sorvegli le nostre ancelle, vieni; ti vuole mio padre, deve dirti qualcosa».

Così parlò, e lei comprese a volo, aprì la porta della bellissima sala e venne: Telemaco la precedeva. Trovò Odisseo in mezzo ai cadaveri, sporco di sangue come un leone che se ne va dopo aver divorato un bue selvatico: ha tutti lordi il petto e le guance; tremendo appare, a vederlo. Così era Odisseo, dalla testa ai piedi coperto di sangue. E lei, come vide i cadaveri e i fiumi di sangue, voleva gridare di gioia davanti all'impresa grandiosa. Ma la trattenne e frenò il suo slancio Odisseo che rivolgendosi a lei disse:

«In cuore rallegrati, vecchia, frenati, non gridare: è empio esultare su uomini uccisi. La sorte e le loro azioni indegne li hanno perduti: di nessuno hanno avuto rispetto, chiunque giungesse tra loro, valoroso o vile che fosse; e per le loro infamie hanno avuto un amaro destino. Ma via, ora dimmi quali sono le donne che in casa mi sono infedeli e quali sono innocenti».

E la nutrice Euriclea gli rispose:

«Ti dirò, figlio, tutta la verità. Cinquanta sono le ancelle della casa, che abbiamo educato al lavoro, a cardare la lana, a sopportare la schiavitù; tra esse dodici si ribellarono, senza rispetto per me né per Penelope. Telemaco era appena cresciuto, sua madre non permetteva che comandasse alle donne. Ma ora voglio salire alle stanze splendenti e dire tutto alla tua sposa, che un dio ha immerso nel sonno».

Ma a lei disse l'accorto Odisseo:

«Non risvegliarla ancora; vengano invece le donne che hanno compiuto azioni indegne».

Disse, e dalla sala usciva la vecchia per dare notizia alle donne e incitarle a venire. Egli invece chiamò a sé Telemaco e il guardiano di buoi e il porcaro e a loro disse:

«Cominciate a trasportare i corpi e ordinate alle donne di farlo; ripuliscano poi gli splendidi seggi e i tavoli con acqua e spugne porose. Quando avrete fatto ordine in tutta la casa, portate le schiave fuori dalla sala ben costruita, tra la rotonda e il recinto dell'atrio, e con le spade affilate togliete loro la vita: scorderanno l'amore che ai Proci le univa in segreto».

Così parlò. E tutte insieme le donne giungevano, versando lacrime fitte, gemendo in modo straziante. E dapprima portavano i corpi dei morti e sotto il portico dell'atrio cintato li deponevano, uno sull'altro. Faceva segno che si affrettassero Odisseo: ed esse, così costrette, li trasportavano. Poi, con l'acqua e le spugne porose, ripulivano i tavoli e i bellissimi troni. Intanto Telemaco e il guardiano di buoi e il porcaro, con un badile raschiavano il suolo della sala ben costruita, e le donne prendevano e portavano fuori la terra. Ma quando ebbero fatto ordine in tutta la casa, fecero uscire le donne dalla sala ben fatta e, tra la rotonda e l'atrio cintato, in un angolo le sospinsero da dove non si poteva fuggire. Incominciò a dire il saggio Telemaco:

«Non voglio strappare la vita con un rapido colpo a queste donne che sulla testa mia e di mia madre riversarono infamia, e dormivano coi Pretendenti».

Disse così, e a una lunga colonna della rotonda attaccò la fune di una nave azzurrina, e alta la tese perché nessuna toccasse terra coi piedi. Come quando dei tordi dalle grandi ali o delle colombe si impigliano in una rete tesa tra i rami, e mentre tornano al nido trovano invece un odioso giaciglio; così esse in fila tenevano il capo e intorno al collo avevano un laccio perché più crudele fosse la morte. Scalciarono con i piedi, ma per poco tempo.

Anche Melanzio portarono fuori nell'atrio: e naso e orecchie gli troncarono col bronzo spietato e i genitali strapparono per darli in pasto ai cani, e mani e piedi tagliarono, furenti nell'animo.

Poi si lavarono i piedi e le mani e ritornarono alla reggia di Odisseo: tutto era compiuto.

Alla nutrice Euriclea egli disse:

«Porta lo zolfo, vecchia, rimedio dei mali, e porta il fuoco perché io purifichi questa sala, e poi va a dire a Penelope che venga qui con le ancelle: falle venire tutte, le serve di casa».

Gli rispose la vecchia nutrice:

«Hai parlato, figlio, in modo giusto. Ma voglio portarti degli abiti, un mantello, una tunica, non rimanere così nella sala, coperto di cenci: sarebbe una vergogna».

Ma l'accorto Odisseo le disse:

«Il fuoco portami prima, qui, nella sala».

Disse, obbediva Euriclea, la nutrice, portava il fuoco e lo zolfo: e Odisseo purificava la sala, la casa, il cortile.

Poi se ne andò la vecchia nutrice per la bella dimora di Odisseo, a dar la notizia alle donne e invitarle a venire. Ed esse venivano dalle stanze con le fiaccole in mano e si affollavano intorno a Odisseo, lo abbracciavano baciandogli con affetto il capo, le spalle, le mani, che tenevano strette. E in lui, che ad una ad una le riconosceva nel cuore, nasceva un desiderio dolce di pianto.

XXIII.

PENELOPE E ODISSEO

Alle stanze saliva la vecchia, esultante, per dire alla padrona che lo sposo era lì, nella casa. Rapidi erano i piedi, ben salde le gambe. Si fermò accanto al suo letto e le disse:

«Svegliati, Penelope, figlia mia, per vedere con i tuoi occhi quello che ogni giorno desideri. È giunto Odisseo, è a casa, anche se dopo molto tempo, è tornato. Ha ucciso i Pretendenti superbi che infestavano la sua dimora, gli divoravano i beni, gli opprimevano il figlio».

Le rispose la saggia Penelope:

«Nutrice, ti hanno fatto impazzire gli dei che possono rendere stolto il sapiente e alla saggezza guidare lo stolto; sono loro che ti hanno colpito la mente, prima eri saggia. Perché ti fai beffe di me che ho il cuore straziato e parli a sproposito e mi risvegli dal sonno soave che mi aveva avvolto chiudendomi gli occhi? Non ho mai dormito così da quando Odisseo partì per andare a Ilio odiosa, funesta. Ma va, ora scendi, ritorna in sala. Se qualcun'altra delle mie donne fosse venuta a darmi questa notizia, a svegliarmi dal sonno, in malo

modo l'avrei rimandata giù nella sala; a te la vecchiaia
viene in aiuto».

E la nutrice Euriclea le disse:

«Non mi prendo gioco di te, figlia mia. È vero: è
giunto Odisseo, è tornato a casa come ti dico, è lo straniero che tutti insultavano in casa. Lo sapeva da tempo Telemaco, ma saggiamente nascose i disegni del
padre perché potesse punire le violenze dei Proci arroganti».

Così parlò, e piena di gioia lei balzava dal letto, lacrime versava dagli occhi, abbracciò la nutrice e le
parlò dicendo:

«Se mi hai detto la verità, nutrice, se veramente è
tornato a casa, così come dici, come ha potuto affrontare i Proci insolenti da solo mentre essi erano sempre
tutti insieme qui dentro?».

Le rispose la nutrice Euriclea:

«Non ho visto, non so, ho udito solo i lamenti degli
uomini uccisi. In fondo alle stanze ben fatte noi sedevamo, atterrite, le porte erano chiuse, finché dalla sala
mi chiamò tuo figlio, Telemaco: glielo aveva ordinato
suo padre. Trovai Odisseo in piedi in mezzo ai cadaveri che gli giacevano intorno, sulla dura terra, uno
sull'altro; avresti esultato vedendolo sporco di sangue
come un leone. Ora essi giacciono tutti nell'atrio davanti alle porte, e lui ha acceso un gran fuoco e con lo
zolfo purifica la sua dimora bellissima. Mi ha mandato
a chiamarti. Vieni dunque, affinché, dopo tanto dolore, la gioia raggiunga il cuore di entrambi. Un grande
voto oggi è compiuto: vivo egli è giunto al suo focolare, in casa ha trovato te e suo figlio; e i Proci, che agi-
rono male, li ha puniti tutti, nella sua casa».

A lei disse la saggia Penelope:

«Non rallegrarti ancora, non esultare, nutrice. Tu sai come giungerebbe desiderato a tutti, a me soprattutto e al figlio che generammo. Ma non è vero quello che dici, è un dio che ha ucciso i nobili Pretendenti, irato per le ignobili azioni e per l'arroganza che consuma il cuore. Non rispettavano, in terra, nessuno, chiunque da loro giungesse, valoroso o vile che fosse. E così, per la loro follia, hanno fatto una misera fine. Ma lontano d'Acaia Odisseo è morto e ha perduto il ritorno».

Le rispose allora Euriclea:

«Figlia mia, quale parola ti è uscita di bocca, in casa è il tuo sposo, al suo focolare e tu dici che non farà mai più ritorno; sempre diffida il tuo cuore. Ti dirò allora un altro segno chiarissimo: la cicatrice della ferita che un giorno con la bianca zanna gli inflisse il cinghiale, io l'ho veduta lavandolo e stavo per dirtelo, ma lui con le mani mi ha chiuso la bocca e non mi lasciava parlare, nella sua grande accortezza. Va dunque: e se t'inganno, mi gioco la vita, puoi farmi morire della morte più atroce».

Le disse la saggia Penelope:

«Nutrice, non è facile che tu comprenda i disegni degli dei che vivono eterni, anche se sei molto saggia. Andiamo, tuttavia, da mio figlio, voglio vedere i Pretendenti morti e colui che li ha uccisi».

Così parlò, e dalle sue stanze scendeva; ed era molto dubbiosa nel cuore se parlare al suo sposo stando lontana o avvicinarsi e baciargli la testa e le mani. Giunse e varcò la soglia di pietra; davanti a Odisseo, dalla parte opposta, si mise a sedere, alla luce del fuoco; lui sedeva appoggiato ad un'alta colonna con gli occhi bassi e aspettava che gli parlasse, la nobile sposa, dopo averlo veduto. Ma lei a lungo taceva, col cuore turbato: ora guardandolo in faccia credeva di riconoscerlo, ora le sembrava uno sconosciuto, così coperto di cenci.

Telemaco allora la rimproverava dicendo:

«Madre mia, sciagurata, cuore di pietra, perché ti tieni così lontana dal padre e non ti siedi accanto a lui per fargli domande? Nessun'altra donna avrebbe l'animo così ostinato da rimanere lontana dall'uomo che, dopo tanto soffrire, nel ventesimo anno è tornato alla terra dei padri; hai il cuore più duro di un sasso».

Gli rispose la saggia Penelope:

«L'animo mio è smarrito, figlio: non riesco a proferire parola, a fare domande, neppure a guardarlo negli occhi. Se veramente è Odisseo, ed è tornato, l'uno con l'altro potremo riconoscerci nel modo migliore: ci sono dei segni che noi conosciamo, ed altri non sanno».

Disse così, sorrise il paziente, divino Odisseo, e rivolto a Telemaco disse:

«Lascia che tua madre mi metta alla prova, Telemaco: tra poco mi riconoscerà di certo. Ora io sono sporco e vesto miseri cenci, per questo lei mi rifiuta e dice che non sono io. Pensiamo piuttosto a come andranno le cose: se qualcuno in città uccide un uomo che dietro di sé non lascia molti a vendicarlo, fugge tuttavia, e abbandona i parenti e la terra dei padri. Noi abbiamo ucciso il baluardo della città, i più nobili fra i giovani d'Itaca. A questo ti esorto a pensare».

Gli rispose il saggio Telemaco:

«Pensaci tu, padre mio; tu hai la mente migliore che vi sia fra gli uomini – dicono –, nessun altro potrebbe rivaleggiare con te, fra i mortali. Noi ti seguiremo di slancio e io credo che non verrà meno il coraggio per quanta forza c'è in noi».

E a lui disse l'accorto Odisseo:

«Io ti dirò ciò che a me sembra meglio. Per prima cosa lavatevi e vestite le tuniche, e alle donne di casa dite che si vestano a festa. E il divino cantore con la sua cetra sonora ci guidi in una danza lieta; così, udendo da fuori, qualcuno che passa per strada o abita accanto penserà a una festa di nozze. Non si diffonda in città la notizia della morte dei Proci prima che noi ce ne andiamo nel nostro podere ricco di piante. Là poi decideremo quale vantaggio ci offre l'Olimpio Zeus».

Così parlò ed essi lo ascoltavano e gli obbedivano. Per prima cosa fecero il bagno, indossarono le tuniche; e le donne si vestirono a festa. Prese la concava cetra il divino cantore suscitando in loro la voglia di dolce musica e danza armoniosa. Riecheggiava la grande casa al rumore dei piedi di uomini e donne intenti alla danza. E chi udiva da fuori diceva così:

«Certo qualcuno ha sposato la tanto bramata regina: infelice, non ha saputo custodire la bella dimora dello sposo, fino al suo ritorno».

Così qualcuno diceva, e non sapevano com'erano andate le cose.

Intanto Eurinome, la dispensiera, lavò il generoso Odisseo, nella sua casa, e lo unse di olio, gli fece indossare una tunica e un mantello bellissimo. E grande bellezza su di lui sparse Pallade Atena, più alto lo fece a vedersi, più forte, i capelli sul capo li rese ricciuti, simili al fior di giacinto. Come quando un esperto artigiano ricopre con l'oro l'argento: a lui insegnarono l'arte Efesto e Pallade Atena, egli compie lavori stupendi. Così sulla testa e sul corpo di Odisseo riversò bellezza la dea. Egli uscì dalla vasca e sembrava un dio immortale. Di nuovo sedette sul seggio da cui si era levato, davanti alla sposa, e le disse:

«A te più che a ogni altra donna diedero un cuore di pietra gli dei che in Olimpo hanno dimora. Nessuna, con animo tanto ostinato, si terrebbe lontana dall'uomo che, dopo tanto soffrire, nel ventesimo anno è tornato alla terra dei padri. Nutrice, ora preparami il letto perché io possa dormire, anche solo: lei ha un cuore di ferro, nel petto».

Gli rispose la saggia Penelope:

«Non sono superba e non ti disprezzo; non mi meraviglio neppure, so bene com'eri quando partisti da Itaca sulla nave dai lunghi remi. Ma ora preparagli un morbido letto, Euriclea, fuori dal talamo ben costruito che fabbricò con le sue mani: là fuori preparategli il letto e allestite il giaciglio, con pelli di pecora, coperte, tappeti dai mille colori».

Parlò così, e lo metteva alla prova. Irato Odisseo si rivolse alla sposa fedele:

«Donna, hai detto un'amara parola. Chi mai ha spostato il mio letto? Sarebbe difficile anche per un uomo che sa, a meno che un dio non venga e di sua volontà lo collochi altrove. Ma fra gli uomini nessuno al mondo, neanche se molto forte, potrebbe smuoverlo: c'è un grande segreto in quel letto ben lavorato che fabbricai io stesso, e nessun altro. Cresceva, dentro al cortile, un tronco d'olivo dalle foglie sottili, rigoglioso, fiorente, largo come una colonna. Intorno a questo io eressi il talamo, che feci con pietre fittamente connesse e ricoprii con il tetto ben fatto; e la porta applicai, solida e salda. Poi recisi la chioma dell'olivo dalle foglie sottili, il tronco sgrossai dalla radice, lo piallai tutt'intorno con l'ascia di bronzo, abilmente, lo livellai a filo di squadra e ricavai una base che lavorai tutta a traforo. Cominciando da questa levigavo anche il letto, ornandolo d'oro, d'argento, d'avorio. All'interno tesi cinghie di cuoio splendenti di porpora. Ecco, questo è il segreto: e io non so, donna, se è ancora là il mio letto o se l'ha collocato altrove qualcuno, dopo aver tagliato il sostegno di base».

Disse così, e a lei si sciolsero le ginocchia e il cuore, riconoscendo i segni sicuri che le aveva dato Odisseo. Gli corse incontro piangendo, gli gettava le braccia al collo e baciandogli il capo diceva:

«Non adirarti con me, Odisseo, tu che eri il più saggio fra gli uomini. Ci hanno inflitto dolore gli dei, non hanno voluto che noi, uno accanto all'altra, godessimo la giovinezza e alla vecchiaia giungessimo insieme. E dunque ora non adirarti perché non ti ho abbracciato subito, appena ti ho visto. Sempre mi tremava il cuore nel petto, che non capitasse qualcuno a ingannarmi con chiacchiere: sono in molti a tramare ignobili azioni. Neppure Elena d'Argo, figlia di Zeus, si sarebbe unita in amore con uno straniero, se avesse saputo che i figli dei Danai guerrieri l'avrebbero ricondotta a casa nella sua terra. Ma un dio la spinse a compiere quell'atto indegno: lei non aveva nell'animo la funesta follia che fu la prima causa della nostra sventura. Ma adesso che mi hai descritto in modo chiaro il nostro letto – che nessun altro ha veduto, ma tu ed io soli e un'ancella, Attoride, che il padre mi diede in dono quando venni qui e che custodiva le porte del talamo ben costruito –, hai convinto il mio cuore, anche se è molto ostinato».

Così disse, e in lui suscitò una gran voglia di pianto: piangeva, tenendo stretta la sposa amata, fedele. Come ai naufraghi appare, desiderata, la terra, quando in mare il dio Poseidone distrugge la nave ben fatta, travolta dal vento e dalle onde violente: in pochi scamparono al mare bianco di schiuma nuotando verso la riva e, con il corpo incrostato di salso, lieti toccarono terra, sfuggendo alla morte. Così agognato appariva a lei il suo sposo, e dal suo collo non riusciva a staccare le candide braccia. Fino alla luce dell'alba avrebbero pianto, ma ad altro pensò la dea dagli occhi lucenti: lei allungò la notte ch'era alla fine, trattenne accanto all'Oceano l'Aurora dall'aureo trono, non le lasciava aggiogare i cavalli dai piedi veloci che recano agli uomini la luce del giorno, Lampo e Fetonte, i cavalli che portano Aurora.

Diceva allora alla sposa l'accorto Odisseo:

«Non siamo ancora giunti alla fine dei travagli, mia sposa, mi resta un'impresa immane, lunga e difficile, e devo compierla tutta. Così mi predisse l'anima di Tiresia il giorno in cui scesi nella dimora di Ade, cercando la via del ritorno per me e per i compagni. Ma via, andiamo a letto, sposa, abbandoniamoci finalmente al sonno soave».

Gli rispose la saggia Penelope:

«Il letto per te sarà pronto ogni volta che vuole il tuo cuore, perché gli dei ti hanno concesso di ritornare nella tua bella dimora e nella terra dei padri. Ma poiché hai parlato e un dio te l'ha messo nell'animo, dimmi qual è questa impresa: se devo saperlo più tardi, è meglio che lo sappia fin d'ora».

A lei disse l'accorto Odisseo:

«Ma perché, ancora una volta, mi spingi a narrare? Parlerò tuttavia, senza nasconderti nulla. Non proverai gioia nel cuore; e anch'io non sono lieto, perché mi ha ordinato di andare, il profeta, per molte città, impugnando l'agile remo, fino a che giungerò presso genti che non conoscono il mare, da uomini che non mangiano cibi conditi col sale, che non conoscono navi dalla prora dipinta di rosso né gli agili remi che sono ali alle navi. Mi indicò anche un chiaro segno che non ti nascondo: quando un altro viandante, incontrandomi, dirà che sulla spalla porto un ventilabro, mi ha detto di piantare allora in terra il mio remo e di offrire al dio Poseidone sacrifici perfetti, un montone, un toro, un verro che monta le scrofe; e poi ritornare a casa e offrire sacre ecatombi agli dei immortali che possiedono il cielo vastissimo, a tutti, senza escludere alcuno. La morte verrà per me lontano dal mare, dolce mi coglierà nella vecchiaia serena: intorno avrò gente felice. Questo è ciò che deve compiersi, disse».

Gli rispose la saggia Penelope:

«Se una vecchiaia migliore ti concederanno gli dei, si può dunque sperare che dopo saremo liberati dai mali».

Queste parole scambiavano essi fra loro.

E intanto Eurinome e la nutrice Euriclea preparavano un letto di morbide coltri alla luce delle fiaccole ardenti. E quando con cura lo ebbero steso, la vecchia nutrice tornava in casa a dormire, ed Eurinome, ancella del talamo, guidava al letto gli sposi con una fiaccola in mano. Dopo che al talamo li ebbe condotti, tornava indietro, l'ancella. Lieti essi raggiunsero l'antico letto nuziale.

Intanto Telemaco, e il guardiano di buoi e il porcaro, smisero di danzare, fermarono anche le donne e se ne andarono anch'essi a dormire nelle stanze velate d'ombra.

Ma loro, quando furono sazi d'amore, godevano anche a parlare, dicendosi l'uno con l'altra, lei quanto in casa soffrì, la donna divina, al vedere la folla funesta dei Proci che a causa sua molte bestie uccidevano, e vacche e greggi fiorenti, mentre vino in quantità si attingeva dagli orci; e lui, il divino Odisseo, quante pene agli uomini inflisse e quante dovette patire egli stesso: tutto narrava. E lei godeva ascoltandolo e il sonno non le cadeva sugli occhi, finché non fu tutto narrato.

Incominciò da quando vinse i Ciconi e poi giunse alla fertile terra dei Mangiatori di loto; ciò che fece il Ciclope e come lui vendicò i forti compagni che quello, senza pietà, aveva inghiottito; come giunse da Eolo che lo accolse da amico e lo fece partire, ma non era destino che in patria tornasse perché una tempesta lo colse e lo trascinava, tra alti lamenti, sul mare ricco di pesci; e quando fu a Telepilo, città dei Lestrigoni che le navi distrussero e i forti compagni gli uccisero, tutti: lui solo fuggì con la sua nave nera. E l'inganno e la grande astuzia di Circe narrò, e come raggiunse le orride case di Ade, con la sua nave dai molti remi, per interrogare l'anima del tebano Tiresia, e tutti i compagni vide e la madre che lo generò e lo allevava bambino; e quando udì la voce acuta delle Sirene, quando giunse alle Rupi erranti, alla tremenda Cariddi, a Scilla, da cui nessun uomo riuscì mai a scampare; e quando i compagni uccisero le vacche del Sole e Zeus, signore del tuono, colpì con la folgore fosca la nave veloce: morirono tutti i valorosi compagni, lui solo evitò le dee della morte. E come arrivò nell'isola Ogigia, dalla ninfa Calipso che lo trattenne e voleva farlo suo sposo: nella grotta profonda lei lo nutriva e diceva che l'avrebbe reso per sempre giovane e immortale, ma non riuscì a piegare il suo cuore. E quando, dopo molto soffrire, giunse ai Feaci che come un dio gli resero onore e su una nave lo accompagnarono alla terra dei padri, dopo avergli donato bronzo, oro e abiti in quantità.

Questa fu l'ultima cosa che disse, e poi lo vinse il sonno soave che scioglie le membra, che scioglie gli affanni del cuore.

E intanto Atena dagli occhi lucenti meditò un'altra cosa. Quando le parve che il cuore di Odisseo fosse sazio d'amore e di sonno, da Oceano fece salire l'Aurora dall'aureo trono perché portasse agli umani la luce del giorno. E allora Odisseo si levò dal morbido letto e disse alla sposa:

«Di molte pene ormai siamo sazi, donna, tu sospirando in casa il mio faticoso ritorno mentre Zeus e gli altri numi tra sofferenze grandi mi trattenevano lontano dalla mia terra. E ora che siamo giunti insieme al letto dolcissimo, ora tu prenditi cura dei beni che mi rimangono in casa; le bestie, che mi decimarono i Pretendenti superbi, parte me le prenderò io stesso, altre me ne daranno gli Achei finché mi riempiranno tutte le stalle. Io invece me ne vado al podere ricco di piante per vedere mio padre, che tanto soffre per me. A te, che sei così saggia, questo io dico: all'alba si spargerà la notizia dei Proci che ho ucciso nella mia casa: tu con le ancelle sali nelle tue stanze e là rimani, non vedere nessuno, non parlare a nessuno».

Disse, e rivestì la bella armatura, svegliò Telemaco, Eumeo e Filezio, a tutti ordinò di indossare le armi da guerra. Ed essi obbedirono e vestirono le armi di bronzo, poi aprirono le porte e uscirono: avanti andava Odisseo.

E già la luce illuminava la terra, ma Atena li avvolse nel buio e rapida li condusse fuori dalla città.

XXIV.

RESTAURAZIONE

Ed Hermes di Cillene chiamava le anime dei Pretendenti. Teneva in mano la verga d'oro bellissima con cui quando vuole incanta gli occhi degli uomini e risveglia coloro che dormono, e le guidava muovendola. Esse gli andavano dietro, frusciando. Come in fondo a un orrido antro svolazzano i pipistrelli stridendo, quando uno cade dal grappolo appeso alla roccia dove stanno attaccati l'uno con l'altro; così insieme andavano esse, frusciando: le guidava attraverso squallide vie il benefico iddio.

Oltrepassarono le acque di Oceano e la Rupe Bianca, le Porte del Sole e il Paese dei Sogni, e giunsero al prato di asfodeli dove stanno le anime, fantasmi dei morti. Trovarono l'ombra di Achille figlio di Peleo, di Patroclo, del nobile Antiloco, di Aiace, che nel corpo e nel volto era il più bello fra tutti gli Achei, dopo il grande figlio di Peleo: e intorno a lui si stringevano tutte. Venne anche l'anima afflitta di Agamennone figlio di Atreo e intorno gli si affollavano quelli che insieme a lui nella dimora di Egisto incontrarono la morte e il destino. L'anima del figlio di Peleo prese a

363

parlare per prima:

«Atride, noi credevamo che a Zeus, signore del fulmine, tu fossi caro, per sempre, perché a molti e forti
guerrieri comandavi in terra troiana, dove tanti dolori
soffrimmo. E invece prima del tempo doveva raggiun-
gerti il funesto destino di morte a cui nessuno sfugge,
una volta che è nato. Meglio sarebbe stato che, godendo gli onori di re, in terra troiana avessi compiuto il
destino. Ti avremmo elevato, noi tutti, una tomba,
perché anche tuo figlio ne avesse gloria, in futuro. Era
invece destino che morissi di misera morte».

E l'ombra del figlio di Atreo gli diceva:

«Figlio di Peleo, Achille simile a un dio, felice te
che a Troia sei morto, lontano da Argo, mentre intorno, per te lottando, altri figli guerrieri di Troiani e di
Achei cadevano uccisi: ma tu, in un mare di polvere,
giacevi lungo disteso, immemore dei tuoi cavalli. Per
tutto il giorno noi ci battemmo e non avremmo smesso
di batterci se Zeus non ci avesse fermato con una bu-
fera. Quando dalla battaglia ti trasportammo alle navi,
sul letto funebre ti deponemmo, dopo aver lavato il
tuo corpo bellissimo con acqua tiepida e unguento. E
fitte lacrime versarono i Danai su di te, recidendo i capelli. Dal mare, udendo l'annuncio, venne tua madre
con le ninfe immortali: un grido immenso correva sul-
l'acqua, un tremito colse gli Achei che si lanciarono
verso le concave navi. Li trattenne un uomo che molte
e antiche cose sapeva, Nestore, che sempre dava il
consiglio migliore: "Fermatevi, Argivi! Non fuggite,
figli dei Danai! È la madre che viene dal mare insieme
alle ninfe immortali per vedere il figlio ch'è morto".
Disse, e si arrestarono gli Achei generosi. Intorno a te
le figlie del Vecchio del mare si posero, gemendo e

piangendo, ti rivestirono di vesti immortali. Cantavano le nove Muse alternandosi con la bellissima voce: nessuno dei Danai allora frenava le lacrime, tanto commosse il limpido canto. E per diciassette giorni e diciassette notti ti piangevamo, uomini e dei immortali; il diciottesimo ti davamo alle fiamme: e molte pecore uccidemmo per te, e buoi dalle corna lunate. Bruciavi, nelle tue vesti divine, tra i vasi di dolce miele e di unguento: e molti guerrieri in armi corsero intorno alla pira, a piedi e sui carri. Regnava un grande tumulto. Quando ti consumò la fiamma di Efesto, all'alba noi raccogliemmo le tue bianche ossa, Achille, in vino puro e unguento. Un'anfora d'oro ci diede tua madre dicendo ch'era dono di Dioniso e opera di Efesto glorioso. In essa sono riposte le tue bianche ossa, Achille, insieme a quelle di Patroclo figlio di Menezio, separate da quelle di Antiloco che più di tutti i compagni onoravi, dopo la morte di Patroclo. Sopra innalzammo un tumulo grande e glorioso, noi, esercito sacro degli Argivi guerrieri, sulla punta di un promontorio, nel vasto Ellesponto, perché da lontano sul mare lo vedessero gli uomini, quelli che ora sono, quelli che dopo saranno. Doni bellissimi chiese tua madre agli dei e in mezzo all'arena li pose, per i più forti dei Danai. Di molti eroi hai visto le esequie, quando, alla morte del re, i giovani con vesti corte si accingono ad affrontare le gare: ma ti saresti stupito nel cuore vedendo quali premi stupendi per te mise in palio la dea, Teti dai sandali argentei: eri molto amato dai numi. Così neppure morendo hai perduto il tuo nome, e la tua gloria sarà sempre grande fra gli uomini, Achille.

Quale gioia, invece, per me, dopo la lunga guerra?

Una morte orrenda ha ordito Zeus al mio ritorno, per mano di Egisto e della mia sposa funesta».

Così parlavano essi fra loro. E giunse intanto il dio messaggero guidando le ombre dei Proci uccisi da Odisseo. Come li videro essi andarono loro incontro, stupiti; Agamennone, figlio di Atreo, riconobbe il figlio di Melaneo, Anfimedonte glorioso: era stato un tempo suo ospite a Itaca. L'ombra del figlio di Atreo prese a parlare per prima:

«Anfimedonte, che cosa è accaduto? Perché siete scesi sotto la terra oscura tutti voi giovani principi? Nessuno in una città potrebbe scegliere uomini così nobili. È Poseidone che, sulle navi, vi ha travolto sollevando venti furiosi e ondate immense? O in terra vi ha ucciso gente nemica mentre rubavate dei buoi, o greggi di pecore, o vi battevate per conquistare una città e le sue donne? Rispondi alla mia domanda: sono stato tuo ospite. O non ricordi quando venni alla tua casa con Menelao divino per invitare Odisseo a seguirci ad Ilio sulle navi dai solidi banchi? Per un mese intero percorremmo il mare vastissimo, dopo che a stento avevamo persuaso il distruttore di città, Odisseo».

E l'anima di Anfimedonte diceva:

«Atride glorioso, Agamennone, signore di eroi, quello che dici io lo ricordo, figlio di Zeus, e a te tutto dirò, sinceramente, la nostra misera fine, così come avvenne. Corteggiavamo la sposa di Odisseo, che da tempo era lontano, e lei non rifiutava le nozze odiose, ma non le accettava neppure, meditando per noi un nero destino di morte. E quest'inganno ordiva, nella sua mente: tesseva nella sua stanza una tela grande e sottile e diceva a noi: "Giovani, miei pretendenti, è morto il divino Odisseo, ma voi, anche se desiderate sposarmi, aspettate che finisca la tela: non vada perduta la trama del lenzuolo funebre che sto tessendo al valoroso Laerte per il giorno in cui lo coglierà il funesto destino di morte; nessuna delle donne Achee debba mai biasimarmi se privo del sudario dovesse giacere lui che tanti beni raccolse". Disse così e persuase il nostro cuore superbo. Così di giorno tesseva la tela grandissima e la disfaceva di notte, al chiarore delle lucerne. Per tre anni così, con l'inganno, riusciva a sfuggire e illudeva gli Achei. Ma quando il quarto anno giunse e venne la primavera, e molti mesi erano passati, molti giorni trascorsi, allora una delle sue donne, che tutto sapeva, parlò, e noi la trovammo mentre sfaceva la trama bellissima. Così dovette finirla, suo malgrado, per forza. Ma quando, dopo averlo lavato, fece vedere il grande lenzuolo che aveva tessuto, splendido come il sole e la luna, ecco che allora un dio malvagio ricondusse Odisseo ai confini dei campi, dove vive il guardiano di porci. Là giunse l'amato figlio del divino Odisseo che con la nave nera era tornato da Pilo sabbiosa: entrambi tramarono ai Proci una misera fine. E vennero nella città gloriosa, prima Telemaco, dopo Odisseo, che il porcaro guidava; indossava poveri cenci e sembrava un mendicante vecchio e infelice, così appoggiato a un bastone, coperto da misere vesti. Nessuno di noi poté riconoscerlo, apparso così all'improvviso, neppure i più anziani, e lo coprimmo di percosse e di male parole. E lui, con cuore paziente, sopportava di essere battuto e ingiuriato nella sua casa. Ma quando lo ridestò la mente di Zeus, allora, insieme a Telemaco, prese le armi bellissime, le ripose nel talamo e chiuse le porte; poi alla sposa astutamente ordinava di proporre ai Pretendenti la gara dell'arco e delle scuri di ferro, che fu per noi sventurati il principio della rovina. Nessuno di noi riuscì a tendere il durissimo arco, la forza non ci bastava. Quando giunse alle mani di Odisseo, l'arco possente, minacciosi tutti gridammo che non gli fosse dato, per quanto dicesse; solo Telemaco lo incoraggiava, incitandolo. Così lo ebbe in mano, il paziente, divino Odisseo e senza sforzo lo tese, trapassò le scuri di ferro; poi si piantò sulla soglia e con uno sguardo terribile rovesciò i rapidi dardi, colpì il principe Antinoo; e poi su tutti gli altri scagliava le frecce amare, mirando diritto, ed essi cadevano gli uni sugli altri. Un dio li assisteva, di certo: spinti dal loro furore, da ogni parte uccidevano, in sala, orrendo si levava il gemito delle persone colpite, il suolo fumava di sangue.

Così, Agamennone, noi siamo morti e i nostri corpi giacciono ancora nella dimora di Odisseo, insepolti: non lo sa, nelle case, nessuno dei nostri cari, per deporci sul letto funebre e piangerci dopo aver lavato il nero sangue dalle ferite: perché questo è l'onore dei morti».

A lui diceva l'ombra del figlio di Atreo:

«Figlio di Laerte, Odisseo ricco di ingegno, felice te che hai sposato una donna di grande virtù. Nobile cuore aveva Penelope, figlia di Icario, che non si scordò di Odisseo, il suo sposo legittimo. E quindi la fama della sua virtù non morirà mai e un canto bellissimo gli dei dedicheranno, a lei, alla saggia Penelope, in terra; per la figlia di Tindaro invece, che, uccidendo il suo sposo, compì un gesto infame, odioso sarà il canto fra gli uomini e cattiva fama procurerà alle donne, anche se oneste saranno».

Così parlavano essi fra loro, nelle dimore di Ade, sotto la terra profonda.

E gli altri intanto, usciti dalla città, rapidamente giunsero al campo di Laerte, bello e ben coltivato, che un tempo egli stesso acquistò e lavorò con grande fatica. Qui era la sua dimora e tutt'intorno correva una tettoia dove mangiavano e dormivano i pochi servi necessari al lavoro. Vi era anche una vecchia donna della Sicilia che di lui si prendeva cura in campagna, lontano dalla città.

Disse allora Odisseo ai servi e a suo figlio:

«Voi ora entrate nella dimora ben costruita e per il pranzo uccidete il maiale più grasso; io intanto andrò a vedere se mio padre mi riconosce, guardandomi, o non mi conosce più poiché da tanto tempo sono lontano».

Così disse e ai servi consegnò le armi guerriere. Rapidi essi entrarono in casa mentre Odisseo andava al vigneto ricco di piante per mettere alla prova suo padre. Entrato nel grande frutteto non trovò Dolio né alcuno dei servi o dei figli, che erano andati a raccogliere pietre per il muro di cinta, sotto la guida del vecchio. Trovò suo padre solo, nel vigneto ben coltivato, intento a zappare intorno a una pianta: vestiva una tunica sporca, logora, indegna, portava legate alle gambe delle gambiere di cuoio per ripararsi dai graffi e guanti sulle mani, per evitare le spine; in testa aveva un berretto di pelle di capra. Accresceva così la sua pena.

Quando il tenace Odisseo lo vide così, sfinito dalla vecchiaia, oppresso dal grande dolore, si fermò sotto un albero di pero, e pianse. Non sapeva nel cuore e nell'animo se andare a baciare suo padre e abbracciarlo e raccontargli ogni cosa, che era tornato, che era giunto alla terra dei padri – o prima fargli domande e metterlo alla prova. Mentre pensava così, gli sembrò che fosse meglio metterlo alla prova, provocandolo prima a parole. Con questo pensiero gli si avvicinò, il divino Odisseo. A testa bassa egli zappava intorno alla pianta. Standogli accanto gli disse, il figlio glorioso:

«O vecchio, certo non sei incapace a curare il giardino, anzi ne hai molta cura, e non c'è pianta, un fico, una vite, un olivo, un pero, un'aiuola che non sia ben curata, qui dentro. Ma devo dirti una cosa e tu non adirarti nel cuore: non hai cura di te; sei vecchio, sì, ma sei anche sporco e malvestito. Certo non è per la tua pigrizia che ti trascura il padrone, e nell'aspetto, nella persona non sembri un servo, a vederti: somigli, anzi, ad un re, o a uno che, dopo aver fatto il bagno e mangiato, deve dormire in un morbido letto: è un diritto della vecchiaia. Ma ora parlami sinceramente e dimmi: di chi sei servo? di chi è il giardino che curi? E anche questo dimmi, perché io lo sappia: sono davvero a Itaca, come mi ha detto l'uomo che ho incontrato venendo – un uomo poco cortese che non ha voluto dirmi ogni cosa e neppure ascoltarmi quando gli ho chiesto di un ospite mio, se è ancora vivo oppure se è morto ed è sceso nell'Ade. A te lo dirò, e tu ascolta e comprendi: un tempo, nella mia terra paterna, ospitai un uomo che era giunto da noi; nessun uomo mai più caro di lui giunse alla mia casa, fra gli ospiti che vennero da terre lontane; diceva di venire da Itaca e che Laerte figlio di Archesio era suo padre. Io lo condussi a casa e lo ospitai, ne ebbi cura – nell'abbondanza che c'era a palazzo – e gli offrii i doni ospitali, com'era giusto: sette talenti d'oro ben lavorato gli diedi, e una coppa d'argento ornata di fiori, dodici mantelli semplici e dodici grandi, dodici tappeti, dodici tuniche: e inoltre quattro donne bellissime ed esperte in lavori perfetti, che scelse lui stesso».

Gli rispose allora suo padre, piangendo:

«Nella terra di cui domandi sei giunto, ospite, ma è in balia di uomini folli e arroganti. Vani furono i doni che offristi in gran numero: ma se lui vivo avessi trovato in terra d'Itaca, avrebbe ricambiato i tuoi doni e la bella accoglienza: questa è la norma, se uno ha donato per primo. Ma dimmi una cosa e parla sinceramente: quanti anni sono passati da quando ospitasti quell'uomo, lo sventurato straniero, mio figlio, se mai uno ne ebbi. Infelice! lontano dalla sua patria e dalla famiglia lo divorarono i pesci nel mare o diventò sulla terra preda di belve e di uccelli: non lo pianse sua madre, né suo padre, noi che lo generammo; e neppure la sposa per cui offrì tanti doni, la saggia Penelope poté chiudere gli occhi al suo sposo e intonare il lamento, secondo il rito: perché questo è l'onore dei morti. E dimmi sinceramente, che io lo sappia: chi sei, da dove vieni? dov'è la tua città, i tuoi genitori chi sono? e dov'è la nave veloce che ha trasportato fin qui te e i tuoi compagni? oppure su nave d'altri passeggero sei giunto, ed essi se ne andarono dopo averti sbarcato?».

Gli rispose l'accorto Odisseo:

«Tutto io ti dirò, sinceramente. Da Alibante vengo, dov'è la mia ricca dimora, e del re Afidante di Polipemone sono figlio; Eperito è il mio nome; dalla Sicilia un demone mi ha deviato fin qui, mio malgrado. Lontana dalla città, dalla parte dei campi, è ancorata la nave. E questo è il quinto anno da quando Odisseo se ne andò e lasciò la mia terra, infelice! eppure, mentre partiva, gli uccelli volarono a destra, propizi, ed io lieto lo feci partire e lui, partendo, era lieto; speravamo nel cuore di essere ospiti ancora e scambiarci splendidi doni».

Disse, e il dolore avvolse Laerte come una nuvola nera. Con le mani afferrò la grigia terra e la versò sulla testa bianca, gemendo. E mentre guardava suo padre Odisseo si commosse nel cuore e sentì alle narici lo stimolo acuto del pianto; di slancio allora lo abbracciò e baciandolo disse:

«Quello di cui domandi sono io, padre mio, che dopo vent'anni giungo alla mia terra. Frena dunque le lacrime e il pianto. Io ti racconterò – ma dobbiamo far presto: ho ucciso i Pretendenti nella mia casa vendicando i dolorosi oltraggi e le ignobili azioni».

E Laerte gli rispose e gli disse:

«Se davvero sei Odisseo, mio figlio, e sei tornato, dammi un segno sicuro, perché io ti creda».

A lui disse allora l'accorto Odisseo:

«Guarda con i tuoi occhi questa ferita che con la bianca zanna mi inflisse il cinghiale quando andai sul Parnaso: tu mi mandasti, e mia madre, dal padre suo Autolico per ricevere i doni che egli venendo qui mi aveva promesso e giurato. E anche i nomi degli alberi di questo frutteto ben coltivato io ti dirò: un tempo me li donasti e io, ancora bambino, te li chiedevo uno per uno venendoti dietro nell'orto; in mezzo ad essi andavamo e tu mi dicevi il nome di tutti; tredici peri mi desti, e dieci meli, e quaranta fichi, cinquanta filari di viti mi promettesti, che maturano in tempi diversi, e vi sono grappoli di ogni tipo, nelle stagioni di Zeus».

Disse così, e a lui si sciolsero le ginocchia e il cuore nel riconoscere i segni sicuri che gli rivelava Odisseo. Gettò le braccia al collo del figlio; a sé lo strinse il paziente, divino Odisseo: era quasi svenuto. Ma quando riprese il respiro e l'anima gli fu tornata nel petto, subito disse Laerte:

«O padre Zeus, davvero esistono nel vasto Olimpo gli dei, se è vero che i Pretendenti hanno pagato per la loro cieca arroganza. Ma ora temo terribilmente nel cuore che gli Itacesi giungano qui tutti e mandino messaggeri nelle città cefallenie, dovunque».

A lui disse l'accorto Odisseo:

«Fatti coraggio, e non darti pena di questo, nel cuore. Andiamo a casa piuttosto, là, vicino al frutteto, dove ho già mandato Telemaco e Eumeo e Filezio perché in fretta preparino il pranzo».

Dette queste parole si avviarono alla bella dimora e, quando furono giunti alla casa ben costruita, trovarono Telemaco e il guardiano di buoi e il porcaro che tagliavano molta carne e mescevano il vino lucente. Allora l'ancella sicula lavò il generoso Laerte, nella sua casa, lo unse di olio e in un bel mantello lo avvolse. E Atena, che gli era accanto, rese più forti le membra al signore di popoli, più alto di prima e più grande lo fece, a vedersi. Egli uscì dalla vasca: stupiva il figlio vedendolo simile nell'aspetto agli dei immortali, e rivolgendosi a lui gli disse queste parole:

«O padre, è certo qualcuno dei numi che ti ha fatto più alto e più bello d'aspetto».

Gli rispose il saggio Laerte:

«O padre Zeus, e Atena e Apollo, se ieri, nella nostra casa, io fossi stato com'ero quando regnavo sui Cefalleni e conquistai Nerico, la solida rocca in riva al mare – se fossi stato là rivestito delle mie armi a combattere i Pretendenti, a molti di loro avrei tolto la vita e tu ne avresti gioito nel cuore».

Queste parole scambiavano essi tra loro.

E quando gli altri ebbero finito di preparare il pasto, uno vicino all'altro sedevano sui seggi e sui troni. Cominciavano appena a mangiare, ed ecco che giunse il vecchio Dolio coi figli: stanchi tornavano dal lavoro, era andata a chiamarli la madre, la vecchia sicula che li nutriva e di Laerte si prendeva cura da quando la vecchiaia lo aveva raggiunto. Ed essi, come videro Odisseo e lo riconobbero in cuore, si arrestarono nella stanza, stupiti, ma Odisseo si rivolse a loro con parole cortesi e disse:

«Siedi a tavola, vecchio, lasciate ogni stupore; da tempo volevamo incominciare a mangiare, ma aspettavamo voi, nella casa, di voi eravamo sempre in attesa».

Così parlò, e con le braccia tese Dolio gli corse incontro e gli prendeva la mano baciandola e gli parlava dicendo:

«Signore, poiché sei tornato da noi che ti bramavamo e non speravamo più di vederti – sono gli dei che ti hanno guidato –, a te salute e gioia, ti facciano i numi felice. Ma dimmi, che io lo sappia, se tutto conosce già la saggia Penelope, del tuo ritorno, o se dobbiamo inviarle un messaggero».

Gli rispose l'accorto Odisseo:

«Vecchio, lei sa: perché ti dai pena per questo?».

Disse così, ed egli sedette sul seggio ben levigato. Anche i figli di Dolio, intorno a Odisseo glorioso, lo salutavano e stringevano le sue mani: poi si sedettero uno vicino all'altro accanto a Dolio, il loro padre.

Così nella casa essi pranzavano.

E intanto per la città dovunque correva messaggera la voce che dei Proci annunciava la morte e il crudele destino. Udendola, tutti i parenti da ogni parte accor-

revano in folla con grida e lamenti davanti alla casa di
Odisseo, portavano fuori i cadaveri, li seppelliva ciascuno; e quelli di altre città li affidavano a marinai che
su navi veloci li trasportassero a casa. Poi nella piazza
si radunarono, col cuore pieno di angoscia. E quando
furono tutti insieme riuniti, si levò fra loro Eupite e
prese a parlare: nel cuore covava il dolore, intollerabile, per Antinoo che il divino Odisseo uccise per primo. Per lui piangendo, egli parlò e disse:

«Amici, è grave ciò che costui ha fatto agli Achei:
molti e valorosi uomini portò via sulle navi, e le navi
perdette, perdette anche gli uomini; poi ritornò e uccise i più forti fra i Cefalleni. E dunque, prima che
piombi su Pilo, o nella divina Elide dove gli Epei governano, andiamo! O ci copriremo d'infamia, per
sempre. Perché è una vergogna – anche per chi in futuro verrà a saperlo – se non puniremo chi ha ucciso i
figli, i fratelli: e per me non sarebbe più cara la vita,
vorrei piuttosto morire e unirmi ai morti al più presto.
Andiamo dunque, che non ci prevengano e varchino il
mare».

Così disse, piangendo, ne ebbero pena gli Achei.
Ma dalla casa di Odisseo sopraggiunse Medonte con il
divino cantore – si erano risvegliati dal sonno – e si
fermarono in mezzo: restarono tutti stupiti. Fra di loro prese allora a parlare il saggio Medonte:

«Gente di Itaca, datemi ascolto: non è senza il volere dei numi che Odisseo compì queste azioni; vidi io
stesso un dio che stava al suo fianco e somigliava a
Mentore in tutto. Ed era un dio immortale che, davanti a Odisseo, ora appariva per dargli coraggio, ora at-
terriva i Pretendenti infuriando dentro la sala: ed essi
cadevano, l'uno sull'altro».

Disse così, e per il terrore impallidirono tutti. Prese allora a parlare fra loro il vecchio Aliterse figlio di Mastore, che solo vedeva il passato e il futuro. Con saggezza egli parlò e disse:

«Anche a me date ascolto, ora, Itacesi. Per la vostra viltà, amici, tutto questo è accaduto; non avete ascoltato me né Mentore, signore di popoli, per far cessare i vostri figli dalla loro follia, dalle azioni indegne che fecero con arroganza malvagia, divorando gli averi e oltraggiando la sposa di un valoroso: dicevano che non sarebbe tornato. E ora fate così come dico, datemi ascolto: non muoviamoci, non attiriamoci addosso sciagure».

Disse così, ed essi balzarono in piedi gridando – erano più di metà, gli altri rimasero tutti dov'erano –, non piacquero loro questi consigli, a Eupite davano ascolto e corsero subito a indossare le armi. E quando ebbero rivestito il bronzo accecante, si radunarono in folla davanti alla grande città. Li guidava Eupite che, nella sua follia, pensava di vendicare la morte del figlio, e invece non sarebbe più ritornato e avrebbe compiuto là il suo destino.

A Zeus figlio di Crono Atena allora disse:

«O padre Zeus, sommo e potente, rispondi alla mia domanda: la tua mente, che cosa nasconde? Farai proseguire la guerra crudele, la mischia tremenda, o fra di loro vuoi mettere pace?».

A lei rispose Zeus, signore dei nembi:

«Perché, figlia mia, mi chiedi questo? Il piano l'hai concepito tu stessa, che Odisseo si vendicasse di loro, tornando. Fa come vuoi: io ti dirò quello che è giusto. Poiché il divino Odisseo ha punito i Pretendenti, stringano tutti dei patti leali e lui regni per sempre;

sulla morte dei figli e dei fratelli noi stenderemo l'oblio: saranno amici fra loro com'erano prima, regneranno pace e ricchezza».

Disse, spronando Atena che già era impaziente, ed essa balzò dalle vette d'Olimpo.

Quando furono sazi del cibo gradito, fra di loro prese a parlare il paziente, divino Odisseo:

«Esca qualcuno e vada a vedere se stanno arrivando».

Disse: e al suo comando un figlio di Dolio si mosse e uscì ma si fermò sulla soglia vedendo che erano tutti vicini. Subito si rivolse a Odisseo e gli disse:

«Sono già qui: armiamoci presto».

Disse, ed essi balzarono in piedi e si armarono, i quattro con Odisseo e i sei figli di Dolio; in mezzo a loro anche Laerte e Dolio si armavano, costretti a combattere nonostante le teste canute. Quando si furono rivestiti di bronzo accecante, aprirono le porte e uscirono, li guidava Odisseo. E accanto a loro venne la figlia di Zeus, simile a Mentore nell'aspetto e nella voce. Si rallegrò nel vederla il divino Odisseo e subito al figlio Telemaco disse:

«Telemaco, quando sarai sul luogo dove si battono gli uomini più valorosi, devi pensare tu stesso ormai a non disonorare la stirpe dei padri, che sempre su tutta la terra si sono distinti per forza e valore».

Gli rispose il saggio Telemaco:

«Vedrai, se vuoi, padre mio, che col mio coraggio farò onore alla tua stirpe, come comandi».

Così parlò, e rallegrandosi disse Laerte:

«O dei, che giorno è mai questo per me? Grande è la mia gloria. Mio nipote e mio figlio fanno a gara in valore».

Standogli accanto gli disse la dea dagli occhi lucenti:

«Figlio di Archesio, il più caro fra tutti i compagni, invoca Zeus padre e la figlia dagli occhi lucenti e, dopo averla librata, scaglia la lancia lunghissima».

Disse, e grande vigore gli infuse Pallade Atena. Ed egli, dopo aver invocato la figlia del sommo Zeus, a lungo librò e poi scagliava la lancia lunghissima: colpì Eupite nell'elmo dalle guance di bronzo, che non frenò l'arma: passò oltre la punta. Rimbombando egli cadde, su di lui le armi suonarono. Sui primi guerrieri balzarono Odisseo e il suo splendido figlio, colpendo di lancia e di spada a due tagli. E tutti li avrebbero uccisi e privati del ritorno, se Atena, la figlia di Zeus, non avesse gridato arrestando tutta la schiera:

«Fermate, Itacesi, la guerra tremenda, e dividetevi presto, senza versare altro sangue».

Così Atena gridò, ed il terrore li colse. Dalle mani le armi volarono, tutte caddero a terra, quando gridò la dea. Alla città si volsero allora, per cercare scampo. Ma urlò paurosamente il divino Odisseo e si lanciò con un balzo come un'aquila dall'altissimo volo. Allora il figlio di Crono scagliò un fulmine fosco che cadde davanti alla dea, figlia del padre possente. E Atena dagli occhi lucenti disse a Odisseo:

«Figlio di Laerte, divino Odisseo ricco d'ingegno, fermati, cessa la guerra crudele, non sfidare l'ira di Zeus, il figlio di Crono dalla voce possente».

Così disse Atena, ed egli obbediva, lieto nel cuore.

Poi fra di loro stabilì i patti Pallade Atena, la figlia di Zeus, che a Mentore somigliava nel volto e nella voce.

COMMENTO

1. «L'uomo, cantami, dea»

Come già l'*Iliade* così anche l'*Odissea* presenta subito al pubblico, con la prima parola, il tema che intende affrontare: nel più antico poema la *menis*, l'ira d'Achille, qui invece l'*aner*, l'uomo; là una storia di passioni – il senso dell'onore, l'amicizia, la vendetta –, qui una storia di azioni che vede come protagonista, in primo piano o sullo sfondo, Odisseo.

È da questi due *incipit*, dei due più grandi poemi di Grecia, giunti a noi da un'età arcaica eppure già sufficientemente matura, che si snodano i primi grandi modelli, non solo per il popolo greco ma anche per l'intero Occidente. Da un lato Achille, il più forte, il più bello, generoso come solo un passionale sa essere, crudele ingiusto violento: tema più che adeguato per la plastica arcaica e classica, nella quale si presta a una visione sempre «frontale» – quella visione «in cui essere ed essere visti coincidono» (C. Diano, *Forma ed evento*, Venezia 1993 [1952], p. 63) –, Achille alimenta il senso eroico della vita, quel senso che, se già nell'*Iliade* mostra di essere allo stremo, in realtà continua come suggestione potente della Grecia. È l'eroismo, il sacrificio di sé, cui si ispirerà Socrate affrontando la morte (si veda Platone, *Apologia* 28 e *Critone* 44b). Sarà il modello irrinunciabile per Alessandro il Grande: tanto più significativo, il peso di questa suggestione, per il conquistatore della Grecia e d'Oriente, per il nuovo eroe che viene dai confini dell'Ellade, da margini poco generosi in fatto di identità nazionale.

Dall'altro lato sta Odisseo, non bello, non alto, non biondo; nell'*Iliade* non esibisce prove di particolare valore. Ma di lui, in quel primo poema, si sottolineano aspetti che troveranno più ampio sviluppo nell'*Odissea*: mediatore dei rapporti fra i capi e l'esercito nel canto II, raffinato oratore, le cui parole sembrano «fiocchi di neve d'inverno» nel canto III, con un ruolo di spicco come legato della ambasceria alla tenda di Achille nel IX, intraprendente e audace nella sortita notturna del X, Odisseo tempera la passionalità di Achille, la sua ansia di uscire in battaglia nel XIX, riportandolo a riconoscere, ben prima del sentimento, l'esistenza per gli uomini di ineludibili bisogni concreti e immediati: segno di adattabilità alle circostanze più varie.

Personaggio non troppo rilevante nell'*Iliade*, Odisseo domina invece nell'altro grande poema, che fa di lui un eroe diverso rispetto ad Achille. Gli si oppone radicalmente – non a caso, nel canto VIII dell'*Odissea*, l'aedo Demodoco canta di una «contesa» che vede come comprimari non già Achille e Agamennone (è lo «scontro» dell'*Iliade*), bensì Achille e Odisseo – proponendo virtù altre: non morirà giovane in battaglia – Tiresia gli predice una morte serena, in tarda età, in patria, sia pure dopo lungo vagare (canto XI) –, ma soprattutto affronterà la vita in modo diverso, proponendo valori che il mondo eroico ancora non conosce. Gli epiteti che lo definiscono, pur formulari, ripetitivi e riempitivi, il più delle volte nudi di un significato pertinente alla situazione specifica, lo determinano senza equivoci, nel senso che sono riservati, da Omero, solo a lui: *polytlas, polytropos, polymetis* (con il più pregno *poikilometes*, che rimanda alla varietà in certo modo cangiante della sua intelligenza), *polymechanos*. Con un apparente paradosso, questi termini sempre composti, che propongono nella prima parte (*poly-* sta a dire una quantità numerica) una frantumazione di esperienze, creano una singolare unità nella molteplicità dei tratti e dei casi.

Un personaggio, Odisseo, che nel suo lungo viaggio, scandito dai molti «errori» (*polytropos*) – da Itaca a Troia e da Troia, dopo le innumerevoli peripezie che lo porteranno, naufrago, a Scheria, nuovamente in patria, nella sua reggia –, rimane sostanzialmente identico a se stesso: paziente (*polytlas*), accorto e astuto (*polymetis, poikilometes, polymechanos*), mentitore (ancora una volta *polymechanos*, quella capacità di escogitare *mechanai*, parola ambigua in greco ad indicare espedienti di difficile collocazione sotto il profilo morale, capacità che si esplica con Circe, la maga, nei «farmaci» fatati).

La sua storia, come quella di molti eroi dell'epica, comincia ancor prima della sua nascita ed è legata alle vicende di un personaggio che ne segna, più che il destino, la natura. Odisseo nasce dalla figlia di Autolico, «noto fra gli uomini per essere ladro e spergiuro: così lo rese Hermes al quale egli bruciava cosce di agnelli e capretti, gradite al dio che lo assisteva benigno» (canto XIX). Comprensibile la perplessità dei commentatori antichi (per tutti Eustazio, per il passo in questione, ma ben prima di lui Platone) per «doti» che, nello sviluppo della società greca, erano state ormai svalutate e condannate; ma nel mondo arcaico della leggenda odisseica le «qualità» della persona non sono state ancora imbrigliate, definite, controllate dalla comunità: le trasgressioni esistono per un numero limitato di casi, mentre le abilità, i modi di essere sono ancora molti, e sono dono del dio.

Da questo nonno beneficato da Hermes a Odisseo discende anche il nome: «Poiché io odio e sono odiato da molti, uomini e donne, sulla terra feconda, sia il suo nome Odisseo» (canto XIX). L'indicazione, l'«odio», è chiara e puntuale, e in effetti Poseidone molto lo odierà ostacolandone il ritorno; ma la valenza del nome andrà oltre la volontà di Autolico, e la natura ingannevole e astuta ereditata dal nipote piegherà di volta in volta il nome alle diverse circostanze, ora tacendolo, ora mentendolo, ora «interpretandolo» e adattandolo sotto la spinta della necessità.

Ancora, dunque, *polytropos*, che, se rimanda ai «molti viaggi», rimanda anche alle molte «identità» che ogni nuovo incontro comporta – ai molti, diversi, ruoli ricoperti corrispondono diversi nomi – o l'anonimato –, e perciò diversi aspetti (vecchio, calvo, cencioso; giovane, nudo, e «bello come un dio»). Mutevolezza – è la *poikilia* di *poikilometes* –, che è «adattamento» (*polytlas*, capacità di «sopportare»): ma tradisce una sempre identica natura, quella del nonno, quella di Hermes, dio protettore dei ladri e dei mercanti. «Essere sbattuto da una parte e dall'altra ed essere scaltro (*verschlagen*) in Omero si equivalgono» (M. Horkheimer e Th. Adorno, *Dialettica dell'illuminismo*, trad. it. Torino 1966 [1947], p. 71). Come per il termine tedesco, così nel greco *polytropos* si assiste ad un progressivo slittamento semantico dal «viaggiatore» all'«astuto». Con Platone (*Ippia minore* 364b) il processo è ormai concluso, e il significato viene fermato sulla multiformità dell'ingegno: ancora una volta saranno contrapposti Achille e Odisseo, la distanza fra i quali non è che la cesura fra i due poemi, una cesura imperniata sul diverso rapporto dei due eroi con la «verità»: *alethes*, «veritiero», l'uno, *pseudes*, «menzognero», l'altro, per ciò stesso, per Platone, *haplous* il primo, «semplice» – nel senso di unitario –, e *polytropos* il secondo, termine che, nell'opposizione, può valere solo «molteplice»: questo sarà il volto nuovo dell'uomo greco – in una oscillazione continua fra unità e molteplicità, fra assenza e presenza di tensione, fra dedizione e calcolo.

Alla visione «frontale» di Achille si sostituirà, nell'iconografia plastica, ma soprattutto pittorica e musiva, la visione sempre «di scorcio» di Odisseo, a suggerire «altro da quel che appare» (C. Diano, *Forma ed evento*, cit., p. 63): «sguscia e sgattaiola» (M. Horkheimer e Th. Adorno, *Dialettica dell'illuminismo*, cit., p. 65) nel suo adattarsi continuo, nel suo eludere la lusinga che di volta in volta vorrebbe sviarlo da un Sé, che si costituisce unitario solo nella molteplicità della peripezia. In questa ambiguità, in questa incertezza costante, valutare risulta difficile. Le linee di lettura sono così più d'una: e se la tradizione occidentale fu pronta in ogni epoca ad accoglierlo sotto il segno di una positività, il mondo greco diffidò da sempre nei suoi confronti, quando non fu giudice severo, pronto a una condanna senza remissione.

2. *Itaca*

«Non vi sono, a Itaca, prati né ampie strade: è terra di capre, eppure è più amata di una terra che alleva cavalli. Nessuna delle isole adagiate sul mare è ricca di prati, di strade per carri: Itaca meno di tutte» (IV 605 ss.): con queste parole Telemaco, ospite a Sparta di Menelao, descrive le caratteristiche della sua patria. Omero non indugia a descrizioni: pochi gli epiteti, e costanti, che richiamano a una natura non troppo generosa. È un'isola, «cinta dal mare» dice il poeta, è rocciosa – tratto che verrà ripreso dal Foscolo; è piena di sole, *eudeielos*, un aggettivo dal significato ambiguo, dove la chiarità tutta mediterranea si associa alla visibilità di una terra dai confini nettamente definiti dal mare. L'ascoltatore non può scordare il *Catalogo delle navi* iliadico (canto II), nel quale per ogni città, dalla più famosa alla più oscura, il poeta offre anche un tratto soltanto, utile però a fermarla per sempre nell'immaginazione:

«montuosa», «spaziosa», «ricca di vigne», «cinta di mura», «città di colombe», «battuta dai venti», sono soltanto alcuni degli epiteti che Omero riserva a questi siti, dei quali ciascun guerriero porta il ricordo.

Itaca è il punto di partenza e la meta del lungo viaggio di Odisseo, dopo dieci anni di guerra, e altrettanti di affanni: al centro del suo pensiero e del suo rimpianto, perché per ognuno la patria – dice ai Feaci l'eroe (IX 27 ss.) – è la cosa più dolce, e l'impulso di tornare è più forte del godimento di qualsiasi altra ricchezza in altro luogo, e persino di quella vita immune da vecchiaia e morte che Circe e Calipso possono dare a chi si unisce a loro. «Chi sei, qual è la tua città, i genitori chi sono?» sono le tre domande tipiche che l'ospite rivolge allo straniero che giunge: l'identità dell'uomo greco, anche in epoca classica, è costituita da un nome – che sempre porta con sé un «senso» –, da un patronimico – che può svilupparsi all'occasione come storia di famiglia, e sarà allora genealogia –, da una provenienza – la patria. Già prima dunque del costituirsi e del consolidarsi della *polis* l'uomo greco non disgiunge la propria origine da una terra, da un luogo preciso, da una proprietà stabile; è quell'economia stanziale che, sola, consente alla «patria» di svilupparsi concettualmente.

A portare l'uomo lontano, sul mare, non è una scelta, dettata dal piacere o dall'ansia della libertà, è piuttosto la «fame», quintessenza di una necessità: «Nascondere non si può la fame funesta che tante sciagure procura agli uomini: per essa si armano le navi dai solidi banchi che portano guerra ai nemici sul mare profondo» (XVII 286 ss.): un luogo comune che avrà molta fortuna anche nell'esperienza latina. Guerra e rapina, ma anche commercio, in una regione accidentata dove lo scambio via terra è quasi impossibile: altra domanda tipica dell'ospitante verterà sull'opposizione – unica alternativa possibile – fra «mercante» e «predone» (III 72-74 = IX 253-55). Come recita un proverbio inglese: «lo straniero, se non è un mercante, è un nemico». Si tratta sempre di una motivazione economica, che spiega in generale «ogni» viaggio antico e che Odisseo riconduce significativamente all'essenziale, quel ventre (si vedano VII 216, XVII 473, XVIII 54), che precede e governa anche i moti dell'animo, e nel quale l'uomo deve riconoscersi per forza.

Ma accanto a generiche ragioni, esistono motivi contingenti che spingono l'uomo lontano dalla patria: nella storia di Odisseo sono i principi greci che avevano giurato un patto al tempo in cui Elena andava sposa a Menelao – stringersi tutti attorno agli Atridi in caso di offesa. Era il codice eroico, la parola data e l'onore, a prevedere la partenza per Troia. Un episodio non molto esaltante, che Omero sfuma e tace nei particolari, ci viene raccontato da un tardo raccoglitore di miti, Igino: davanti alla delegazione guidata da Agamennone, che viene a sollecitarlo, Odisseo, per non partire, si finge pazzo, aggioga all'aratro un bue e un cavallo e indossa un copricapo indegno di un re. A questo punto Palamede, personaggio antico eppure scomparso del tutto dai poemi epici forse per il fatto di essere, sotto certi aspetti, un «doppio» di Odisseo, toglie Telemaco dalla culla e lo pone davanti all'aratro: il padre, non potendo avanzare sul corpo del proprio figlio, rivela così l'inganno, e pur contro voglia, si unisce alla spedizione.

Questa versione della partenza viene sostanzialmente rimossa: solo in xxiv 115-19 Agamennone ricorda come, in quella circostanza, la persuasione costò «fatica» (*spoude*). Ma è proprio questa versione a gettare ulteriore luce sull'ossessione del ritorno, e a fare non già dell'avventura, bensì della casa il centro di ogni desiderio. Altri segnali valgono a conferma: nelle molte identità assunte nel corso del poema – tutte storie fittizie che però sempre lo «rivelano» –, Odisseo ricorre anche ad autopresentazioni *e contrario*, come in quella che esibisce al porcaro: «Non amavo invece il lavoro, né la casa dove crescono i figli, mi erano cari i remi e le navi, le guerre, le lance lucenti, le frecce: cose funeste che agli altri fanno paura. Ma a me erano care, forse un dio me le pose nel cuore. Ama cose diverse ogni uomo» (xiv 222 ss.). Parole pronunciate da chi ha accettato di affrontare ogni rischio pur di tornare in patria e ritrovare se stesso nella dimensione della propria casa.

3. Telemaco

Il canto di Calipso (v), i tre canti della *Feacide* (vi-viii) e i quattro del racconto di viaggio (ix-xii) dividono nettamente la narrazione in due blocchi diversamente connotati in rapporto al ruolo giocato da Telemaco, il figlio di Odisseo. In particolare, in apertura di poema, la cosiddetta *Telemachia* si impone con tratti singolari che hanno fatto pensare ad un'opera a sé stante, un poema forse più ampio nel quale il giovane svolgeva un ruolo primario. Ricostruire, sia pure a grandi linee, questo percorso più complesso è impossibile; possiamo però isolare alcuni elementi suscettibili di una sistemazione, e quindi di una lettura, all'interno dei primi quattro canti, anche se poi viene a mancare uno sviluppo soddisfacente, e nella seconda parte il figlio è solo un comprimario nell'azione.

«Sono adulto» dice Telemaco (II 313-14), «il coraggio cresce nel mio cuore»: il figlio lasciato in culla alla partenza per Troia è cresciuto, gli anni sono trascorsi, e c'è già stato chi – come Oreste, ricordato nel canto I – ha ormai da tempo portato a compimento la vendetta in nome di suo padre. E proprio la menzione della vicenda di Agamennone, Egisto, Oreste, nella quale la vittima trova nel figlio un difensore, sottolinea il «ritardo» con cui si muove Telemaco (da altro luogo sappiamo trattarsi di due anni), e informa della situazione venutasi a creare ad Itaca: una situazione che, come quella di Odisseo, bloccato nell'isola di Ogigia, non ha vie d'uscita se un dio non interviene: pur nella diversità delle circostanze, padre e figlio vivono una analoga impotenza.

Atena, che sull'Olimpo si era fatta mediatrice del ritorno dell'eroe, fa la sua comparsa ad Itaca, sotto le mentite spoglie del re dei Tafi: la crescita del giovane è la conseguenza dei consigli della dea. L'esempio glorioso di Oreste (I 298 ss.), guidato a sua volta da Apollo (ma il racconto non è omerico), diventa lo stimolo perché Telemaco proponga di indire l'assemblea e accetti di affrontare un viaggio alla volta di Pilo e Sparta. Il suo comportamento deciso, con la madre, con i Proci, accende uno stupore destinato a ripetersi numerose volte nel corso del poema. Così il giovane diventa finalmente *pepnymenos*, «saggio e accorto».

L'assemblea degli Itacesi si svolge dopo vent'anni di silenzio, e l'iniziativa inattesa – in assenza di un potere centrale – suona allora come un richiamo al diritto – con una conseguente valutazione «pubblica», e non più solo privata, dell'operato dei Proci – e come un presentarsi, da parte del figlio, quale *alter ego* del padre. A questa prima mossa, non coronata per altro da molto successo, e che vale perciò piuttosto come denuncia e come segnale di capacità-volontà di reagire, segue il viaggio presso Nestore e Menelao: nelle intenzioni di Atena, due sarebbero gli scopi, avere informazioni sulla sorte del padre che permettano di prendere decisioni adeguate, e «perché acquisti lui stesso grande fama fra gli uomini» (Atena, al concilio degli dei, I 95).

Una necessità, dunque, ma anche qualcos'altro: la seconda mo-

tivazione addotta dalla dea fa pensare infatti ad un «viaggio» che
dà, per definizione, «fama», e si presta perciò a tutte le distorsioni
di una sensibilità che certo non è arcaica, e neppure greca. È vero
che Gilgamesh «conobbe i paesi del mondo, divenne saggio, vide
misteri e seppe cose segrete» (*L'epopea di Gilgamesh*, a cura di
N.K. Sandars, trad. it. Milano 1987, p. 85); è vero che l'attacco
stesso dell'*Odissea* fa dire al geografo greco Strabone, nel primo libro della sua opera, che «gli eroi più saggi furono quelli che visita-
rono molti luoghi e vagarono per il mondo; i poeti onorano chi ha
visto le città e conosciuto la mente degli uomini» (Colombo anno-
terà nei suoi *Scritti* che «più lontano si va e più s'impara»); è vero,
infine, che la figura del filosofo verrà associata spesso a quella del-
l'errante – e che il lessico stesso tradisce in molte lingue l'intima
connessione fra un percorso compiuto nello spazio e nel tempo e
l'esperienza acquisita nella dimensione interiore; ma è anche vero
– Omero è esplicito in proposito (*Odissea* xv 343 ss.) – che per
l'uomo antico il viaggio risulta da una costrizione, è esistenza forzata che, semmai, «rivela» all'individuo quello che già gli appartiene: sopportazione, coraggio, resistenza: non più di questo è Odisseo, nel suo andare ramingo; in parte lo è anche Telemaco, nella
sua visita in terraferma.

Solo in sottordine, da alcune parole di Menelao (xv 83-85), al
viaggio viene assegnata una sua «utilità» che lo rende desiderabile:
andare per la terra infinita significa «raccogliere doni» – uno scopo, questo, che ridimensiona la temerarietà, e quindi anche il pre-
teso «desiderio di conoscenza» di Odisseo nell'unica avventura
voluta e non subita, quella del Ciclope: dietro ogni approdo si intravede la possibilità di un guadagno materiale, sia con relazioni
pacifiche (l'ospitalità) sia con la forza (rapina, razzie, guerra). E in
effetti Telemaco tornerà con i molti doni dei suoi ospiti, come
Odisseo con quelli ricevuti dai Feaci.

Padre e figlio sembrerebbero dunque vivere una medesima
esperienza, segnata dalla costrizione e, in caso, da un arricchimento materiale: in questa prima chiave di lettura il viaggio di Telemaco pare voler ripetere, genericamente, quell'importante capitolo
della vita di Odisseo. Ma, nello stesso tempo, esso produce nuovi
risultati che segnano la distanza dalle peripezie dell'eroe: da un lato infatti è prova della determinazione di Telemaco, della sua nuova identità – ancora «fama», in senso etimologico: «gran gesto ha
compiuto Telemaco con questo viaggio» dice Antinoo, «grande

audacia è la sua» (IV 663 s.); dall'altro introduce il giovane in un circuito di relazioni con i vecchi compagni d'arme del padre e con i loro figli: in tal modo egli verrà a conoscere Odisseo attraverso i diversi racconti di guerra, quella guerra che mette in primo piano l'eroe, formulandone «una» identità improntata al *kleos* («se fosse caduto a Troia...» aveva detto con rimpianto a Mente, nel canto I, definendo così i tratti della morte gloriosa). Assemblea e viaggio possono perciò essere intesi come tappe dell'efebia del giovane, e se l'assemblea è momento preliminare necessario per presentarsi a Nestore e Menelao, il motivo del viaggio, che suona quasi improvvisato e viene poco recepito dall'uditorio itacese, sembra procedere da una nuova maturità interiore.

Al ritorno di Odisseo, Telemaco verrà escluso dalla «favola» delle peregrinazioni: questa sarà riservata solo a Penelope, e sarà racconto che seduce. Niente invece di tutto questo per il giovane, cui vengono narrati solo frammenti del passato troiano del padre: eco di un mondo eroico ormai dissolto, l'iniziazione di Telemaco, se di questo si tratta, può avvenire solo guadagnandolo all'unica dimensione che costituiva un modello già cristallizzato di *paideia*, quella della guerra e del *kleos* che l'accompagna: ma solo nella parola e non più nel canto.

4. *Storie di ritorni*

Fin dai primissimi versi del poema si parla di «ritorno». Al ritorno dei Danai è ispirato il canto di Femio, l'aedo, nella reggia di Odisseo (I 325 ss.). E Telemaco, che da Itaca raggiunge prima Pilo e poi Lacedemone alla ricerca di notizie del padre, ascolta racconti di «ritorni». Quello di Nestore, prima, riuscito in breve tempo, quello di Menelao in seguito, più lungo – sette anni da che Troia era caduta – e più sofferto, ma anche, attraverso le parole dei due interlocutori, quelli di altri eroi della guerra. Tema, questo dei ritorni, che doveva essere stato affrontato in modo sistematico in un poema per noi perduto che precedeva l'*Odissea*, e il cui titolo era appunto *Nostoi*.

Così veniamo a conoscenza di una spaccatura fra i due Atridi, Agamennone e Menelao: il primo ritarda la partenza per completare sacrifici propiziatori, ma precederà il fratello nel rientro; laddove il secondo salpa, con Nestore, con Odisseo, con altri, ma sul mare dovrà vagare ancora per molto. Dal racconto di Nestore (canto III) sappiamo che i Mirmidoni, le genti di Ftia, gli uomini di Achille, sono tornati; e rientrato è Filottete, l'eroe dell'arco, e Diomede e Idomeneo. Anche Agamennone è tornato, ma per sua sventura – la sua storia ricorre più volte nel poema –, perché viene ucciso in un agguato tesogli da Egisto, divenuto durante la sua assenza l'amante della moglie, Clitennestra.

Menelao, che ha interrogato nell'isola di Faro Proteo, il Vecchio del mare, viene a sapere della rovinosa fine di Aiace Oileo, e di quella non meno tragica del proprio fratello ucciso a tradimento. Da fonti diverse sappiamo che altri ritorni non furono più fortunati: non quello di Diomede che ad Argo trovò la moglie con l'amante – di qui le tante peregrinazioni dell'eroe, fondatore di molte città in terra italica –, non quello di Idomeneo, re di Creta, che trovò un usurpatore, prima amante e poi assassino di sua moglie.

Tornare, dopo dieci lunghi anni, non è dunque semplice. C'è dapprima il mare a rendere difficile il rientro: quel Capo Malea, all'estremo meridionale del Peloponneso, che tradisce Menelao, sbattendolo con le ultime cinque navi superstiti in Egitto, tradisce Agamennone facendolo approdare alla terra controllata da Egisto, tradisce infine Odisseo. Ma oltre al mare c'è una situazione in patria resa precaria dal tempo intercorso: il vuoto di potere, venutosi a creare negli anni dell'assenza del re, provoca mutamenti – altre difficoltà contro cui lottare. Ritorno non è dunque soltanto l'approdo alla propria terra, quella terra che Agamennone e Odisseo si chinano a baciare. È qualcosa di più: vincere il mare che separa la Grecia da Troia, trovarsi in una realtà dai tratti nuovi, e restaurare infine l'ordine antico reintegrandosi nel proprio ruolo di un tempo.

Visto in questa prospettiva, il viaggio delle leggende mitiche (Odisseo come Giasone, come Teseo, come Eracle) è sostanzialmente «chiuso», niente più che una «forma circolare» dove partenza e arrivo dovrebbero coincidere. Questa coincidenza spaziale provoca inoltre l'annullamento, sul piano temporale, di ogni novità, di ogni mutamento intervenuto. La storia di Odisseo è esemplare di questa antica concezione del viaggio e della distanza imposta: il riconoscimento progressivo concerne un'identità e uno statuto all'interno di un contesto nel quale si sono tentate innovazioni. Il rientro «perfetto», in cui inizio e fine si identificano, può avvenire solo a patto di cancellare ogni tratto nuovo, che si presenta per sé come sovversivo: chi ha ambito alle *res novae* è, agli occhi del reduce, colpevole, e in quanto tale dovrà essere eliminato senza eccezioni (è la strage impietosa dei Proci), e il danno materiale causato dai trasgressori sarà integralmente risarcito, mentre l'eroe tornerà a essere ad un tempo re di Itaca, padrone dei suoi servi e dei suoi beni, marito di una Penelope inviolata, padre di Telemaco, figlio di Laerte; l'invecchiamento stesso, segno ineludibile della realtà di un tempo che è trascorso, viene cancellato, nella favola, da Atena. Neppure la memoria è minata dai lunghi anni di assenza, né per Odisseo né per chi è rimasto: l'immagine di un fermaglio sbalzato e il colore di un mantello, gli alberi del giardino di Laerte donati al figlio ancora piccolo, un letto nuziale ricavato in un ulivo – segno di un legame che non può mutare, perché gli viene negato l'«altrove» –, e infine il debole agitarsi della coda del vecchio Argo, il cane, sono tratti icastici vividissimi di un passato sentito tanto prossimo da poter essere ripristinato per intero.

Chi parte e chi resta rimangono dunque sempre uguali: paradigmatici, ancora una volta, sono i due sposi che, pur nella diversa sorte – lei ad Itaca, lui vagabondo –, presentano analogie spiccate e un coincidere di intenti (si veda *Penelope*). Ma esemplari sono anche i vecchi servi – Eumeo, il porcaro, Filezio, il bovaro, e anche Euriclea, la vecchia ancella di casa – che lasciano intendere, nelle loro attenzioni e negli insistenti ricordi che «recuperano» e confrontano, una inconscia «intuizione» dell'identità dello straniero: importanti dal punto di vista narrativo, perché contribuiscono a creare una *suspence* e a definire una fedeltà, ma senz'altro più importanti dal punto di vista dell'immaginario, perché traducono la nostalgia e il rimpianto per un ordine perduto – rappresentato dal padrone scomparso –, il desiderio di quella soluzione felice che poche volte si realizza, la sfida alla dimensione del tempo cui inevitabilmente l'uomo è sottoposto.

5. La nudità di Odisseo

Le vicende di Odisseo sono in larga parte anticipate nel canto I, e tra queste la sua sosta forzata nell'isola di Ogigia, «proprio in mezzo all'oceano», dove abita una dea, «la figlia del terribile Atlante che conosce gli abissi del mare e da solo sostiene le colonne lunghissime che tengono divisi terra e cielo» (I 52-54): isolamento e lontananza da un lato – al centro non di un mare solcato da marinai, bensì del «grande fiume» sconosciuto e temuto che circonda la terra, fissandone per sempre i confini e separando i vivi dai morti (cfr. x 508, xi 157, xxiv 11); dall'altro, il mitico Atlante, a segnare un altro confine, quello che separa la terra dal cielo. Si tratta di una cosmologia molto semplice e ingenua, ma pur sempre eloquente: se risulta dal bisogno di spiegare come venga sorretta la grande volta celeste – una cupola di metallo, stando almeno agli epiteti che in entrambi i poemi rimandano al «ferro» o al «bronzo» –, nasce anche da un senso delle differenze e dei limiti. Non a caso, Esiodo svilupperà il tema ponendo Atlante, con la stessa funzione di reggere il cielo, ai confini della terra – in quella terra d'Africa dove Erodoto chiamerà «Atlante» una montagna –, confini segnati, secondo la tradizione, da Eracle («trofeo sui barbari [...] confini del mondo ellenico» dirà Isocrate, *Filippo* 112, sviluppando ulteriormente il senso dell'identità e dell'alterità in una prospettiva etnica), e potenzierà l'immagine «liminare» della dea facendone direttamente la figlia di Oceano (Esiodo, *Teogonia* 359): in tal modo viene circoscritto, in entrambe le dimensioni, il mondo degli uomini.

In questa situazione «marginale», che invita addirittura a pensare a una collocazione estranea alla società degli uomini, si trova Odisseo. L'ambiente, che suscita in lui gioia ammirazione incanto, è di favola: se certi elementi verranno ripresi, in epoca tarda, da Apollonio Rodio per la reggia di Eeta – ancora una volta «fuori», non tanto dal mondo umano, bensì dal mondo ellenizzato –, l'aspetto particolare rimanda ad altri paesaggi noti alla cultura arcaica, dall'«isola dei Beati» (cui è destinato Menelao, canto iv) al giardino nel quale – lo ricorda lo storico greco Ferecide (3 F 16 Jacoby) – Era va sposa a Zeus. È luogo di pace perfetta e perpetua in cui si sublima l'immagine di altre città pacificate o pacifiche – quella di Nestore, quella di Menelao, quella dei Feaci, tutti luoghi nei quali viene a mancare ogni spinta all'azione, e resta soltanto un godimento senza fine.

Inoltre Calipso, che è dea, e desidera Odisseo, potrebbe renderlo immune da vecchiaia e da morte – in una sola parola, sottrarlo al suo destino di uomo, e con ciò alla sua prima identità. Aristotele dirà che chi non appartiene al consorzio degli uomini (chi non è *polites*) o è animale o è dio (*Politica* 1253a): una sottoumanità, oppure una sovraumanità, che in ogni caso escludono l'appartenenza dell'individuo alla società umana. Calipso pecca in un eccesso di «livello», laddove Circe, la maga, che trasforma gli uomini in animali (canto X), pecca in difetto.

E Odisseo piange, sulla riva del mare, proprio come aveva fatto Achille nell'*Iliade* (canto I), ma non per l'onore (*time*) offeso quanto per una sorte che gli appartiene e gli viene tolta. Se il pianto di Gilgamesh (*L'epopea di Gilgamesh*, cit.; qui si fa riferimento in particolare al cordoglio per la morte di Enkidu, il compagno e alter ego del protagonista) è pianto sulla mortalità dell'uomo, quello dell'eroe greco è invece rimpianto proprio di questa mortalità, che per lui prende la forma di un ricordo – la patria, il figlio, la sposa: non nelle imprese in terra troiana, bensì è in Itaca che «si riconosce» Odisseo, il luogo di partenza, il luogo dove vorrebbe tornare.

Il provvido intervento degli dei, tramite Hermes, le utili indicazioni di Calipso, la *techne* dell'eroe che si costruisce un'imbarcazione improvvisata – la zattera – preparano il viaggio che lo porterà fino a Scheria: vi giungerà dopo aver perduto tutto quel poco che porta con sé, la barca, le vesti: e nudo si mostrerà sulla spiaggia, alla foce del fiume, a Nausicaa, la principessa figlia di Alcinoo, e alle sue ancelle. Solo, nudo, e sconosciuto in terra straniera: se il soggiorno presso Calipso – un luogo ambiguo, dove la presenza, nel corso del pranzo, di ancelle sembra un fatto più formulare che vero, perché nel complesso l'isola pare abitata solo dalla dea e dall'eroe – ne aveva alterato l'identità di uomo, sia pure elevandola di rango, l'ennesimo viaggio, l'ennesima tempesta – ripetizione ossessiva delle tre tempeste – lo porta al limite estremo.

L'ultimo naufragio, che precede il racconto delle peregrinazioni (canti IX-XII), è stato opportunamente inserito: perché la risalita inizi dal punto più basso. Nel poema tale procedimento è costante: in più occasioni Odisseo mentirà sul suo nome, ma le sue «storie» inventate ricalcheranno uno stesso percorso, un identico schema, dalla pienezza di potere e di beni alla perdita assoluta di tutto. In questa veste tanto Odisseo quanto «il Cretese» (nelle tre differenti versioni) si presentano ad Itaca: da Troia alla terra dei padri si assiste a una progressiva e tragica perdita cui consegue il ritorno e la reintegrazione nel proprio ruolo; in Itaca stessa l'arrivo alla reggia – al regno – è segnato all'inizio da una condizione di margine – ancora una volta al punto più basso: Odisseo è mendico, *ptochos*, come lo definisce, identificandolo dall'aspetto, Antinoo, che rimprovera il porcaro per aver invitato un mendicante: ai limiti societari, dunque, come nella sua risposta Eumeo fa capire (canto XVII 381 ss.). Il mendicante non lo si invita, viene da sé; l'accattone – esempio palmare è Iro, il cui nome primitivo era Arneo (canto XVIII) – vive al limite estremo del rapporto sociale: il nome, primo segno del sé, viene cambiato o ignorato; la storia personale viene derisa; il «luogo» occupato è, significativamente, la «soglia».

Due «nudità» vive Odisseo: l'una al suo approdo nella terra dei Feaci, l'altra ad Itaca, nella sua reggia, davanti ai Pretendenti (canto XXII). Tra l'una e l'altra stanno i molti travestimenti: rivestire di panni e poi di cenci il naufrago, il mendico – e quella prima nudità, che era il punto estremo della perdita, viene occultata; e poi spogliarsi di quegli stessi cenci, che non gli appartenevano, per «riguadagnarsi», nudo. Tale è il lungo processo di riconquista della propria identità, dopo i sette anni presso la dea Calipso; e di esso, abiti, atteggiamenti, nomi, scandiscono le tappe – tratti materiali che si ergono a simboli del Sé da ritrovare.

6. Nausicaa: la palma e l'altare

Lo scrittore satirico Samuel Butler, già traduttore di Omero, sullo scorcio del secolo scorso scrisse un libro dal titolo L'autrice dell'Odissea: avanzava l'ipotesi che la paternità del poema fosse da ascrivere a mano di donna. Benché la dimostrazione non convincesse del tutto, l'idea era tuttavia legittimata dal peso che la presenza femminile, figure umane o figure divine, assume nell'Odissea. Nell'Ade, accanto agli eroi della guerra troiana e delle più antiche leggende, una vasta sezione del canto XI (vv. 225-332) è dedicata al «catalogo delle donne», una folla di figlie e di spose di uomini illustri (o di dei), digressione che servirà poi da modello tanto alla poesia greca (Esiodo) quanto a quella latina (Ovidio). Donne che hanno amato, che hanno dato alla luce figli famosi, ma che, come Erifile (vv. 326 s.) – e il pensiero corre a Clitennestra –, hanno anche tradito lo sposo.

Come tipico è il guerriero dell'epos, così le donne dell'Odissea presentano dei tratti comuni che emergono dall'immaginario collettivo. Potremmo di volta in volta accostarle o disgiungerle sulla base del loro modo di porsi di fronte alla circostanza, di fronte all'eroe. Così Circe, le Sirene, Calipso sono un'unica maga, la «tentazione» di Odisseo; e Circe può essere accostata ad Elena, da un lato – abili conoscitrici, entrambe, di filtri –, e dall'altro alla stessa Penelope, sebbene appartengano ai poli opposti dell'essere donna – moglie ed etera –, perché le *mechanai* dell'una e i *kerdea* dell'altra valgono ad annientare gli uomini che si avvicinano a loro. Così, infine, Scilla e Cariddi, esseri femminili ed immortali, sono, come già le Sirene, entità che si ergono a simbolo della rivolta contro il mondo maschile, quello che solca le acque.

Rimandi non casuali, che rispecchiano ciò che l'uomo greco vedeva nell'altra metà del suo mondo. Un tratto è comune a tutti questi personaggi, ed è il loro stare ancorati alla «terra». Circe e Calipso accolgono e «trattengono» nelle loro isole rispettive; Elena di Lacedemone – l'unica che abbia «viaggiato» – ritorna e sarà destinata al culto in più parti del Peloponneso; Clitennestra, insieme ad Egisto, rinnova, in patria, la propria esistenza, spiando un ritorno indesiderato e tramando l'agguato; Penelope resta nella reggia, in Itaca, conservando ricordi, pronta, sempre, a recuperare e a rivivere il rapporto perduto; la giovane Nausicaa sarebbe disposta a prendere Odisseo per marito e a tenerlo a Scheria con sé. Tutte donne che riconoscono se stesse, e il loro prescelto, in un luogo.

Un aborigeno australiano ebbe a dire che «la terra è femminile perché sta in un luogo, mentre la canoa è maschile perché viaggia». Accade così nel mondo antico: il viaggio femminile non è libero, ma coatto: è il rapimento di Elena, ma anche il viaggio che Ettore prospetta ad Andromaca (*Iliade*, VI), quello che attende ogni donna di un popolo sottomesso, quello che si consuma sotto il segno della schiavitù. Se altro spostamento è concesso, si tratta dell'abbandono della propria casa per raggiungere quella dello sposo: è viaggio simbolico, è promozione al ruolo che tutti riconoscono, è acquisizione, per la donna, del luogo definitivamente «suo».

La donna è ancorata quindi alla terra. Così àncora alla terra, frena e trattiene l'uomo che si accoppia con lei. Nell'immaginario, sedentaria l'una, mobile l'altro; ma l'immobilità tradizionale della donna è strumento in mano all'uomo per stabilire rapporti permanenti con il territorio. Esemplare è il racconto che fa Glauco a proposito di Bellerofonte argivo che, giunto in Licia, per la sua nobiltà ottiene la mano della principessa, una terra da coltivare e parte dell'onore regale (*Iliade* VI); ma questa sarebbe la sorte riservata anche a Odisseo, se volesse rimanere a Scheria e sposare Nausicaa, la figlia del re, altra figura femminile, tendenzialmente «incorporante».

Giovanissima, bella come le dee del cielo, Odisseo nel vederla ricorda uno scorcio di Delo: un altare di Apollo e, accanto, un virgulto di palma: il sacro, il numinoso, fa coppia con la giovinezza. Come Circe, come Calipso, Nausicaa accoglie il naufrago, e lo introduce nella città indicandogli il modo di entrare a palazzo e di avvicinare la madre, accanto al focolare, il «centro» simbolico della casa. Nel secondo e ultimo incontro con Odisseo, nella reggia, a quest'uomo salvato dal mare e da lei soccorso, che non accetta di diventarle marito, chiede riconoscenza, radicamento nella memoria: per la prima volta nelle nostre letterature d'Occidente, viene idealizzato – come scriveva Carlo Diano – il rapporto fra un uomo e una donna (*La poetica dei Feaci*, in *Saggezza e poetiche degli antichi*, Vicenza 1968 [1957], p. 214).

Personaggio impalpabile che si distingue all'interno del «tipico» – non a caso l'eroe sulla spiaggia, angosciato dopo il naufragio, al suono delle voci femminili si chiede se si tratti di ninfe o di esseri umani (vv. 122 ss.), e rivolgendosi a lei le domanda se sia mortale o se sia una dea (v. 149) –, Nausicaa risponde tuttavia ai tratti generali connessi con il tema dell'approdo. Anche la sua accoglienza è motivo folclorico: arrivi mediati da una figura femminile, che diventa «la via d'ingresso» in un luogo, sia sotto forma di aiuto materiale e di offerta di cibo (Arianna con Teseo, Medea con Giasone, Siduri con Gilgamesh), sia sotto quella di ospitalità sessuale (Circe, Calipso, come la prostituta di Enkidu, come i racconti che Erodoto fa sui Babilonesi e sui Milesii, Strabone sui Massageti, Eusebio sui Geli e Bactriani, per arrivare sino ai *mirabilia* di Marco Polo). Al contrario di Nausicaa – ma la tipologia di fondo è, invertita, la stessa –, c'è la giovane Lestrigone, la figlia di Antifate (canto X): anch'essa media l'arrivo, anch'essa dirige l'ospite verso la madre, per mandarlo però alla morte. *Leitmotiv* della favola è dunque l'approdo dell'uomo e l'accoglienza da parte della donna; ritradotto come luogo comune della sedentarietà dell'una e della mobilità dell'altro, sarà retaggio per l'Occidente intero.

7. La terra dei Feaci

Tre interi canti sono dedicati al soggiorno di Odisseo a Scheria: l'arrivo (VI), l'accoglienza nella reggia (VII), i giochi e il canto dell'aedo (VIII). I quattro canti successivi (IX-XII), pur sempre ambientati nella terra dei Feaci, introducono tuttavia il pubblico nel mondo della favola, con il lungo racconto che l'eroe fa delle sue peregrinazioni: all'affabulazione il poeta concede ampio spazio, e il tempo delle notti infinite (XI 373, XV 392). All'inizio del canto XIII, Odisseo, su una nave allestita per lui, si congeda dagli ospiti.

La terra dei Feaci, ai confini fra sogno e realtà – naufrago e solo, l'eroe la scorge dopo un lungo sonno, e quando l'abbandona «un dolce sonno gli cadde sulle palpebre, dolce e profondo, che somigliava molto alla morte» (XIII 79-80) –, una terra che venne sempre interpretata come «isola», benché Omero non la definisca tale in nessun luogo, si presenta come la proiezione ideale di tutte le città che ignorano la guerra, o che l'hanno vinta e superata. I canti III e IV avevano descritto la vita dei re in tempo di pace, fra banchetti e sacrifici agli dei, un mondo in cui l'aristocrazia guerriera è solo un nome che di fatto appartiene ormai al passato. Già Telemaco aveva avuto modo di ammirare l'opulenza della reggia di Menelao (IV 43 ss. e 71 ss.): ma il palazzo di Alcinoo (VII 86 ss.), con il suo giardino dove il mutare delle stagioni non lascia traccia sui frutti che sono sempre maturi – vegetazione lussureggiante che ricorda quella dell'abitazione di Calipso (V 61 ss.) –, ha qualcosa di più, è dono divino. I Feaci stessi vantano un distacco dagli altri uomini, e insieme una vicinanza con gli dei, come i Ciclopi, come i Giganti (VII 205-06): vicinanza (*engythen*) che potrebbe essere anche «parentela», se dicono di discendere da Peribea, figlia del re dei Giganti, e Poseidone (cfr. XIII 130): parenti dunque anche di Polifemo, che è figlio del dio, mostrano l'altra faccia di uno stesso sangue – ospitali i Feaci, inospitale il Ciclope –, ma nel contempo, come questi e al contrario di Eolo (canto X), contendono con gli dei e ne sfidano l'ira (VIII 565 ss.).

Da questi elementi deriva l'ambiguità del popolo che riporterà in patria Odisseo: l'immagine dell'«isola» risulta dalla sovrapponibilità dei segni distintivi di questa terra con quelli dell'isola dei Beati (canto VI), dalla loro marginalità – vivono lontano dagli uomini che mangiano pane (VI 8) –, e dal fatto che non amano molto chi viene da fuori (VII 32-33). La prossimità con gli dei – come gli

Etiopi – li separa ulteriormente dal genere umano, avvicinandoli più alla dimensione della morte che a quella della vita: al punto di essere letti anche come «nocchieri di anime».

Agli estremi confini, culturalmente se non geograficamente, dell'esperienza comune, i Feaci realizzano un ideale di vita nel quale il mondo eroico della guerra non ha posto se non come memoria di un passato altrui. Una prima rappresentazione esplicita dei Feaci viene fatta da Nausicaa: «non amano arco e faretra, ma alberi di nave e remi e navi perfette» (VI 270 s.), tratto che viene confermato, lungo la strada che porta Odisseo verso la reggia, dalla vista dei porti e delle navi attraccate. Ci sarà poi Alcinoo a dare maggiori dettagli (VIII 246 ss.): scordàti archi e faretre, non esistono neppure lotta e pugilato – prove che il pubblico conosce bene dal canto iliadico dei «giochi» (XXIII): esistono la navigazione e l'agilità nella corsa, esistono il banchetto, il canto, la danza, l'amore. Certo, anche Achille usava ricordare le gesta degli eroi accompagnandosi con la cetra, ma questo accadeva nei «giorni dell'ira», nella pausa forzata, fintantoché durò il suo rifiuto di impegnarsi in battaglia (*Iliade* IX). Se la cetra e la figura del cantore evocano uno scenario di pace, o comunque non bellico, l'abilità di naviganti evoca una «civiltà marittima fondata sulla tecnica», di per sé altra dal mondo dei duelli e degli scontri campali. Elpenore, un compagno di Odisseo morto cadendo dal tetto del palazzo di Circe, chiede di aver sepoltura e che sul suo tumulo, a memoria perenne, venga infisso un «remo» (canti XI e XII); per chi ricorda la sepoltura di Eezione, con tutte le proprie armi – di esse Achille non lo volle spogliare (*Iliade* VI) –, per chi ricorda l'insistenza di Omero sulle «armi» come identità del guerriero, non c'è nulla di più antieroico del remo di Elpenore e dei remi delle navi feacie.

Dimensione «tecnica», come sottolineava Carlo Diano (*La poetica dei Feaci*, cit., pp. 203 ss.), che ad essa e ai suoi rappresentanti (Hermes, Efesto, Atena, Odisseo) riconduceva la «novità» dell'*Odissea* rispetto all'*Iliade*: una tecnica che non solo non contrasta il piacere, ma anzi, attraverso l'etica dell'utilità, ne è causa. In più luoghi il poema riflette una sensibiltà e un'attenzione su *techne* e *technitai* («portatori di *techne*») e sulla loro collocazione difficile in ambito societario – ambiguità e resistenze che verranno elaborate in chiave ideologica (ma già un'ideologia si intravede in Omero) nei secoli successivi; pure queste darsene di Scheria, gremite di navi, questa abilità nel frangere il mare (le navi feacie – dice Omero – raggiungono direttamente la meta senza nocchiero e senza timone), questo amore per il remo, tutto è privo di scopo, e perciò non soggiace al criterio dell'«utile».

Così, quando Odisseo rifiuta di partecipare alle gare (canto VIII), è con disprezzo che Eurialo, un giovane feace, lo identifica come «mercante»: i Feaci non praticano il commercio, e il loro andar per mare, la loro competenza tecnica, ha tutti i tratti di una «gratuità» in certo modo irrazionale. Non c'è in loro desiderio di conoscenza, non c'è costrizione, non c'è ansia di lucro. Simbolicamente, se non di fatto, «insulari»: in quanto non entrano in relazione con gli altri né come mercanti né come pirati. E la loro *techne*, che viene svilita perché non è caratterizzante ai fini di una determinazione di identità – requisito primo perché una tecnica sia tale –, rivela piuttosto un aspetto ludico, pari a quello delle danze, dell'amore, del gioco della palla di Nausicaa sulla riva del fiume. E malgrado i tentativi antichi di identificare Scheria – Corcyra, si dice –, domina l'«utopia», e l'irrealtà di ciò che vi viene narrato e agito – tutto racchiuso fra i due lunghi sonni di Odisseo.

8. Il cavallo di legno

Come a Itaca, come a Lacedemone, così anche a Scheria il banchetto è rallegrato dalla presenza dell'aedo, che offre ai commensali il diletto della sua arte. Femio, ad Itaca, cantava i «ritorni» degli eroi (canto I), muovendo al pianto Penelope, che si struggeva per chi non era ancora tornato. Nel palazzo di Menelao invece è la menzione, da parte del re, del nome e della sorte di Odisseo a muovere il pianto di Telemaco (canto IV); nella reggia feacia (canto XIII), Demodoco intona tre canti diversi: il primo narra una lite sorta fra Achille e Odisseo – e quest'ultimo, ascoltando, nasconde la testa nel mantello per piangere –, il secondo gli amori di Ares con Afrodite e l'agguato teso loro da Efesto; il terzo, infine, è suggerito dallo stesso Odisseo: «Ma ora cambia argomento e canta la storia del cavallo di legno, che Epeo fabbricò con l'aiuto di Atena, la trappola che il divino Odisseo portò sull'acropoli, dopo averla riempita degli uomini che distrussero Ilio» (VIII 492 ss.). E Odisseo piange nuovamente di pianto irrefrenabile: l'una e l'altra volta – come osservava Diano (*Forma ed evento*, cit., p. 60) – su ciò che per gli uomini dovrebbe essere *kleos*, titolo di gloria, l'appartenenza cioè al mondo degli eroi.

Ma cosa, in questi canti, procura dolore? Il proprio passato, rispondeva Diano (*La poetica dei Feaci*, cit., p. 206), per il primo racconto; e poi Troia, nell'altro, dove le lacrime tradiscono la pietà del poeta, e di Odisseo, quella pietà che avrà sviluppi successivi di grande rilievo nel pensiero greco, con Euripide prima, con Menandro e la Commedia Nuova, e poi, via, via, fino al *synanthropeuein* di Plutarco, il suo essere uomo tra gli uomini.

L'uomo dell'*epos* facilmente cede al pianto, che nulla ha per lui di sconveniente. E anche quando piange sull'altro, in realtà è il sé individuale, irripetibile, che piange. Così Achille e Priamo nel canto XXIV dell'*Iliade*; così Odisseo nella reggia di Alcinoo: di fronte a un passato felice e glorioso, a una identità nella sua interezza, sta un presente dimezzato e pieno di incognite.

Era stato Odisseo a provocare il canto del cavallo di legno, quasi a volersi ritrovare, nel senso di rivivere la propria storia nell'episodio più singolare ed emblematico che rivela la sua vera natura e l'essenza; e nello stesso tempo il suggerimento a Demodoco scaturisce da una pulsione di quella identità, che non è «dato», non è un assoluto, non possiede una sua consistenza ontologica, bensì è il risultato dell'incontro con l'altro: «il pensiero umano diventa vero pensiero, cioè idea, solo in condizioni di contatto vivo con un altro pensiero altrui, incarnato in una voce altrui, cioè in un'altrui coscienza espressa nella parola» (M. Bachtin, *Dostoevskij. Poetica e stilistica*, trad. it. Torino 2002 [1963], p. 116).

È in questo modo che il *dolos* richiesto al cantore diventa, nel presentarsi di Odisseo ai Feaci, l'essenza stessa della sua gloria, del suo «essere detto» (IX 19-20): nel duplice senso, di «prodotto» cioè dell'astuzia, ma anche di modo di porsi di fronte alle più diverse esperienze. Nello spaccato troiano vengono in luce tratti diversi da quelli iliadici, se non nel canto dell'aedo – che si attiene ai toni dell'epica e quindi a una sorta di «impassibilità» che «si maschera solennemente come destino» (M. Horkheimer e Th. Adorno, *Dialettica dell'illuminismo*, cit., p. 85) –, nel racconto che ne aveva fatto Menelao – quell'episodio in cui Elena, rifacendo le voci delle spose lontane, chiamava da fuori, uno ad uno, i guerrieri (canto IV). È questo un richiamo all'identità, cui Odisseo sa all'occasione rinunciare e far rinunciare. A Troia, racconta Elena, l'eroe aveva già fatto un sopralluogo, celando se stesso «e un altro sembrava, un mendicante» (IV 244 ss.). La dissimulazione, come repressione di impulsi, come travestimento, e infine come inganno, diventa motivo conduttore della vita di Odisseo, e risponde ad un più forte istinto di autoconservazione, che egli impone a se stesso e agli altri.

Il *dolos* del cavallo, il momento della massima gloria di Odisseo, racchiude e risolve la decennale guerra di Troia, i cui tratti erano stati ingigantiti – nel numero delle navi e dei contingenti impiegati (si veda *Iliade* II) – per farne un'impresa senza pari, che in seguito diventerà per i Greci simbolo della prima azione congiunta delle genti elleniche, quindi primo esempio di una coscienza etnica, e, allo stesso tempo, rafforzando l'identità nazionale, assurgerà ad emblema dello scontro fra Occidente e Oriente e della vittoria dell'Europa sull'Asia.

Tutto ciò manca nell'*Iliade*: qui c'è solo l'assedio di una città murata, inaccessibile a carri e a cavalli: a scalzarla può essere solo un inganno, quello di Odisseo e del suo cavallo. Il particolare fu già razionalizzato dagli antichi e poi dai moderni: venne inteso come macchina da guerra, oppure, per lo stretto rapporto che lega il cavallo a Poseidone, lo «scuotitore della terra», come terremoto, e fu messo a confronto con altre circostanze, storicamente accertabili, nelle quali la ritirata simulata degli assedianti e il tranello per far spalancare le porte, distruggendo così la città dall'interno, rientrano in una tattica collaudata. Nella leggenda, e nel suo linguaggio, lo stratagemma fa di Odisseo un *ptoliporthos*, distruttore di città, epiteto usato, oltre che per lui, solo per Achille, nell'*Iliade*. In realtà, se di quest'ultimo conosciamo imprese di tal genere – basti per tutte la presa di Tebe Ipoplacia, patria di Andromaca –, di Odisseo conosciamo solo la presa di Troia, «la» città, la cui distruzione si impone all'immaginario dell'*epos* come lo scopo, la meta da raggiungere, il sogno dei Danai.

Odisseo ha dunque toccato i vertici della gloria concessa a un guerriero. Quei «veli», le mura, che nella preghiera dovevano cadere per mano di Patroclo e Achille – loro due soli (*Iliade* XVI) –, vengono divelti quando ormai il racconto dell'*Iliade* è concluso: nel poema non c'è spazio per espedienti, per qualcosa che stia cioè al di fuori delle rigide norme improntate alla «lealtà» della condotta eroica; dovremo aspettare l'*Odissea* per udirne il racconto, mediato ormai da molti cantori (e, in parte, da Menelao e da Elena, canto IV). Certo, anche questo episodio è fonte di *kleos*, ma la fama derivata dal *dolos* non è più quella della forza e del valore, il mondo odisseico non è più quello iliadico, Achille potrà essere invidiato solo nel mondo dei morti, ma non più emulato.

9. *Dai Lotofagi a Polifemo*

L'episodio forse più famoso del poema, l'approdo all'isola dei Ciclopi, è abilmente preparato da un'altra avventura, l'arrivo alla terra dei Lotofagi, un arrivo solo apparentemente non pericoloso: «non tramarono morte ai miei compagni [...] anzi offrirono loro da mangiare del loto» (IX 92-93). L'effetto scatenato dall'ingestione di questo cibo dolcissimo è quello dell'oblio, e i compagni di Odisseo scordano il ritorno: la dimenticanza è l'altra faccia della morte, poiché, come questa, fa scomparire i nomi delle cose, la volontà degli uomini, le relazioni poste sulla linea ideale del tempo, l'identità individuale e collettiva: nel caso dei compagni di Odisseo, dei quali, tranne che per Euriloco, per Elpenore e per Perimede, ignoriamo i nomi, l'identità deriva dal pensiero, comune a tutti loro, del ritorno: con l'oblio, il fiore del loto toglie perciò una coscienza, e li degrada. «Questo idillio» scrivono Horkheimer e Adorno (*Dialettica dell'illuminismo*, cit., p. 70), «è, in effetti, la mera parvenza della felicità, ottuso vegetare, miserabile come la vita degli animali». Sotto il profilo antropologico, cibarsi dei frutti della terra rappresenta una regressione ad una fase più antica dell'agricoltura, dell'allevamento e della caccia, ad un tempo nel quale la riproduzione della vita non risponde ad una autoconservazione consapevole.

È questo primo attacco diretto, e sventato, all'identità ad essere sviluppato nell'avventura successiva, nella quale gli avvenimenti favolistici, assai diffusi nel folclore, vengono «montati» in modo da contrapporre radicalmente – senza alcuna possibilità di mediazione – lo stato societario ad uno stato pre-societario. Omero, che mostra spesso, nel racconto delle peregrinazioni di Odisseo, una particolare attenzione per il contesto umano, segno del grado di incivilimento di un gruppo, offre al suo pubblico una prima dettagliata descrizione, in chiave etnografica, dell'alterità, puntando a suscitare nell'ascoltatore da un lato un senso di rifiuto per il nuovo modello proposto, dall'altro una nuova e più forte consapevolezza di sé. Il poeta procede sotto il segno della negazione: «[...] non piantano, non arano mai: nasce tutto senza semina e senza aratura, il grano, l'orzo e le viti che fioriscono di grappoli sotto la pioggia di Zeus. Assemblee non conoscono, né consigli, né leggi, vivono in cave spelonche sulle cime più alte dei monti, comandano alle mogli e ai figli, non si curano gli uni degli altri» (IX 108 ss.) (questo procedimento al negativo verrà ben recepito, non solo dalla Grecia, che ci darà modelli indimenticabili con Erodoto, ma anche dall'Occidente, soprattutto quando la vecchia Europa si scontrerà con il «mondo nuovo»).

Priva di tracce del passaggio degli uomini è la prospiciente «isola delle capre», non troppo vicina né troppo lontana dalla terra dei Ciclopi: il rilievo insistito sulla fertilità di quest'isola sottolinea una volta di più la mancanza di impegno degli stessi Ciclopi nella coltivazione del suolo, e suggerisce l'«altra» economia che ne caratterizza la vita, quella pastorizia, e quel nutrirsi di latte e formaggi, che costituisce la dieta di Polifemo. Omero continua: «Non hanno navi dalle prore dipinte di rosso, non artigiani che costruiscano le navi dai solidi banchi che vanno nelle città degli uomini, e con le quali spesso, recandosi gli uni dagli altri, essi attraversano il mare» (IX 125 ss.): il loro vivere sparsi si configura ulteriormente – per l'ignoranza di una pratica del mare – come impossibilità di entrare in un circuito di relazioni, ed è dunque fonte di nuovo e più forte isolamento (del resto, in altro luogo ci viene narrato che i Feaci, un tempo loro vicini, dovettero migrare a Scheria, per porre fine a rapine, soprusi, prepotenze).

Queste prime annotazioni preparano la comparsa di Polifemo, «un essere enorme che pascolava le greggi da solo, lontano da tutti, e non frequentava nessuno ma se ne stava in disparte e non conosceva giustizia. Era un gigante mostruoso che non somigliava agli esseri umani ma alla cima selvosa di un monte altissimo, che tutte le altre sovrasta» (IX 187 ss.): i tratti evidenziati per tutto il gruppo dei Ciclopi – tratti di una condizione pre-sociale – vengono qui portati al limite estremo, con la dismisura del corpo e con la «non somiglianza» con esseri umani: in tal modo è l'appartenenza stessa al consorzio degli uomini ad essere messa in dubbio. L'iconografia, molto abbondante per questa avventura già a partire dall'inizio del VII secolo, insiste volentieri sull'aspetto terrificante e mostruoso di Polifemo: tratti animaleschi del satiro o del sileno – barba, capelli lunghi, corpo coperto da un folto pelame (per tutti un'anfora calcidese conservata al British Museum di Londra), il grande occhio aperto in mezzo alla fronte (si veda il mosaico di Piazza Armerina), o un terzo occhio spalancato nel petto (come in uno *skyphos* a figure nere berlinese), addirittura potenti zanne a lato della bocca in una raffigurazione della «tomba dell'Orco» (a Tarquinia), dove, tra l'altro, la vicinanza con Ade lascia pensare a un mostro del mondo infero.

Non socialità, dunque (che si esplica in seguito nell'«ospitalità» funesta resa a Odisseo), bestialità più che umanità nelle forme, ambigue connessioni con il mondo dei morti e non dei vivi; a tutto questo si aggiunge la stretta convivenza con gli animali (capre, pecore, arieti) – all'insegna di una affettività eccessiva che si esplicita non solo nel dialogo con l'ariete, ad accecamento avvenuto, ma anche nei puntigliosi, e non necessari lavori di recinzione per le greggi –, e insieme il pasto cannibalico (chi mangia l'uomo non è, per principio, uomo): tutto concorre, sapientemente, a delineare l'alterità di Polifemo, e quindi il diritto dell'eroe a colpire, in nome di quella «civiltà» che egli rappresenta. Tutto concorre a creare, nell'uditorio, il senso di quella coesione «politica», dalla quale il Ciclope è escluso: con Aristotele (*Etica a Nicomaco* 1180a) «ciclopico» diverrà un modo di essere, quello di chi vive al di fuori della società, ma anche quello di chi vive in una *polis* in cui manca coordinazione da parte dello stato.

Achille estrarrebbe la spada per uccidere il Ciclope, lasciandosi poi morire, con i compagni, in una caverna senza uscita; Odisseo, consapevole di quel masso gigantesco che solo Polifemo può spostare, ordisce l'inganno del vino d'Ismaro, un vino di gran pregio e di grande effetto, che andava «tagliato» addirittura con venti misure d'acqua (IX 208-10), contro il rapporto usuale di due parti a tre. Se costume greco è quello di bere vino annacquato, al Ciclope, che d'abitudine beve latte «puro» (*akreton*, v. 297), Odisseo offre il vino d'Ismaro «non mischiato», assecondando e sfruttando così la pratica, non greca, del gigante; per poi accecarlo con il palo arroventato, la lancia temprata nel fuoco, segno della fase tecnologica: è la più antica fra le armi umane – si ritroverà, come simbolo, nella *hasta praeusta* dei Romani che veniva scagliata per segnare l'inizio di uno scontro –, ed è anche ciò che permette all'uomo di diventare il più distruttore dei carnivori. Fuoco, economia sedentaria, alimentazione a base di carne, di contro al mondo animale, che non si ciba di animali bensì degli uomini che mangiano animali: di quest'ultimo mondo Polifemo, l'Orco delle favole, si fa, senza successo, campione. Isocrate, nel IV secolo a.C., potrà teorizzare l'identità dell'uomo come distanza dall'animale – prima ancora della distanza greco-barbaro. Ma su Odisseo, sull'uomo greco di sé sicuro, sull'uomo di tutti i tempi, erede di Odisseo ed esemplare schietto della rivoluzione neolitica, incomberà una minaccia finale, quella di Polifemo: la maledizione di una natura violata.

10. Dall'isola Eolia all'isola Eea

Prima di giungere da Circe, dopo essere scampato al Ciclope, Odisseo è a un passo dalla patria: ma un sonno inopportuno e la diffidenza dei compagni, che aprono l'«otre dei venti» credendolo pieno di tesori, rendono vano l'aiuto dato da Eolo, aiuto che questi, l'incantatore dei venti, si rifiuta di rinnovare a «chi è inviso agli dei» (vv. 73-74).

Il viaggio così ricomincia, nell'incertezza, sempre, non solo della rotta, ma anche delle genti che si incontrano per via: è stato più volte notato che quella omerica è geografia non di luoghi ma di popoli, e ogni descrizione trasceglie e scorge nella natura soprattutto le tracce del passaggio dell'uomo – un'attenzione etnologica che avrà sviluppi successivi non solo nei *Peripli* e nei racconti dei primi logografi, ma anche nella storiografia erodotea.

«Non si vedeva l'opera né di buoi né di uomini, soltanto fumo vedevo salire da terra» (X 98-99): il rilievo prepara a un episodio per certi versi simile a quello dei Ciclopi, l'approdo alla terra dei Lestrigoni, esseri giganteschi che non somigliano agli uomini (v. 120) e che sono antropofagi.

L'approdo – e non solo questo – è segnato da un rituale, quello di inviare uomini, o di andare di persona, a «vedere»: questo prendere contatto con l'indigeno si traduce in un «contrapporre» che comporta un'idea di sé e un'idea dell'altro da sé. L'alternativa fra modelli antitetici si mostra già evidente nella vicenda di Polifemo (IX 172-76, cfr. XIII 201-02): alla base sta una opposizione fra «ingiusti» e «giusti» (*oude dikaioi* versus un sottinteso *dikaioi*); nelle relazioni con gli dei, essa si specifica meglio nel contrasto fra «empi» e «rispettosi di dio» (*hybristai* versus *theoudeis*), e, nelle relazioni con gli uomini, fra «selvaggi» e «ospitali» (*agrioi* versus *philoxeinoi*). «Giustizia» è dunque un modo di proporsi nel rapporto con gli altri – dei o umani che siano –, è un modo di appartenere al consorzio civile, è un modo di essere «greco» e non «barbaro», parola, questa, sconosciuta ad Omero (fatta eccezione per *barbarophonoi*, «che parlano la lingua barbara», di *Iliade* II 867), ma che tradurrà in seguito, con una maggiore chiarezza concettuale, l'identità non solo dell'uomo greco ma anche dell'uomo occidentale contro ogni altra cultura.

La vicenda lestrigone, che porterà alla perdita di tutte le navi, con i relativi equipaggi, tranne quella di Odisseo prudentemente attraccata fuori dal porto, è seguita dall'arrivo all'isola Eea, l'isola di Circe, la maga nipote di Oceano. C'è una prima esplorazione sommaria dell'eroe, alla ricerca di «lavori di uomini» o di «voci» – la prassi consueta all'approccio. Si appura soltanto che si tratta di un'isola, e si procede con l'invio di una squadra sorteggiata fra due – questa volta andrà Euriloco, mentre Odisseo rimane.

Circe ha la sua dimora nell'isola: è immortale come Calipso, ed è maga. La prima impressione dei compagni di Odisseo è data dalla melodia intonata dalla dea dai capelli bellissimi – un linguaggio che strega e che ammalia –, segno inequivocabile di un incanto che avrà sviluppi ulteriori. Uno strano incontro, con lupi e leoni che non assalgono l'uomo, quasi fossero cani; l'offerta di cibo – formaggio, miele, farina d'orzo; e infine il tocco della bacchetta magica: ed ecco dei porci che si cibano di ghiande, ma hanno pensieri di uomini. L'idea del sé, che pervade l'intera vicenda di Odisseo, si esplicita, nell'episodio di Circe, sotto altra forma. Se, con i Ciclopi o i Lestrigoni, si trattava di una chiara identità culturale, qui si tratta di una radicalità più assoluta: non la differenza fra uomo e uomo – più o meno civilizzato –, bensì quella fra uomo e animale.

La trasformazione dell'essere umano in animale – che nel folclore è frequente – è un ennesimo segno di identità elusa e tradita, in linea dunque con la tipologia dei diversi approdi delle peregrinazioni di Odisseo. Ma anche momento più forte, per i Greci, che nella guerra agli animali, prima ancora di riconoscersi come uomini civili, riconosceranno la propria natura. In pieno IV secolo Isocrate dirà che «la guerra più necessaria e più giusta è quella condotta [...] contro la ferocia delle fiere, e poi quella dei Greci contro i barbari» (*Panatenaico* 163). Numerosissime del resto sono le fonti antiche che stabiliscono una gerarchia fra conoscenza razionale e vaga sensibilità, fra vita umana e vita animalesca. L'inferiorità intellettuale degli animali verrà letta come causa della loro deficienza politica (si veda Aristotele, *Politica* 1253a 9-18): per chi vive della *polis* e nella *polis*, il senso dell'appartenenza definisce l'identità, e allo stesso tempo autorizza il dominio e la prevaricazione – ora attraverso la caccia, ora con il sacrificio cruento – su chi non ha parte delle medesime prerogative.

La non-umanità di Polifemo e dei Lestrigoni tocca il fondo con gli incantesimi di Circe: non è morte, ma è perdita completa di fisionomia – nei tratti esteriori, nella dieta di ghiande –, a dispetto di un residuo di coscienza, lo scodinzolare di lupi e leoni.

Viaggio non iniziatico quello di Odisseo, bensì riflessione di chi tocca molti luoghi – patria compresa –, che sono luoghi da conquistare innanzitutto con la consapevolezza del Sé, nel continuo confronto di volta in volta con l'animale, con l'incivile, con chi attenta a prerogative pensate come date e immutabili. Il fiore del loto, i Lestrigoni e i Ciclopi, i lupi, i leoni, i porci della maga sono emblematici di questa costante idea di identità che, in fondo, accompagna tutto il racconto – che abbandonerà i toni della favola, infine, ad Itaca, per ritradursi in termini concreti di recupero di un ruolo. «Sono Odisseo», dice l'eroe a Polifemo, e «tu sei Odisseo», dice di sapere da tempo Circe, che è dea: se le peripezie mettono a rischio continuo l'individuo, c'è chi poi può, e vuole, esibire questa identità, gelosamente conservata. A Polifemo essa è rivelata dalle parole di Odisseo, che riportano alla memoria del Ciclope un'antica profezia; e Circe chiede un nome, per poi rispondere lei stessa – ancora un'antica profezia. E un'altra profezia è quella cui si richiama Aliterse, nell'assemblea degli Itacesi: vent'anni e Odisseo tornerà. La profezia è memoria, e come tale è cogente. La venuta di Odisseo, dunque, è qualcosa che sembra iscritta nel destino di tutti: perché è l'arrivo, che potrà essere ritardato ma non eluso, dell'uomo civile, dell'uomo greco, del re, infine, in cui prendono corpo ordine e giustizia.

11. *Nel paese dei morti*

Le peripezie di Odisseo – e forse l'intero poema – suggeriscono al lettore, e prima ancora all'antico pubblico greco, una forte e costante pulsione di identità, della quale vengono di volta in volta definiti i confini: ora il confronto con uno strato pre-societario (quello dei Ciclopi, ma anche dei Lestrigoni), segnato dal pasto cannibalico, ora, con Circe, la distanza che separa l'uomo dall'animale e il rischio sempre in agguato di scadere al rango inferiore; ora, con Calipso, uno sconfinamento altrettanto illecito dell'uomo che acquisisce prerogative divine contrarie alla propria natura; Odisseo infine si situa sul discrimine della estrema opposizione, quella che radicalmente distingue i vivi dai morti.

Vicenda non nuova nell'immaginario greco, la catabasi all'Ade deriva ad Omero da saghe più antiche che avevano come protagonisti Eracle e Teseo, eroi «civilizzatori» per eccellenza: Teseo, insieme a Piritoo, aveva voluto, senza però riuscire nell'impresa, rapire la regina degli Inferi, Persefone; Eracle era sceso per compiere un'ennesima fatica, certo la più audace per un vivente, catturare il cane di Ade, Cerbero. Gli sviluppi successivi del tema sono assai più noti, dal viaggio di Enea in Virgilio a quello dantesco, sul quale si impernia l'intera *Commedia*.

«Fanciulle, ragazzi, vecchi che molto soffrirono, giovani donne dall'animo nuovo al dolore; molti guerrieri caduti in battaglia, colpiti da lance di bronzo, con le armi macchiate di sangue» (XI 38 ss.): dopo la descrizione del luogo negato alla luce – il paese dei Cimmeri immerso nella foschia e nella tenebra –, e prima degli incontri significativi, Omero offre l'immagine di tutta una umanità defunta, dolente in morte – lo dirà Achille – e già dolente in vita. È vero che nel pensiero greco arcaico e nell'*epos* manca una concezione chiara di una vita oltremondana, ed è assente senz'altro l'idea di una espiazione o di un destino eterno, ma questo primo, generico, quadro corale fissa «per sempre» la figura terrena nella sua unità: l'età della morte, il sesso, e ancora le macchie di sangue sulle armi del guerriero caduto in battaglia. Vedremo poi Minosse, intento ad espletare la sua funzione di giudice, Orione nella sua vecchia veste di cacciatore, Eracle infine negli atteggiamenti noti alla leggenda: e così Aiace, morto suicida per essere stato privato delle armi di Achille, manterrà il suo corruccio verso Odisseo, il responsabile dell'iniquo giudizio – quel silenzio offeso che a Virgilio suggerirà l'incontro di Enea con Didone: «non potevo credere di arrecarti con la mia partenza dolore così grande» (*Eneide* VI 463-64, trad. Ramous).

Se la *dike broton*, il destino degli uomini dopo la morte, destino descritto dalla madre di Odisseo, Anticlea, prevede una parvenza inconsistente – dopo l'azione del fuoco distruttore del corpo e dei nervi –, resta tuttavia una «forma», e resta un nome: così le eroine del primo catalogo (vv. 225-332) si presentano con la propria storia: permane un'idea di sé, una identità, sia pure mortificata, fra chi non vive più.

Sono parvenze, fumo – dice Omero –, ombra o sogno; l'immagine verrà potenziata con Pindaro che canta «l'uomo è il sogno di un'ombra» (*Pitica* VIII), con Shakespeare, «noi siamo della stessa sostanza dei sogni, e la nostra piccola vita è tutta cinta di sonno» (*La tempesta*, atto IV), con Borges, «non c'è volto che non sia sul punto di cancellarsi come il volto di un sogno» (*L'aleph*, trad. it. Milano 1986 [1952], p. 21). Un attimo estremo che reca con sé l'esperienza terrena, per diventare, nell'aldilà, esperienza totale – quasi quella entelechia che Auerbach (*Studi su Dante*, trad. it. con pref. di D. Della Terza, Milano 1984, in particolare cap. III) riconosce ai personaggi danteschi. È così che ogni anima «le sue pene diceva», e il dolore che invade il mondo dei morti è in realtà il dolore che accompagna il mondo dei vivi, ennesimo tratto della loro identità – identità che non a caso è segnata dal momento supremo della morte. Agamennone rivive nelle parole e nel ricordo il tradimento, l'agguato, l'oltraggio; Achille, che in vita aveva scelto di cadere in battaglia, giovane, per conquistare la gloria, ora rinuncerebbe a quell'effimero splendore per ottenere un'esistenza più lunga: come sottolinea Heubeck (nel commento a XI 488-503 nella collana Lorenzo Valla), egli rivive, da morto, quello slancio verso la vita che è analogo e inverso allo slancio che l'ha condotto alla morte, da vivo.

Nell'economia del racconto di Omero, questo viaggio all'Ade è superfluo: Circe, nel XII canto, potrà dare indicazioni più precise di quanto non faccia Tiresia. Viene da pensare che, come per il viaggio dantesco, e ben prima, la discesa agli inferi sia solo un'occasione di incontri, un aggancio alla vita reale, sia pure passata, per chi, come Odisseo, vive fuori dal tempo. Un'altra vivida immagine di questo mondo dove la vita è negata per sempre si avrà nell'ultimo canto, il XXIV, quando i Proci puniti scenderanno fra i morti; ma, a differenza della seconda catabasi, in questo primo viaggio rimane forte l'impressione dell'avventura terrena, l'impressione dell'umana vicenda, riportata alla memoria dal sangue – niente di più umano – delle vittime sacrificate da Odisseo.

Da questi incontri emergono storie trascorse, identità passate. A vedere il futuro è solo Tiresia, il vate che dà indicazioni generiche e pure feconde di sviluppi: per l'eroe ci sarà, dopo il ritorno, un nuovo viaggio, fino al paese di chi non conosce né il mare né il sale né il remo, e che anzi confonderà quest'ultimo con la pala che serve per separare la pula dal grano: ancora una volta l'opposizione fra un modello sedentario e il viaggio per mare, fra l'agricoltura e la pirateria, un'esperienza ambigua, cui seguirà per Odisseo la patria, la luce, la morte: un *thanatos ex halos*, una morte «lontano dal mare», come deve essere intesa, o una morte «che viene dal mare» – che però non risponde al testo di Omero – come molti hanno inteso e voluto, fino a fermare per sempre, nel nostro immaginario, il destino del «folle volo».

12. *Racconti di mare e di costa*

Nei quattro canti dedicati alla narrazione di Odisseo (IX-XII), il poema lascia intravedere le tracce di più antiche esperienze marinare: fin dalle epoche più remote, Cretesi e Fenici, cui in seguito si aggiunsero gli Eubei, guadagnarono fama di grandi navigatori, una fama del resto confermata dai reperti archeologici dislocati nei siti più vari – a disegnare una mappa delle molte terre toccate.

Sono memorie di una frequentazione del mare, ma soprattutto sono memorie di racconti, nei quali esperienze atroci vengono intese al divertimento: qualcuno ha voluto addirittura che Odisseo, giunto a Creta, si fosse appropriato di storie fenicie e le avesse presentate ad Alcinoo come sue avventure. In ogni caso il «racconto» – di Odisseo, di Omero, dei molti mercanti che, battendo le coste e risalendo i fiumi, avevano spaziato da oriente a occidente fino alle «terre alte» dell'Europa – sta a mediare il fatto reale, confondendone il referente per un verso, e per l'altro inserendolo nell'immaginario collettivo. Allo stesso tempo, ad ogni luogo di avventure viene dato un nome, che diventa strumento del controllo razionale dello spazio: uno pseudocontrollo, in verità – visto che ne risulta una geografia fantastica dove lo spezzettamento in unità discrete tra punti dello spazio interrompe la continuità del movimento e riduce lo spazio semplicemente a «luogo» –, ma altrettanto efficace e necessario, a suo modo, quanto una bussola o un portolano fra le mani di un navigante. C'è sempre il momento nella vita di ogni marinaio, in cui fallisce il passaggio di Capo Malea; la tempesta di Zeus, la perdita della rotta, una notte dai tratti metafisici, creano la frattura dal noto e dal consueto per introdurre in una dimensione altra e parallela, quella del *thauma*, dove ogni forma mitica rivive all'infinito e, paradossalmente, trae la sua forza proprio dal fatto di proporre prove impossibili.

Ecco allora le Sirene, donne bellissime dal canto ammaliatore, fonte di piacere e di conoscenza (XII 188), ma anche di rovina e di morte – è suggestivo il richiamo alla Lorelai delle favole tedesche, roccia a picco sul Reno, poi personificata in una incantatrice –, ultimo e definitivo incontro dell'Ulisse pascoliano; fatale lusinga e distrazione del marinaio, sarà destinata ad essere raccolta, fin dall'antichità, come potente metafora della seduzione intellettuale, di una scienza che obnubila la fede.

E poi le «Rupi erranti», già presenti nella saga preomerica di Giasone e della nave Argo: storie di fondali pericolosi, di scogli e di risacche che tradiscono la nave. Motivo che ha un suo doppio, sia pure più ricco ed elaborato, in Scilla e Cariddi, due esseri divini – ancora una volta femminili (in *Eneide* III 420-33 Scilla è rappresentata come una splendida fanciulla) – che stanno su vette altissime affrontate fra loro, e attendono i naviganti: non più promessa di conoscenza, però, a differenza delle Sirene, bensì la traduzione in termini di favola del mostro marino (forse gli squali che popolavano il Mediterraneo), e allo stesso tempo luogo di incontro di correnti diverse, luogo di gorghi e di vortici, luogo di rischi e di sciagure: localizzate dagli antichi ora in Sicilia (stretto di Messina) ora in Oriente (Bosforo o Mar Nero), riflettono un'esperienza comune a tutti i marinai, personificando quei pericoli che il mare può presentare dovunque.

Tra l'episodio di Scilla e quello di Cariddi, l'approdo all'isola Trinachia, una pausa alla navigazione che Odisseo vorrebbe evitare, ma che i suoi compagni esigono. Quella bonaccia, scesa all'improvviso in prossimità delle Sirene – a creare un clima di sospensione e di attesa –, qui diventa tempesta funzionale al racconto: la sosta prolungata oltre il previsto crea le condizioni della trasgressione al divieto e della condanna finale di tutto l'equipaggio: pur avvertiti, e pur avendo giurato di astenersi, i compagni mangeranno le vacche sacre al Sole e saranno puniti, perché empi e spergiuri, con la morte. Anche questa vicenda rientra in tutta una tipologia di approdi (o comunque di arrivi) nota al viaggiatore: ogni nuova tappa dell'ideale viaggio è segnata da regole di comportamento cui il nuovo arrivato deve sottostare – regole che sfidano il più delle volte l'identità del singolo o del gruppo. Non a caso, in un primo momento della sosta forzata, per non toccare le vacche sacre gli uomini di Odisseo si sfameranno nutrendosi di pesce e di uccelli, come di pesce vivono, in mancanza d'altro cibo, i compagni di Menelao a Faro (canto IV); se la dieta definisce la persona, l'alimentazione a base di carne caratterizza l'uomo greco – ed è perciò che il bottino della pesca e della caccia costituisce un'eccezione, un ripiego che può mettere in crisi una identità. Così, a parte la difficoltà concreta di approvvigionamento, la trasgressione ispirata da Euriloco traduce un'esperienza più generale: il desiderio di sopravvivere – alla superficie –, ma soprattutto la volontà di continuare ad essere se stessi, quella volontà che si esterna in primo luogo nell'alimentarsi, e nell'alimentarsi in un certo modo.

Sirene, Rupi erranti, Scilla e Cariddi, le vacche dell'isola di Trinachia esprimono dunque le molte facce del «viaggio»; se gli episodi dei primi tre canti della narrazione di Odisseo pongono il problema dell'uomo di fronte all'«altro», qui, nel dodicesimo, tutto si connota secondo la categoria del *thauma*, della meraviglia, del periglioso e del fatale, ma pur sempre prodigio – condizione prima di ogni «racconto» di chi viaggia: e a questo meccanismo soggiace in primo luogo il viaggio per mare, che comporta «distanze» culturali maggiormente segnate. Così troveremo *mirabilia* nel mondo antico – non solo l'Erodoto «bugiardo», ma anche le mille storie, tutte da meditare, che accompagnano le spedizioni di Alessandro –, nel medioevo, e ancora nell'impatto con il mondo nuovo, fecondo di «stranezze» e di prodigi: la letteratura di viaggio se ne fa carico, per toccare i vertici più alti con Conrad, e ancor prima con le «mitiche», in senso proprio, apparizioni di Moby Dick. Il linguaggio dei viaggiatori-naviganti media la realtà facendone leggenda: la prova è il viaggio stesso, e chi è tornato non può che parlarne – in prima persona come fa Odisseo – in termini di favola, cioè di sospensione della fiducia, o meglio di una credibilità intimamente legata al meraviglioso, nel linguaggio di quella soggettività che ha maturato pensieri e sentimenti.

13. *Sotto il segno del dio*

«Non vidi mai un dio amare in modo così palese come visibilmente Atena gli stava accanto» (III 221-22). Così Nestore parla a Telemaco della protezione divina accordata a Odisseo. Un amore che tace per nove lunghi anni – fra la partenza da Troia e l'arrivo a

Scheria. Ma questa assenza, come fa intendere Atena, dipende dagli equilibri sottili che regolano anche i rapporti fra gli dei dell'Olimpo: a causa di Polifemo, Poseidone ha odiato e perseguitato l'eroe, con l'assenso di Zeus sempre attento – come nell'*Iliade*, quando gli Achei costruirono il muro (canto XI) – ai diritti divini. Ma anche gli dei recedono dalle loro passioni, in nome di un ordine il cui ristabilimento può essere ritardato – il tempo degli immortali è infinito –, ma non disatteso.

L'*Iliade* aveva mostrato due mondi speculari e complessi, quello degli uomini sul campo di battaglia e quello degli dei che possiedono il cielo; ma aveva offerto anche lo spettacolo di una partecipazione attiva costante degli dei alle cose degli uomini. Entrano in scena un po' tutti – tranne Zeus, che guarda, giudica, dirime dall'alto –, da Poseidone ad Apollo, da Era ad Afrodite, a Hermes, a Efesto. Ma più ancora Ares, e più di lui Atena, che sono entrambi dei della guerra, schierati però in campi avversi: persino sbalzati sullo scudo di Achille alla guida di uomini armati, essi costituiscono nell'*Iliade* quella coppia di «opposti» che verrà sostituita nell'*Odissea* dalla coppia Atena-Poseidone.

Tra l'uno e l'altro poema Atena rappresenta dunque l'unico elemento di continuità di una presenza divina fra gli uomini, che nell'*Odissea* è notevolmente ridotta: Ares, Afrodite ed Efesto – gli adulteri e il marito tradito – sono solo il tema del canto dell'aedo Demodoco (canto VIII); Zeus, Poseidone e il Sole stanno dietro le quinte, e i loro interventi – presagi o tempeste – non sfociano mai in una relazione diretta con l'uomo; altri esseri immortali compaiono, ostili, come le Sirene e Scilla e Cariddi, o benevoli, come Circe e Calipso, che traducono, al negativo o al positivo, quel senso di immanenza del divino che pervade la mentalità greca arcaica.

In rapporto con Odisseo entrano soltanto Hermes ed Atena. Il primo, che avverte Calipso dell'ordine di Zeus di lasciar andare l'eroe (canto V) e che guida i Proci nell'Ade (canto XXIV), ha un ruolo di spicco – per la vicenda narrata – almeno in tre casi diversi. Come nell'ultimo canto dell'*Iliade* aveva guidato il vecchio re Priamo al campo dei Danai e alla tenda di Achille, e lo aveva poi nuovamente scortato sulla via del ritorno in città, così nell'isola Eea (canto X) Hermes si fa incontro a Odisseo e gli suggerisce il modo di rendere vani i filtri di Circe: nell'una e nell'altra vicenda si mostra come dio «benefico» (*eriounios* è il suo epiteto), che interviene propizio e risolve situazioni di pericolo certo.

Gli altri due sono meno diretti ma non meno significativi per la storia dell'eroe e per i suoi riflessi nell'immaginario collettivo. L'uno concerne la protezione accordata dal dio ad Autolico, il nonno dell'eroe (canto XIX, si veda «*L'uomo, cantami, dea*»): le molte valenze del dio si trasferiscono, tramite la discendenza dal «ladro e spergiuro», su Odisseo. Sotto il segno di Hermes – come ammette lo stesso «mendico» (XV 319 ss.) – ecco allora riemergere il protagonista di saghe preelleniche, più *trickster* che eroe, più impostore che antagonista aperto e leale, quel personaggio cui Omero volle riservare una coerenza e una dignità superiori, ma che in realtà rimase sempre vivo nella sensibilità greca come l'uomo della parola ingannatrice e della frode (per tutti, Pindaro, *Nemea VIII*, nella quale è esplicita la condanna morale).

Nell'ultimo caso si ricorda l'aiuto prestato da Hermes ad Eracle (XI 626), personaggio che presenta molti tratti comuni con Odisseo: figura preellenica, come lui fa dell'arco il suo simbolo, come lui «sopporta» le prove imposte dagli dei e dagli uomini, come lui scende nel regno dei morti, come lui, infine, si fa paradigma dell'uomo greco: l'uno, Eracle, è portatore di civiltà e stabilisce i confini, mentre l'altro, Odisseo, è suo legittimo erede nel momento in cui interpreta e propone ogni sua relazione con l'«altro» attraverso la lente della somiglianza e della differenza, attraverso insomma il senso del limite e la chiara consapevolezza della propria identità.

Se la lontana presenza di Hermes rinvia a una natura truffaldina, non si può dire altrettanto di Atena, una delle divinità maggiori e più amate del pantheon olimpico. Ma già nell'*Iliade* vediamo comparire in lei, sia pure occasionalmente, quei tratti che diverranno abituali per il pubblico dell'*Odissea*; si manifesta a chi vuole (si veda Achille, canto I) senza che gli altri la scorgano, e di chi vuole prende l'aspetto (si veda con Ettore, canto XXII) per illudere e ingannare da un lato, per aiutare dall'altro. Nell'*Odissea* i suoi travestimenti si fanno più frequenti: ora Mente, ora Mentore, ora fanciulla portatrice d'acqua, ora giovane pastore, ora sorella della regina, ora rondine; ora, infine, in un passo di grande effetto poetico, è chiarore diffuso, mentre padre e figlio depongono le armi – e Telemaco avverte, dietro questa luce, la presenza del nume. Quella che nel più antico poema era una delle tante possibili manifestazioni divine, in un mondo impregnato di tali presenze, nel romanzo di Odisseo diventa un motivo costante, tanto più significativo se vengono messi a confronto i travestimenti della dea con quelli dell'eroe prediletto. Di un unico, uguale, strumento si avvalgono entrambi, quello della falsa identità – nell'aspetto, nel nome –, al punto di ingannarsi a vicenda: è a metà del poema che ad Atena-pastore Odisseo fornisce la sua prima versione «cretese» (XIII 256 ss.), e che la dea riconduce questo incontro di «mentitori» alle rispettive nature.

Gli dei sono più grandi degli uomini – aveva spiegato il poeta dell'*Iliade* (canto XVIII): ma la diversa «quantità» non intacca la «qualità» delle doti. Così è Atena a spiegare (XIII 297 ss.) che Odisseo vale come esempio fra gli uomini di *boule* e di *mythoi*, laddove tra gli dei a lei spetta il primato di *metis* e di *kerdea*. È dunque sotto il segno di Atena che l'eroe meglio ritrova la propria natura. Fra Hermes e la dea dagli occhi lucenti è intercorso il canto di Omero, che ha promosso i sotterfugi del *trickster* alla dignità di valori.

14. *I servi fedeli*

Viaggiare, per necessità come per scelta, significa entrare in relazione con altri: questa relazione si esplica nella duplice forma di accoglienza o di rifiuto, di ospitalità o di ostilità. Le avventure di Odisseo si raccolgono intorno a questi due grandi filoni: da un lato, sotto il segno della negatività estrema, compaiono il Ciclope e i Lestrigoni, e dall'altro i Feaci, al polo opposto, dove lo slancio verso l'ospite è tale da ignorare persino la minaccia di una punizione divina per l'aiuto accordato allo straniero inviso agli dei.

Anche in Itaca il rapportarsi all'altro è continuo, e le modalità di esercizio di questo stesso rapporto costituiscono la misura della «giustizia» del cuore: ospitalità e giustizia, come si è visto, vanno insieme. L'accoglienza dello straniero o del supplice, che pervade l'intera cultura greca, introduce a quella dimensione particolarissima della reciprocità, che informa ogni tipo di transazione sociale. Nella reggia di Lacedemone, allo scudiero incerto se accogliere gli ospiti Menelao risponde: «anche noi siamo tornati a casa dopo aver spesso mangiato alla mensa ospitale di gente straniera» (IV 33 s.). E quando Atena, sotto le sembianze di Mente, si presenta a palazzo, Telemaco si irrita nel vedere che l'ospite resta troppo a lungo sulla soglia: gli va quindi incontro, gli prende la mano, si fa dare la lancia, gli dà il benvenuto, e lo fa sedere a banchetto, rimandando i discorsi alla fine del pranzo (canto I) – secondo un rituale che viene ovunque osservato.

Ma a tali norme non si conformano solo le case dei ricchi e dei re; anche la casa del povero, del servitore, onora le leggi che rendono l'ospite inviolabile e sacro: «Non è mio costume, straniero, trattare male un ospite, anche se fosse più malridotto di te. Stranieri e mendicanti, è Zeus che li manda, il dono che possiamo offrire è piccolo ma sincero» (XIV 56-58); e ancora: «Non è per questo che io ti ospito e ti rispetto, ma per timore di Zeus protettore degli ospiti, e perché mi fai pena» (*ibidem* 386-89): con questa chiara convinzione Eumeo segue punto per punto i diversi momenti della accoglienza. Eumeo, figlio di Ctesio re dell'isola Siría (XV 403 ss.), di origine nobile quindi, come anche Euriclea, la balia di Odisseo, era stato rapito da una serva fenicia e poi acquistato da Laerte ancora bambino: succede, in un mondo in cui essere schiavi non è condizione originaria, bensì conseguenza di guerre, razzie, rapimenti. Diversamente da Euriclea, che risiede a palazzo a stretto contatto con quelli di casa, Eumeo abita fuori, lontano, isolato, fra cani da guardia e maiali che ha avuto in consegna. La sua vita non differisce di tanto da quella del vecchio Laerte, il padre di Odisseo, che vive in un podere a giardino, agli estremi confini dell'isola, ricordando il figlio perduto. Se «materna» è la nostalgia di Euriclea per il padrone lontano, che essa ha cresciuto da piccolo, «filiale» è il rimpianto di Eumeo, perché un servo comprato può riconoscersi solo là dove responsabilità e ruoli precisi regolano la vita del gruppo: come in una famiglia, si intravede una società strutturata a piramide, con una base e un vertice, esattamente come i figli col padre, e la figura di Odisseo è rimpianta proprio come quella del «padre» (cfr. II 234).

L'ordine societario garantisce anche il servo, che ha parte nei suoi meccanismi, e non è escluso neppure dalla circolazione dei beni: il suo recarsi dai padroni, che è motivo di sicurezza per il lavoro da svolgere, è anche segnato dal «dono» che egli si porta nei campi (XV 365-79).

Se l'ordine, e la fedeltà ad esso, comporta il rispetto di tutta una prassi nella quale rientra anche l'accoglienza del supplice, inversamente l'adesione al nuovo stato che si è venuto a creare, l'incertezza dei diritti, il contrasto fra le diverse «ragioni» – di Telemaco, dei Pretendenti –, implica anche un diverso modo di porsi nelle transazioni sociali. Ed ecco, con la figura del servo infedele, l'altra faccia dell'ospitalità: l'insulto, l'offesa, l'accoglienza negata. La condotta del capraio Melanzio o della serva Melanto con l'ospite diventa il primo segno del tradimento avvenuto.

Parallelamente, la non disponibilità verso l'ospite è intimamente connessa con una disponibilità verso l'usurpatore: per le ancelle, tale disponibilità si manifesta a livello sessuale – è l'unirsi in amore coi Proci. Questo aspetto del sesso non va sottovalutato, in quanto è invece simbolicamente connesso con l'acquisizione del potere. Unirsi con la madre – insegnerà Edipo – e uccidere il padre fanno parte di uno stesso universo di segni; senza patricidio, ma con un analogo legame di sesso e di potere, l'unione di Egisto con Clitennestra crea la coppia assassina che si impadronisce del regno di Agamennone. Per i Proci, la volontà di sposare Penelope diventa aspirazione ad un patrimonio ma anche al potere che, prima, deteneva Odisseo; proprio come il ritrovarsi dei due sposi è la premessa necessaria della restaurazione – e in questo senso la fedeltà di Penelope è funzionale al pieno ritorno di Odisseo.

Inoltre, le serve che fanno l'amore con i Pretendenti creano una frattura fra loro e i padroni, si schierano dalla parte degli avversari, si proiettano infine verso un assetto senz'altro nuovo e diverso. Inversamente, perciò, l'astenersi dall'esercizio del sesso – Laerte ed Euriclea, ormai vecchi, ma anche Eumeo nella sua solitudine e soprattutto Penelope, che non si concede alle nozze – è la prova del cuore fedele: al padrone, al marito, e infine anche a un ordine che, pur minacciato, costituisce un punto di riferimento cui non si può rinunciare senza il rischio di perdere l'identità personale.

15. I presagi e la caccia

Che Troia debba cadere il pubblico dell'*Iliade* già lo sa, anche se il poema non lo narra; troppe anticipazioni, troppi segni concorrono alla soluzione finale – dalle parole che Ettore rivolge alla moglie (canto VI), alla storia del muro di legno (canto XII), al particolare del «velo» che Andromaca perde nella sua folle corsa verso i bastioni (canto XXII). Dietro le quinte stanno gli dei con i loro disegni, e Moira, il destino, che stabilisce ogni cosa.

L'*Odissea* si apre con il quadro di una situazione difficile, ma non disperata, e con un concilio divino nel corso del quale Atena si fa promotrice – e sarà poi garante – di un ritorno; il poema si chiude su quell'isola, Itaca, che ha ritrovato il suo ordine antico – una conclusione che dovrebbe avere il suo parallelo nell'*Iliade*, con l'incontro finale di Priamo e di Achille, l'episodio nel quale le due parti nemiche si compongono per un breve lasso di tempo.

Nell'uno come nell'altro poema gli dei sono presenti, e si manifestano nel modo che è loro proprio, e sempre con intenzioni precise, dai contorni più o meno ampi. Nell'*Odissea* c'è un piano complesso e mirato, nel quale molti elementi valgono come anticipazione e commento. Quello che già sappiamo – Odisseo tornerà – trova le sue ulteriori conferme, e nelle immagini dei diversi presagi si condensa sempre l'identica storia.

Gli dei si rivelano – già i Feaci lo sanno. E mentre Odisseo improvvisa le sue diverse identità – l'attenzione del pubblico è presa da queste sempre nuove invenzioni –, gli dei danno indicazioni che il buon interprete può sempre tradurre.

Agnostos (ma anche *aistos*, *apystos*), ignoto, sconosciuto, irriconoscibile, è Odisseo: perché così vuole la sua mente astuta e la prudenza di Atena, e perché il lungo viaggio gli ha sottratto tutto ciò con cui era partito – navi, compagni, il bottino di Troia –, gli ha tolto cioè quegli attributi di re e di guerriero che potevano definirne l'identità agli occhi del gruppo: chi non ha ruolo, chi non porta ricchezze con sé non è nulla, e può solo godere di una posizione sociale di margine. Ma c'è una dimensione divina, per la quale niente si oscura perdendo i suoi tratti, e che interagisce con il mondo degli uomini dando loro dei segni. Ora si tratta soltanto di un cenno che condanna o, al contrario, che approva: messe a cucinare, muggiscono le carni delle vacche del Sole (canto XII), e questo assurdo muggito, che è presagio funesto, anticipa l'altrettanto assurdo riso sfrenato dei Proci: la somiglianza delle due situazioni rimanda alla colpa della quale gli uni e gli altri – i Pretendenti e i compagni di Odisseo – si sono macchiati, e alla punizione che meritano. Ma c'è anche il tuono di Zeus, quando l'arco viene teso da Odisseo, ad indicare che l'ora è venuta perché la giustizia trionfi. Ora invece i segni si fanno più articolati e complessi. Sono prodigi: le due aquile che solcano il cielo nel corso dell'assemblea (canto II), l'aquila e l'oca a Sparta (canto XV), il falco e la colomba quando Telemaco approda nuovamente a Itaca (canto XV), l'aquila e le oche nel sogno di Penelope (canto XIX), l'aquila e la colomba mentre i Proci discutono se uccidere Telemaco (canto XX). Tranne che nel primo caso nel quale le due aquile (Odisseo e Telemaco) parrebbero andare in sintonia, gli altri esempi propongono sempre una coppia oppositiva, un rapace (l'aquila cara a Zeus, il falco di Apollo) e un uccello mansueto o da cortile (oca, colomba); a un estremo sta la forza vincente, all'altro una incapacità di lottare e quindi una sconfitta sicura. Odisseo, l'*agnostos*, viene in realtà «riconosciuto» (da Aliterse, da Elena, da Teoclimeno) senza ambiguità nel rapace, laddove i Pretendenti saranno le sue vittime: i diversi presagi prefigurano lo scontro in modo univoco: sono chiari i ruoli, chiare le prerogative dell'una e dell'altra parte, chiaro il fatto che l'impatto non sarà pacifico, non avrà composizione, sarà invece cruento.

Simulazione e anticipazione interagiscono dunque nel poema; menzogne e frammenti di verità concorrono all'esito finale in cui tutto si rivela e ogni tratto guadagna la sua giusta collocazione. Le immagini offerte dai presagi hanno un parallelo in similitudini che rimandano ancora una volta ad animali predatori – valga per tutti il paragone del leone che uccide la cerva con tutti i suoi piccoli (IV 335 ss.), o che divora un bue (XXII 402). E una scena di caccia è sbalzata anche sul fermaglio del mantello purpureo che Odisseo indossava a Creta: un cane che tiene fra le zampe anteriori un cerbiatto screziato (XIX 227 s.). C'è poi la cicatrice sulla coscia dell'eroe, che dà l'occasione per raccontare una storia: è la caccia al cinghiale cui Odisseo partecipa sul monte Parnaso con i figli di Autolico – il nonno; la prima caccia della sua vita, rituale passaggio al mondo degli adulti, ma anche prefigurazione di quell'altra «caccia», a danno dei Proci, che lo vedrà protagonista e vincitore. Proprio a una scena di caccia rimanda, con una similitudine, il poeta, che descrive la strage (XXII 302 ss.); e al medesimo universo simbolico appartiene la punizione esemplare delle serve infedeli, che fanno la fine di tordi o colombe presi nella rete (XXII 468 ss.): mentre i corpi esanimi dei Pretendenti vengono visti come pesci senza vita, ammucchiati dopo la pesca – ed è un altro aspetto della predazione (XXII 384 ss.).

Fino al riconoscimento completo, Odisseo «ha» dunque una sua identità: è aquila, falco, avvoltoio, cane, leone. Il confronto con quest'ultimo è già noto al pubblico dell'*Iliade*, nella quale è leone, appunto, il guerriero che infuria nella battaglia (Ettore, Achille). Nell'*Odissea*, la strage è una nuova *aristeia*, la prova più alta che suggella il valore: ma al di là di certi tratti epico-eroici che richiamano il modello iliadico – il rivestire le armi, o la descrizione dei colpi centrati e dei corpi caduti, come le androctasie del più antico poema –, è una *aristeia* che non sta più sotto il segno del duello o della battaglia, bensì sotto quello della caccia cui Odisseo era stato iniziato, e dell'arco mai rimosso da Itaca. Alla strage seguirà una nuova *aristeia*, quella che vede Odisseo a confronto con i parenti dei Proci, avidi di vendicarsi. Lo scontro vorrebbe elevarsi allo stile eroico della battaglia campale: ma Laerte – a differenza di Nestore – non ha neppure un passato guerriero da ricordare, Eumeo, Dolio e Filezio sono soltanto servi di casa, Telemaco della guerra ha solo sentito parlare; e lo stesso Odisseo non è convincente nel suo vecchio ruolo di capo di armati. Il mondo dell'*Iliade* è definitivamente scomparso; per mezzo dell'intervento di Atena l'*Odissea* si conclude in una prospettiva nuova e diversa, quella del «patto» sul quale si costruisce la pace.

16. Il ritratto di Odisseo

I tratti somatici di Odisseo non ci sono noti, se non per induzione da rilievi occasionali e di minimo peso.

Del resto, il mondo greco arcaico, e in fondo anche quello classico del teatro tragico, ignora i modi di una descrizione fisica, più o meno dettagliata. Anche di Elena, la donna più bella, sappiamo poco o niente, e per immaginare un ricciolo dei suoi capelli dovremo aspettare l'*Oreste* di Euripide (vv. 128-29), dove, attraverso gli occhi di Elettra, scorgiamo la cautela di Elena nel recidersi la chioma per non sciuparne la «bellezza»: ancora una volta restiamo nel vago cui Omero ha abituato il suo pubblico.

L'aspetto della persona è reso attraverso l'impressione che esso suscita. Nell'*Iliade*, la grande bellezza di Elena si traduce nello stupore di chi la vede arrivare sulle mura (canto III). Di alcuni eroi conosciamo i capelli biondi o bruni: Achille e Menelao, senz'altro – come i discendenti dei Normanni in Sicilia –, presentano caratteristiche estranee all'uomo mediterraneo, e perciò, nella loro eccezionalità, belle per definizione. I capelli di Ettore invece sono scuri, ma l'immagine omerica di questa testa lordata dalla polvere guarda piuttosto ai capelli in sé: essi valgono come presenza simbolica in un mondo di eroi dove si muore «giovani», e dunque con una chioma ancora intatta. Della carnagione del guerriero – Ettore ancora – il poeta sottolinea la delicatezza, altro particolare significativo, che contrasta con l'incarnato di gente che vive in un paesaggio arso dal sole.

Tutto il resto ci sfugge, eccetto la «grandezza» del corpo del guerriero, che, nell'*Iliade*, sul campo di battaglia si traduce in forza fisica (nell'*Odissea* è la forza e la violenza del Ciclope, dei Lestrigoni, dei «mostri» marini). È Agamennone, il capo supremo dell'esercito acheo, ad avere un corpo imponente e maestoso (*Iliade* III): la statura si impone alla vista sia come affermazione di ruolo e carisma (nel guardare Agamennone, Priamo «riconosce» in lui un re), sia come riferimento sicuro alla bellezza. Nell'*Odissea* Atena spesso interviene sull'aspetto dei suoi protetti per renderli più piacenti: fra i «ritocchi» c'è anche quello di farli più eretti e più alti (così con Penelope, con Odisseo, con Laerte) – rilievo, questo, da intendersi in rapporto a una popolazione mediterranea certo non longilinea.

Sulla descrizione fisica prevale dunque l'effetto complessivo, un effetto indotto più dalle qualità riconosciute da tutti, e dunque oggettivate, che da singoli tratti del corpo e del volto. Elena è bella perché è tale per tutti: è un mondo, quello arcaico, nel quale il consenso, o viceversa la condanna collettiva, fondano l'identità della persona. Al contrario del «bello», i tratti della bruttezza assoluta sono descritti, in Tersite: ma la sua bruttezza fisica, sulla quale Omero tanto insiste, è solo il sintomo di una bruttezza interiore. Nel mondo dell'*epos*, le qualità esteriori sono la proiezione e il riflesso delle qualità morali; e l'aspetto vale come primo impatto dell'individuo, nella sua totalità più profonda, con gli altri, e, per ciò cui rimanda, entra a far parte di tutto il sistema relazionale.

Doti impalpabili, astratte. A questa norma non sfugge neppure Odisseo. La notazione sulla sua non alta statura («di una testa è più basso del figlio di Atreo, ma ha il petto più largo, e le spalle», così lo vede Priamo, *Iliade* III 193-94; «se stavano in piedi Menelao superava Odisseo di tutte le spalle», ricorda Antenore, *ibidem* 210) è inversamente funzionale alla sua superiorità, in consiglio, nell'uso della parola: «quando invece sedevano era più maestoso Odisseo» (*ibidem* 211: il termine impiegato, *geraroteros*, richiama a una sorta di venerazione, a un carisma legato alle particolari qualità dell'eroe). È una abilità, quella del dire, che rende secondario il suo aspetto (*ibidem* 224).

L'*Odissea* non è più generosa dell'*Iliade* in fatto di descrizioni; una sola volta, per l'eroe, si parla di «biondi capelli» (XIII 399, in contraddizione con il «colorito bruno» e con la barba «scura» di

XVI 175-76), ma è più un generico richiamo epico alla «bellezza» che non un tratto peculiare di Odisseo. In due sole occasioni il pubblico vede, stupito, le sue solide cosce, il suo corpo robusto, che contrastano con il logorio di una vita raminga (VIII 134-36, XVIII 67-69). Per il resto, di lui sappiamo soltanto quello che prova – rabbia disperazione tormento –, e soprattutto quello che fa e quello che dice. La sua esteriorità si risolve nei «travestimenti», nelle identità che di volta in volta egli assume, in una continua separazione fra essere e apparire, fra interno ed esterno: la sua capacità di controllarsi e la scelta di mentire nascono da una stessa tensione fra il fuori e il dentro, fra il mostrarsi per quello che è e il mostrarsi come altro da sé.

Questa tensione costante, che arriva al culmine nella negazione del nome con Polifemo e del suo vero essere con i Pretendenti, e che nel «ritorno» cerca il proprio superamento in vista di una rinnovata consonanza di essere e di apparire, è del tutto sconosciuta all'*Iliade* e al suo eroe principale, Achille. Se la tradizione postomerica, raccogliendo episodi accantonati da Omero, o relegati nell'ombra – Filottete, Aiace, Palamede –, connette intrigo e menzogne, e fa di Odisseo un personaggio che è l'esatto contrario dell'uomo che si ispira a giustizia, a ragione premiato per questo – estremo messaggio del poema –, è Platone che per primo chiaramente inserisce Achille e Odisseo in un sistema dal quale risalta la fisionomia peculiare di ciascuno dei due (*Ippia minore*), ma anche l'incommensurabile distanza fra i due poemi. Tale sistema prevede la «verità» come metro, e fa dell'intenzionale mentire di Odisseo la prima espressione di una profondità soggettiva ignota alle culture più semplici: travestimento, in altri termini, di panni e parole, che è a un tempo un fine e un mezzo, un diletto («rise il mio cuore perché il mio nome e la mia nobile mente l'avevano tratto in inganno», IX 413-14) e un rapido calcolo per salvare la vita. Teti aveva avvertito il figlio sul senso ultimo della sua azione; Xanto, il cavallo divino, gli rivolge parole: «Ti salveremo ancora una volta, fortissimo Achille; ma ti è vicino il giorno fatale [...] noi potremo sfidare il soffio di Zefiro, che è il più veloce dei venti, ma è destino che tu sia abbattuto da un uomo mortale e da un dio» (*Iliade* XIX 408 ss.). Ciò che Achille ignora, risparmiarsi la vita, lo conosce molto bene Odisseo: la simulazione che pervade l'intero poema e vale a proteggere la soggettività dell'eroe non contempla il sacrificio di sé.

17. La violenza dei Proci

«Fino al livido cielo» dice Odisseo «giunge la loro violenza superba» (XVII 565 s., così anche Penelope ai vv. 587-88). Il canto XVII, ambientato nella sala grande della reggia, dà più di ogni altro la misura dello strapotere e della libertà che si arrogano questi ospiti non desiderati. Sullo sperpero dei beni e sulla tracotanza dei Proci – sarebbero centootto, dal computo di Telemaco al padre – si insiste in tutto il poema, sia negli epiteti, che, variamente sfumati, rimandano alla trasgressione e all'eccesso, sia nei molti rilievi che definiscono i loro atti.

Aischea polla, assai turpe (I 229, cfr. II 63), definisce Mente, ospite di Telemaco, lo spettacolo dei Proci a banchetto: il termine, che ha una risonanza morale, richiama tutto un sistema relazionale le cui norme vengono eluse: «sempre divorano cibo, stoltamente e senza scopo» (XVI 110-11) – la loro presenza, cioè, non entra in quel circuito di scambio che caratterizza il mondo omerico in generale, e il banchetto in particolare. Possono dunque essere definiti «ingiusti» (si veda p. es. II 282), colpevoli di quella stessa «ingiustizia» riscontrata fra i Ciclopi; e l'accento posto con insistenza sul sopruso e sulla protervia varrà a giustificazione della strage atroce perpetrata alla fine.

Nello stesso tempo, dei Pretendenti si dice che «non hanno saggezza» (sempre II 282): fin dall'inizio del racconto si mostrano incapaci di prevedere il destino di morte («non sanno di morire tutti in un giorno»): molti sono i prodigi – a cominciare da quello delle due aquile nel corso dell'assemblea (canto II) –, molte le premonizioni (Aliterse, Teoclimeno, lo stesso Odisseo), ma la reazione non supera un generico «stupore» – davanti alla determinazione, per loro nuova e inattesa, dimostrata da Telemaco, o alla vista delle cosce forti e robuste del falso mendicante pronto a ingaggiare la lotta con Iro –, oppure un vago «turbamento», come quello di Anfinomo alle predizioni chiare di Odisseo; neppure quando l'eroe chiede, ottiene e tende l'arco e con la freccia infila le dodici scuri, essi comprendono – e Antinoo continua a bere vino dalla sua coppa; così come non intendono quando vedono cadere proprio Antinoo per mano di quello che insistono ancora a chiamare «straniero» (XXII 27). I Proci non «vedono», e la loro vicenda diventa esemplare: così, in Trinachia, i compagni di Odisseo non «sentono» il muggito delle carni di vacca arrostite; così Polifemo, pur avvertito dalla profezia, non sospetta dell'identità del suo ospite, un «uomo da nulla» agli occhi di chi sa apprezzare solo la forza fisica: come il Ciclope, anche i Pretendenti sottovaluteranno Odisseo, sulla soglia, vestito di cenci, accattone – in un'immagine sociale, ancora un «uomo da nulla». L'incomprensione diviene una colpa: e non c'è scampo, perché pecca chi non ascolta, ma inversamente non ascolta chi pecca.

Follia e cecità stanno dietro la loro condotta, orchestrata da una mente divina, quella di Atena: la dea che fa in modo che i Proci insistano con «i loro insulti crudeli, perché ancora più a fondo nel cuore di Odisseo penetrasse il dolore» (XVIII 346-48; si vedano XX 285 ss.), un dolore esasperato che gli fa «urlare» il cuore nel petto (XX 9) – e reclama perciò una vendetta totale. Fino allo sconvolgimento completo (XX 345 ss.) che si manifesta in un riso strano e sfrenato, misto ad una gran voglia di piangere, quel pianto anticipato, senza saperlo, sulla propria fine luttuosa.

Ma l'abile regia del poeta non si esaurisce in questi indizi, segnali che preparano l'ascoltatore alla soluzione nel canto XXII, e che nello stesso tempo motivano l'estrema crudeltà della vendetta. Premessa necessaria è, a differenza dell'*Iliade* dove Ate sconvolge le menti, che gli uomini siano gli unici veri responsabili dei loro atti, come sottolinea Zeus all'inizio del poema: il colpevole paga, mentre la punizione riporta la vita del gruppo entro i limiti consentiti.

L'ingiustizia e l'incomprensione dei Proci hanno un parallelo nel comportamento di Egisto, l'amante di Clitennestra e l'uccisore di Agamennone, in una storia che è speculare a quella di Odisseo. I Proci, come Egisto, attentano al letto dell'eroe e al suo potere (cose, queste, che non vanno distinte); i Proci, come Egisto, si muovono sotto il segno dell'eccesso (si veda, I 34 e 35, *hyper moron*, letteralmente «al di là del consentito»). Come l'azione di Egisto è consapevole (si veda *eidos*, I 37), e questi, pur avvisato dagli dei tramite Hermes, non si cura dei divieti né della vendetta di Oreste, così non viene raccolto dai Proci l'avvertimento di Aliterse e la profezia dei vent'anni: «e della profezia» dice Eurimaco «non ci curiamo» (II 201): ottenebrati, l'uno e gli altri, da una volontà cui non sanno resistere, da una pulsione di morte.

È insistente questo parallelismo per essere casuale. La conclusione di questa duplice vicenda dai particolari troppo somiglianti verrà nell'ultimo canto, dove le anime dei Proci, gli offensori di

Odisseo, incontreranno l'anima di Agamennone, offeso da Egisto, e se già Oreste ha fatto vendetta in nome del padre, saranno i Pretendenti, con la loro morte, a espiare tutto il dolore dell'infelice ritorno del condottiero acheo, sarà il racconto dell'azione di Odisseo a soddisfare l'ansia di giustizia di chi non è potuto morire in battaglia con gloria, ma è caduto per l'ignobile inganno di un vile.

18. *Odisseo, guerriero e contadino*

La società dell'*Odissea* si mostra sufficientemente complessa e articolata, segno che la divisione del lavoro ha già raggiunto un grado notevole di elaborazione e di specializzazione. Vi è un passato guerriero che riemerge nei discorsi di chi è felicemente tornato; si coglie l'esistenza di una attività di rapina e di pirateria, accolta nella morale come uno dei tanti modi di sopravvivenza o di arricchimento legittimi; fa la sua comparsa quella figura di mercante che adombra i commerci già fiorenti in età minoico-micenea, e poi sviluppatisi a ritmo pieno fra le genti del continente e delle isole.

Oltre a queste, si lasciano intravedere altre attività: dall'«artigianato», che nell'*Iliade* si scorgeva appena: cantori, falegnami, fabbri, medici, indovini, tutto un mondo di non-guerrieri – forse perché stranieri, o di condizione servile – sui quali graverà, nei secoli successivi, il giudizio negativo e generalizzato di disamore per la patria (per tutti si veda Senofonte nell'*Economico*). Inoltre nell'*Odissea* hanno un loro spazio i campi coltivati dall'uomo, le vigne, i recinti per le bestie (buoi, capre, pecore, maiali), che nell'*Iliade* comparivano solo nelle similitudini – scene di pace contro scene di guerra; e in questi contesti rurali si definiscono le figure di bovari, di porcari, di pastori, di contadini – servi comprati o braccianti, liberi. Nella casa o nella reggia, intanto, sotto la guida della padrona, le ancelle provvedono ai bisogni ordinari e ai lavori di tessitura – anche le dee, come Circe o Calipso, si dedicano a questa attività, che nell'immaginario assurge a mansione femminile primaria.

Nella sua ricca articolazione, la società odisseica nel suo complesso si distingue dalla società guerriera dell'*Iliade*. A Scheria, le parole con le quali Eurialo riconosce nell'ospite un mercante (VIII 158 ss.) implicano, come *arrière pensée*, una incapacità di gareggiare, laddove la dimostrazione di Odisseo, che afferra un disco e

ELISA AVEZZÙ

lo lancia a grandissima distanza, vale come affermazione di appartenenza al mondo degli atleti, che è poi il mondo degli eroi.

Identità eróica di Odisseo, che prelude al suo pieno rivelarsi ai Feaci, e che ricompare qua e là nel poema, come quando, nella capanna di Eumeo, il mendico racconta di un agguato notturno, sotto le mura di Troia, cui avrebbe partecipato insieme con Odisseo e Menelao (XIV 469 ss.): anche nel modo di presentarsi a Polifemo, pur tacendo prima e poi mentendo il nome, svelandolo solo alla fine dell'avventura, Odisseo si presenta come Acheo, reduce da Troia, guerriero agli ordini di Agamennone, che ha ottenuto fama con la distruzione di una città grandissima, con lo sterminio di molte genti (IX 259-66): a dirigere le sue parole è la consapevolezza di sé, di quel suo passato che dovrebbe, nelle attese, suscitare stupore e ammirazione. Pur nell'anonimato, anche questo vale come autopresentazione, se non fosse – e lo si saprà poi – che il Ciclope non appartiene al consorzio degli uomini «civili», cioè ellenizzati, e dunque è per lui irrilevante la guerra, anche la più famosa, e sconosciuto il nome dell'Atride.

Il passato di guerriero fa capolino più volte, ora nel lessico, ora negli atteggiamenti: epica è la situazione, e la descrizione relativa, nella terra dei Ciconi (canto IX), dove si svolge una normale azione di saccheggio; epico-eroico, ma, nei diversi contesti, quasi grottesco, è lo sguainare la spada – per tagliare la gomena e sfuggire ai Lestrigoni, e ancora nell'Ade, per allontanare dal sangue le anime dei morti, e poi con Circe e con Scilla –, una reazione meccanica, un automatismo indotto dalla sua storia personale: ogni incontro, ogni scontro, sembra non potersi liberare dallo stile guerresco del duello e dell'attacco. Non esiste altro lessico, d'altronde, cui fare riferimento in un mondo cambiato: il lessico stenta sempre a morire.

Dal ritorno in Itaca, però, fino al momento della strage (canto XXII) e dello scontro con i parenti dei Proci (canto XXIV), durante il quale l'eroe tornerà guerriero, e con lui «si faranno» guerrieri anche Telemaco e il vecchio Laerte, anche Eumeo, Filezio e Dolio, i servi fedeli – omaggio all'*aristeia* del modello iliadico, ma ormai fuori posto (si veda *I presagi e la caccia*) –, Odisseo annulla la propria identità, a partire dai tratti fisici e dalle vesti. Prima ancora che dal nome, è dall'aspetto che si presenta la persona, e Antinoo solo al guardarlo lo definisce *alemon*, «vagabondo», *ptochos*, «accattone», *daiton apolymanter*, «pulitore di mense»: negazione assoluta di identità, perché il mendico non si riconosce in nessun gruppo – e invece è «straniero» ovunque –, e perché vive di elemosina – riceve, cioè senza dare, e non entra dunque in quel rapporto di reciprocità che vale a definire l'uomo omerico.

Situato ai margini societari, Odisseo ingaggia una lotta con Iro, l'altro mendicante che già frequentava il palazzo e i banchetti abusivi dei Proci; lo atterra e guadagna, di diritto, la soglia – un primo, sia pur piccolo, riconoscimento ufficiale. Ma nel corso della lotta, per l'intervento di Atena, scopre un corpo robusto che fra il pubblico suscita stupore. Ecco allora che Eurimaco offre con scherno al mendico di lavorare per lui nelle sue terre, e subito ritira la proposta, ridefinendone la natura di accattone, incapace perciò di sottoporsi a una fatica fisica (XVIII 357 ss.). La risposta di Odisseo è immediata: se facessero a gara, lui e Eurimaco, nell'aratura di un campo, non riuscirebbe certamente secondo nel confronto, e così sarebbe anche fra i primi guerrieri nella mischia della battaglia. Se fra i Feaci aveva guadagnato la propria dimensione di atleta, e dunque di guerriero (si veda altresì XVI 242, dove a quest'ultimo ruolo viene accoppiato anche quello di «consigliere» – sintesi di abilità cui Fenice cercava di promuovere Achille, *Iliade* canto IX), qui, con Eurimaco, afferma di essere valente nel combattere e valente nel coltivare la terra: del resto, nell'altra grande prova di valore, con Polifemo, le «armi» di Odisseo, il vino di Ismaro e il palo di oleastro, sono estranee alla tradizione epico-eroica e rimandano invece a una società contadina; e alla fine del poema, nel farsi riconoscere dal padre, Odisseo «è» semplicemente quello che, da bambino, chiedeva i nomi delle piante del podere, quello a cui furono donati alberi del frutteto – peri, meli, fichi e cinquanta filari di viti (XXIV 340 ss.). Atletica, guerra, agricoltura sono i tre aspetti integrati di un'unica personalità, cardine della società odisseica: è la personalità dell'uomo la cui attenzione per la terra non solo non esclude il suo essere soldato ma ne è anzi la prima garanzia. Almeno questa sarà la sistemazione teorica in una Grecia più matura.

19. Ulisse il Cretese

Alla propria identità si può, all'occasione, rinunciare: il re diventa mendico nella propria reggia: il padrone diventa supplice. L'identità, se è necessario, la si può mentire, assumendo altre vesti, altro nome, altra storia. Alla domanda che di rito si rivolge allo straniero – chi sei, qual è la tua patria, chi sono i genitori – Odisseo dà di volta in volta risposte differenti.

Con Alcinoo, che in ogni supplice intravede un dio, Odisseo sposta impercettibilmente il discorso dall'«essere» al «sembrare». E risponde: «Non rassomiglio, io, agli dei che possiedono il cielo infinito [...]. Sono un uomo mortale. Se conoscete degli uomini oppressi da pene grandissime, a questi potrei somigliare nelle sventure» (VII 209-12): non un nome, né una stirpe, né una patria, bensì solo la sofferenza vale, paradossalmente in quanto processo di perdita, a definirlo. Non è una identità, quanto piuttosto la dichiarazione di appartenere a tutta un'umanità provata dalle vicende di una vita che logora e riduce, impoverisce e spoglia – né più né meno che il volto scavato di Gilgamesh. Del resto, la somiglianza, come la differenza – lo si è visto con il Ciclope (cfr. *Dai Lotofagi a Polifemo*) –, definisce e rivela la tensione dell'individuo verso la conquista del «sé». E come le mentite spoglie di supplice non possono occultare del tutto il suo corpo robusto e forte – ad Itaca, a Scheria –, così le false identità esibite rivelano sempre qualcosa del suo vero essere: nella distanza voluta, è però anche somiglianza, è approssimazione al vero.

Con il padre Laerte (canto XXIV) Odisseo-Eperito dice di essere stato portato fuori rotta dalla Sicilia, memoria di quell'isola Trinachia che ha segnato la morte dei suoi ultimi compagni e la distruzione della nave. Ai Proci (canto XVII) riferisce un passato ricco e felice e poi un viaggio in Egitto dove i compagni con loro grave danno trasgrediscono agli ordini impartiti: vengono adombrate le molte resistenze del suo equipaggio, dalla disubbidienza dopo la razzia nella terra dei Ciconi fino a quella fatale con le vacche del Sole.

Ma è in tre casi che Odisseo fornisce generalità fra loro diverse, che però rimandano tutte all'isola di Creta: una prima volta, appena giunto a Itaca, nell'incontro con Atena (canto XIII); una seconda volta con Eumeo, il porcaro (canto XIV); una terza volta con Penelope (canto XIX).

Tratto comune è la provenienza – isola famosa, lontana e ormai poco frequentata; non ci sono dunque rischi di essere scoperti o contestati. Al di là di questa prudenza nella scelta, Creta, per il suo fulgido passato, ha un suo grande fascino, mai dimenticato nel tempo, come confusamente vivo nelle coscienze doveva essere ancora il ricordo dei rapporti stabiliti dai suoi uomini di mare. Addirittura, certa toponomastica, certo materiale folclorico ancora vivo nella memoria popolare, hanno fatto pensare che le vicende confluite nel poema e il protagonista stesso nelle sue molte valenze abbiano nell'isola la loro prima origine. In ogni caso, sono bugiardi, intraprendenti e astuti, i Cretesi, secondo la tradizione successiva che si trascina nei secoli: Odisseo sembra scegliersi la patria che gli è più congeniale, per farsi narratore di storie che non sono, eppure sono, la «sua» storia.

Anonimo nei primi due racconti, assume l'identità di Etone con Penelope. Comune alle tre versioni è il ricordo di un passato felice: da un lato è argomento accattivante per l'ascoltatore, che nel proprio ospite ama ritrovare i segni di una «buona» origine, e anche valido contrasto con la presente condizione di miseria – i rovesci di fortuna si prestano a risvegliare la pietà; dall'altro coincide con la vera storia personale, che nella varietà dell'invenzione viene sviluppata in modo da adattarsi di volta in volta all'interlocutore di turno.

Così Odisseo dice di essere figlio «bastardo» – è il racconto fatto a Eumeo – di un uomo abbiente, e di aver sposato, per le proprie qualità (*arete*), una donna ricca. Si intravede il motivo, largamente attestato nelle leggende popolari, del matrimonio «per valore», che, se consente di superare eventuali differenze sociali, come in questo caso, è soprattutto, per l'uomo, pubblico riconoscimento dei suoi meriti: il particolare biografico è perciò valida presentazione di sé, ma si connota ulteriormente per l'implicito richiamo ad «altre» nozze, quelle di Penelope contesa dai molti Pretendenti – e, sotto le sembianze del Cretese, Odisseo è meritevole di possedere (nuovamente) la regina. Nel colloquio con Penelope, invece, riguadagna la dignità di principe: si dice fratello minore di Idomeneo, il re, figlio di Deucalione e nipote del mitico Minosse – un nobile travestimento che gli consente di «ricordare» di aver avuto come ospite proprio Odisseo.

La finzione continua a tradire una realtà: nella prima e nella seconda versione lo straniero si presenta come combattente a Troia. Segue, nel racconto, un soggiorno di sette anni in Egitto – sette anni come quelli trascorsi presso Calipso. E poi un nubifragio e la scorta offerta dai Tesproti: intervento inutile, perché la malvagità degli uomini dell'equipaggio fece fallire il ritorno in patria – così come l'avevano impedito i «suoi» uomini, aprendo l'otre dei venti donato da Eolo. Oppure, altra variante della narrazione, l'ospite avrebbe ricevuto l'aiuto di una nave fenicia che l'aveva condotto, immerso nel sonno, ad Itaca, e ve lo aveva deposto con tutte le ricchezze: così, nella realtà, avevano fatto i Feaci.

Anche nell'esternare la propria passione per il mare e la guerra (XIII 222 ss.), Odisseo per contrasto rivela la sua vera natura di uomo legato alla patria, alla terra, alla casa: «parlava, e diceva molte menzogne simili al vero» (XIX 203). Nel momento in cui l'eroe racconta una storia fittizia, sono due i livelli di verosimiglianza: da un lato la scelta di biografie «possibili» e, sul piano formale, una precisione, al dettaglio, delle vicende narrate, precisione che deriva dalla sua abilità di parola: «Certo tu non somigli, a vederti, Odisseo, a un imbroglione, a un bugiardo, dei tanti che prosperano sulla terra e fabbricano storie incredibili. Il tuo racconto è bello, saggia è la tua mente, come un aedo hai narrato, con arte, la storia, le tristi sventure di tutti gli Argivi, e le tue» (XI 363-69): l'astuto parla sempre molto, e con la parola protegge la sua debolezza. Dall'altro però, i diversi racconti, integrati fra di loro, per tessere sparse lasciano emergere il «vero» Odisseo e la sua volontà costante di narrarsi; è autopresentazione, la sua, che permea tutto il poema, raggiungendo il culmine – prima della strage e del riconoscimento finale – nella descrizione di «Odisseo» ospite a Creta, vent'anni prima: di fronte ai molti discorsi dei compagni d'arme e dei servi, dove i contorni sono sfumati da ricordo e rimpianto, risalta tutta l'icasticità del racconto di Odisseo, che ha sempre posseduto se stesso.

20. Stare sulla soglia

«Si consumerà le spalle, costui» dice Melanzio, il guardiano di capre, il servo infedele che incontra Odisseo ed Eumeo sulla strada verso la reggia, «appoggiandosi a molti stipiti per chiedere tozzi di pane, non certo spade né calici» (XVII 221-22). Osservava Machiavelli ne *Il Principe* (cap. 18, par. 5): «Ognuno vede quello che tu pari, pochi sentono quello che tu se'; e quei pochi non ardiscano opporsi alla opinione di molti». In altri termini, l'esistenza sociale – e dunque l'identità – è conseguenza diretta di riconoscimenti reciproci; viceversa, il riconoscimento reciproco deriva dall'identità che l'individuo, in quanto consapevole dei meccanismi societari, sceglie per sé.

Odisseo torna in segreto – la sorte riservata ad Agamennone lo ha reso avveduto. Rinuncia dunque ad un ruolo di re per assumerne un altro, il più lontano dal suo: «non spade, né calici» sta a dire un'esclusione dal mondo della guerra e del simposio, luoghi inequivocabili per gli *agathoi*, mentre il «tozzo di pane» riduce la persona ai suoi bisogni primari, al suo «ventre», socialmente passivo – e perciò negativo – che spinge ad azioni il più delle volte vergognose o inconsulte (si vedano VII 215-18, XV 343 ss., XVII 286 ss.).

Straniero, supplice, mendico: la distinzione è sottile, perché in questi tre termini, che possono sovrapporsi fra loro, c'è tuttavia una gradualità di sviluppi possibili. Così lo straniero potrà entrare in un circuito di scambi reciproci – con un parallelo riconoscimento di status; il supplice conserva una sacralità che gli deriva dalla protezione di Zeus; il *ptochos*, l'accattone, che pure è straniero ed è anche supplice, ha solo da prendere e nulla da dare: e ciò vale ad escluderlo da ogni relazione possibile.

Interagire è difficile: richiede innanzitutto di valutare l'interlocutore, e poi, in base a questo, autoproporsi. Così Telemaco è incerto sul modo di presentarsi a Nestore (III 22 ss.), lui, giovane, ad un vecchio. Ma così anche Odisseo calibra il modo di avvicinare Nausicaa, se abbracciarle le ginocchia in segno di supplica oppure parlarle alla dovuta distanza (VI 141 ss.).

Prossimità e lontananza sono i due poli estremi entro i quali prende forma il rapporto, secondo regole da improvvisare al momento, ma talora anche ben definite. Il rilievo di Melanzio alla vista di Odisseo è più che eloquente: l'aspetto porta con sé anche il «luogo» in cui esercitare la propria «funzione», per quanto modesta – una vera e propria *techne*, come voleva già Eustazio (*Commento all'Odissea*). Per il mendico è lo stipite: «Sulla soglia di legno di frassino, all'interno, si mise a sedere, appoggiato allo stipite di cipresso...» (XVII 339 s.): il senso è quello di proporre agli astanti la propria presenza senza però imporla. Ancora una volta il rispetto per le distanze sociali viene ridotto in termini di «distanza» reale; simbolicamente è a un tempo istituire e riconoscere un confine e occupare un luogo di margine.

A partire dal canto XVII, la posizione liminare diventa un *leitmotiv*. Per la soglia Odisseo si troverà a lottare con il mendico «ufficiale», con Iro (canto XVIII): tra dentro e fuori, l'espulsione del concorrente porterà l'eroe a conquistare in modo stabile il luogo d'ingresso – il *ptochos* che vuole tornare ad essere re –, ma anche di uscita: «Ma se ritornasse Odisseo, se giungesse alla terra dei padri, questa porta, allora, che pure è molto larga, sarebbe stretta per te mentre fuggi fuori dall'atrio» (Odisseo ad Eurimaco XVIII 384-86). Le ore che precedono la vendetta sono segnate da movimenti del protagonista e dei suoi comprimari – Telemaco, Eumeo, Filezio –, che hanno come punto di riferimento sempre la porta di ingresso: Odisseo che avanza nella grande sala per raccogliere cibo fra i Proci; che siede accanto al fuoco, su una sedia e non più per terra, per parlare con la regina; Telemaco che con lo sguardo sorveglia tutto quello che nel *megaron* accade, misurando così la distanza che separa il suo posto, all'interno, dalla porta d'ingresso; padre e figlio che guadagnano l'interno della casa, oltre la sala, per riporre le armi; Eumeo che, su richiesta di Odisseo, attraversa la sala con l'arco per darglielo, lo riporta quindi al suo posto quando i Proci protestano, e di nuovo lo porta al padrone perché affronti la prova. Gli spostamenti sono continui – fra il centro simbolico, rappresentato dal fuoco, e il margine, altrettanto simbolico, che la soglia sta a designare –, mentre l'occupazione di spazio rivela i diritti e gli abusi: chi sta sulla porta, Odisseo, dovrebbe essere dentro, mentre chi è dentro, i Pretendenti, dovrebbe essere fuori.

Infine Odisseo colpirà, Antinoo per primo, dalla soglia: poi, tutti e quattro, il padre, il figlio e i due servi, saranno lì allineati (XXII 203), a condurre la strage e a impedire che qualcuno guadagni l'uscita: chi non ha capito per tempo di doversene andare resterà dentro a morire.

Ripulire la casa, allontanare la morte, rimuovere il fatto di sangue, occuperanno un altro momento (canto XXIII). Significativa resta invece questa progressione – segnata da tempi narrativi molto lunghi – con la quale Odisseo riconquista la reggia. In perfetto equilibrio con le molte tappe del viaggio, anche il ritorno in patria è scandito da pause, da un avanzare e un retrocedere, fino al raggiungimento della meta: la patria e il ruolo di re.

Odisseo dissimula, e con questo fornisce molti elementi utili a chi vuole intendere: a maggior ragione, chi non capisce, o non vuole, avrà la sua punizione. Odisseo suggerisce, con le sue storie inventate, con i suoi avvertimenti, con i suoi frammenti di verità. Ma capisce soltanto, come nella favola, chi ha il cuore più fedele e più puro: Argo, il cane, fra tutti – il «luogo più alto dell'*Odissea*» (M. Horkheimer e Th. Adorno, *Dialettica dell'illuminismo*, cit., p. 73) –, mentre una vaga intuizione, o meglio uno spontaneo confronto, è quello di Eumeo che ospita il supplice, o di Euriclea che si accinge a lavare i piedi al mendico. Filezio, il guardiano di buoi, osserva, vedendo Odisseo: «il suo aspetto è quello di un re» (XX 194). Fra fuori e dentro, fra margine e centro, si gioca tutta l'azione: la pressione, l'urgenza di ri-entrare – ed è Odisseo –, e l'inconsapevole anelito, da parte degli altri, che della fedeltà hanno fatto un principio di vita, all'auspicato ritorno.

21. *La gara dell'arco*

Nel mondo epico gli oggetti, al di là del valore d'uso, hanno la loro storia, e talvolta possono essere risolutori di storie – come il prezioso vino di Ismaro, che Odisseo porta con sé nell'isola dei Ciclopi. L'essere stati donati ne accresce il valore – come la grande coppa d'argento che Menelao offre a Telemaco, dono, a suo tempo, di Fedimo, re dei Sidoni –, in quanto diventano simbolo di una relazione ospitale, e perciò ulteriore conferma dell'identità sociale di chi li dona e di chi li riceve.

Agli oggetti può essere anche legato un destino, come nel caso del balteo di Aiace e della spada di Ettore (*Iliade* VII, e Sofocle, *Aiace*); così anche nel caso di quest'arco di Odisseo, dono di Ifito, figlio di Eurito, arco che l'eroe non porta con sé a Ilio. Se, leggendo in parallelo i due poemi, Itaca è, come Troia, la città da conquistare, allora l'arma di Odisseo svolge la funzione che nella leggenda iliadica appartiene ad un altro arco famoso, quello di Filottete, arma necessaria perché la città venga presa.

L'Odisseo arciere è sconosciuto all'*Iliade*: il suo modo di combattere coincide con quello degli altri guerrieri. È nell'*Odissea* che questa «specialità» fa la sua comparsa: Mente parla di frecce avvelenate che l'eroe sarebbe andato a procurarsi nel paese dei Tafi (I 261 s.), un particolare strano, ignoto all'Omero iliadico, e forse residuo di pratiche poi censurate, perché prive di una loro dignità nel mondo guerriero. Nel canto VIII, con i Feaci, Odisseo vanta la propria competenza di arciere – e del resto, quando nella sala grande, a palazzo, rigirerà l'arco fra le mani per provarlo e riconoscerne i segreti, ai Proci non sfugge quanto abile sia l'ospite. Nuova, la dimensione, rispetto all'*Iliade*; meno nuova per il pubblico dell'*Odissea*, che ha già visto usare armi «improprie» con Polifemo: c'è un palo arroventato da un lato, e un arco dall'altro – a dire di un andare congiunto di agricoltura e di caccia.

Ma nella caccia sul Parnaso (*Odissea* XIX) è con la «lancia» che viene affrontato il cinghiale: dunque quest'arco, rimasto inutilizzato per molti anni, suona come una novità, che ha una sua duplice fisionomia narrativa: da un lato, infatti, è strumento per la prova di valore che dovrà designare lo sposo della regina – meccanismo di scelta frequente, con le dovute varianti, nel folclore, dal racconto del matrimonio di Elena, a quello, narrato da Erodoto, di Agariste, la figlia del tiranno di Sicione. D'altro lato, la prova dell'arco sta a segnare, quando l'arma arriva fra le mani di Odisseo, il primo momento della vendetta, è la prima iniziativa marcata di una situazione che non pareva andare oltre a premonizioni e a insulti.

Ideatrice della gara è Penelope: la convergenza fra il piano della regina e l'abilità del suo sposo corrisponde a quel caso fortuito e felice che tante volte si realizza nella favola – e rappresenta quella coincidenza inconscia di intenti, quel fortunato integrarsi di azioni, che nell'immaginario tutti auspichiamo.

Dimensione di favola, dimensione di sogno, in cui ciò che è stato perduto viene recuperato d'un tratto: la freccia che attraversa le dodici asce bipenni porterà uno sposo a Penelope – il suo sposo –, e ridarà la sua sposa a Odisseo.

Lo scacco dei Proci – solo Antinoo non tenta, e rimanda la prova – stabilisce il confronto diretto con il re, ponendo in risalto una inferiorità fisica che è anche inferiorità morale, ed è premessa perciò e giustificazione ulteriore dell'eccidio che seguirà; mentre Telemaco, anche lui in gara per tenere la madre con sé, al quarto tentativo potrebbe riuscire, se non fosse per il cenno di diniego del padre: il valore, appena intravisto, del figlio anticipa l'azione congiunta dei due nella strage.

Quando i Pretendenti falliscono, Odisseo chiede di affrontare la prova, non per ottenere la mano della regina, ma solo per saggiare le forze. La gara, voluta da altri, diventa una tappa nella progressiva conquista di identità personale. La gestualità, i movimenti, l'andare e venire, il percorrere lo spazio della grande sala, la prossimità e la distanza, i divieti e i comandi, sono tutti elementi costitutivi di questo poema caratterizzato da una tensione centripeta – verso Itaca, verso la casa, verso il recupero di beni donna potere. L'arco, come il cane, come il letto, come i parenti e i servi fedeli, giace in attesa che tutto si compia, e al momento opportuno giocherà la sua parte: l'uditorio rimane diviso fra il profilarsi di una soluzione e i ritmi rallentati di un racconto in cui, come in un rituale, ogni mossa è scandita, dalla serratura della stanza dell'arco fino all'esitazione di Eumeo che non sa se porgerlo o meno al mendico.

Quest'arco, che è ennesima prova di identità per quelli ai quali Odisseo si è già rivelato, che è simbolo di una riconquista e che segna l'avvio della strage, così come è apparso scompare. Mentre le lance e le spade – le classiche armi da guerra – prenderanno il suo posto, e la vendetta assumerà formalmente (si veda però *I presagi e la caccia*) i tratti di una vera e propria battaglia eroica.

22. *Il ritorno di Odisseo*

«Il vero giorno del ritorno coincide con il giorno della vendetta» (L. Allione, *Telemaco e Penelope nell'Odissea*, Torino 1963, p. 85). Come nel canto XXII dell'*Iliade* il culmine del racconto viene raggiunto dall'uccisione di Ettore, così nel canto XXII dell'*Odissea* la narrazione trova il suo momento più intenso nella strage dei Proci, mentre l'eroe realizza appieno il «ritorno». Tutti i presagi e le premonizioni – da Aliterse a Teoclimeno, dai sogni allo starnuto di Telemaco (XVII 541) – trovano in questo stretto lasso di tempo la loro conferma.

Di questo «ritorno» sappiamo da sempre; i pericoli e le sofferenze del viaggio, le umiliazioni subite, le difficoltà crescenti non tolgono al pubblico questa certezza; semplicemente, sono le modalità – il «come» – ciò che noi ignoriamo. Ambigue anche le indicazioni che l'eroe stesso ci dà sul «tempo»: «quando una luna cala e l'altra incomincia, in questo tempo farà ritorno Odisseo» (XIX 306-07, a Penelope, cfr. XIV 162). Ma di quale novilunio si tratti, se di quello che è prossimo ormai, accompagnato dalla festa di Apollo, non ci è dato sapere per certo. L'arrivo in segreto nell'isola, gli avvertimenti di Telemaco al padre nella capanna di Eumeo, il gran numero dei Pretendenti, che sappiamo essere giovani, nobili e forti, le perplessità dello stesso Odisseo: tutto farebbe escludere un esito così repentino e veloce. Ma l'uditorio di Omero, se coglie la difficoltà obiettiva di una situazione che non mostra sbocchi immediati, è tuttavia impegnato in due diverse attese che non ammettono tregua all'azione: perché da un lato viene a mancare ormai ogni risorsa: i Proci hanno la ferma intenzione di eliminare

Telemaco che tenta di reagire alla loro protervia e di difendere ciò che gli appartiene, mentre Penelope, scoperto l'inganno della tela-sudario, non ha più *kerdea*, più astuzie, da mettere in gioco; dall'altro, c'è Odisseo che «dosa», lucido e calmo, il suo definitivo rientro. E dalla parte del pubblico, pur molto meno informata, sta anche Penelope che alimenta, sulla base di esili fili, la speranza di un lieto finale.

Gymnothe rhakeon, «e allora dai cenci si spogliò», suona il primo verso del canto XXII: al di là della posizione di *incipit* – che vale da «attacco» solo per i fruitori di una redazione in canti relativamente tarda –, il verso di Omero, calato in qualunque contesto, doveva avere un effetto di folgore. Preparati da tutti i travestimenti, dalle false identità, dalle alterazioni anche fisiche, oltreché dai nomi di volta in volta diversi; preparati, nel contempo, da una blanda, eppure mirata, sequenza di segni che, invece di nascondere, rivelano: lo spogliarsi degli «stracci» di mendico non è guadagnare una nudità «apollinea», bensì liberarsi di una identità – l'ultima in ordine di tempo, acquisita da Odisseo – modellata sulla situazione contingente, per ritrovare infine se stesso.

A questa riconquista Omero ci prepara lungo tutto il poema: con Alcinoo, Odisseo non mente, ma tace il suo nome per poi chiedere all'aedo un canto che di diritto «gli appartiene», la storia del cavallo (canto VIII), e per provocare così la domanda del re, cui può rispondere solo con «io sono Odisseo...» (canto IX); e ancora con il Ciclope, con il quale l'eroe aveva toccato il fondo della negazione dell'identità – non per un nome mentito, ma addirittura «Nessuno» –, Odisseo, scampato al pericolo rivela chi è. Mentre Circe, che è dea, non stenta a capire, e le Sirene, immortali, gli cantano le sue gesta di eroe – un canto che farebbe perdere Odisseo in se stesso. È più graduale il disvelamento in Itaca. Identità inventate: ad Atena stessa, a Eumeo, a Penelope. Riconoscimenti progressivi: al figlio, con l'intervento di Atena che all'occorrenza ne muta l'aspetto – è un primo denudarsi degli «stracci»; ad Argo, il cane fedele, che sa vedere «nudo» il padrone, al di là della maschera – quell'essenziale che colgono anche i cani nella capanna di Eumeo, quando percepiscono, essi soli, la presenza di Atena; a Euriclea, la vecchia serva di casa, che lavando i piedi allo straniero riconosce la cicatrice della ferita inferta dal cinghiale del Parnaso – situazione in parte, se non in tutto, provocata da Odisseo stesso; a Eumeo e a Filezio, guardiani dei porci e dei buoi, ai quali l'eroe si rivela nel corso della gara dell'arco. Ma, con sottintesi, ai Proci stessi, alzando le vesti e rivelando così la sua forza fisica nella lotta con Iro; e, con le parole, predicendo, insieme al ritorno, anche la strage finale.

Così Odisseo si spoglia degli ultimi panni fittizi – quegli stracci di mendico che lo confinano alla «soglia», tanto reale quanto simbolica. È nudo, metaforicamente (si veda XXII 488-90, dove compare a Euriclea, ancora vestito di sudicie vesti), e torna se stesso: di fronte all'incapacità di capire dei Proci, davanti al loro terrore, rivelandosi, impone loro il proprio ritorno. E la nudità ha senso nella recuperata identità.

Odisseo ricomincia ad essere quello che era; ciò che segue è solo un corollario, un'ulteriore prova di identità. Là dove non basta la cicatrice del cinghiale, ci sarà la «prova del letto»; là dove, per la vecchiaia avanzata di Laerte, è difficile credere, ci sarà la «prova» degli alberi. Nudo e se stesso, finalmente – e non di quella nudità che il mare gli ha imposto –, può riguadagnare, Odisseo, tutti i suoi spazi, quelli che gli erano stati invasi, quelli dai quali era stato rigettato al limite estremo.

Prima dell'ultimo viaggio – quello profetato da Tiresia – c'è un altro viaggio, un'altra *Odissea*, che copre il percorso che separa la reggia dal podere, liminale, nel quale vive Laerte. Anche qui c'è menzogna, anche qui un rivelarsi: «sono io...» (XXIV 321). È impossessarsi a un tempo dei confini dell'isola sua e del ruolo che gli appartiene. Spogliarsi degli stracci equivale dunque a ritrovare il proprio passato.

23. *Penelope*

Tutto si è ormai concluso. I trasgressori, che avevano attentato all'antico ordine – al potere e al letto dell'eroe –, sono stati puniti. Odisseo è tornato, secondo i voti tante volte espressi dalla regina, dal figlio, dai servi fedeli. La notizia del ritorno e della strage viene comunicata da Euriclea. E il cuore di Penelope rifiuta di accettare subito questo messaggio così desiderato e atteso: il suo primo pensiero è che l'ancella sia impazzita. Così Odisseo aveva diffidato di Itaca: né l'uno né l'altra vuole credere a quello che vede, o che sente – l'uno di aver toccato la terra dei padri, l'altra di aver ritrovato il marito.

Siamo alle ultime battute di un «riconoscimento» che nella vendetta ha già toccato il culmine: restano, da «riconquistare», la moglie, il padre, la città. Corollari indispensabili che non rendono superflua, a dispetto di quanto già gli antichi dicevano, questa parte finale del poema.

Come Itaca, Penelope è nei pensieri di Odisseo: è per la patria e per la sposa che l'eroe piange sulla riva del mare, nell'isola di Calipso (canto v). Certamente inferiore a una dea, perché è donna, appartiene tuttavia a quel vissuto cui Odisseo, che non è dio ma uomo, non vuole rinunciare. Penelope, «alzavola», da *penelops* – l'uccello più fedele –, o «tessitrice», da *pene* – dall'inganno della tela –, a seconda delle etimologie moderne e antiche su questo nome, incarna da un lato la fedeltà a un'idea: un desiderio nostalgico per il marito, e un perenne ricordo (I 343); dall'altro possiede risorse utili ad ovviare alle difficoltà contingenti. Così Odisseo «sopporta» e Penelope «attende»; così i *doloi*, gli «inganni» che rendono famoso l'uno (canto IX) sono un tratto anche dell'altra (per tutti II 87 ss., dove compaiono anche i *kerdea*, le «astuzie», di cui la regina dispone); così, per lei, la tela è un «celarsi», esattamente come si cela Odisseo con le sue finzioni. E la «tessitura» è ad un tempo di tele e di inganni – oltre ad essere anche l'arte del racconto. L'uno e l'altra sanno «narrare»: vicende vissute, o inventate, lui; e lei il dolore di un'assenza, di un'attesa, ma anche il progetto di una nuova vita.

I due sposi mostrano di avere caratteri comuni, sovrapponibili – e il loro figlio, Telemaco, che rassomiglia fisicamente e moralmente al padre (canti III e IV), del padre ripete l'esasperazione, ma anche il sapersi contenere e trattenere (XVIII 489-91). Ma meglio di Telemaco, sono Penelope e Odisseo ad essere caratterizzati, al di là degli epiteti, dalle situazioni: i tratti si accumulano in un crescendo, a partire dal primo incontro nella sala grande (XVIII 281 ss.), poi con il colloquio del canto XIX, fino al riconoscimento finale, un riconoscimento che è in realtà biunivoco; è una identità più profonda – la propria, attraverso l'altro – quella che ciascuno dei due vuole ritrovare.

Le mosse di entrambi sono caute, diffidenti da un lato – già Agamennone, nell'Ade, aveva messo in guardia lui dagli intrighi femminili, e, quanto a lei, troppi vagabondi l'avevano illusa di un ritorno non ancora avvenuto, e oltre ai mendichi c'erano anche i sogni ingannatori, quelli che vengono dalla «porta d'avorio» (canto XIX); e dall'altro sono improntate a intuizione-comprensione profonda, perché riconoscere l'altro è ritrovare anche se stessi: di qui l'inconsapevole volontà di venirsi incontro.

Odisseo, giunto in incognito – tutto collabora alla mancata identificazione –, calibra passo a passo le «prove» del suo vero essere, rispettando uno spazio che, sia pure al negativo, è concluso e definito: abilmente propone un colloquio a due, senza spettatori, senza possibilità di disturbo. È così che avvince la sposa con il suo falso racconto – quella capacità di parola che già il pubblico dell'*Iliade* conosce (canto III); e in tal modo il mendico diviene per la regina *philos* e *aidoios* (XIX 253-54): pur nell'anonimato (nel senso che si è dato un «nome», ma questo nome non è ancora il suo), superando quella difficoltà di *status* che lo relegava al limite dello spazio sociale, entra in quel circuito relazionale in certo modo paritario, dove se c'è un dare c'è anche un ricevere: Odisseo offre parole che chiedono un ricambio.

Nell'inconscio del sogno o del dormiveglia – riposano entrambi sotto lo stesso tetto, quella notte – vengono ancora avvicinati (canto XX, inizio): un sonno agitato, per l'uno e per l'altra; l'intervento di Atena, e la visione di Penelope che crede di avere accanto lo sposo. Distanza e prossimità opportunamente create: l'incertezza persiste fino a strage avvenuta, e ancora quando l'identità si rivela e il *plot* si risolve. Finissima è dunque l'indecisione di Penelope (XXIII 85-87) fra «vicino» e «lontano», fra l'aderire e l'escludere. Se Odisseo guadagna progressivamente il suo ruolo – e se stesso –, l'alternativa, per lui come per lei, è sempre radicale: senza possibilità di compromessi o di mediazioni – non servirà l'intervento di Telemaco per convincere sua madre –, il mondo arcaico si muove sul piano del contatto o del distacco, del sì o del no, ma certo non della dialettica. Le categorie psicologiche sono appena abbozzate: se i personaggi dell'*Odissea* chiedono al loro cuore «che fare?», e suggeriscono con ciò l'idea di una prima capacità di autodeterminazione, l'epica risolve ogni difficoltà, scioglie ogni dubbio, colma ogni distanza con prove «esterne», come il letto nuziale radicato, nell'ulivo, per terra.

Restano così, nell'immaginario, due personaggi, Odisseo e Penelope, che paiono muoversi a passo di danza, con quello stesso modo di porsi inconscio o voluto che suona però sempre come ammiccamento o sottinteso. Non a caso è stato detto che alcuni particolari del racconto adombrano una diversa versione dei fatti, secondo cui Penelope sarebbe stata complice di Odisseo nella vendetta. Omero non lascia capire più di tanto: nel loro ritrovarsi, ci lascia l'immagine del naufrago che tocca la riva (XXIII 233 ss.) – lei, come lui, scampata al «mare»: ci lascia soltanto, per entrambi, un'immagine di leone (IV 335 ss., 791 ss., XXII 402 ss.) – la fiera che sempre trionfa.

24. *Ancora nel paese dei morti*

A scendere all'Ade, questa volta, non è più Odisseo, vivo, bensì sono i Proci, uccisi tutti nella strage. Davanti al grande numero di ombre sopraggiunte, Agamennone domanda stupito la ragione di tutti quei morti, con le stesse parole che Odisseo aveva rivolto a lui: una tempesta li ha vinti, oppure un saccheggio non riuscito (XI 399-403 = XXIV 109-13)? In entrambi i casi, chi si attende la risposta – Odisseo, Agamennone – viene a conoscenza di una vicenda anomala: un adultero ha ucciso il re che tornava vincitore, mentre un re ha sterminato gli usurpatori del suo potere e del suo letto.

Le due storie coprono percorsi diversi, dei quali il secondo, in ordine di tempo, riscatta il primo: questa è la «giustizia» dell'*Odissea*, dove l'innocente può anche soccombere, ma il colpevole viene presto o tardi punito – un principio, questo, della mentalità arcaica, che senza ambiguità verrà ripreso nella tragedia: «in cambio di colpo mortale sconti colpo mortale. Chi ha agito subisca, questo afferma un detto tre volte antico» (Eschilo, *Coefore* 312-14). I Proci, come Egisto, hanno attentato a un ordine stabilito da Zeus per i re scettrati: *Dike*, «Giustizia», sia pure trasferita ad altri e differita, vuole che tale ordine sia ripristinato. Anche se già Oreste aveva vendicato l'uccisione del padre ottenendo gran fama tra gli uomini (I 298-99), è Odisseo a riscattare il *nostos* imperfetto di Agamennone con la sua vittoria sugli antagonisti.

Ci sono molti modi di morire nel mondo omerico. C'è la morte naturale causata dai miti dardi di Apollo e di Artemide alla fine di una lunga vita (XV 409-10), c'è quella per crepacuore – come Anticlea, la madre di Odisseo; si è visto come si possa morire per mare o nel corso di razzie; si muore per incidente – come Elpenore – o per scatto d'ira – come Patroclo uccide il compagno di giochi –, oppure di peste, come gli Achei; si muore divorati dai mostri – Scilla, i Lestrigoni, il Ciclope; si muore nell'agguato, con l'inganno. Ma si muore anche, ed è la scena tipica dell'*Iliade*, sul campo di battaglia: la distanza fra i due poemi è segnata anche dalla tipologia della morte, quella che è stata e non si ripeterà mai più – la morte eroica –, e quella della nuova dimensione dell'*Odissea*, insignificante in fondo nella sua grande varietà, e comunque non adatta a procurare onore e gloria.

Se il primo canto dell'*Iliade* aveva assistito alla contesa violenta fra Achille e Agamennone, l'ultimo canto dell'*Odissea* vede questi due personaggi ancora in contrasto. Non, però, a causa di una lite, bensì perché la loro sorte rispettiva li schiera su due versanti diversi: quello del mondo eroico, Achille, e quello del mondo post-eroico, Agamennone, quello di chi è caduto in terra troiana, nell'impresa che ha dato gloria tanto al vincitore quanto al vinto, e quello che è stato escluso da questa irripetibile gloria.

Le parole di Achille all'Atride sono famose: «Meglio sarebbe stato che, godendo gli onori di re, in terra troiana avessi compiuto il destino. Ti avremmo elevato, noi tutti, una tomba, perché anche tuo figlio ne avesse gloria, in futuro. Era invece destino che morissi di misera morte» (XXIV 30-34). Il senso contenuto in questi versi è destinato a ritornare nel compianto dei figli di Agamennone nelle *Coefore* eschilee: «Perché, padre, se sotto Ilio, colpito dalla lancia di qualcuno dei Lici, tu fossi caduto: lasciando fama alla casa, e sul cammino dei figli procurando una vita ammirata da tutti, tu grande tumulo avresti, tomba di terra d'oltremare, per i tuoi cari accettabile cosa» (345 ss.).

Memoria del mondo iliadico, condivisa dalle generazioni più giovani. Come Elettra e Oreste, così anche Telemaco: «Della sua morte io non avrei tanto dolore se fosse caduto a Troia, in mezzo ai compagni [...] Gli avrebbero innalzato una tomba gli Achei e anche suo figlio ne avrebbe avuto gloria in futuro» (I 236-40).

Non è la morte in sé a far paura: è nelle aspettative dell'uomo, e quindi non può essere elusa. È piuttosto la modalità a definirne il vertice o l'abisso, a fornirla di un senso – per chi muore così come per chi resta. La morte in battaglia fissa per sempre una vicenda e un nome – garanzia di identità per il guerriero iliadico, anche il più oscuro. Nel reflusso conseguente alla guerra vinta, questa possibilità di fermare per sempre il proprio nome viene a cadere. La grande gloria di Achille, i giochi indetti per le sue esequie, i ricchi premi (*Odissea* canto XXIV), l'onore a lui riservato fra i vivi e fra i morti (*Odissea* XI 482-86) appartengono a un'esperienza passata, che può continuare, semmai, con la parola e il ricordo, ma nel regno di Ade.

L'*Odissea* può solo ammirare questa morte, però non può riviverla. Se l'eroe iliadico poteva rinunciare, come fa Achille, a una vita lunga, ma senza onore, per una vita breve ma gloriosa, altro è auspicato dall'umanità odisseica: «Vorrei essere figlio» dice Telemaco, «di un uomo felice, che giunge alla vecchiaia padrone dei suoi beni» (I 217-18). E vicino al focolare, alle ginocchia della regina Arete, Odisseo augura di «vivere e di lasciare ai figli la ricchezza in casa e l'onore concesso dal popolo» (VII 142 ss.).

L'epoca è nuova: di fronte all'immortalità impalpabile del *kleos* e della *belle mort* del guerriero, si affaccia l'idea di una felicità terrena data da una lunga vita, dal godimento dei propri beni, dall'esercizio di un potere, dalla trasmissione ai propri discendenti del patrimonio e del carisma. È il modello ripetitivo che si affermerà tanto nel piccolo mondo della famiglia, quanto in quello più ampio della *polis*. Ma al di là della scoperta di una dimensione economica, più immediata e materiale, l'*Odissea* scopre il dolore per la «propria» morte. Così Achille, che è caduto combattendo, così Agamennone, che è stato preso nei lacci dell'inganno da Egisto: uguale è il tormento dell'uno e dell'altro, perché non c'è morte che non sottragga all'uomo la sua identità.

ELISA AVEZZÙ

BIBLIOGRAFIA GENERALE

Fin dall'antichità i poemi omerici, nei quali i Greci sempre si riconobbero e che costituirono la base ineliminabile della loro educazione, sono stati appresi a memoria, citati, commentati, studiati e infine letti. Ne risulta un panorama assai vasto di contributi, che talora incombono e talora sono di ostacolo ad un'adesione immediata e ingenua ai primi due grandi componimenti poetici dell'Occidente. Un supporto bibliografico si rende tuttavia necessario, sia per isolare e fissare le molte problematiche legate ai due poemi, sia per valutare l'influenza da questi esercitata sulla poesia successiva e, in generale, sulla cultura occidentale. Rendendosi necessaria una selezione, si segnalano in questa sede gli studi «classici» che maggiormente hanno inciso sull'esegesi omerica e i contributi reperibili in lingua italiana. Punto di riferimento obbligato per chi desideri avere un quadro più ampio e più completo rimangono l'«Année Philologique», *s.v. Homerus*, che di anno in anno registra i nuovi studi, e i repertori di H.J. Mette (in «Lustrum» 1, 1956, pp. 7-86; 11, 1966, pp. 33-69; 15, 1970, pp. 99-122, 128 ss.; 19, 1976, pp. 5-64) per gli studi che vanno dal 1930 al 1977; quelli curati da A. Lesky, E. Dönt, O. Panagl e St. Hiller sull'«Anzeiger für die Altertumswissenschaft», e infine J.P. Holoka, *Homer Studies 1971-1977*, in «The Classical World» 73, 1979, pp. 65-150, che suddivide le pubblicazioni per grandi temi, e di queste dà un breve riassunto. Di utile consultazione sono inoltre: A. Heubeck, *Die homerische Frage*, Darmstad 1974 (1988²); D.W. Packard e T. Meyers, *A Bibliography of Homeric Scholarship*, Malibu (Cal.)

1974, e infine J.M. Foley, *Oral-Formulaic Theory and Research. An Introduction and Annotated Bibliography*, New York-London 1985. In lingua italiana si segnala la sezione dedicata ad Omero di A. Veneri, in *Dizionario degli scrittori greci e latini*, I-III, Milano 1987, II, pp. 1436-1441, e quella di M. Fantuzzi in *Letterature greca antica, bizantina e neoellenica*, Milano 1989, pp. 68-85.

Omero: la vita e le opere

La vita di Omero – *Homeros* in greco: il «cieco» o l'«ostaggio» – è intrisa di leggenda; del poeta più conosciuto e amato dell'antichità non possediamo nessun elemento attendibile, non il luogo di nascita, non i fatti salienti della sua esistenza, non le sue opere, e anche il nome proprio sembra essere un nome di comodo che, inteso in un modo o nell'altro, in ogni caso rimanda a un personaggio ora staccato – per la sua infermità – da una realtà materiale, e pertanto proiettato verso quella immateriale della poesia e del canto; ora sradicato, per vicende di guerra, dalla sua terra d'origine, e destinato pertanto a divenire patrimonio di tutti. Fu così che moltissime città greche si contesero i natali di Omero, e fu così che moltissime vollero custodirne il sepolcro.

Numerosissimi, vaghi, contraddittori sono i riferimenti antichi ad Omero, cui si attribuì la paternità, in tutto o in parte, della produzione epica arcaica; e molte furono le *Vite* (se ne veda l'edizione del Wilamowitz-Moellendorff del 1929[2]), ora reperibili nella traduzione italiana di F. De Martino (Venosa 1984); mentre già commentatori, grammatici e scoliasti vedevano adombrata la figura del poeta in quella di Demodoco, l'aedo cieco che canta alla corte di Alcinoo (*Odissea*, canto VIII). Tra questa identificazione e il ritratto generalmente ricorrente nelle *Vite* c'è una evidente «stonatura»: da un lato infatti un poeta – e dunque una poesia – di corte, dall'altro un girovago che si esibisce nelle piazze, per giovani e per vecchi, per pescatori e per mercanti. Ma a ben vedere, questo inconciliabile contrasto di profili concorre a liberare ulteriormente Omero da una precisa collocazione – anche nel senso della destinazione del canto. Ed è proprio attraverso queste diverse immagini che i due poemi raggiungono la Grecia continentale, dalle isole della Ionia, per diventare poi possesso perenne dell'Occidente.

«Autore» dell'*Iliade* e dell'*Odissea*, opere assai differenti fra loro nella lingua, nel tono, nelle situazioni, nei valori, fin dall'antichità si suggeriva di ascrivere la prima ad una giovinezza ormai matura, e la seconda alla vecchiaia – qualcosa che a Bernard Andreae (vedi *infra*) ricorda il rapporto intercorrente fra il primo e il secondo *Faust* di Goethe.

Verso la metà del I secolo d.C., un anonimo (conosciuto peraltro come Pseudo-Longino), in un trattato intitolato *Sul Sublime*, trattato destinato ad esercitare una forte influenza anche nell'estetica moderna, scriveva (IX 7 ss.):

«Omero infatti mi sembra, quando racconta delle ferite degli dei, delle loro discordie, vendette, lacrime, prigionie, passioni di ogni sorta, mi sembra che abbia reso gli uomini della guerra di Troia, per quanto era in suo potere, dei, e gli dei uomini [...]. Tuttavia nel corso dell'*Odissea* egli dimostra come l'amore per il narrare sia caratteristico di un grande genio quando s'avvia al declino. Lo si vede anche da molti altri argomenti che egli ha composto questo soggetto per secondo; in particolare per il fatto che introduce nell'*Odissea*, come episodi della guerra di Troia, quel che rimaneva delle sofferenze patite nell'*Iliade*; ed inoltre, per Zeus, in quest'opera aggiunge ai suoi eroi un tributo di lamenti e di compianto, come a personaggi noti precedentemente.

Là giace Aiace bellicoso, là Achille;
là Patroclo, pari agli dei in saggezza,
là il mio figlio caro (*Od.* III 109-11).

In effetti l'*Odissea* non è che l'epilogo dell'*Iliade*. Dalla stessa causa deriva, io credo, che essendo stata l'*Iliade* composta al culmine dell'ispirazione, tutto il corpo dell'opera risulta drammatico e combattivo, mentre l'*Odissea* è per lo più narrativa, il che è proprio della vecchiaia. Per cui nell'*Odissea* Omero si potrebbe paragonarlo al sole che sta tramontando, cui resta la grandezza, senza tuttavia la forza. Infatti qui non riesce più a mantenersi alla stessa altezza dei celebri canti iliadici, non più un sublime sempre di alto profilo e che non denuncia cedimento alcuno, non più uguale profluvio di passioni le une sulle altre, non più la versatilità e la forza oratoria stipata d'immagini tolte alla realtà; ma come un oceano che in se stesso si ritira e che si mette in disparte nei propri confini, ancora appaiono i riflessi della sua grandezza nella piatta superficie dei suoi racconti favolosi e incredibili» (trad. F. Donadi).

La incontestabile distanza fra i due poemi viene risolta dunque con la collocazione delle due opere sulla linea cronologica della vita di un uomo; ma incontestata resta anche la presenza di un unico autore. Difficoltà di scindere in due diverse personalità poetiche un prodotto «sentito» come un tutto compatto? Volontà di far confluire i due grandi modelli della *paideia* greca sull'unico nome di Omero? O forse giocano entrambi questi sentimenti, che verranno scalzati, sul piano della teoria più che della coscienza, solo dopo secoli dalla critica «analitica».

Introduzioni generali, lingua, metrica

La materia e i principali punti di discussione dei due poemi si trovano chiaramente illustrati da L. Canfora, *Storia della letteratura greca*, Roma-Bari 1986, pp. 17 ss. Divulgativi, ma non privi di una certa suggestione, sono i capitoli di *Letteratura e pubblico nella Grecia antica*, di C. Beye, trad. it. Roma-Bari 1979, pp. 19-97. Come introduzione generale, ma più dettagliata, a Omero, prezioso è l'articolo di A. Lesky per la *Realencyclopädie* (*s.v. Homeros*, Suppl. Bd. XI, München 1968, cll. 687-846), e, dello stesso autore, il capitolo dedicato all'*epos* omerico nella *Storia della letteratura greca*, trad. it. Milano 1984 [1957-1958], I, pp. 39 ss. Con indubbio vantaggio potranno essere consultati il reading di F. Codino, *Introduzione a Omero*, Torino 1978⁴, gli ottimi saggi di L.E. Rossi, *I poemi omerici come testimonianza di poesia orale*, in *Storia e civiltà dei Greci*, Milano 1978, I, 1, pp. 73-147, di F. Montanari nel volume da lui curato, *Da Omero agli Alessandrini*, Roma 1988, pp. 13-82, e, dello stesso, *Introduzione a Omero. Con un'appendice su Esiodo*, Firenze 1992², di A. Aloni, *L'epica*, in I. Lana ed E.V. Maltese (edd.), *Storia della civiltà letteraria greca e latina*, I-III, Torino 1998, I, pp. 9-100. Benché più discorsivi ma di facile reperimento, si segnalano anche J. Latacz, *Homer. Der erste Dichter des Abendlands*, München und Zürich 1989 (trad. it. Roma-Bari 1998), C. Miralles, *Come leggere Omero*, Milano 1992, e P. Vidal-Naquet, *Le monde d'Homère*, Paris 2000 (trad. it. Roma 2001); focalizzato su Odisseo è il recentissimo saggio di P. Citati, *La mente colorata*, Milano 2002. Utili, per le molte prospettive che aprono, possono essere i primi due volumi, curati da S. Settis, di *I Greci. Storia, Cultura, Arte, Società*, Torino 1996.

Per un approccio alla lingua omerica, insostituibile rimane a tutt'oggi P. Chantraine, *Grammaire Homérique*, I, Paris 1973[5], II, *ibid.* 1963[2]; ancora, le pagine dedicate da A. Meillet, *Lineamenti di storia della lingua greca*, trad. it. Torino 1976 [1963] alle lingue letterarie e alla lingua di Omero. In italiano mancano lavori recenti, o meglio manca un approccio agile per grandi direttive ed esaustive insieme; si rimanda pertanto a C. Gallavotti e A. Ronconi, *La lingua omerica*, Bari 1955[3]; R. Cantarella e G. Scarpat, *Breve introduzione ad Omero*, Milano-Roma-Napoli-Città di Castello 1961[3]; G. Devoto e A. Nocentini, *La lingua omerica e il dialetto miceneo*, Firenze 1975 (ma la parte curata dal Devoto è di molto anteriore); M. Negri, *Miceneo e lingua omerica*, Firenze 1981. Lingua «mista», meglio ancora «artificiale», come voleva il Meister (*Die homerische Kunstsprache*, Darmstad 1966, riproduzione anastatica dell'opera originale del 1921), creazione del verso epico, essa occupa un posto a sé stante all'interno delle altre lingue letterarie per una grande ricchezza di forme che viola il principio dell'economia e risponde, piuttosto, all'esigenza di adattare il canto epico a pubblici diversi; per questo aspetto si veda M. Durante, *Sulla preistoria della tradizione poetica greca. Continuità della tradizione poetica dall'età micenea ai primi documenti*, Roma 1971.

Il metro dei poemi omerici è l'esametro, la prima forma metrica della letteratura greca, verso della recitazione e non del canto. Per le caratteristiche dell'esametro omerico si rimanda a H. Fränkel, *Der homerische und kallimachische Hexameter*, in *Wege und Formen frügriechischen Denkens*, München 1968[3], pp. 100-56. In lingua italiana, a L.E. Rossi, *Estensione e valore del* colon *nell'esametro omerico*, in «Studi Urbinati» 39 (1965), pp. 239-73 e, per le prove «interne» oltreché «esterne» della recitatività del verso omerico, al già citato *I poemi omerici...*, pp. 102 ss.; ancora, B. Gentili e P. Giannini, *Preistoria e formazione dell'esametro*, in «Quaderni Urbinati di Cultura Classica» 26 (1977), pp. 7-51, e M. Fantuzzi, *Preistoria dell'esametro e storia della cultura greca arcaica: a proposito di alcuni studi recenti*, in «Materiali e Discussioni» 12 (1984), pp. 35-60, che offre ampio materiale bibliografico sulle più recenti ipotesi relative all'origine dell'esametro. Infine, un quadro articolato si potrà trovare in M. Fantuzzi e R. Pretagostini (edd.), *Struttura e storia dell'esametro greco*, I-II, Roma 1995-1996.

Commenti, edizioni, lessici

Antichissima è la pratica di «commentare» Omero, sia che l'interesse fosse diretto agli aspetti del mito, sia che si cogliesse la necessità di «tradurre» una lingua ormai lontana e poco comprensibile. Un quadro sintetico e chiaro dell'atteggiamento di volta in volta assunto nelle varie epoche nei confronti dei poemi ci viene da F. Montanari, *Antichi commenti a Omero. Alcune riflessioni*, in Id. (ed.), *Omero. Gli aedi, i poemi, gli interpreti*, Firenze 1998, pp. 1-17 (contributi di R. Janko, N.J. Richardson, J.B. Hainsworth, S. West, T. Krischer, J. Latacz, con una bibliografia selettiva, attenta alle edizioni e ai commenti nel corso dei secoli, di F. Montana). Sempre di Montanari si segnalano gli *Studi di filologia omerica antica*, i-ii, Pisa 1979-1995.

Meno ricchi di quelli dell'*Iliade* e tramandati in modo peggiore sono i commenti antichi (scolî) all'*Odissea*, che attendono ancora di essere studiati sistematicamente. Al lavoro compiuto dall'Erbse per gli scolî risponde quello del Dindorf pubblicato a Oxford nel 1855 (rist. an. Amsterdam 1963), e al prezioso commento di Eustazio, edito, per l'*Iliade*, da M. van der Valk, risponde lo Stallbaum, per l'*Odissea*, Lipsiae 1825-1826 (rist. an. Hildesheim 1960), riproponendo l'edizione del 1542.

Commento ancora degno di attenzione è quello di C.F. Ameis, C. Hentze e P. Cauer, in quattro volumi, pubblicato a Lipsia-Berlino fra il 1910 e il 1920 (rist. an. Amsterdam 1964). In lingua italiana si segnalano i sei volumi curati per la Fondazione Valla (Milano 1981-1986) da S. West, J.B. Hainsworth, A. Heubeck, A. Hoekstra, J. Russo, M. Fernandez-Galiano, con la traduzione di G.A. Privitera.

Non è possibile citare in dettaglio la massiccia presenza dell'*Odissea* nella letteratura: rimandando pertanto, per i secoli più lontani, a W. Schmid e O. Stählin, *Geschichte der griechischen Literatur*, München 1929, i, 1, p. 193, ci si limita a ricordare l'edizione Aldina del 1504, e, fra le traduzioni non italiane, quella inglese di Alexander Pope del 1725. L'edizione che qui si segue, tranne che per pochi luoghi, è quella oxoniense di Th.W. Allen (1917-1919[2]), ma si segnalano anche quella di V. Bérard, Paris 1967[7] [1924], quella di P. von der Mühll, Basel 1971[4] [1946], quella commentata da W.B. Stanford (i-ii, London 1947-1948, rist. corr. 1967)

Fra gli strumenti primi utili allo studio del lessico omerico sono da consigliare le concordanze curate da H. Dunbar, Oxford 1880, riviste da B. Marzullo, Hildesheim 1962, nonché l'*Index Homericus* del Gehring, rivisto da U. Fleischer, Hildesheim-New York 1970 [1891], e il *Lexicon Homericum* dell'Ebeling, i-ii, Lipsiae 1885.

Archeologia, storia, arte

Gli scavi di Schliemann sulla collina di Hissarlik (si vedano le sue memorie, *Ilios. La scoperta della civiltà omerica*, Torino 1958; ora si faccia riferimento a H.S., *La scoperta di Troia*, trad. it. Torino 1995, *excerpta* da tutti i libri scritti dallo stesso Schliemann) nell'ultimo trentennio del diciannovesimo secolo risvegliarono l'ambizione e la convinzione di riconoscere i referenti storici dei poemi omerici; in realtà, una ricostruzione del sito a partire da quei dati pare non del tutto attendibile, sempre che non assumiamo per probante il fatto che i dati archeologici e quelli desumibili dai poemi non si contraddicono. Un panorama articolato delle reazioni alle scoperte di Schliemann, e una valutazione di quanto oggi rimane valido di esse si può avere da M.I. Finley, *Schliemann's Troy. One Hundred Years after*, in «Proceedings of the British Academy» 60 (1974), pp. 3-22, e, sempre sullo stesso tema, M.I. Finley, J.L. Caskey, G.S. Kirk, D.L. Page, *The Trojan War*, in «Journal of Hellenic Studies» 84 (1964), pp. 1-20. Straordinariamente abbondanti sono gli interventi antichi e moderni sulla identificazione delle località toccate da Odisseo, quasi che il desiderio naturale del lettore del poema fosse quello di collegare le peripezie dell'eroe a luoghi reali: questo sforzo, non coronato per altro da risultati soddisfacenti, ed attualmente quasi del tutto abbandonato, fu già l'oggetto della sottile ironia di un grande geografo del iii secolo a.C., Eratostene, che ebbe a dire: «Troverai lo scenario delle peregrinazioni di Odisseo quando troverai il ciabattino che ha cucito l'otre dei venti», significando con queste parole il carattere fantastico delle indicazioni di rotta, quella «geografia poetica» che tornerà con Vico nella *Scienza nuova*. Tuttavia studiosi vecchi e nuovi non rinunciarono all'impresa, i vecchi (soprattutto Polibio e Strabone) per dimostrare la veridicità di Omero, i nuovi quasi per una sfida. Dopo secoli di silenzio – durante il medioevo e il rinascimento, tesi piuttosto a leggere gli aspetti morali della figura di Odisseo – riaffiora dunque il problema. Prima, con la *Geographia sacra* di Samuel Bochart (pubblicata a Leida nel 1712), secondo cui le avventure narrate da Ulisse non sarebbero che racconti favolosi fenici: al Bochart risponde tutta una serie di studi, fra i quali ci si limita a segnalare quelli di V. Bérard (*Les Phéniciens et l'Odyssée*, Paris 1972², *Les navigations d'Ulysse*, Paris 1927-29), di G. Germain (*Genèse de l'Odyssée. Le fantastique et le sacré*, Paris 1954), di H.H. e A. Wolf (*Der Weg des Odysseus. Tunis-Malta-Italien in den Augen Homers*, pubblicato nel '68 e riedito e ampliato in *Die wirkliche Reise des Odysseus. Zur Rekonstruktion des Homerischen Weltbildes*, München 1983), di K. Reinhardt (*Die Abenteur des Odysseus*, del 1942, poi ripreso in *Tradition und Geist. Gesammelte Essays zur Dichtung*, a cura di C. Becker, Göttingen 1960, pp. 47 ss.). Si rimanda inoltre, per una disamina più esaustiva, a G. Chiarini, *Nostos e labirinto. Mito e realtà nei viaggi di Odisseo*, in «Quaderni di storia» 21 (1985), pp. 11-35, poi ripreso e ampliato nel saggio *Odisseo. Il labirinto marino*, Roma 1991, che legge altresì alla base dell'«unità fantastica» del poema lo schema simbolico del Labirinto (cretese): rilievo che conduce lo studioso a riconoscere nel viaggio di Odisseo i caratteri di una prova iniziatica. Di tutt'altro avviso – sottilmente polemico, ma pure più convincente in una prospettiva metodologica storico-religiosa – P. Scarpi, *La fuga e il ritorno. Storia e mitologia del viaggio*, Venezia 1992, per il quale il viaggio odisseico è un vero e proprio «ritorno», con tutte le conseguenze che ne derivano.

Parallelo al problema dell'identificazione e ricostruzione dei siti è quello storico più generale, di quale sia la società rappresentata nei poemi: se essa sia quella micenea (tesi sostenuta, ben prima della decifrazione della Lineare B, dal Nilsson, *Homer and Mycenae*, London 1933), o quella d'epoca geometrica, all'incirca del secolo VIII (si veda Schadewaldt, *Von Homers Welt und Werk*, Stuttgart 1965⁴), o quella di poco più antica, per la quale si schiera il Finley (si veda, fra i tanti contributi di questo studioso, *Il mondo di Odisseo*, trad. it. Roma-Bari 1978 [1954]). Opera fondamentale sul periodo submiceneo e geometrico rimane quella di A. Snodgrass, *The Dark Age of Greece*, Edinburgh 1971, dubbioso sulla possibilità di rintracciare un nucleo storico nei poemi omerici (si veda per contro F. Codino, *Introduzione...*, cit.). Da ricordare, ancora, la serie di studi, in pubblicazione dal 1976 a Göttingen, apparsa con il titolo *Archaeologia homerica*, e curata da F. Matz e H.G. Bucholz, opera, a giudicare dai fascicoli sinora apparsi, abbastanza eclettica e in certo modo discontinua. Fra archeologia, storia e geografia, ma ancora in fase di discussione per la novità delle tesi proposte, si muove F. Vinci con il saggio *Omero nel Baltico*, Roma 2002[3], secondo cui le saghe che sono all'origine dei due poemi sarebbero state portate in Grecia da navigatori scandinavi: un tracollo climatico motiverebbe dunque non soltanto questa migrazione verso sud di popoli del nord ma anche, intorno al XVI secolo a.C., la fondazione della civiltà micenea.

A Omero dedica una estesa sezione la *Cambridge Ancient History* (nell'edizione italiana, Milano 1976, cap. XI). Può infine essere consultato con indubbio vantaggio per la ricostruzione dei *realia* il libro di H.L. Lorimer, *Homer and the Monuments*, London 1950.

Per i rapporti intercorrenti fra la tecnica narrativa dei poemi e gli schemi della decorazione geometrica, oltre al già citato libro dello Snodgrass, si veda J.N. Coldstream, *Greek Geometric Pottery*, London 1968, e, sui punti di contatto fra l'una e gli altri, T.S.W. Lewis, *Homeric Epic and the Greek Vases*, in H.L. Hyatt (ed.), *The Greek Vase*, New York 1981, pp. 81-102. In particolare, la corrispondenza fra struttura narrativa e schemi geometrici, già studiata estesamente da C.H. Whitman, *Homer and Heroic Tradition*, Cambridge (Mass.) 1958, viene sottolineata, con particolare riferimento alla tecnica formulare, da A. Lo Schiavo, *Omero filosofo. L'enciclopedia omerica e le origini del razionalismo greco*, Firenze 1983; secondo A. Cook, *Visual Aspects of the Homeric Simile in Indo-European Context*, in «Quaderni Urbinati di Cultura Classica» 46 (1984), pp. 39-59, proprio lo sviluppo delle arti figurative conferirebbe a Omero quella capacità di visualizzazione che si manifesta prima e soprattutto nelle similitudini, e che, sotto questo profilo, differenzia i poemi omerici da altri di derivazione orientale – in particolare dal *Rig Veda*. Nello stesso anno della pubblicazione del libro di Lo Schiavo compare la traduzione italiana – Torino 1983 – dello studio di Bernard Andreae, *L'immagine di Ulisse. Mito e archeologia* (del 1982), che nasce dai ritrovamenti e dalla ricostruzione dei gruppi in marmo rinvenuti nella «Grotta di Tiberio» a Sperlonga (località situata fra Terracina e Formia): su base archeologica l'Andreae – che già citava lo studio di O. Touchefeu-Meynier, *Thèmes Odysséens dans l'art antique*, Paris 1968 –,

leggendo le fonti antiche e osservando i complessi plastici di Efe-
so, Villa Adriana, Baia, riconosceva una identica trattazione del tema, derivata da modelli ellenistici. L'indagine archeologica e stori-
co-artistica consente per altro di delineare un quadro complessivo
della «fortuna» dei due poemi nell'antichità, e di datarne in qualche modo l'ingresso nel circuito dei fruitori: così fra la c.d. «Coppa di Nestore», indubbia testimonianza iliadica (ultimo quarto
dell'VIII secolo) e le prime raffigurazioni odisseiche (primo quarto
del VII secolo) intercorre quel cinquantennio che dà ragione della
sostanziale diversità fra le due opere, l'una costruita secondo gli
schemi mentali che informano l'arte geometrica, l'altra, successiva, improntata nella struttura alla tecnica dello stile orientalizzan-
te. E ancora, se massiccia è la presenza, nell'iconografia, di temi
epico-omerici, è altresì necessario ricordare il silenzio che in epoca
classica avvolge la figura di Odisseo, un silenzio che, sul versante
letterario, si tradusse in vera e propria condanna di questo personaggio.

Questione omerica, poesia orale, formularità

Sarebbe troppo lungo, in questa sede, ripercorrere le tappe della questione omerica, che divise la critica antica e moderna tra analitici e unitari, tra sostenitori di una «paternità» plurima e quelli di
un'unica «mente» poetica; per la sua storia si rimanda alle opere
introduttive generali già citate, cui si aggiungono F. Codino (ed.),
La questione omerica, Roma 1976 e G. Broccia, *La questione omerica*, Firenze 1979. Già a partire dai *Prolegomena ad Homerum*
(1795) di F.A. Wolf, il problema interagiva con quello dell'oralità:
la particolare configurazione dei poemi omerici deriverebbe appunto dalla mancanza del mezzo tecnico della scrittura. Ma la vera
rivoluzione nel campo di questi studi avvenne con un filologo
americano, allievo in Francia della scuola di Meillet, Milman Parry, già con i suoi primi lavori, del 1928, *L'epithète traditionelle
dans Homère* e *Les formules et la métrique d'Homère* (poi raccolti,
con altri suoi contributi, dal figlio Adam, *The Making of Homeric
Verse*, Oxford 1971); l'evidenziazione di formule, cioè di «espres-
sioni usate regolarmente, sotto le stesse condizioni metriche, per
esprimere un'idea essenziale» (M. Parry, *The Making*..., cit., pp.
13, 272) segnava l'irrilevanza dei metodi analitici, e, allo stesso

tempo, la condanna della questione stessa. Il superamento dell'antica controversia veniva già osservato da G. Murray nella prefazione alla quarta edizione del suo *The Rise of the Greek Epic*, del 1934 (trad. it. Firenze 1964): riconoscere nella poesia epica l'elemento della «tradizione» come più importante della «originalità» significava rinunciare ad indagare le aggiunte o le interpolazioni che avrebbero distrutto una ipotetica unità primitiva. Con il Murray si affermava l'idea di «libro tradizionale», cioè di strumento pedagogico primario, conservato nei secoli, che in questa opera di conservazione viene ampliato e ristrutturato senza posa, e continuamente adeguato alle esigenze del pubblico; e la tecnica compositiva formulare messa in luce dal Parry e dai suoi allievi dava corpo all'idea di un materiale epico linguistico-formulare in continua crescita su se stesso. Per questo aspetto si rimanda alle molte e preziose osservazioni di A. Hoekstra, *Homeric Modifications of Formulaic Prototypes. Studies in the Development in Greek Epic Diction*, Amsterdam 1965. In lingua italiana si vedano i contributi di Maddoli, di Bertolini e di Rossi in G. Cambiano, L. Canfora, D. Lanza (edd.), *Lo spazio letterario nella Grecia antica*, I, Cittadella 1992, rispettivamente alle pp. 17-45, 47-75, 77-106.

Tecnica formulare, pubblicazione orale, poemi omerici come deposito di tutti i contenuti culturali di una società: questa «enciclopedia tribale» – come vuole l'Havelock, *Cultura orale e civiltà della scrittura. Da Omero a Platone*, Bari 1973 [1963] – mostra come la sensibilità epica alla cronologia sia ben diversa dalla sensibilità storica, e come l'«anacronismo», che è categoria storica, perda di senso (si veda J. Goody e I. Watt, *The Consequences of Literacy*, in «Comparative Studies in Society and History» 5, 1963, pp. 304-45, ora in P.P. Giglioli, *Linguaggio e società*, Bologna 1973, pp. 361-405). Di qui la rinuncia, da parte soprattutto degli allievi del Parry (si pensi al figlio, Adam, e ad A. Lord; di quest'ultimo si segnalano *The Singer of Tales*, Cambridge, Mass., 1960, *Epic Singer and Oral Tradition*, Ithaca, New York, 1991, e, postumo, curato dalla moglie, *The Singer resumes the Tale*, Ithaca, New York and London 1995), a una considerazione diacronica del testo tradito, e una nuova forma di unitarismo, anche un po' semplicistico, inadeguato a spiegare fenomeni di stratificazione. Il punto sulla situazione attuale, in particolare sui nuovi «unitari», potrà essere rintracciato nello studio di M. Skafte Jensen, *The Homeric Question and the Oral-Formulaic Theory*, Copenhagen 1980, e, per lo specifico rapporto tra poemi e scrittura, nell'articolo di H. Lloyd-Jones, *Remarks on the Omeric Question*, in *History and Imagination*, London 1981, pp. 15-29, ma soprattutto, per la chiarezza e la sinteticità, in R. Janko, *I poemi omerici come testi orali dettati*, in F. Montanari (ed.), *Omero...*, cit., pp. 19-40. Per gli aspetti più sottili e i percorsi complessi della professionalità del «poeta», è da segnalare V. Di Benedetto, *Nel laboratorio di Omero*, Torino 1994.

In ogni caso, se pensare a un testo di Omero unico e normalizzato già in età arcaica sembra essere un errore, «è difficile immaginare una più compatta, unitaria e originale selezione della materia rispetto a quella che l'autore dell'*Iliade* ha operato nella monumentale tradizione intorno alla guerra troiana» (L. Canfora, *op. cit.*, p. 17). Il che vuol dire vedere, al di là delle contraddizioni interne, degli anacronismi, delle incongruenze, una tecnica di gestione e di controllo alla fin fine coerente.

Economia, società, diritto

Per questi argomenti si rimanda innanzitutto a opere generali, quali M. Austin e P. Vidal-Naquet, *Economia e società nella Grecia antica*, Roma 1984 [1972] e M.I. Finley, *L'economia degli antichi*, Bari 1974 [1973]. Per le specificità istituzionali desumibili dai due poemi, e sulle divergenze che questi lasciano intravedere, fondamentale è lo studio di A. Mele, *Società e lavoro nei poemi omerici*, Napoli 1968 e, dello stesso autore, sugli elementi formativi degli *ethne* greci e gli assetti politico-sociali, il contributo in *Storia e civiltà dei Greci*, cit., I, pp. 25-72. Ancora, si vedano V. Ehrenberg, *Lo stato dei Greci*, trad. it. Firenze 1967 [1932], pp. 17 ss. e C.G. Starr, *Storia del mondo antico*, trad. it. Roma 1977², pp. 114 ss. Per due fondamentali categorie antropologiche, il rituale della spartizione e i suoi principali aspetti di spartizione collettiva e spartizione gerarchica, si rimanda a L. Bottin, *Reciprocità e redistribuzione nell'antica Grecia*, Padova 1979.

Per la funzione essenzialmente militare della città greca si veda H. Jeanmaire, *Couroi et Courètes*, Lille-Paris 1939; sulla guerra, J.-P. Vernant (a cura di), *Problèmes de la guerre en Grèce ancienne*, Le Haye-Paris 1968 (soprattutto i contributi di P. Courbin, G.S. Kirk e M. Detienne).

Per quello che concerne il diritto, le istituzioni giuridiche e le procedure, fondamentali restano a tutt'oggi G. Glotz, *La solidarité de la famille dans le droit criminel en Grèce ancienne*, Paris 1904 e L. Gernet, *Droit et prédroit en Grèce ancienne* [1948-49], reperibile ora nella traduzione italiana, *Antropologia della Grecia antica*, Milano 1985, pp. 175-260. Ancora, si veda E. Cantarella, *Norma e sanzione in Omero. Contributo alla protostoria del diritto greco*, Milano 1979, ma soprattutto il saggio di M. Bonanni, *Il cerchio e la piramide. L'epica omerica e le origini del politico*, Bologna 1992, che, ricchissimo di spunti e di suggestioni, insiste sul *nostos* di Odisseo come momento di «restaurazione» – e dunque, per altra via, si oppone alla lettura «iniziatica» di Chiarini, *Il labirinto...*, cit.

Contributi degni di nota per l'interpretazione di aspetti particolari delle peripezie di Odisseo e per il significato da queste assunto nello sviluppo della cultura greca sono, infine, M. Horkheimer e Th. Adorno, *Dialettica dell'illuminismo*, trad. it. Torino 1966 [1947], F. Turato, *La crisi della città e l'ideologia del selvaggio nell'Atene del V secolo a.C.*, Roma 1979, O. Longo, *Fra uomini e leoni: la dieta del Ciclope*, in *La storia, la terra, gli uomini. Saggi sulla civiltà greca*, Venezia 1987, pp. 63-77.

Mito e religione

Rimane indispensabile la monumentale opera di W.H. Roscher, *Ausführliches Lexicon der griechischen und römischen Mythologie*, I-IX, Leipzig 1884-1937. Ancora, di consultazione generale, R. Graves, *I miti greci*, trad. it. Milano 1977 [1955], K. Kerény, *Gli dei e gli eroi della Grecia*, trad. it. Milano 1989⁵ [1959], W.K.C. Guthrie, *I greci e i loro miti*, trad. it. Bologna 1987 (in particolare il cap. IV) [1950].

Fondamentali restano i contributi sul mito di J.-P. Vernant, *Mito e pensiero presso i Greci*, trad. it. Torino 1981 [1965]. Più da vicino connesse con la religione omerica sono le opere di P. Nilsson, *The Minoan-Mycenaean Religion and its Survival in Greek Religion*, Lund 1959 e *Geschichte der griechische Religion*, München 1967³; ancora, P. Chantraine, *Le Divin et les Dieux chez Homère jusqu'à Platon. Entretiens sur l'antiquité classique*, I, Vandoeuvres-Genève 1952, pp. 42-96, J. Casabona, *Recherches sur le vocabulaire des sacrifices en Grèce des origines à la fin de l'époque classique*, Aix-en-Provence 1966, H. Lloyd-Jones, *The Justice of Zeus*,

Berkeley 1971 (in particolare per la distanza che intercorre fra i due poemi in relazione all'idea di «giustizia»). Relativamente agli eroi si veda A. Brelich, *Gli eroi greci*, Roma 1958 e Georges Dumézil, *Le sorti del guerriero*, trad. it. Milano 1990 [1985]. Recente, sintetico ed esaustivo, P. Scarpi, *Le religioni del mondo antico: i politeismi*, in G. Filoramo, M. Massenzio, M. Raveri, P. Scarpi (edd.), *Manuale di storia delle religioni*, Roma-Bari 1999 (cap. v).

Da segnalare infine il classico E. Rohde, *Psiche*, pubblicato fra il 1890 e il 1894, trad. it. Roma-Bari 1989², che consente al lettore di ripercorrere il formarsi graduale della religione greca, e di ritrovare le opinioni degli antichi Greci sulla vita dell'anima dopo la morte.

Mentalità, valori, cultura

Basilari a tutt'oggi rimangono la poderosa *Storia della civiltà greca* di Jacob Burkhardt, trad. it. I-II, Firenze 1974 [1898-1902], e le opere di B. Snell, *La cultura greca e le origini del pensiero europeo*, trad. it. Torino 1963³ [1946] e di H. Fränkel, *Poesia e filosofia nella Grecia arcaica*, trad. it. Bologna 1997 [1951]. Contributi preziosi sono, ancora, quelli di E. Dodds, *I Greci e l'irrazionale*, trad. it. Firenze 1959 [1951], e del suo allievo A.W.H. Adkins, *La morale dei Greci*, trad. it. Roma-Bari 1987 [1960], nonché M. Vegetti, *L'etica degli antichi*, Roma-Bari 1989.

Guardando più da vicino al mondo dell'*Odissea*, alla sua radicale distanza dall'*Iliade*, alle due «anime» di Grecia, è immediato il rimando a Carlo Diano, *Forma ed evento*, Venezia 1993 (pubblicato in origine nel 1952), che offre un'interpretazione di grande potenza della cultura greca, e ancora, dello stesso, *La poetica dei Feaci*, discorso presentato all'Accademia Patavina di Scienze, Lettere ed Arti il 24 novembre 1957, comparso quindi in «Belfagor» 18, 4 (1963), pp. 403 ss. e ora compreso in *Saggezza e poetiche degli antichi*, Vicenza 1968, pp.185-214.

Segnaliamo infine, per la ricchezza dei contributi e per la complessa articolazione delle problematiche toccate, la poderosa opera coordinata da I. Morris e B. Powell, *A New Companion to Homer*, Leiden-New York-Köln 1997 (il titolo rifà il verso al volume curato da J.B. Wace e F.H. Stubbings, *A Companion to Homer*, London 1962), che spazia dalla trasmissione del testo e dalla storia dell'ermeneutica alla lingua, agli aspetti letterari e al «mondo» di Omero. Ad essa aggiungiamo, in quattro volumi che comprendono un centinaio di saggi, *Homer: Critical Assessments*, proposti da I.J.F. de Jong, London-New York 1999.

Traduzioni italiane, fortuna

Oltre alla classica traduzione di Ippolito Pindemonte (Verona 1822), più volte riedita e ancora in commercio per i tipi di diverse case editrici (Rizzoli, Mondadori, Salerno), si rimanda alla traduzione di E. Romagnoli, Bologna 1926, a quella di R. Calzecchi Onesti, Torino 1963, alla scelta di brani tradotti da S. Quasimodo, Milano 1945, e infine alla antologia di G. Bemporad (Firenze 1992); in prosa, la traduzione di N. Festa, Palermo 1925 e quella di G. Tonna, Milano 1974. G.A. Privitera è autore della traduzione (stichica) della già citata *Odissea* nella collana Lorenzo Valla. Del 1994 è la traduzione di E. Villa per i tipi della Feltrinelli, del 1998 quella di E. Cetrangolo per la Rizzoli.

Fin dalla più lontana antichità i poemi omerici ebbero modo di rifletter si nell'arte e nella letteratura. Per gli echi omerici nella cultura occidentale si vedano G. Finsler, *Homer in der Neuzeit*, Leipzig-Berlin 1912 e K.W. Gransden, *Homer and the Epic*, in M.I. Finley, *The Legacy of Greece*, Oxford 1981, pp. 65-92; per i rapporti fra l'epica omerica e quella «primitiva» C.M. Bowra, *La poesia eroica*, trad. it. I-II, Firenze 1979 [1952].

Iliade e *Odissea* si sono avvicendate nella fortuna: se il romanticismo, specie quello tedesco, segnò il momento dell'*Iliade*, e nel contempo condannò Odisseo, poi diventato prototipo dell'ebreo errante, di contro ad Achille, l'ariano puro, con le conseguenze che si possono immaginare, le vicende belliche rovesciarono in seguito le parti, con una riduzione al silenzio per l'*Iliade* – poema di guerra, si veda S. Weil, *L'Iliade ou le poème de la force*, ora in trad. it. Torino 1967 – e un recupero dell'*Odissea*. Ma ben prima del romanticismo, fu Odisseo – Ulisse – ad avere enorme fortuna, senz'altro non paragonabile a quella di Achille, statuario, monolitico, incapace di sviluppi. L'Odisseo omerico dei viaggi e dei naufragi, delle avventure e della tenacia, alimentò la fantasia dei lettori, snaturando il personaggio originario, e diventando invece il simbolo dell'uomo moderno, tutto teso a seguir «virtute e canoscenza». Un paradigma che pervade, talora anche solo come suggestione, moltissima letteratura, da Dante (si veda la lettura che del canto di Ulisse ha offerto M. Corti, *Percorsi dell'invenzione. Il linguaggio poetico e Dante*, Torino 1993) a Joyce e Kazantzakis, attraverso Tasso e Foscolo, Pascoli e D'Annunzio, Savinio e Jean Giono, Kavafis e Durrell, per citare solo qualcuno fra i tanti che si sono ispirati a questo tema; per una ampia, e ancora insuperata, disamina delle riprese odisseiche, si veda W.B. Stanford, *The Ulysses Theme. A Study in the Adaptability of a Traditional Hero*, Oxford 1954, nonché P. Boitani, *L'ombra di Ulisse*, Bologna 1992, e, più autobiografico, *Sulle orme di Ulisse*, Bologna 1998. Il Boitani, inoltre, con R. Ambrosini, ha curato gli atti del convegno romano del 1996, *Ulisse: archeologia dell'uomo moderno*, Roma 1998. Un primo, nutrito orientamento nell'iconografia e nella musica, oltreché nella letteratura, può venire da E. Moormann e W. Uitterhoeve, *Miti e personaggi del mondo classico. Dizionario di storia, letteratura, arte, musica*, trad. it. (con aggiornamenti) Milano 1997 [1989], *s.v. Ulisse*.

Fortuna straordinaria dunque, la cui ragione è ben delineata da Elias Canetti: «Così Ulisse, nel quale allora sfociava per me tutto quello che era greco, divenne un modello peculiare, il primo che io fossi in grado di afferrare puro, il primo del quale conoscessi, più che di ogni altro uomo, un modello netto e corposo, che si presentava sotto molte metamorfosi, ciascuna delle quali aveva il suo senso e il suo posto». (E.A.)

INDICE

v   Ritorno a Odisseo
    di Maria Grazia Ciani

ODISSEA

3	I.	A Itaca
17	II.	Il viaggio di Telemaco
31	III.	A Pilo
47	IV.	A Lacedemone
73	V.	Nell'isola di Calipso
87	VI.	Nausicaa
97	VII.	Alla reggia di Alcinoo
109	VIII.	Alla corte dei Feaci
127	IX.	Il Ciclope
145	X.	Circe
163	XI.	Il viaggio nell'Ade
183	XII.	Dalle Sirene a Cariddi
197	XIII.	Itaca
211	XIV.	Eumeo
227	XV.	Il ritorno di Telemaco
245	XVI.	Telemaco e Odisseo
259	XVII.	Argo
277	XVIII.	Iro, il girovago

INDICE

291 XIX.   Euriclea
309 XX.   La vigilia
321 XXI.   La gara dell'arco
335 XXII.   La strage
351 XXIII. Penelope e Odisseo
363 XXIV.   Restaurazione

379 Commento
443 Bibliografia generale

GRANDI CLASSICI
TASCABILI MARSILIO

Isaak Babel', *L'armata a cavallo*, con il Diario dell'autore, 1920, a cura di C. Di Paola, pp. 280

Honoré de Balzac, *Eugénie Grandet*, a cura di M.G. Porcelli, pp. 224

Giulio Cesare, *La guerra civile*, a cura di A. La Penna, pp. 192

John Cleland, *Fanny Hill. Memorie di una donna di piacere*, traduzione di G. de Beaumont, a cura di E. Villari, pp. 240

Colette, *Duo*, a cura di P. Vettore, introduzione di M. Bongiovanni Bertini, pp. 136

Denis Diderot, *La religiosa*, traduzione e cura di S. Spero, pp. 192

Fëdor Dostoevskij, *Delitto e castigo*, a cura di C. Di Paola, pp. xx-544

Eschilo, *Le tragedie*, a cura di A. Tonelli, pp. 312

Euripide, Seneca, Grillparzer, Alvaro, *Medea. Variazioni sul mito*, a cura di M.G. Ciani, pp. 256

Euripide, Seneca, Racine, d'Annunzio, *Fedra. Variazioni sul mito*, a cura di M.G. Ciani, pp. 328

Johann Wolfgang Goethe, *Le affinità elettive*, traduzione di P. Capriolo, introduzione di M. Fancelli, pp. 288

Nikolaj Gogol', *Racconti di Pietroburgo*, a cura di F. Legittimo, pp. 216

Hermann Hesse, *Demian*, a cura di F. Cambi, pp. 200

Hermann Hesse, *Knulp*, a cura di M. Specchio, pp. 128

Henry James, *Quel che sapeva Maisie*, traduzione di U. Tessitore, introduzione di G. Mochi, pp. xxii-274

Gottfried Keller, *Romeo e Giulietta nel villaggio*, a cura di A.R. Azzone Zweifel, pp. 112

Heinrich von Kleist, *La marchesa di O...*, a cura di R. Rossanda, pp. 96

David H. Lawrence, *L'amante di Lady Chatterley*, a cura di S. Cenni, pp. 356

Jack London, *Il richiamo della foresta*, a cura di M. Ascari, pp. 136

Octave Mirbeau, *Il reverendo Jules*, traduzione di I. Porfido, introduzione di F. Fiorentino, pp. 256

Ippolito Nievo, *Le Confessioni d'un Italiano*, a cura di S. Romagnoli, introduzione di C. De Michelis, pp. xl-984

Omero, *Iliade*, a cura di M.G. Ciani, pp. x-574

Omero, *Odissea*, a cura di M.G. Ciani, pp. xxxii-464

Shakespeare, *Drammi romani. Giulio Cesare, Antonio e Cleopatra, Coriolano*, traduzione e cura di S. Perosa, pp. 408

Shakespeare, *Drammi romanzeschi. Pericle principe di Tiro, Cimbelino, Il racconto d'inverno, La tempesta*, a cura di A. Serpieri, pp. 512

Sofocle, Anouilh, Brecht, *Antigone. Variazioni sul mito*, a cura di M.G. Ciani, pp. 192

Sofocle, Euripide, Hofmannsthal, Yourcenar, *Elettra. Variazioni sul mito*, a cura di G. Avezzù, pp. 256

Italo Svevo, *Senilità*, introduzione di C. Magris, pp. 256

Lev Tolstoj, *1805. La prima redazione di «Guerra e pace»*, introduzione di P.C. Bori, traduzione di G. Miozzi, pp. xxxiv-1014

Jules Verne, *L'isola misteriosa*, a cura di J. De Michelis, pp. 624

Virgilio, *Eneide*, traduzione di M. Ramous, introduzione di G.B. Conte, commento di G. Baldo, pp. 408